Canon Ein Lle...

Y MEDDWL A'R DYCHYMYG CYMREIG

Golygydd Cyffredinol

John Rowlands

Cyfrolau a ymddangosodd yn y gyfres hyd yn hyn:

1. M. Wynn Thomas (gol.), *DiFfinio Dwy Lenyddiaeth Cymru* (1995)
2. Gerwyn Wiliams, *Tir Neb* (1996) (Llyfr y Flwyddyn 1997; Enillydd Gwobr Goffa Ellis Griffith)
3. Paul Birt, *Cerddi Alltudiaeth* (1997)
4. E. G. Millward, *Yr Arwrgerdd Gymraeg* (1998)
5. Jane Aaron, *Pur fel y Dur* (1998) (Enillydd Gwobr Goffa Ellis Griffith)
6. Grahame Davies, *Sefyll yn y Bwlch* (1999)
7. John Rowlands (gol.), *Y Sêr yn eu Graddau* (2000)
8. Jerry Hunter, *Soffestri'r Saeson* (2000) (Rhestr Fer Llyfr y Flwyddyn 2001)
9. M. Wynn Thomas (gol.), *Gweld Sêr* (2001)
10. Angharad Price, *Rhwng Gwyn a Du* (2002)
11. Jason Walford Davies, *Gororau'r Iaith* (2003) (Rhestr Fer Llyfr y Flwyddyn 2004)
12. Roger Owen, *Ar Wasgar* (2003)
13. T. Robin Chapman, *Meibion Afradlon a Chymeriadau Eraill* (2004)
14. Simon Brooks, *O Dan Lygaid y Gestapo* (2004) (Rhestr Hir Llyfr y Flwyddyn 2005)
15. Gerwyn Wiliams, *Tir Newydd* (2005)
16. Ioan Williams, *Y Mudiad Drama yng Nghymru 1880–1940* (2006)
17. Owen Thomas (gol.), *Llenyddiaeth mewn Theori* (2006)
18. Sioned Puw Rowlands, *Hwyaid, Cwningod a Sgwarnogod* (2006)

Y MEDDWL A'R DYCHYMYG CYMREIG

Canon Ein Llên

Saunders Lewis, R. M. Jones ac Alan Llwyd

Tudur Hallam

GWASG PRIFYSGOL CYMRU
CAERDYDD
2007

ISBN 978-0-7083-2114-0

Mae cofnod catalogio'r gyfrol hon ar gael gan y Llyfrgell Brydeinig.

Hoffai'r cyhoeddwyr gydnabod cymorth ariannol Cyngor Cyllido Addysg Uwch Cymru tuag at gyhoeddi'r llyfr hwn.

Argraffwyd yng Nghymru gan Wasg Dinefwr, Llandybïe.

I Nia, Garan a Bedo

Dewisiad, mewn creadur, a arwydda, ei waith, o'i rydd ewyllys ei hun, yn rhag-barchu un peth rhagor y llall. Nid yw ei ddewisiad o hono yn ddigonol sicrwydd fod rhagoroldeb neillduol yn y gwrthrych ei hun, ond y mae yn dangos barn y dewiswr am dano. Dichon fod gan wahanol bersonau wahanol olyg-iadau, a gwahanol farn am yr un gwrthrychau, ac am hyny y maent yn gwneuthur gwahanol ddewisiad. Y mae y pethau sydd werthfawrocaf gan rai yn fwyaf dirmygedig gan eraill. Y mae dynion, yn gyffredin, yn chwannog i ddewis pethau yn ôl yr anian, neu y tueddiad sydd yn llywodraethu arnynt hwy . . . Y mae dewisiad calon pob un yn dangos yr anian sydd ynddo, a'r hyn y mae pawb yn ei ddewis fydd eu rhan a'u hetifeddiaeth.

Thomas Charles, *Geiriadur Ysgrythyrol*

Cynnwys

Rhagair

Nid diffinio na di-ffinio nac ailddiffinio cynnwys y canon llenyddol Cymraeg yw amcan y llyfr hwn. Nid oeddwn yn ddigon aeddfed i ymgymryd â'r dasg arswydus honno pan ddechreuais ar y gwaith hwn, a dewisais ddilyn trywydd pur wahanol mewn perthynas â'r canon. Y trywydd hwnnw ydoedd troi'r canon ei hun yn destun astudiaeth, yn hytrach nag ystyried pa destunau y mae'n eu cynnwys.

Tuedd ddiweddar R. M. Jones yw dibrisio'r sawl nad yw'n coleddu'r canon llenyddol Cymraeg mor afieithus ag ef ei hun drwy ei alw yn llanc, beth bynnag fo'i oed. Bid siŵr, llanc oeddwn pan ddechreuais ysgrifennu'r gyfrol hon, ond nid da gennyf fi'r arfer symleiddiol hon fy hun, a hynny'n rhannol am fod gennyf ddau feistr beirniadol, sef yr Athro R. M. Jones ar y naill law, a'r Athro John Rowlands ar y llaw arall. Y mae'r gwahaniaeth rhyngddynt yn llai na'r disgwyl mewn gwirionedd, yn enwedig os darllenir ambell beth a ysgrifennodd yr R. M. Jones cynnar ochr yn ochr ag ambell beth a ysgrifennodd y John Rowlands diweddar. Y mae'r naill a'r llall wedi llunio blodeugerddi canonaidd. Ond yn gyffredinol, yr ail o'r ddau a ddysgodd imi nad ystyr aeddfed-rwydd yw derbyn yn ddigwestiwn werthoedd Saunders Lewis neu Thomas Parry, nac R. M. Jones neu John Rowlands o ran hynny. Nid anaeddfedrwydd chwaith sy'n arwain rhai beirniaid i ddadlau nad yw'r cysyniad o ganon yn un perthnasol ar gyfer llenyddiaeth heddiw. Ac eto, ni ddadleuwn ormod yn erbyn priodoli i mi fy hun y label 'llanc' chwaith ar gownt y llyfr hwn. Oherwydd aeddfedais ddigon i wybod mai bwrw fy mhrentisiaeth yr wyf yma, a'm bod yn cyhoeddi'r llyfr hwn ar adeg pan yw fy chwaeth yn drobwll o newid, er mai sefydlogi'n geidwadol y mae mewn gwirionedd. Wedi'r cyfan, go brin y byddwn ddeng mlynedd yn ôl wedi breuddwydio y deuwn i gytuno ag R. M. Jones mai'r her i'r beirniad heddiw yw 'ailfeddwl y Canon yn y ganrif newydd hon', yn hytrach na'i ddiddymu.[1]

Am y tro, fodd bynnag, gosodais yr her honno o'r neilltu a bodloni ar archwilio cyfraniadau a chyfyngiadau'r cysyniad o ganon llenyddol Cymraeg – tasg symlach o lawer – gan ganolbwyntio ar waith tri beirniad llenyddol, Saunders Lewis, R. M. Jones ac Alan Llwyd. Yn fras, dadleuir i'r cyntaf o'r tri gyflwyno inni ganon llenyddol Cymraeg, ac i'r ddau feirniad dilynol amddiffyn a datblygu'r canon hwnnw, er iddynt wneud hynny mewn dwy ffordd wahanol iawn. Wrth reswm, gorbwysleisir gennyf ran Saunders Lewis yn natblygiad y canon, a siawns na ddylwn fod wedi neilltuo pennod o leiaf ar gyfer trafod gweithiau canonaidd Thomas Parry – *Hanes Llenyddiaeth Gymraeg hyd 1900* a *Llenyddiaeth Gymraeg 1900–1945* (1945), *Hanes ein Llên* (1948), *Gwaith Dafydd ap Gwilym* (1952) a *The Oxford Book of Welsh Verse* (1962). Wedi'r cyfan, dadleuodd R. M. Jones yn gywir iawn nad '*Hanes Llenyddiaeth Gymraeg hyd 1900* yw'r disgrifiad priodol' ar gyfer y gyfrol enwog, eithr '*Hanes y Canon*', gan mai'r hyn a wnaeth Thomas Parry 'oedd dethol yn ôl rhyw fath o safonau: dyna a fynnai Canon'. Ac yn yr un modd, ni cheid 'dim byd mor gatholig ei chwaeth nac mor estynedig ei rychwant â Blodeugerdd Rhydychen'.[2] Awgrymodd Saunders Lewis mor gynnar ag 1935 mai etifeddu nodau ei feirniadaeth a wnaeth Thomas Parry, a gwelir yn y trydydd rhagymadrodd fod y syniad o 'gorff o lenyddiaeth' sydd mor amlwg yn ei *Hanes* ef yn adleisio sylwadau Saunders Lewis yn *Braslun o Hanes Llenyddiaeth Gymraeg . . . hyd at 1535*.[3] Ond ar sail yr *Hanes* a'r flodeugerdd fawr, dyfarnodd R. M. Jones mai Thomas Parry ydoedd 'prif grëwr ein Canon yn yr ugeinfed ganrif'.[4] Ategu'r farn honno y mae fy mhrofiad addysgol innau hefyd i raddau, wrth i mi yn yr ysgol a'r brifysgol fyseddu'r union flodeugerdd y bu fy nhad a'm mam yn ysgrifennu eu nodiadau geirfaol ar ymyl ei dalennau. Ac eto, er amlyced dylanwad cymdeithasol y flodeugerdd ar addysg sawl cenhedlaeth yng Nghymru, cydnabu R. M. Jones hefyd fod gwahaniaeth sylfaenol rhwng cyfraniad y naill ganoneiddiwr a'r llall: '[c]adarnhau'r gorffennol a wnâi Thomas Parry . . . dyfnhau'r gorffennol a'i weddnewid a wnâi . . . Saunders Lewis'.[5] A hawliwn innau fod awydd a gallu Saunders Lewis 'i rychwantu holl ganon llenyddiaeth Gymraeg a chyfrannu ato', ys dywed T. Robin Chapman, yn fwy creadigol a chyffrous a byw nag eiddo'r un o'i gyfoedion. Dyna'r rheswm pam fy mod innau'n perthyn i'r '[c]enedlaethau o fyfyrwyr a oedd yn ddiamynedd â gosodiadau mesuredig, gwyliadwrus . . . yr arch-feirniad sefydliadol hwnnw, Syr Thomas Parry', ac a gafodd eu swyno'n hytrach gan Saunders Fawr.[6] Gwelir, gobeithio, na ddigwyddodd hynny heb i Saunders Lewis yntau fod drwy'r felin feirniadol, ac nid heb i mi bwyso a mesur rhagfarnau'r naill ganoneiddiwr a'r llall. Ceisiais farnu'n gytbwys. Ond os bernir imi golli fy mhen yn llancaidd a ffoli ar gampau ysgolhaig creadigol, ni allaf ond yngan 'purion' mewn modd dramatig braidd. Y mae beiau beirniadol gwaeth nag ildio i swyn.

Ceir tri rhagymadrodd a thair pennod ynghyd â chasgliadau yn y llyfr. Paratoi'r ffordd ar gyfer astudio gwaith y tri beirniad y mae'r rhag-ymadroddion. Y mae'r rhagymadrodd cyntaf yn ystyried beth a olygir wrth y term 'theori'. Fel yr amlygodd Simon Brooks, term cyfoglyd a Seisnig yr olwg yw theori i lawer heddiw.[7] Ac am hynny, siawns na ddylwn fod wedi cyfeirio at athroniaeth neu egwyddorion neu syniadau llenyddol drwy gydol y llyfr hwn, ac amlygu o'r cychwyn cyntaf imi ei ysgrifennu gyda *Geiriadur Charles* wrth fy mhenelin ac yn fy mhen, yn fwy felly na'r un llyfr theori cyfoes. Wedi'r cyfan, ni fydd sylwadau'r adolygydd am 'yr hyn a ddywed Hallam yn ei lyfr am theori' yn gymorth inni werthfawrogi na raid i'r term 'theori' fod yn 'arwyddnod . . . o Seisnigrwydd cynhenid', ddim mwy na'r enw Hallam.[8] Nodaf hynny gan imi sylwi ar fwy nag un achlysur ar gyfeirio cyfenwol o'r fath – y dull academaidd Seisnig, wrth gwrs, yw cyfeirio at awdur wrth ei gyfenw – a rhaid holi a fyddai i'r gyfrol hon yr un arwyddocâd i rai pe bai dau o ddarllenwyr y flodeugerdd enwog wedi rhoi ap Pedr Goch imi'n gyfenw. Wedi'r cyfan, cadwodd y theorïwr Robert Maynard lythrennau cyntaf ei enw ar gyfer ei lyfrau ym maes theori, megis T. S. Eliot neu F. R. Leavis – er mai Bobi yw'r bardd – a Chymreigiodd Alan Lloyd Roberts, y gwrth-theorïwr, ei enw yntau. At hyn, sôn yn gartrefol am yr hyn a ddywed Alan am lenyddiaeth a wnawn, nid trafod syniadau Llwyd am theori, er imi glywed yn ddiweddar rywun yn trafod syn-iadau Jones hefyd. Ac oni theimlwn oll yn ddistaw bach fod defnyddio'r enw cyntaf yn symbol o rywbeth amgenach nag ef ei hun, fel pe bai'n symbol o sadrwydd meddwl, o ddiffuantrwydd, o ddweud cyfarwydd?

Gan gyfyngu fy sylwadau i'r maes academaidd, nodaf y defnyddir y term 'theori' neu'n hytrach 'Theori' heddiw er mwyn disgrifio casgliad o ysgolion beirniadol ym maes beirniadaeth lenyddol o gylch chwarter olaf yr ugeinfed ganrif. Math o derm hollgynhwysol ydyw sy'n tynnu ynghyd wahanol ffyrdd o drin a thrafod llenyddiaeth, nad ydynt o angenrheid-rwydd yn rhai theoretig fanwl hyd yn oed, megis Marcsiaeth, ffeminydd-iaeth, ôl-strwythuraeth, ac enwi yma dri dosbarth amlwg yn unig. Term sy'n cyffredinoli'n enbyd yw Theori, felly, ac sy'n tueddu i ddiystyru sawl agwedd ar wahanol ddulliau o drafod llenyddiaeth mewn ymgais i bwysleisio ambell debygrwydd rhyngddynt. Yn enghraifft o'r cyfryw ddiystyru, pwysleisir yn y llyfr hwn mai un amcan a oedd yn gyffredin i wahanol garfanau Theori ydoedd awydd i naill ai ymestyn cynnwys y canon llenyddol, neu herio'r cysyniad o ganon llenyddol yn gyfan gwbl. Yng Nghymru, ystyr hynny yn ôl R. M. Jones ydoedd bod beirniaid, os nad darllenwyr yn gyffredinol, yn 'dewis y Tebot Piws o flaen Dafydd ap Gwilym'[9] – datblygiad yn yr wythdegau a arweiniodd at '[ymwrthod] â chyfyngiadau'r gorffennol canonaidd mwyach'.[10] A gwnaed hynny'n rhannol – yn y byd academaidd, o leiaf – oherwydd agwedd gwahanol garfanau Theori tuag at y canon. Dechreuodd beirniaid ffeminyddol a Marcsaidd eu gogwydd amau bod gweithiau'r canon yn dweud mwy am werthoedd y canoneiddwyr eu hunain nag am werth y llenyddiaeth honno a awdurdodwyd ganddynt. Ond oherwydd y modd y mae Theori ei hun bellach wedi datblygu ei chanon o feistri detholedig, awgrymir yn y llyfr hwn fod yr antholegau a'r *readers* ym maes Theori eu hunain yn diriaethu dadl R. M. Jones ynghylch sut yr ydym oll 'er ein gwaethaf yn ymwneud â chefnogi, cynnal, ac ymserchu mewn pwrpas, gwerth a threfn'.[11] Nid dileu'r cysyniad o ganon, felly, a wnaeth Theori, eithr ei ddefnyddio er mwyn gosod trefn arni hi ei hun, ac anfarwoli ei mawrion hithau. Am hynny, dadleuir nad herio'r cysyniad o ganon llenyddol Cymraeg ydyw'r dasg, na'i wrthod chwaith, eithr ei leoli gan werthfawrogi ei gyfraniadau a'i gyfyngiadau. Ar y naill law ei gyfraniad yw rhoi inni fframwaith ystyrlon ar gyfer gwerthfawrogi camp Dafydd ap Gwilym; ar y llaw arall, ei gyfyngiad yw na all ddawnsio i guriadau'r Tebot Piws. Nid dyna'i ddiben na'i ddiléit.

Edrychir yn y rhagymadrodd cyntaf ar gymeriad yr awdur, gan y bydd syniadau beirniaid ynghylch yr awdur yn effeithio ar eu syniadau ynghylch y canon. Dadleuodd rhai mai testun arall i'r beirniad ei ddarllen yw'r awdur, a chymhwysir y syniad hwn at y canon llenyddol Cymraeg, sef testun y llyfr hwn. Rhaid nodi mai hwn yw rhagymadrodd mwyaf damcaniaethol y llyfr ar un olwg, ac awgrymir yn ddiffuant y dylai darllenwyr sy'n llwyr gasáu theori fwrw heibio iddo a chychwyn gyda'r ail.

Y mae'r ail ragymadrodd yn archwilio'r gymhariaeth rhwng canon y Testament Newydd a chanon llenyddol. Edrychir ar hanes datblygiad y gair mewn perthynas â datblygiad canon y Testament Newydd, a sut y daeth y gair i olygu casgliad caeedig o ysgrythur Gristnogol. Gwerthfawrogir sut yr oedd gwahanol Gristnogion yr ail a'r drydedd ganrif yn diffinio cynnwys y canon mewn gwahanol ffyrdd, ac nad yw hanes ffurfiad y Testament Newydd yn hyrwyddo'r syniad mai culni yw prif nodwedd canon. Yn hytrach, amrywiaeth sy'n nodweddu'r cynnwys a gwelir mai cynnyrch proses o gonsenswsoedd canon y Testament Newydd. Pwysleisir hefyd mai adnodd ydoedd yn bennaf oll i gynorthwyo'r Cristnogion i ddilyn Crist ac addoli Duw, a datblygodd y canon law yn llaw â phrofiadau darllen a byw'r Cristnogion cynnar, wrth iddo gadarnhau eu ffydd yng Nghrist a'u diffinio'n garfan o bobl. Nid ystyrir, felly, fod hanes canon y Testament Newydd yn cyd-fynd â'r modd y'i portreadir yn aml yn gasgliad cyfyng, ceidwadol o destunau a awdurdodwyd gan bwysigion yr Eglwys. Y mae'n wir i'r canon maes o law gael ei awdurdodi gan Dadau'r Eglwys, ac i ffin bendant drwy hynny ddatblygu rhwng gweithiau canonaidd ac anghanonaidd. Ond nodir yn y rhagymadrodd mor rhyddfreiniol ydoedd y rheol neu'r canon ffydd i'r Apostol Paul, a hynny'n rhannol gan mai yng ngwaed yr Arglwydd Iesu Grist ac nid mewn casgliad o lyfrau y canfyddai ef y Testament Newydd.

Y mae'r trydydd rhagymadrodd yn cyflwyno un o egwyddorion llywodraethol y llyfr hwn, sef perthynas y darllenydd â'i amgylchfyd a'i duedd i ddarllen testunau o du sefyllfa arbennig. Yn enghraifft o'r egwyddor hon ar waith, nodir bod y modd y canoneiddiwyd gwaith, person a syniadau Saunders Lewis ynghylch y Traddodiad Llenyddol yn ddylanwad sefyllfaol o'r fath arnaf fi. Wedi cyfnod cynnar o geisio gwrthryfela yn erbyn y ffaith sefyllfaol hon, a hynny dan ddylanwad agweddau ar Theori, daethpwyd i weld bod yn rhaid derbyn y sefyllfa hon, a'i dathlu, er nad yw hynny'n golygu na ellir myfyrio arni'n feirniadol.

Astudiaeth o waith beirniadol Saunders Lewis yw'r bennod gyntaf. Dadleuir iddo roi ffurf ganonaidd ar lenyddiaeth Gymraeg, a chyflwyno'r canon llenyddol i genedl a oedd yn darllen llai ar ei Beibl wedi'r Rhyfel Mawr, a hynny'n rhannol yn sgil dylanwad Uwchfeirniadaeth Feiblaidd. Fel yr awgryma teitl 'ein' llyfr, dadleuir i'r canon llenyddol Cymraeg fabwysiadu peth o swyddogaeth gymdeithasol y Beibl Cymraeg wrth iddo ddatblygu'n Destament Cymraeg Newydd ac yn fodd i ddiogelu hunaniaeth y Cymry o'r tu mewn i Brydain Fawr. At hyn, gwelir i Saunders Lewis roi i lenyddiaeth Gymraeg ddechreubwynt, canolbwynt a nod arbennig, nid yn annhebyg i ffurf canon y Testament Newydd. Ac yr oedd grym trosgynnol y Traddodiad iddo'n cysylltu'r gwahanol destunau ynghyd mewn modd cymharus i rym yr Ysbryd Glân. Dyma'r union rym, wrth gwrs, yr ymosododd Theori arno – y Traddodiad – megis yn narlith Dafydd Elis Thomas, *Traddodiadau Fory*. Amlygwyd mai dyfais ddynol yw'r Traddodiad Llenyddol Cymraeg, a hwnnw'n draddodiad a grëwyd er mwyn diogelu buddiannau carfan fechan o bobl yr wyf fi ar un olwg yn perthyn iddi. Rhan o iaith a gweithgarwch y sefydliad Cymraeg ydyw, sy'n ffafrio'r ceidwadol ar draul y radical. Fel y nododd John Rowlands: 'Term eglwysig yw canon wrth gwrs, ac mae'r sefydliad eglwysig yn rhoi stamp awdurdod arno, ac yn yr un modd rhoddodd y sefydliad academaidd yntau ei stamp ar y canon llenyddol.'[12] Dyna'r rheswm pam y byddaf mor amheus o'r llais hwnnw sy'n siarad o blaid awdurdod y canon ceidwadol ac yn erbyn rhyddid y darllenydd, gan fod y ddadl ynghylch y canon yn rhan o gyfundrefn rym amgenach sydd bob amser yn ffafrio'r *status quo*. Ymdry'n ffordd o gau allan destunau a darlleniadau newydd, heb sôn am ddarllenwyr newydd. Ac eto, o'r tu mewn i Brydain Fawr, derbyniaf hefyd fod modd i'r canon llenyddol Cymraeg fod yn arf wrthimperialaidd ac, a dyfynnu sylw gan Sioned Puw Rowlands am estheteg Saunders Lewis, 'yn radical yn ei [g]eidwadaeth'.[13] Y canlyniad yw fy mod yn aml yn cloffi rhwng dau feddwl a rhwng dwy agwedd gyffredinol tuag at y canon llenyddol Cymraeg.

Astudiaeth o waith beirniadol R. M. Jones yw'r bennod nesaf, a hon yw pennod fwyaf theoretig y llyfr hwn, oherwydd natur gwaith y beirniad a drafodir. Yn 'R. M. Jones a'r "gelyn" parchus', edrychais ar thema'r darllenydd yng ngwaith R. M. Jones gan ddathlu maintioli Ewropeaidd ei waith.[14] Edrychir yma ar thema'r canon yn ei waith cyhoeddedig, gan ddadlau mai thema fawr ei waith yw perthynas yr Amryw â'r Un, megis y mae modd i liaws o destunau llenyddol gydfodoli o'r tu mewn i un canon.

Awgrymir yn y bennod hon mai'r broblem fawr sy'n wynebu'r canon llenyddol Cymraeg heddiw yw anallu cenhedlaeth newydd o ddarllenwyr i ymateb yn ystyrlon iddo, a hynny'n bennaf am nad ydynt yn meddu ar fath o fframwaith Cristnogol a fyddai'n eu galluogi i fwynhau Pantycelyn gymaint â Phantycelyn ei hun, heb sôn am gydymdeimlo â fframwaith Cristnogol canu beirdd y traddodiad barddol. Wyneb yn wyneb â'r broblem hon, gwelir i R. M. Jones yn *Llên Cymru a Chrefydd* gynnig ateb amgenach na nodiadau esboniadol. Dyna'r ateb, fel rheol, y bydd y rhelyw o feirniaid llenyddol yn ei gynnig wrth iddynt geisio cynorthwyo eraill i ddeall ystyr wreiddiol y testun llenyddol Cymraeg. Cyfieithir y testun drwy gyfrwng nodiadau esboniadol. Ond yn hytrach na dilyn y trywydd hwnnw, pwysleisiodd R. M. Jones yn *Llên Cymru a Chrefydd* fod yn rhaid inni ddarllen llenyddiaeth Gymraeg o'r tu mewn iddi, gan rannu, felly, yr un agwedd feddwl â'i llenorion, sy'n un Gristnogol gan mwyaf. Mater o gynneddf fewnol yw ein perthynas â llenyddiaeth, felly, ac nid yw ymateb â'r pen yn ddigon. Arwydd o farwolaeth y gynneddf honno yw'r nodiadau esboniadol y bydd ysgolheigion yn eu darparu. Fodd bynnag, awgrymir bod R. M. Jones yn ei lyfr 'olaf' ar theori lenyddol, *Beirniadaeth Gyfansawdd*, yn cynnig ateb gwahanol i'r un a gyflwynwyd yn *Llên Cymru a Chrefydd*. Y mae'n ateb llai cenhadol o safbwynt ei efengylyddiaeth ac yn fwy ceidwadol o safbwynt ysgolheictod. Ateb ydyw sydd wedi ei batrymu ar y cysyniad o drochiad ieithyddol a'r modd y dysgodd ef ei hun y Gymraeg. Collodd bob ffydd yng ngallu'r darllenydd Cymraeg i ymateb yn reddfol gall i weithiau'r canon – nad yw mwyach yn rhan o'i fframwaith meddwl – a phwysleisiodd yn hytrach awdurdod testunau'r canon a phlentyneidd-iwch y rhelyw o ddarllenwyr Cymraeg heddiw. Drwy hynny awgrymir bod angen inni ddysgu darllen o'r newydd, gan ddysgu beth yw gwerth llenyddol drwy ddarllen a darllen y canon llenyddol Cymraeg ar lun math o drochiad llenyddol. Y canlyniad yw amddiffyn canon sydd fel pe bai'n bodoli ar wahân i'w ddarllenwyr, yn groes i bwyslais R. M. Jones ei hun ar rôl weithredol y darllenydd yn ei lyfr cyntaf ar theori, *Tafod y Llenor*.

Astudiaeth o waith beirniadol Alan Llwyd yw'r bennod olaf, a'i agwedd wrth-theoretig yn bennaf oll. Oherwydd os dadleuir i R. M. Jones ddefnyddio dadleuon theoretig er mwyn amddiffyn y canon llenyddol Cymraeg yn erbyn ymosodiadau Theori, gwelir i Alan Llwyd ddewis anwybyddu Theori er mwyn amddiffyn llenyddiaeth Gymraeg, a bod tebygrwydd yn hyn o beth rhwng agwedd gwrthfeirniaid crefyddol 1890–1914 a gwrth-theorïwyr diweddar ym maes beirniadaeth lenyddol. Megis y dewisodd nifer o Feiblgarwyr Cymru anwybyddu dadleuon yr Uwchfeirniadaeth Feiblaidd, neu ar y gorau ymateb iddynt ar ffurf gosodiadau anystyriol, archwilio y mae'r bennod hon pam y mae ambell feirniad llenyddol yn dewis anwybyddu Theori er mwyn amddiffyn y Traddodiad Llenyddol Cymraeg.

Megis yn achos y ddau feirniad arall, astudir gwaith beirniadol Alan Llwyd mewn perthynas â'i amgylchfyd, ac awgrymir mai'r prif wahan-iaeth rhyngddo ef a'r ddau feirniad arall yw ei berthynas barod â'i ddarllenwyr. Oherwydd gan ragdybio bod ei ddarllenwyr ac yntau'n rhannu'r un canon llenyddol, ac yn rhannu'r un math o gefndir llenyddol a fframwaith meddwl, gall ef ddyfynnu darnau o gerdd yn brawf o'i gwerth. Mewn sefyllfa o werthoedd llenyddol parod a chyffredin y mae rhagoriaeth beirdd bob amser yn amlwg, a theori yn beth amherthnasol iawn.

Wedi'r rhagymadroddion a'r penodau hyn, cyflwynir casgliadau mewn pennod glo. Ar un olwg, byddai cyflwyno'r rheini yn awr yn y rhagair hwn yn fodd imi bwysleisio un o themâu'r llyfr, sef sut y mae'r dyfodol wedi ei lunio gan y gorffennol, a sut y mae nod astudiaeth bob amser yn bresennol yn ei chychwyn. Nid yw'r un gair yn bodoli mewn gwagle, ac y mae'r casgliadau fel pe baent yn rhan o'r rhagair hwn.

Nododd Bobi Jones (R. M. Jones) yn *O'r Bedd i'r Crud* mai'r rhagair fel rheol yw'r peth olaf oll a ysgrifennir, wedi i'r awdur orffen ysgrifennu gweddill y llyfr, ac yn yr ystyr honno y mae'r casgliadau yn llythrennol yn effeithio ar gynnwys y rhagair.[15] Ond cyn i'r un gair o'r llyfr gael ei ysgrifennu hyd yn oed, y mae hefyd fath arall o rag-air neu gyn-gair yn bresennol; sef y traddodiadau o ysgrifennu y magwyd yr awdur ynddynt ac a fydd yn rhannol lywio casgliadau ei waith cyn i'r gwaith casglu gychwyn o ddifri. Drwy gydol y llyfr hwn, dethlir yn llawen fod rhagfarn yn llywio barn, ac mai dim ond drwy gydnabod hynny y gellir gobeithio newid neu ddiogelu'r naill a'r llall.

Am hynny, oherwydd fy mharodrwydd i gydnabod rhagfarn a dylanwad f'amgylchfyd arnaf, nid anodd yw rhagweld fy nghyhuddo i o lurgunio gwaith y tri beirniad yr ymchwiliwyd iddo – megis yr awgrymodd R. M. Jones i Simon Brooks yn ddiweddar 'ffidlan' â'i waith ef,[16] ac yr awgrymodd Alan Llwyd mai un o dueddiadau pennaf theorïwyr yw gorfodi gwaith 'i ffitio i mewn i'w damcaniaethau'.[17] Gwell, felly, imi nodi tri pheth, fel pob pregethwr da. Yn gyntaf, rhaid nodi mai'r ffidlan a'r ffitio hwn, fel y gwelir yn y man, fu'r feirniadaeth fawr ar waith beirniadol Saunders Lewis, a bod y ffaith honno ynddi'i hun yn gysur i'r neb sy'n ysgrifennu yn ei gysgod eang ef, y sawl a wnaeth 'ddiffinio'r canon', ys dywed ei gofiannydd.[18] At hyn, y mae'r modd y mae R. M. Jones ac Alan Llwyd yn defnyddio'n greadigol eiriau a Gymreigiwyd o'r Saesneg i fynegi'r cyfryw feirniadaeth yn cadarnhau un o brif ddadleuon Theori ei hun, sef bod 'pob defnydd o iaith yn rhethregol yn ei hanfod, yn chwarae cast â'r darllenydd, a bod hyn yn anochel er mwyn dwyn perswâd', fel y nododd Simon Brooks.[19] Nid deubeth llwyr wahân mo'r iaith a'r ystyr a gyflëir drwyddi. Am hynny, addefir yma nad niwtral mo'r dewis o feirniaid y dewiswyd yma astudio eu gwaith, na'r dyfyniadau a godir o waith y tri, ac o waith awduron eraill. Fel y nododd J. Hillis Miller, y mae'r dewis o wrthrychau i'w hastudio yn rhaglunio'r casgliadau y deuir iddynt.[20] Nid yw dweud hynny'n golygu nad wyf finnau'n rhoi pwys ar ddarllen manwl ac ymchwil empeiraidd. Nid wyf chwaith o ran hynny'n perthyn i unrhyw fudiad llenyddol fel y cyfryw. Cydnabod yr wyf yn hytrach gyfyngiadau fy rhaglen waith fy hun a'r modd y mae'n cynnwys ynddi elfen o ragdyb sy'n llywio'r casgliadau. Hynny yw, byddai casgliadau'r llyfr yn rhai tra gwahanol pe bawn, er enghraifft, wedi treulio mwy o amser yng nghwmni Thomas Parry a llai yng nghwmni Saunders Lewis.

Yn ail, nodir nad y bwriad gwreiddiol o gwbl ydoedd ymchwilio i'r cysyniad o ganon llenyddol Cymraeg, ac mai rhyw fath o droednodyn estynedig i lyfr arall nad ysgrifennwyd mohono ydyw'r llyfr hwn. Teimlir yn awr mai stori'r llyfr hwn a ddaeth o hyd i mi, ac nad fi a ddaeth o hyd i'r stori. Teimlaf yn wir i mi ddarganfod stori wrthrychol sy'n bodoli y tu hwnt i'm geiriau i. Fel y gwelir yn y man, y stori honno yw sut y cyflwynwyd llenyddiaeth Gymraeg yn yr ugeinfed ganrif yn fath o Destament Cymraeg Newydd, sef yn ganon o weithiau y byddai modd troi atynt am arweiniad ac ysbrydoliaeth barhaus.

Yn drydydd, nodir i'r gwaith astudio fod yn fodd imi hefyd newid rhai o'm rhagfarnau dyfnaf, ac i'm parch at yr hyn a gyflawnodd y tri beirniad llenyddol dan sylw gynyddu'n barhaus. Mawr yw fy nyled iddynt oll. Heb os, ni allwn ar lawer cyfrif fod wedi rhagweld llawer o'r casgliadau a gyflwynir ar ddiwedd y llyfr pan ddechreuais ar y gwaith o beidio ag astudio'r cysyniad o ganon llenyddol Cymraeg.

O ran arddull, ceisiais dramwyo ffin rhwng dau fath o ddarllenydd rhagdybiedig. (Dau fentor, felly, dwy agwedd gyffredinol at y canon a dau ddarllenydd rhagdybiedig, er fy mod yn gwybod yn dda na all yr un gwas wasanaethu dau arglwydd.) Yn fras, ceisiais ysgrifennu llyfr a fyddai o ddiddordeb i'r sawl nad yw megis yn awchu am dafelli o theori ond sy'n barod i'w stumogi yn y gobaith y caiff fwynhau rhyngddynt ryw agweddau eraill, mwy blasus ar lenyddiaeth Gymraeg. Ceisiais, felly, wneud theori yn lled-dreuliadwy i ddarllenwyr antheoretig eu chwaeth, gan gadw fy nheulu a'm cyfeillion a'm myfyrwyr mewn cof wrth wneud hynny. Ond ceisiais hefyd ysgrifennu llyfr a bryfociai'r meddwl mwyaf theoretig yn ein plith, er nad oes gennyf na geirfa na gallu na gwybodaeth R. M. Jones, heb sôn am nifer o'm cyfoedion academaidd. Wrth gwrs, y mae'n siŵr imi fethu yn f'uchelgais a llwyddo'n hytrach i ddieithrio'r naill ddarllenydd a siomi'r llall. Onid awgrymodd Saunders Lewis yn ei ragair i'r *Braslun* mai tynged yr ymchwilydd Cymraeg yw ysgrifennu ar wastad ei gefn wedi iddo 'syrthio rhwng dwy stôl'?[21] Yr unig gysur yn hyn o beth yw fod modd i berson pan fydd yn gorwedd ar lawr weled mor fawr yw eraill, a chymaint mwy yw'r byd o'u cwmpas a'r nen uwch ein pen ni oll.

Nodiadau

1 Bobi Jones, 'Adolygiadau hwyr [20]', *Barddas*, 290 (Tachwedd/Rhagfyr 2006/ Ionawr 2007), 10.
2 Ibid., 6.
3 Saunders Lewis, 'Baledi'r ddeunawfed ganrif: nodau'r feirniadaeth Gymraeg newydd', *Western Mail*, 30 Tachwedd 1935, 11.

4 Bobi Jones, 'Adolygiadau hwyr [20]', 8.

5 Ibid., 9.

6 T. Robin Chapman, *Un Bywyd o Blith Nifer: Cofiant Saunders Lewis* (Llandysul, 2006), tt. xv, xvi–xvii.

7 Gw. Simon Brooks, '"Yr Hil": ydy'r canu caeth diweddar yn hiliol?', yn Owen Thomas (gol.), *Llenyddiaeth Mewn Theori* (Caerdydd, 2006), tt. 1–9.

8 Ibid., t. 5. Gw. tt. 6–8. Diddorol yw cymharu Cymreigrwydd enwau'r theorïwyr a'r gwrth-theorïwyr a restrir yma gan Brooks.

9 R. M. Jones, *Beirniadaeth Gyfansawdd: Fframwaith Cyflawn Beirniadaeth Lenyddol* (Cyhoeddiadau Barddas, 2003), t. 238.

10 *Idem, Mawl a Gelynion ei Elynion* (Cyhoeddiadau Barddas, 2002), t. 69.

11 Ibid., t. 57.

12 John Rowlands, *Cnoi Cil ar Lenyddiaeth* (Llandysul, 1989), t. 17.

13 Sioned Puw Rowlands, *Hwyaid, Cwningod a Sgwarnogod* (Caerdydd, 2006), t. xiii.

14 Tudur Hallam, 'R. M. Jones a'r "gelyn" parchus', *Llên Cymru*, 29 (2006), 137–64.

15 Bobi Jones, *O'r Bedd i'r Crud: Hunangofiant Tafod gan Bobi Jones* (Llandysul, 2000), t. 241.

16 R. M. Jones, 'Rhwng Seimon a Thimotheus', *Taliesin*, 125 (2005), 131.

17 Alan Llwyd, 'Thomas Hardy: trafod rhai cerddi', *Rhyfel a Gwrthryfel: Brwydr Moderniaeth a Beirdd Modern* (Cyhoeddiadau Barddas, 2003), t. 14.

18 T. Robin Chapman, *Un Bywyd o Blith Nifer*, t. 87.

19 Simon Brooks, *O Dan Lygaid y Gestapo: Yr Oleuedigaeth Gymraeg a Theori Lenyddol yng Nghymru* (Caerdydd, 2004), t. 104.

20 Gw. J. Hillis Miller, *The Ethics of Reading* (New York and Oxford, 1987), t. 11. 'Does not my choice of examples load the dice, predetermine the conclusions I can reach and, like all examples, in fact form the essence of the argument it is apparently only meant to exemplify?'

21 Saunders Lewis, *Braslun o Hanes Llenyddiaeth Gymraeg: 1* (Caerdydd, 1932), t. iv.

Diolchiadau

Diolch yn gyntaf i'r Athro John Rowlands am bob cyngor a chefnog-aeth. Diolch hefyd i bob un o'm cydweithwyr yn Adran y Gymraeg, Abertawe. Braint o'r mwyaf yw gweithio mewn awyrgylch lle y gellir rhannu syniadau a benthyg llyfrau heb frys mawr i ddych-welyd na'r naill na'r llall. Diolch hefyd i fyfyrwyr yr Adran am sicrhau fy mod bob amser yn gorfod ystyried perthnasedd unrhyw theori lenyddol.

Gan mai hon yw fy nghyfrol academaidd gyntaf, carwn hefyd ddiolch i'r tair athrawes Gymraeg orau y gallwn erioed fod wedi gofyn amdanynt, Mrs Mair Evans, Mrs Elsbeth Jones a Mrs Joy Williams. Mewn oes ac amgylchiad gwahanol byddai rhywrai wedi ychwanegu eu henwau at Drioedd Ynys Prydain. Diolch hefyd i'r ysgolheigion a'm dysgodd yn Aberystwyth.

Diolch i staff Llyfrgell Prifysgol Abertawe a staff Llyfrgell Genedlaethol Cymru am sawl cymwynas. Diolch hefyd i staff Gwasg Prifysgol Cymru am eu gwaith proffesiynol, ac yn arbennig i Ms Elin Lewis am ei chyngor hael.

Yr wyf yn ddyledus hefyd i'm brodyr, Gwion a Trystan, ac i'm cyfaill, Rhodri, am adael imi fabwysiadu nifer o'u llyfrau. Nid llai fy niolch i Eleri, Gareth a Sara am eu hanogaeth. Diolch hefyd i'm rhieni, Peter a Glesni, a'm rhieni-yng-nghyfraith, Clive a Wendy, am gymwynasau lu.

Y mae fy nyled bennaf i'm gwraig, Nia, am ei chyngor a'i chefn-ogaeth a'i chariad diysgog. Diolch hefyd i'm meibion, Garan a Bedo, am fynnu fy mod yn ystyried beth sydd o werth yn ein bywyd ac yn ein llên. Heb nac athroniaeth na theori lenyddol, gŵyr yr hynaf o'r ddau fod ambell stori yn well na rhai eraill ac yn haeddu lle arbennig ar ei silff lyfrau; ambell stori y gellir dychwelyd ati dro ar ôl tro, os nad nos ar ôl nos; ambell stori y bernir gwerth y straeon eraill wrthi, i'w thrysori a'i throi'n gynhysgaeth. Ac eto, gall fod mor anwadal â Rwdlan neu'r Dewin Dwl a ffoli ar ryw stori newydd, gan lwyr anghofio am yr hen ffefrynnau. Do, dysgais lawer ganddo. Troes theori yn ddau lygad mawr ac yn wên.

Diolch hefyd i Bedo am gyrraedd mewn da bryd imi gyflwyno'r llyfr hwn iddo yntau.

Theori, Awdur, Canon

Beth 'nawr, a'r chwyldro theori ar ben?

Pan ddechreuwyd ysgrifennu'r llyfr hwn ym mlynyddoedd olaf yr ugein-fed ganrif, yr oedd tipyn o fynd ar yr hyn a elwir yn theori lenyddol. Yn wir, rhoddwyd cymaint o fri ar theori lenyddol nes iddi fagu bloneg prif lythyren a throi'n Theori. O'r saithdegau ymlaen, datblygodd diddordeb newydd ymhlith beirniaid llenyddol a fynnai gwestiynu egwyddorion beirniadol y gorffennol, a'u hegwyddorion eu hunain. '[M]ae yna sŵn anniddigrwydd i'w glywed ym mrig y morwydd ers rhai blynyddoedd bellach', meddai John Rowlands, er enghraifft, yn ei ragymadrodd i *Sglefrio ar Eiriau* yn 1992, a disgrifiodd y newidiadau ym maes beirniad-aeth lenyddol Gymraeg yn nhermau 'rhyw fath o brotest'.[1]

Yn ôl Terence Hawkes, yr Athro Emeritws a gysylltwn â'r adran Saesneg yng Nghaerdydd, protest oedd hon a fynnai weld 'erydu'r rhag-dybiaethau sy'n gefn i ddisgyblaethau llenyddol yn eu ffurf gonfesiynol', a hynny gan nad oedd 'y dulliau a'r categorïau llenyddol a etifeddwyd o'r gorffennol yn cyd-fynd â'r realiti a oedd yn brofiad i genhedlaeth newydd'.[2] A chymaint bri'r symudiad theori ym maes astudiaethau llenyddol y tu allan i'r cyd-destun Cymraeg nes yr hawliodd Frank Kermode yn 2003 – un o hoff feirniaid John Gwilym Jones[3] – fod Theori bellach yn rheoli'r sefydliad mawr a marwaidd hwnnw, Llenyddiaeth.[4] Nid protest fel y cyfryw, felly, ond chwyldro. 'Mae oblygiadau casgliad fel yna'n chwyldroadol', meddai Dafydd Elis Thomas wrth iddo yntau herio'r cysyniad o draddodiad llenyddol Cymraeg.[5]

Erbyn degawd olaf yr ugeinfed ganrif, yr oedd rhai yn sôn am ddigwydd-iadau'r deng mlynedd ar hugain cynt yn nhermau 'newidiadau sylfaenol a phellgyrhaeddol ym maes astudiaethau llenyddol', tebyg i effaith y darganfyddiadau mwyaf arwyddocaol ym myd y gwyddorau.[6] Ac un o brif nodweddion y chwyldro theori ydoedd ymestyn, os nad dryllio'r canon llenyddol, ynghyd â'r cysyniad o ganon llenyddol. Fel y nododd

Terry Eagleton yn *The Significance of Theory* (1990) yr oedd newidiadau Theori yn golygu bod y canon llenyddol bellach yn cynnwys ynddo weithiau a anwybyddwyd gynt oherwydd hil, rhyw neu berthynas yr awdur â chenedl arbennig. Yr oedd hefyd yn cynnwys ynddo destunau a astudiwyd o'r blaen yn ddeunydd cefndirol yn unig, megis testunau gan athronwyr, seicolegwyr, haneswyr, anthropolegwyr, a meddylwyr cymdeithasol a chrefyddol.[7]

Dyna pam, felly, yr edrychir yn y llyfr hwn ar agweddau ar feirniadaeth lenyddol gyfoes mewn perthynas â'r cysyniad o ganon llenyddol, oherwydd, fel y nododd David Lodge, 'Un o effeithiau dadleuol Theori ar astudiaethau academaidd ym maes llenyddiaeth ydoedd tanseilio awdurdod y canon traddodiadol.'[8] Un o brif amcanion y chwyldro neu'r brotest theori o'r saithdegau ymlaen ydoedd edrych o'r newydd ar y llenyddiaeth honno a brisid gan eu rhagflaenwyr, ac edrych hefyd ar eu dulliau trafod. Y bwriad ydoedd ymestyn y canon yr oedd y tadau gynt wedi ei lunio. Credwyd bod modd gwneud hyn naill ai drwy ychwanegu ato destunau llenyddol eraill, megis yn achos y fforwm a gynhaliodd yr Academi Gymreig ar ferched a llenyddiaeth ac a roes fod i rifyn arbennig o'r *Traethodydd* yn 1988,[9] neu drwy gyplysu'r llenyddol a'r hyn a ystyriwyd gynt yn elfennau cefndirol ynghyd. Dyma ydoedd nod y fforwm beirniadol a gynhaliwyd yn Neuadd Pantycelyn, Aberystwyth dan y pennawd 'Deialog '88'. Drwy drafod 'hanes llenyddiaeth, y cyfryngau, llenyddiaeth y ferch, cyweiriau iaith, y ddwy lenyddiaeth yng Nghymru, y system nawdd, y Wasg a'r byd cyhoeddi', heriwyd y flaenoriaeth a roddwyd gynt i drafod testunau llenyddol Cymraeg.[10]

Ar ddiwedd yr wythdegau, felly, gwelwyd yng Nghymru fforymau trafod a oedd yn rhannu'r un awydd â John Rowlands am weld 'cyfeiriadau newydd i feirniadaeth Gymraeg'. Synhwyrai nifer y gallai'r diddordeb mewn theori 'agor drysau beirniadol ac y [byddai] eraill yn gwthio trwyddynt at y drysau nesaf mewn ysbryd ffrwythlon a chreadigol'.[11]

Fodd bynnag, ar ddechrau'r unfed ganrif ar hugain, awgrym nifer cynyddol o feirniaid yw fod y chwyldro theori, heb sôn am y brotest, wedi chwythu ei blwc. Neu a defnyddio delwedd John Rowlands uchod, ymddengys fod y drysau y gwthiwyd trwyddynt wedi cau o'n holau a ninnau mwyach mewn ystafell dywyll heb olau ynddi i ddod o hyd i ddrysau'r ystafell nesaf. Yn *Reading After Theory*, nododd Valentine Cunningham mai'r un a fu tynged Theori â thynged pob mudiad beirniadol o'i flaen, sef marw.[12] Nid ôl-ffeminyddiaeth, ôl-Farcsiaeth neu ôl-strwythuraeth y cyfeirir atynt mwyach mewn perthynas â Theori, ond yn hytrach ôl-Theori ei hun. Ac 'o' fach, ansicr, ddigyfeiriad, fe ymddengys, sydd i ôl-Theori heddiw'n aml, wrth i nifer o feirniaid, gan fy nghynnwys i fy hun, holi gyda Valentine Cunningham, 'What then? What now?'[13] Gan adleisio'r awgrym amlwg yn nheitl cyfrol Thomas Docherty, *After Theory* (1996), Wendell Harris, *Beyond Poststructuralism* (1996) a chyfrol Martin McQuillan, *Post Theory* (1999), y mae teitl cyfrol Valentine Cunningham hefyd, *Reading After Theory* (2002), yn crynhoi'r sefyllfa bresennol sydd ohoni ym maes beirniadaeth lenyddol gyfoes. Ni ellir ond teimlo bod rhywun wedi gadael yr ystafell ond ein bod ni yma o hyd yn syllu i'w gadair wag, nid yn annhebyg i'r cecru a ddilynodd ymddeoliad diolynydd yr Athro John Rowlands o'i Gadair yn 2003, ac yntau, ymysg cyfraniadau eraill, yn dysgu'r cwrs mwyaf poblogaidd yn yr adrannau Cymraeg ar feirniadaeth lenyddol.[14]

Y mae p'un ai gwawr a gwefr ynteu cur pen a llanastr sy'n dilyn y noson fawr yng nghlwb nos Theori yn gwestiwn dadleuol. Y mae'n dibynnu'n rhannol, wrth gwrs, ar beth a olygir wrth y term amwys 'Theori'.[15] Yn ddiweddar dechreuwyd defnyddio'r term i gyfeirio'n benodol at amryw awduron o'r chwedegau ymlaen yr oedd yr ysbryd protestgar gynt yn nodweddu eu gwaith. Mewn amryw antholegau neu lyfrau sy'n cyflwyno maes theori lenyddol, defnyddir y term i dynnu ynghyd waith awduron a edrychai ar lenyddiaeth o du sawl ysgol, athroniaeth neu ddull gwahanol. Hynny yw, defnyddir y term mwyach i gyflwyno gwaith canon o awduron amrywiol a gyflwynodd syniadau newydd am lenyddiaeth. Yn *Beginning Theory* gan Peter Barry o'r adran Saesneg yn Aberystwyth, er enghraifft, rhoddir pennod yr un i stwythuraeth, ôl-strwythuraeth a dadadeiladaeth, ôl-foderniaeth, beirniadaeth seicdreiddiol, beirniadaeth ffeministaidd, beirniadaeth hoyw/lesbiaidd, beirniadaeth Farcsaidd, hanesyddiaeth newydd a materoliaeth ddiwylliannol, beirniadaeth ôl-drefedigaethol ac arddulleg (ynghyd ag eco-feirniadaeth yn yr argraffiad diweddaraf). Ac y mae pob un o'r canghennau hyn o Theori fel pe bai yn adweithio yn erbyn dyneiddiaeth ryddfrydol, neu'r hyn a eilw Barry yn 'theori cyn "theori"', sef y math o feirniadaeth lenyddol a nodweddai astudiaethau llenyddol rhwng 1930 a 1960. Dwy nodwedd ar y ddyneiddiaeth ryddfrydol honno ydoedd parch mawr at y gwrthrych o destun ac amharodrwydd y beirniad i archwilio ei egwyddorion beirniadol ei hun wrth iddo ei ddarllen.[16] Fel y nododd Howard Felperin yn ei lyfr *The Uses of the Canon*, gellir esbonio'r pwyslais a roddwyd gynt ar y testun – a'r ymdrech yn enwedig i sefydlu testunau'r canon Cymraeg – yn nhermau'r modd y mabwysiadodd llenyddiaeth o gylch troad yr ugeinfed ganrif swyddogaeth crefydd a'r testun crefyddol

– thema a archwilir yn y bennod gyntaf.[17] Ond gan fod yn rhaid i lenyddiaeth gystadlu â darganfyddiadau gwyddonol yr oes, yr oedd angen iddi hefyd feddu ar natur wrthrychol, a pheidio â gwneud yn fawr o rôl greadigol y beirniad, megis y ceisiai W. J. Gruffydd drafod barddoniaeth yr Oesoedd Canol 'mewn ysbryd gwyddonol'.[18]

Daeth tro ar fyd, felly, pan heriwyd y naill beth a'r llall – y parch at y testun, a'r amharodrwydd i archwilio dulliau trafod y beirniad ei hun. Ac un nodwedd ar waith amryw awduron Theori yw'r duedd i edrych ar bopeth yn nhermau testun, gan gynnwys yr awdur a'r darllenydd a'u cymdeithas. Am hynny, y mae'r hen syniad o astudio'r testun ei hun yn colli ei safle breintiedig. Gellir yn awr astudio cymaint mwy o destunau, gan gynnwys yr egwyddorion beirniadol a'r gymdeithas a roes fod i'r hen ddull o astudio'r testun ei hun. Yn sgil y newid hwn ynghylch diffinio beth sydd neu nad yw'n destun o astudiaeth, nodir mai nodwedd gyffredin arall ar waith nifer o awduron ym maes Theori ydyw eu parodrwydd i archwilio testun eu hegwyddorion beirniadol eu hunain. Fel y nododd Jane Aaron, 'y mae'n well bod beirniaid yn agored ynglŷn â'r syniadau sydd wedi dylanwadu arnynt, yn hytrach na gadael i'w darllenwyr eu dirnad drostynt eu hunain'.[19]

Mawr, felly, ydoedd y newid a gyflwynodd Theori, nid yn annhebyg i 'symudiadau seismig yn y strata sy'n cynnal tirlun gwybodaeth', chwedl Felperin.[20] Ac eto ers troad y mileniwm, ymddengys fod nifer cynyddol o feirniaid yn araf sylweddoli erbyn hyn fod y parti theori drosodd. P'un ai eu bod wedi ei fwynhau neu beidio, ychydig oedd y rhai na chlywsant ei sŵn. '[L]iterary theory is not in danger of going under', meddai Paul de Man yn *The Resistance to Theory* (1986).[21] Y bore wedi'r parti, nid ydyw'r un theorïwr heddiw mor hyderus sicr o rym y chwyldro. Gan ddefnyddio delwedd de Man, nodir mai nofiwr digon ansicr, ar un olwg, yw theori lenyddol gyfoes. Mewn cyfrol arall – sydd eto'n cynnwys yr un arddodiad allweddol, 'after', sef *life.after.theory* – nodir bod y teimlad presenn-ôl hwn yn un cyffredinol iawn, a bod y rhelyw o feirniaid llenyddol cyfoes yn ymwybodol eu bod yn profi 'something we might just call "life after theory"'.[22]

Dyna o leiaf lle'r wyf innau arni'n syniadol, yn chwilio am fywyd ar ôl ac yn ôl Theori, heb wybod, fel y nododd David Lodge, beth a ddaw ar ei ôl.[23] Drysu'r sefyllfa ymhellach y mae sylweddoli hefyd fod cynifer o feirniaid a golygyddion ac ysgolheigion ers tro byd wedi bod yn aros i Theori chwythu ei phlwc. Er gwaethaf haeriad cadarnhaol Kermode uchod ynghylch goruchafiaeth Theori, ychwanegodd yn yr un cyfweliad fod elfen gref o ormodiaith yn y datganiad, a hynny am fod llawer am weld Theori yn diflannu o'r golwg un waith ac am byth.[24] A mwy felly 'yn y Gymru Gymraeg', fe gredir, na'r un wlad fawr, wladychol, ryngwladol ei hiaith, lle y mae'r gynulleidfa ddarllen yn un fregus o ran ei niferoedd a thuedd gref i '[g]asáu theori', chwedl Simon Brooks.[25]

Yn 1990, *The Significance of Theory*. Ond yn ystod y degawd diwethaf cyhoeddwyd nifer o lyfrau yn beirniadu 'aneffeithlonrwydd y deallusyn theoretig o safbwynt ymwneud cymdeithasol a gwleidyddol', ys dywed Thomas Docherty.[26] Adleisiwyd yr un feirniadaeth hon gan Terry Eagleton ei hun, awdur *The Significance of Theory*, yn *After Theory* (2003). Gan ddilyn Docherty, beirniadodd Eagleton Theori am osgoi cwestiynau'n ymweud â moesoldeb, metaffiseg, cariad, bioleg, crefydd, chwyldro, drygioni, marwolaeth, dioddefaint, ynghyd â sawl agwedd arall ar fywyd.[27] Rywfodd, aeth Theori, neu'n hytrach *Theory*, yn amherthnasol iawn. Am hynny, awgrymir yma fod rhyw gymaint o debygrwydd rhwng y diflastod a glywir yn ôl-Theori'r llyfrau Saesneg cyfoes a'r wrth-Theori Gymraeg sydd erioed wedi ystyried theori yn beth anghymdeithasol nad yw'n rhan o brofiad darllenwyr go-iawn.

Yn y cyd-destun Cymraeg agorwyd drysau *Sglefrio ar Eiriau* yn 1992. Ond i groesawu beth yn hollol? Nid tan haf 2006 y casglwyd ffrwyth cynhadledd ym maes Theori yn llyfr academaidd dan olygyddiaeth Owen Thomas, ac yr ymdeimlodd cenhedlaeth newydd o efrydwyr Cymraeg â rhyw gymaint o angen i godi'i phen uwchben y dŵr a gweld pa le yr oedd arni yn awr.[28] Fel arall, peth unig iawn a digyfeiriad fu Theori Gymraeg, er gwaethaf ymdrechion *Tu Chwith*. O bosib, tystio i un o brif nodweddion Theori y mae diffyg cyfeiriad o'r fath, gan nad chwilio am gonsensws barn fu'r nod ar un olwg, eithr croesawu cyfeiriadau newydd. Ac eto, y mae'r sefyllfa yng Nghymru yn fwy dyrys na hynny. Yn ei lyfr *After Theory*, awgrymodd Terry Eagleton mai mater o 'ing dylanwad'[29] sy'n rhannol gyfrifol am ddiffygion Theori heddiw, gan ddisgrifio'r genhedlaeth hŷn yn nhermau 'a hard act to follow'.[30] Ond er cystal gwaith theoretig R. M. Jones, ac er mor ddylanwadol ar y llyfr hwn, go brin mai mater o 'ing dylanwad' yr arloeswr hwn sy'n cyfrif am gyflwr tila Theori yng Nghymru heddiw, eithr yn hytrach rym y traddodiad dyneiddiol-ryddfrydol ymhlith ysgolheigion a beirniaid llenyddol Cymraeg a natur y gymdeithas ddarllen gyfyng, ddrwgdybus o theori. Dyna a amlygwyd mor gampus yn llyfr diweddar Simon Brooks, *O Dan Lygaid y Gestapo*, lle y ceisir esbonio'r adwaith Cymraeg hwn yn erbyn theori yn nhermau llwyddiant John Morris-Jones i greu ffordd newydd o feddwl yng Nghymru a fu 'mor llwyddiannus fel bod pobl yn "anghofio" ei bod yn bodoli'. Am y ffordd newydd a goleuedig o feddwl a gyflwynodd John Morris-Jones, meddai Simon Brooks:

> Gan fod Goleuedigaeth yn gweithredu fel set o ganllawiau cudd i estheteg y gymdeithas Gymraeg, ni theimlwyd yr angen – gan mai anffaeledig a therfynol ydoedd – i'w harchwilio wedyn. Yn nwylo'r fydwraig oleuedig, John Morris-Jones, bu theori yn hanfodol i ganfod yr hyn y tybiai cenedlaethau diweddarach ei fod yn 'synnwyr cyffredin'. Ni thybid bod angen theori eto; yn wir, i'r graddau fod theori yn rhwym o danseilio 'synnwyr cyffredin' cymdeithas Gymraeg a oleuwyd eisoes, fe'i gwatwerid.[31]

Dyna pam na ellir sôn yn iawn am ôl-Theori fel y cyfryw yn Gymraeg, gan nad mater o golli momentwm o'r tu mewn i faes arbennig o efrydiau sy'n nodweddu'r sefyllfa gyfoes Gymraeg. Nid ing dylanwad y tadau a'r mamau theoretig sy'n pwyso ar y genhedlaeth bresennol o feirniaid llenyddol Cymraeg, eithr grym dylanwad yr wrth-Theori honno sy'n tueddu i ddiogelu ei rhagfarnau trwy beidio â'u cwestiynu, ac sy'n gorfodi'r theorïwr i amodi ei sylwadau yn unol â'r hyn 'sydd yn ddisgyrsaidd bosibl'.[32]

Troi at y canon o du cyfeiriad yr awdur

Mewn ymgais i beidio â thraethu'n orjargonllyd, ceisir yma droi ac astudio'r cysyniad o ganon llenyddol Cymraeg o du cyfeiriad ffigwr tra chyfarwydd i ddarllenwyr Cymraeg, sef yr awdur.

Pan ddechreuwyd ymchwilio i'r maes hwn ryw ddeng mlynedd yn ôl mwyach, y bwriad ydoedd dadlennu mai peth cyfan gwbl greedig ydoedd y Traddodiad Llenyddol Cymraeg, ac mai creu canon o weithiau a wnaed, a dethol gweithiau er mwyn amddiffyn gwerthoedd a rhagfarnau penodol. Yn hyn o beth, yr oedd darlith Farcsaidd Dafydd Elis Thomas, *Traddodiadau Fory*, yn ddylanwad amlwg ar y rhaglen waith, ynghyd â rhyddfrydiaeth wrthsefydliadol fy nhiwtor, John Rowlands, fel y'i mynegwyd yn rhan gyntaf *Cnoi Cil ar Lenyddiaeth*. Nodir yn y ddarlith *Traddodiadau Fory*, er enghraifft, nad 'gweddillion gorffennol yw traddodiad, ond gweddillion wedi'u dethol'.[33] Eithr drwy gyfrwng yr ymchwilio i'r cysyniad o draddodiad, daethpwyd i werthfawrogi mai'r mater allweddol mewn beirniadaeth lenyddol yw agwedd y beirniad tuag at yr awdur, a thrwy hynny, ato ef ei hun fel darllenydd. Hynny yn y pen draw sy'n penderfynu ei agwedd tuag at y Traddodiad; p'un ai ei fod yn gweld y Traddodiad Llenyddol yn gynnyrch cyfres o awduron talentog, neu yn ei weld yn greadigaeth nifer o ddarllenwyr disglair. Wrth ail-ddarllen *Traddodiadau Fory* yn ddiweddar, sylwyd bod Dafydd Elis Thomas 'yn gwadu'r syniad o awdur'.[34] A nododd John Rowlands yntau ar ddechrau *Cnoi Cil ar Lenyddiaeth* fod yn rhaid '[c]ael gwared â'r *mystique* sydd wedi amgylchynu'r artist yn y gymdeithas orllewinol'.[35] O'r fan honno yr aeth y naill awdur a'r llall ymlaen i herio'r cysyniad o draddodiad llenyddol.

Wyneb yn wyneb â'r awdur, ar un olwg, dim ond dau ddewis y sydd. Fel y nododd Niall Lucy, ar y naill law gellir synied am lenyddiaeth yn nhermau cynnyrch cyfres o awduron athrylithgar. Ar y llaw arall, gellir ystyried bod awduron yn cael eu cynhyrchu gan rymoedd y tu hwnt i'w rheolaeth eu hunain.[36] At ei gilydd, ffafrio'r ail ddull o ymagweddu y mae'r theorïwr llenyddol, gyda'r beirniad amheus o Theori yn tueddu i esbonio'r testun llenyddol mewn perthynas â'r awdur a'i cynhyrchodd. Y mae'n wahaniaeth barn sylfaenol a phellgyrhaeddol. Oherwydd yn y gwahaniaeth agwedd hwn tuag at berthynas yr awdur â'r testun y seilir llawer o'r gwahaniaethau rhwng gwahanol feirniaid.

Wrth gwrs, gellir cyfaddawdu rhwng y naill safbwynt a'r llall, heb lynu gorff ac enaid wrth yr awdur na'r darllenydd yn arbennig. Er enghraifft, gellir yn hawdd ddod o hyd i ddyfyniadau croestynnol yng ngwaith R. M. Jones mewn perthynas â'r awdur. 'Mae deall person yn gymorth i ddeall gwaith', meddai ar y naill law. 'Pwysig yw peidio â chwalu testunau wrth golli golwg ar gyfanwaith awdur.'[37] Ond ar y llaw arall, pwysleisiodd R. M. Jones drosodd a thro bod angen inni 'ganolbwyntio ar y llenyddiaeth ei hun, heb ein llygatynnu gan na buchedd llenorion na hanes'.[38] Ac ar y cyfan, nid oes amheuaeth iddo 'ganolbwyntio . . . nid ar ddiben yr awdur, ond ar ddiben neu gymhelliad y gwaith', gan archwilio'r strwythurau a saif y tu ôl i'r testun llenyddol.[39]

Dyna fu pwyslais cyson R. M. Jones ar hyd ei yrfa ym maes theori lenyddol, gan archwilio cyfundrefn Tafod-Mynegiant y rhoddir sylw iddi yn yr ail bennod. Ac eto yn ei lyfr olaf ym maes theori lenyddol, *Beirniadaeth Gyfansawdd*, tueddir i wrthbwyso'r pwyslais llywodraethol ar ddarllen y testun gan sylwadau cadarnhaol iawn o blaid yr awdur, fel pe bai ef yn awr yn cael dychwelyd i lwyfan beirniadaeth lenyddol. Yn *Beirniadaeth Gyfansawdd*, meddai: 'Erbyn hyn, ni chredaf fod yn rhaid bod mor brennaidd o amhersonol.'[40] Un rheswm posib dros hynny yw am fod perthynas glòs rhwng yr agwedd geidwadol, awdur-ganolog hon ar feirniadaeth R. M. Jones a'i ymlyniad, sy'n amlwg iawn yn *Beirniadaeth Gyfansawdd*, wrth y cysyniad o ganon llenyddol.

Enghraifft arall o feirniad yn ceisio cyfaddawd rhwng y naill safbwynt a'r llall yw sylwadau Robert Rhys yn ei ysgrif 'Dysgu darllen' yn *Sglefrio ar Eiriau*. Ar y naill law, nododd fod modd 'pylu min dychymyg y darllenydd weithiau trwy roi gormod o wybodaeth iddo [am fywyd yr awdur neu gefndir y gerdd]', a cheisiodd yn hytrach 'ffyrdd mwy cyffrous o gefnogi a chyflawni'r darlleniad gwreiddiol'.[41] Fodd bynnag, wrth iddo roi mwy o raff i'r darllenydd ag un llaw, dyma'r beirniad yn gyfamserol yn ei thynnu'n ôl yn gyflym â'i law arall. 'Bid a fo am hynny,' ychwanegodd, 'mi fydd hi'n anodd i'r darllenydd a ŵyr unrhyw beth am awdur y gerdd . . . ymgadw rhag ceisio dilysu ei argraffiadau trwy gyfrwng ffynonellau all-destunol bywgraffyddol'.[42] Cyfyd Robert Rhys y cwestiwn, felly, a yw Cymru, neu o leiaf y sin lenyddol Gymraeg – neu unrhyw sin lenyddol o ran hynny – yn rhy glawstroffobig o fach a'i rhwydweithiau yn rhy dynn o agos inni fedru dianc rhag beirniadaeth awdurganolog, yn enwedig o ystyried amlygrwydd awduron Cymraeg ar y cyfryngau heddiw. Ymddengys mai amhosib yw i'r beirniad llenyddol beidio â chasglu storfa o 'ffynonellau all-destunol bywgraffyddol' am wahanol awduron. Go brin mai'r ateb yw i'r beirniad llenyddol encilio rhag pawb a phopeth. Yn hytrach – '[e]rbyn hyn', ys dywed R. M. Jones – awgrymir na ddylai'r beirniad anwybyddu bywyd yr awdur, eithr ei destunoli. Ystyr hynny yw fod y beirniad yn astudio bywyd yr awdur nid yn ffynhonnell ar gyfer esbonio ei destunau llenyddol, eithr yn ystyried ei fywyd ef ei hun yn destun creadigol i'w astudio.

Dyna, mewn gwirionedd, yw man cychwyn diwygiedig y llyfr hwn. Deuir at gwestiwn y canon o du cyfeiriad yr awdur, neu'n hytrach yr awdur-destun. Archwilio'r syniad hwnnw a wneir yn y rhagymadrodd cyntaf hwn, a hynny'n fath o gyflwyniad i astudio'r cysyniad o ganon llenyddol.

Yr awdur-destun

Yr adwaith cyntaf yn erbyn y dull awdurganolog o drafod llenyddiaeth oedd ei ymylu, os nad ei anwybyddu, megis yn achos darllen clòs y Feirniadaeth Newydd a'r dull Ffrengig *explication des textes*, sydd 'drwy drugaredd', chwedl R. M. Jones, yn ddylanwad o hyd 'ar addysg hyd yn oed heddiw', megis yng nghwestiwn gwerthfawrogi darn anhysbys o farddoniaeth neu ryddiaith ar y papur Safon Uwch.[43] Yma yng Nghymru '[c]ynrychiolydd disgleiriaf y symudiad' ydoedd Hugh Bevan.[44] Enghreifftia'r dyfyniad isod y safle llywodraethol a roes i'r testun.

[P]a faint bynnag o ffeithiau y gellir eu casglu o gwmpas cerdd neu nofel, saif y gwaith llenyddol ei hun yn un ffaith fawr ddiymwad, y ffaith bwysicaf ohonynt i gyd. A'r tu mewn i'r gwaith llenyddol yr erys prif orchwyl beirniadaeth. Dadansoddwr y testun sydd o'i flaen yw'r beirniad yn anad dim.[45]

'[N]id William Thomas yw Islwyn ac nid William Williams yw Pantycelyn ymhob dim', meddai yn ei ysgrif, 'Beirniadaeth lenyddol'.[46] Ac ar un olwg, fel yr awgrymodd Seán Burke yn ei lyfr, *The Death and Return of the Author*, estyniad o'r egwyddor hon o eiddo'r Feirniadaeth Newydd (a'r ffurfiolwyr Rwsiaidd o'i blaen hithau[47]) ydoedd y farwolaeth honno a gyhoeddodd Roland Barthes yn ei ysgrif enwog 'La mort de l'auteur' yn 1968, ac y bu ei chyfieithiad Saesneg yn ddylanwadol iawn ym Mhrydain a'r Unol Daleithiau. Yn yr ysgrif hon, cyfeiriodd Barthes at ysgrifennu yn nhermau'r 'negyddol lle y collir pob hunaniaeth', sy'n awgrymu na ellir byth ddod o hyd i William Williams yng ngwaith Pantycelyn, ac na all y cyntaf, felly, fod yn ffynhonnell ddibynadwy er mwyn deall yr ail.[48] Erbyn hyn, fodd bynnag, daethpwyd i sylweddoli nad yw hynny'n rheswm dros beidio â chyfansoddi *Williams Pantycelyn*, yr awdur-destun.

Ond rhag i hyn oll ymddangos yn hynod ddamcaniaethol – 'Theori ar bapur yn amlach na pheidio ydi'r theorïau hyn', chwedl Alan Llwyd[49] – ceisir esbonio beth yn union y mae testunoli bywyd yr awdur yn ei olygu drwy edrych yn fanwl ar enghraifft ddiweddar o'r dechneg ddarllen awdurdestunol ar waith.

Nid yn annhebyg i Robert Rhys, beirniad arall nad yw wedi aros wrth yr un orsaf feirniadol fel y cyfryw yw M. Wynn Thomas, er i un adolygydd ddarllen ei waith ar Walt Whitman yn nhermau 'a product of the New Historicism'.[50] Am hyn, meddai'r beirniad: 'Efallai fod hynny'n ffaith eglur iddo ef, ond ar y pryd 'doeddwn i fy hun erioed wedi clywed sôn am y "New Historicism".'[51] Ac y mae'r stori honno efallai'n wers i'r beirniad ôl-Theori beidio â phoeni'n ormodol ynghylch pa garfan feirniadol y mae'n perthyn iddi, megis y mae M. Wynn Thomas ei hun yn enghraifft o feirniad sy'n medru elwa ar sawl dull o drafod llenyddiaeth. Yn achos y drafodaeth hon ar y cysyniad o ganon llenyddol Cymraeg y mae iddo gryn arwyddocâd yn sgil ei awydd i archwilio'r berthynas rhwng llên Eingl-Gymreig neu lên Cymry sy'n ysgrifennu yn Saesneg, a'r byd llên Cymraeg, oherwydd, wrth reswm, cyfyd hynny gwestiynau ynghylch ffiniau'r canon llenyddol Cymraeg a'r portread Saundersaidd arferol ohono fel corff cyfan gwbl organig. Fel y nododd M. Wynn Thomas yn ei ragymadrodd i *DiFfinio Dwy Lenyddiaeth Cymru*, '[M]ae'r Cymry Cymraeg am bwysleisio arwahanrwydd cyfoethog eu diwylliant llenyddol hwy trwy wadu fod a wnelo llên Saesneg ddiweddar Cymru ddim ag ef.'[52]

At hyn y mae'r ffaith fod M. Wynn Thomas, megis eraill, yn ysgrifennu am awduron a thestunau Cymraeg yn Saesneg yn codi cwestiynau ynghylch perchnogaeth neu gynulleidfa'r canon Cymraeg, ynghyd â'r syniad o'i anghyfieithiadwyedd, sef yr hyn sy'n gwneud llenyddiaeth, chwedl Jacques Derrida, 'yn sanctaidd'.[53] Yn sicr, beirniad ydyw sy'n barod i herio 'beirniadaeth lenyddol draddodiadol', chwedl yntau, fel yr amlygir gan y modd nad yw'n edrych ar y testun llenyddol ar lun adlewyrchiad syml o feddwl a bywyd yr awdur.[54]

Nodais yn ddiweddar wrth drafod gwaith Waldo mai'r dull arferol o werthfawrogi'r testun llenyddol yw drwy ei esbonio yn fath o adlewyrchiad o agwedd feddwl yr awdur ar y pryd.[55] Fodd bynnag, yn llyfr M. Wynn Thomas, *James Kitchener Davies*, nid ffynhonnell y gwaith yw bywyd yr awdur, James Kitchener Davies, ond yn hytrach destun arall i'r beirniad ei ddarllen. Dyna pam y mae astudiaeth M. Wynn Thomas o waith un awdur-destun fel pe bai'n cynnig canllaw ar gyfer edrych o'r newydd yn y llyfr hwn ar berthynas y canon llenyddol Cymraeg â'r gweithiau sy'n perthyn iddo. Oherwydd yn hytrach na chymryd awdurdod y canon llenyddol yn ganiataol, megis yr edrychir yn aml ar fywyd yr awdur yn ffynhonnell ystyr ddigwestiwn i'w waith, y bwriad yn y llyfr hwn fydd edrych ar y canon ei hun megis testun, lawn cymaint ag unrhyw nofel neu gerdd neu ddrama sy'n gynwysedig ynddo. I'r perwyl hwn, gan ystyried mor naturiol ydyw erbyn hyn inni sôn am y traddodiad llenyddol Cymraeg, heb brif lythrennau a heb gwestiynu etymoleg y term, rhan o orchwyl y llyfr fydd, a dyfynnu Roland Barthes, 'crafellu Natur, ei "ddeddfau" a'i "chyfyngiadau", er mwyn datguddio Hanes a sefydlu o'r diwedd fod Natur ei hun yn hanesyddol'.[56]

Rhaid nodi, fodd bynnag, nad yw cyflwyno agweddau ar y cysyniad o ganon llenyddol Cymraeg yng nghyswllt gwaith Saunders Lewis, R. M. Jones ac Alan Llwyd yn gyfystyr â chyhoeddi bod y cysyniad o ganon llenyddol Cymraeg yn un diffrwyth heddiw a bod angen cyhoeddi ei farwolaeth. Mewn perthynas â *Mythologies* Barthes, er enghraifft, sef y gyfres o ysgrifau lle y mae'r awdur yn ceisio dadlennu'r ystyron cudd sy'n perthyn i wahanol agweddau ar ddiwylliant Ffrainc, nododd Jonathan Culler nad yw'r broses o ddadfytholegu wedi dileu myth, eithr yn baradocsaidd y mae wedi rhoi mwy o ryddid iddo.[57] Am y rheswm hwn, ac yn wahanol i ddarlith Dafydd Elis Thomas, *Traddodiadau Fory*, nid ceisio dileu myth y Traddodiad neu'r canon llenyddol Cymraeg a wneir yma, ond ei destunoli fel y gellir ei weld o'r newydd, gan fod yn ymwybodol o'i gyfraniad a'i gyfyngiadau diwylliannol.

Yn ei ragair i *James Kitchener Davies*, nododd M. Wynn Thomas fod i'r gyfrol gyd-destun penodol, sef canmlwyddiant geni James Kitchener Davies, a hanner canmlwyddiant ei farwolaeth. Am hynny awgrymodd ei bod yn adeg addas inni ei ddarllen eto: 'to read him again, and to read him differently'.[58]

Nid mewn gwagle gwrthrychol, diamser a dileoliad y mae'r beirniad yn ysgrifennu. At hyn, y mae'r defnydd uchod o'r berfenw 'darllen' yn amlygu nad cofiannydd-groniclydd mo'r beirniad, ond yn hytrach ddehonglydd sy'n cynnig dehongliad gwahanol i'r un a gafwyd gan eraill o'i flaen, yn sgil ei leoli ef ei hun mewn oes ac amgylchiadau gwahanol. Awgryma'r ymadrodd 'to read him again, and to read him differently' nad canfod yr awdur – yr unig wir James Kitchener Davies, y person y tu ôl i'r gwaith – er mwyn esbonio ei destunau llenyddol yw'r dasg, ond yn hytrach gyfansoddi darlleniad ohono ef ei hun; darllen ei fywyd ef, fel pe bai'n destun llenyddol, gan dderbyn y bydd eraill maes o law, efallai, mewn oes ac amgylchiad gwahanol, 'yn ei ddarllen yn wahanol' eto fyth. Hynny yw, awgryma'r ymadrodd hwn fod y beirniad yn ymagweddu at yr awdur megis at un o'i destunau llenyddol. Er mwyn gwneud hynny, y mae M. Wynn Thomas i raddau'n gwyrdroi'r berthynas arferol rhwng bywyd yr awdur a'i waith. Gan nodi mai'r duedd yn y gorffennol ydoedd darllen ei waith creadigol yng ngolau ei wleidyddiaeth, awgrymodd ei bod yn bryd bellach inni ddarllen ei wleidyddiaeth yng ngolau'r hyn a ysgrifennodd.[59]

Yn hyn o beth, y mae'r awgrym hwn yn f'atgoffa o sylw Roland Barthes ynghylch sut yr oedd modd i'r awdur yn 1971 – dair blynedd wedi cyhoeddi 'La mort de l'auteur' – ddychwelyd at y testun, 'megis "gwestai" . . . yn awdur-papur'. Nododd Barthes nad bywyd yr awdur fyddai gwraidd ei waith creadigol mwyach, eithr y dylid ystyried y bywyd ei hun bellach yn ffuglen a oedd yn cyfrannu at y gwaith; 'gwaith Proust, gwaith Genet sy'n caniatáu i'w bywydau gael eu darllen megis testun'.[60]

Y mae modd i'r llif rhwng bywyd a gwaith yr awdur fod yn un dwy-ffordd. Gellir darllen y naill yng ngolau'r llall. Gellir gwyrdroi, a pheidio â gwyrdroi'r berthynas hefyd. Yn *James Kitchener Davies*, er enghraifft, ceir digon o enghreifftiau o'r beirniad yn esbonio'r gwaith yng ngoleuni bywyd yr awdur. Dyma'n wir yw symudiad cyffredinol y llyfr: o'r bywyd at y gwaith. Erbyn i'r darllenydd gyrraedd uchafbwynt y llyfr, sef y trafod ar 'Sŵn y gwynt sy'n chwythu', y mae ymysg nifer o ffeithiau a digwyddiadau bywgraffyddol eraill wedi dysgu darllen y gerdd mewn perthynas â '[th]ri dolur mawr' James Kitchener Davies, 'sef colli mam pan own i'n chwech oed, gwerthu'r Llain pan own i'n ddeunaw, ac yn saith-ar-hugain manwl graffu ar y cancr maleisus, fel *convolvulus*, yn cordeddu am einioes y fodryb-fam a'm magodd'.[61]

Ac eto, ar ddechrau'r bennod honno gwelir bod y beirniad hefyd yn darllen bywyd yr awdur yng ngoleuni ei waith, gan wyrdroi llif y darllen, o'r gwaith at y bywyd. Cymaint grym 'Sŵn y gwynt sy'n chwythu', a chystal cywasgiad o egni byw Kitchener, nes i'r beirniad nodi mai anodd yw peidio â synied am fywyd Kitchener ar ôl y rhyfel yng ngolau'r modd y'i paratôdd i ysgrifennu'r gerdd gwbl arbennig hon.[62] Ar y naill law, darllenir y gerdd yn nhermau bywyd yr awdur. Ond ar y llaw arall, oherwydd grym 'Sŵn y gwynt sy'n chwythu', cymhellir y darllenydd i ddeall, neu ailddarllen bywyd yr awdur yng ngoleuni'r gerdd. Y canlyniad, felly, yw y daw'r darllenydd o hyd i'r awdur, nid yn unig drwy gasglu ffeithiau bywgraffyddol amdano, ond yn ei waith ei hun.

O safbwynt gwahaniaethu rhwng ffuglen a ffaith, y mae i'r broses hon o ddefnyddio'r testun llenyddol yn ffynhonnell ar gyfer creu testun o fywyd y bardd beryglon, wrth gwrs, pan anghofir y gall fod gan awdur ddychymyg ac nad meddyliau ei gymeriadau o anghenraid yw ei feddyliau 'ef'. Er enghraifft, wrth gyflwyno Daniel Owen, beirniadodd Robert Rhys duedd ambell feirniad i '[dd]efnyddio tystiolaeth dybiedig y nofelau yn sail i ddatganiadau cwbl hyderus ynghylch cyflwr ysbrydol y nofelydd'.[63] Ond yn *James Kitchener Davies* – gan osgoi datganiadau cwbl hyderus – y gwaith sy'n cyflenwi'r portread o fywyd yr awdur, megis wrth i'r beirniad geisio dod o hyd i deimladau'r awdur ynghylch yr ail o'i dri dolur mawr, sef gwerthu'r Llain, drwy gyfrwng ei stori fer, 'Y llysfam' – stori sydd fel pe bai yn rhagweld marwolaeth yr awdur ei hun, gan fod y prif gymeriad ynddi yn cyfansoddi ei ddrama olaf ar ei wely angau. Am hynny, ar ffurf cyfres o gwestiynau olynol, ceisir tynnu o'r stori bortread o'r awdur a'i cyfansoddodd ac a gafodd ei gyfansoddi, megis, ganddi.

Yn *James Kitchener Davies*, portreadir y berthynas rhwng bywyd a gwaith yr awdur fel math o gylch anfad heb na dechrau na diwedd iddo, wrth i'r naill gyflenwi ystyr y llall, megis y mae hefyd i raddau llai o lawer yn astudiaeth Robert Rhys, *Daniel Owen*, er gwaethaf y feirniad-aeth uchod ar wyrdroi'r llif darllen rhwng bywyd a gwaith yr awdur. Oherwydd wrth drafod cyfnod yr awdur yng Ngholeg y Methodistiaid Calfinaidd, nododd y beirniad ei bod yn 'anodd ymatal rhag seilio y rhan hon o'r ymdriniaeth yn llwyr ar benodau 36–8 yn *Rhys Lewis*, lle y ceir, yn ddi-os, y darlun cyfoethocaf a mwyaf nodweddiadol o fywyd coleg diwinyddol yn y bedwaredd ganrif ar bymtheg'.[64] Yn achos y cyfryw ddarlleniad deuol lle y darllenir, nid yn unig y gwaith yng ngoleuni'r bywyd, ond hefyd y bywyd yng ngoleuni'r gwaith, math o bwll tro yw'r llif perthynas rhyngddynt, wrth i'r beirniad, troellwr y cawl, ddefnyddio ffeithiau bywgraffyddol, manylion cefndirol am y cyfnod, disgrifiadau o'r tirluniau, straeon, ynghyd â dyfyniadau llenyddol fel ei gilydd i lunio portread o'r awdur-destun.

Nid dileu'r awdur, eithr amodi arddull

Yn ei lyfr *The Death and Return of the Author*, dadleuodd Seán Burke nad dileu yr awdur yn llwyr o faes beirniadaeth lenyddol ydoedd amcan Roland Barthes, er gwaetha'r sylw a dderbyniodd ei ysgrif yn Saesneg, 'The death of the author', a'r dylanwad pellgyrhaeddol a gafodd yr ysgrif honno, ond yn hytrach ddadlennu mai gweithgarwch goddrychol – dilys, ond goddrychol – ydoedd y weithred o ddarllen y testun llenyddol mewn perthynas â bywyd yr awdur, ac nad yw'r gwaith yn adlewyrchu realiti bywyd yr awdur. O gydnabod hynny, er gwaetha'r farwolaeth, yr oedd modd i'r awdur ddychwelyd at drafodaeth y beirniad ar ei waith. Yr hyn a heriwyd yn hytrach ydoedd, nid yn gymaint yr hyn y gellir ei ddweud neu na ellir ei ddweud am yr awdur, eithr arddull y dweud hwnnw – 'the manner of our saying'. Am hynny yr oedd modd i Barthes ddychwelyd at brif bwyntiau beirniadaeth awdurganolog – creadigrwydd ieithyddol, bywyd a gwaith yr awdur – dim ond iddo eu trafod mewn modd gwahanol.[65]

Fel yr awgrymwyd eisoes, cymaint yr adwaith a fu i'r dull bywgraffyddol o ddehongli testunau llenyddol fel yr edrychir yn aml ar theori lenyddol gyfoes a'r awdur fel elfennau anghymharus.[66] Ond fel yr awgrymodd Seán Burke, arhosodd yr awdur yn ganolog i feirniadaeth lenyddol fodern, neu ôl-fodernaidd, er gwaetha'r sylw a roddwyd i 'farwolaeth y goddrych'. Er enghraifft, nododd Jacques Derrida fod 'y goddrych yn gyfan gwbl anhepgor. Nid wyf fi'n dileu'r goddrych; 'rwy'n ei leoli . . . Mater o wybod o ba le y mae'n dod a sut y mae'n gweithio ydyw.'[67] Yr hyn a heriodd Barthes yn hytrach ydoedd 'arddull ein dweud', wrth i fywyd yr awdur droi'n destun arall i'r beirniad ei ddarllen.

Gwelir hyn, er enghraifft, mewn astudiaeth awdurdestunol arall, sef *Caradog Prichard* gan Mihangel Morgan, lle y nodir i'r awdur dan sylw droi 'ei fywyd yn llenyddiaeth nes ei fod yn destun llenyddol ei hunan'.[68] Fel beirniaid eraill mwy awdurganolog o'i flaen, ac ar ei ôl, sylwodd Mihangel Morgan 'ar y cyfatebiaethau agos a chyson rhwng ei fywgraffiad a'i lên',[69] ond bellach, nid edrychir ar y cyntaf fel ffynhonnell sicr ar gyfer esbonio'r ail, yn enwedig gan yr ymddengys i'r awdur ffugio elfennau o'i fywgraffiad.

> Honnai Caradog Prichard iddo geisio gwneud amdano'i hun un tro drwy'i daflu'i hun ar gledrau'r rheilffordd danddaearol yn Llundain ond yn ôl ei wraig go brin fod unrhyw wirionedd yn ei stori . . . Gwelir yma, efallai, y bardd yn chwilio am farddoniaeth yn ei fywyd, y newyddiadurwr yn chwilio am sgŵp, y nofelydd yn chwilio am naratif yn y ffeithiau.[70]

Barddoniaeth, felly, yw'r bywyd, megis y gerdd. Awgrym Mihangel Morgan yw fod Caradog Prichard yn dyheu am gael 'chwarae rôl drasig yn ei ddrama ef ei hun', ys dywedodd T. Robin Chapman am Saunders Lewis yntau.[71] Gan hynny, gwêl y beirniad mai testun yw bywyd yr awdur, megis y nofel, i'w gyd-ddarllen a'i gyfosod wrth destun arall: peth arall iddo ei ddarllen a'i fwynhau yw. Ac o'r herwydd, y mae arddull y cyfryw feirniad yn dra gwahanol i eiddo beirniaid mwy empeir-aidd. 'Gwelir yma, *efallai*', meddai, gan ddyfalu neu gynnig posibilrwydd yn hytrach na datgan ffaith; ceisir llunio darlleniad. Ac am y rheswm hwnnw, gellir hyd yn oed wrthod tystiolaeth yr awdur am ystyr ei nofel ei hun. 'Er bod Caradog Prichard yn ei lythyr at Huw Griffith . . . yn dweud yn ddigon clir ei fod yn meddwl am yr adroddwr fel dyn a dreuliodd hanner can mlynedd yn seilam Broadmoor am ladd Jini Bach Pen Cae, nid oes raid inni dderbyn hynny.'[72] Ac y mae hynny gan mai testun arall i'w ddehongli ymhellach yw esboniad yr awdur ar ei waith ei hun.[73] Fel y nododd Helen Fulton, 'Pe gadawsai Dafydd ap Gwilym hunangofiant yn ei law ei hun, buasai hynny yn ei dro yn fersiwn naratif arall eto o'i "wir" hunan.'[74] Gwaith y darllenydd o hyd fyddai cyfuno'r fersiynau naratif a chreu darlleniad ohonynt.

Y mae'n wir yn achos James Kitchener Davies na ellir ar ryw olwg ond dyfalu yn ei gylch, gan i'w bapurau a'i lawysgrifau gael eu llosgi yn y tân ofnadwy a fu hefyd yn gyfrifol am ddwyn bywyd gweddw'r awdur, Mair. Ac eto, o gofio i'r awdur ysgrifennu '[d]au hunangofiant byr, y naill mewn rhyddiaith [yr ysgrif 'Adfyw'] a'r llall yn bryddest fythgofiadwy ['Sŵn y gwynt sy'n chwythu']', fel y nododd Kathryn Jenkins, rhaid nodi nad cynnig darlleniad yn sgil diffyg manylion am fywyd yr awdur a wnaeth M. Wynn Thomas.[75] Nid oherwydd prinder deunyddiau byw-graffyddol y dywedir *may* ac nid *must*. Yn hytrach, nid deillio'n syml o ddiffyg papurau y mae arddull y dweud – yr awgrymu a'r cwestiynu a'r archwilio – eithr tystio y mae i'r newid ym maes beirniadaeth lenyddol y cyfeiriodd Seán Burke ato yn *The Death and Return of the Author*.

Nodwedd ar y newid hwn yn arddull y dweud yw'r ffaith mai dyn wedi ei demtio yw'r beirniad llenyddol heddiw. Er enghraifft, 'It is tempting to hear', meddai M. Wynn Thomas, wrth iddo ddehongli diweddglo 'Gloria in excelsis' fel adlais o ddymuniad yn isymwybod Kitchener am gael ei fam eto'n ei hôl.[76] Nid clywed yr adlais eithr cael ei demtio i'w glywed y mae'r beirniad. Mewn modd tebyg, meddai Mihangel Morgan wrth drafod *Un Nos Ola Leuad*: 'mae'n demtasiwn gogleisiol i chwilio am gynseiliau'r cymeriadau a'r digwyddiadau rhith-iol yn y nofel er mwyn *profi* bod perthynas rhwng y byd a ffuglen'.[77] Ni nododd M. Wynn Thomas na Mihangel Morgan beth neu bwy sy'n temtio'r beirniad heddiw. Ond gellir awgrymu mai'r hen feirniadaeth ddyneiddiol-ryddfrydol sy'n parhau'n ddylanwad ar feirniaid llenyddol heddiw, er gwaethaf y chwyldro theori. Ar un olwg, nid yr hyn a ddyw-edir a newidiodd, eithr sut y'i dywedir. A newid arddulliol yw hwn sy'n effeithio hefyd ar y modd yr ydym yn sôn, nid yn unig am awduron unigol, eithr hefyd am y Traddodiad neu'r canon llenyddol Cymraeg.

Er enghraifft, wrth drafod gwaith beirniadol Saunders Lewis a James Kitchener Davies, nododd M. Wynn Thomas fod y ddau awdur 'wedi ceisio dadlennu (neu adeiladu) traddodiad llenyddol amgen a fyddai'n hyrwyddo ac yn dilysu eu datblygiad creadigol eu hunain'.[78] Rhwng dadlennu ac adeiladu y mae byd o wahaniaeth. '[Y] mae ef wedi dadlennu neu ddarganfod *adeiladwaith* i'n traddodiad', meddai R. M. Jones, yn ei ysgrif 'Pab ein llên', gan ddadlau mai'r hyn a wnaeth Saunders Lewis ydoedd 'achub beirniadaeth lenyddol Gymraeg rhag diflannu mewn sachaid o chwiwiau goddrychol'.[79] Ond yn ôl Gerwyn Wiliams: 'Paratôdd [Saunders Lewis], o'i ben a'i bastwn ei hun draddodiad ar ei chyfer [hi, Cymru],'[80] sy'n awgrymu bod elfen oddrychol, gref i'r cyfryw adeilad-waith; megis y nododd Menna Elfyn 'nad peth sy'n bodoli heb reswm yw traddodiad ond ei fod wedi cael ei greu'.[81] Dyma ddau safbwynt beirniadol, gwahanol iawn i'w gilydd, felly, ond y mae'r naill (a'r llall mewn cromfachau) i'w clywed yn y dyfyniad uchod o eiddo M. Wynn Thomas, fel pe bai'n cynnal rhyw fath o ddeialog rhyngddo ef ei hun ac ef ei hun, rhwng y beirniad sy'n hoffi dadlennu'r awdur, megis y dadlennodd eraill draddodiadau llenyddol cyfain, a'r beirniad sy'n ymwybodol ei fod ef ei hun wedi ei leoli lawn cymaint â'r gwrthrych y mae'n edrych arno, ac na all, o'r herwydd, ond cynnig darlleniad ohono. Y canlyniad yw sylwadaeth ddeublyg, aml-leisiol, gydag arddull y dweud yn awgrymu nad oes modd dod o hyd i ffynhonnell creadigrwydd yr awdur, James Kitchener Davies.[82] Yn hyn o beth, cadarnheir drwy'r arddull yr hyn a nodod Terry Eagleton mewn modd mwy uniongyrchol, sef mai 'testun cymhleth' ydyw bwriad yr awdur, 'y gellir dadlau yn ei gylch, ei gyfieithu a'i ddehongli mewn sawl ffordd megis unrhyw destun arall'.[83] Oherwydd hynny, gosod testun wrth destun y mae'r beirniad wrth iddo ddarllen bywyd a gwaith yr awdur ar y cyd, nid defnyddio'r naill ar gyfer esbonio'r llall. Ac yn sgil y newid hwn ym mherthynas yr awdur-destun â'r testun, anodd yw gwybod p'un ai'r awdur sy'n cyfansoddi'r gwaith, ynteu ai'r gwaith sy'n cyfansoddi'r awdur. Pwll tro o berthynas ydyw gyda'r achos a'r effaith yn medru cyfnewid lle â'i gilydd yn rhwydd, megis yn stori 'Y llysfam' gan James Kitchener Davies pan na allai Glyn ar ei wely angau benderfynu ai ef a fu'n gyrru'r beic modur ynteu ai'r beic modur a fu'n ei yrru ef.[84] Testun arall i'r beirniad chwarae ag ef yw'r awdur mwyach, megis y testun ei hun. Nid 'y cymhelliad, y gwraidd, yr awdurdod, y Tad', chwedl Barthes, eithr 'ffigwr nofelaidd, anadferadwy, anghyfrifol sydd wedi ei ddal yn lluosogrwydd ei destun ei hun'.[85]

Yn ôl Hugh Bevan, 'nid William Thomas yw Islwyn ac nid William Williams yw Pantycelyn ymhob dim'.[86] Am hynny, ni chredai'r beirniad fod modd defnyddio bywyd yr awdur yn ffynhonnell ar gyfer darllen ei waith. Ac eto, yn estyniad ar yr egwyddor hon, dadleuir yma fod modd i'r beirniad gyfuno'r bywyd a'r gwaith a dod o hyd i identiti newydd, a darllen ohonynt Williams Pantycelyn, neu o leiaf *Williams Pantycelyn*, a defnyddio'r gwaith yn ffynhonnell ar gyfer darllen yr awdur, cymaint ag yw'r awdur yn ffynhonnell ar gyfer darllen y gwaith.[87] Gellir creu *James Kitchener Davies*, os nad James Kitchener Davies. Ond, fel yr awgrymodd Barthes yn ei hunangofiant, gwaith i eraill ac nid i'r awdur ei hun yw 'cyrraedd y gwraidd, y dyfnder, y dwyster',[88] nid yn annhebyg i'r modd y gadawodd Saunders Lewis 'i eraill ei liwio fel athrylith, fel bwgan, fel *magus* ac oracl a sant a ffŵl sanctaidd', a gadael i'w gofiannydd lunio cyfanwaith o'i 'fywyd gwibiol'.[89] Ac o gofio'r modd y mae James Kitchener Davies yn cyfeirio at deimlo crepach yn ei ego yn 'Sŵn y gwynt sy'n chwythu', y mae'n amlwg yr ofnai yntau na allai'r awdur ei hun dreiddio o dan ei groen arwynebol ef ei hun. Tasg i eraill yn hytrach yw casglu ynghyd y darnau o berson a oedd yn rhan o fywyd a gwaith yr awdur, a chreu o James Kitchener Davies *James Kitchener Davies*, nad yw o anghenraid yn ddrych union i'r Kitchener arall, na'r un *Kitchener* arall, ond sydd eto'n fodd inni ddarllen ei waith ar lun cyd-destun newydd, ac nid mewn gwagle.

'Ef yw pob fi . . .'

Na, ni cheisir yma ddileu'r awdur. Gwelir yn y penodau dilynol y dar-llenir agweddau ar destunau beirniadol, personol a hunangofiannol y tri beirniad llenyddol ynghyd. Oherwydd mewn oes o awduron proffesiynol a hawlfraint bersonol, dim ond llwyddo i ddieithrio theori lenyddol y mae'r hen duedd gynt i anwybyddu bywyd yr awdur. Rhaid cofio cyngor Jenny Rowland:

> Erbyn heddiw, disgwylir gallu dadansoddi darn o lenyddiaeth gan ddechrau gyda'r awdur: ei fywyd, ei amgylchiadau, ei weithiau eraill a'r dylanwadau a fu arno. Yn ddelfrydol mae ystyried yr awdur yn bwysig, ac ymddengys bron yn annaturiol edrych ar gân mewn gwagle.[90]

Ceisiodd llawer o feirniaid llenyddol adweithio yn erbyn y dull naturiol hwn o ddarllen llenyddiaeth mewn perthynas â'r awdur. Y mae, wedi'r cyfan, yn ddull sy'n tueddu 'i ddiystyru ac i fychanu gwerth gweithiau anhysbys o bob math'.[91] Y mae hefyd yn ddull sy'n cyfyngu ar ystyron posib y testun, wrth i feirniaid roi '[p]wyslais ar flaenoriaeth bywgraffiad ar draul y cerddi eu hunain, yn union fel pe bai'n rhaid i ryw adluniadau rhithiol o'r "awdur" – pa mor amherffaith bynnag y'u gwnaed – fod yn allwedd i ddehongli ei gerddi yn gywir'.[92] Am hynny, gwell gan Helen Fulton fyddai'n hytrach '[d]orri'r llinyn cyswllt rhwng y testun a'r awdur. Golygu'r cywyddau, nid y Cywyddwyr, yw'r dasg.'[93] Ond yn hytrach nag aros gyda marwolaeth yr awdur a chyda 'The death of the author' – yr ysgrif o waith Roland Barthes a ddyfynnir gan Helen Fulton yn yr ysgrif dan sylw – awgrymir yma nad torri'r llinyn cyswllt rhwng y testun a'r awdur yw'r gofyn, ond yn hytrach wehyddu rhagor o linynnau dwyffordd a thrwchus rhyngddynt, gan sylweddoli mai 'creadigaethau yw'r testun a'r awdur fel ei gilydd', fel y nododd Fulton ei hun.[94] Ni raid rhoi'r gorau i'r dasg o lunio bywgraffiad. Nid oes dim o'i le yn hynny. Y camsyniad yn hytrach yw peidio ag edrych ar y cyfryw fywgraffiad fel testun creadigol y mae'r darllenydd yn gyfrifol amdano, ond yn hytrach fel ffynhonnell ddibynadwy wedi ei sicrhau megis gan yr awdur ei hun ar gyfer esbonio ei waith. Oherwydd llunio bywgraffiad a wneir hyd yn oed pan fo storfa o ffynonellau bywgraffyddol ym medd-iant y darllenydd, wrth i'r darllenydd ei hun ymdroi'n awdur bywgraffiad yr awdur a gyflwynir. Yn hyn o beth y mae Helen Fulton yn llygad ei lle wrth ychwanegu mai'r 'golygydd a neb arall sydd berchen ar awdurdod ac ystyr y testun', megis yr awdur-destun a gyflwynir ganddo.[95]

Yn ei hunangofiant, cyfeiriodd Barthes at y math o arddull y mae angen i'r awdur hunangofiannol ei ddefnyddio os yw am barchu'r aralliad hwnnw sy'n nodwedd ar bob ysgrifen. Nododd fod gofyn iddo siarad amdano ef ei hun fel pe bai ar fin marw.[96] Mewn modd cymharus awgrymodd Islwyn Ffowc Elis yn chwareus wrth T. Robin Chapman y dylai ysgrifennu am ei waith gan 'esgus fy mod wedi marw, ac nad yw'n bosibl i mi felly ystumio'ch barn mewn ffordd yn y byd'.[97] Wrth gwrs, yr hyn sydd mor greulon eironig am sylw Barthes mewn perthynas â James Kitchener Davies yw iddo gyfansoddi 'Sŵn y gwynt sy'n chwythu' ar ei wely angau. Yn hyn o beth, y mae'r awdur hwn yn ei farwolaeth yn llwyddo i ddiriaethu damcaniaethau Barthes am gymeriad yr awdur mewn modd creulon o lythrennol.

Siarad am rywun y tu allan i'r testun, felly, y mae'r sawl sy'n ei ysgrifennu, hyd yn oed os yw'n ysgrifennu amdano ef ei hun. Fel yr awgrymodd M. Wynn Thomas, ymgais ofer yw ceisio canfod enw ar gyfer y dienw, a meddwl y bydd ysgrifennu yn dileu'r modd y mae'r awdur yn ei ddieithrio ei hun.[98] Oherwydd hyrwyddo math o hunan-aralliad y mae ysgrifennu; nid ei ddileu, hyd yn oed pan fo'r awdur yn hunangofianna. Fel y nododd W. K. Wimsatt Jr. a Monroe C. Beardsley yn eu hysgrif enwog, 'The intentional fallacy', 'nid yw cynllun neu fwriad yr awdur nac ar gael nac yn safon y dylid dymuno ei chael ar gyfer barnu llwyddiant darn o waith sy'n gelfyddyd lenyddol'.[99] Un rheswm dros hynny yw gan nad yw'r awdur a saif y tu ôl a'r tu allan i'r gwaith i'w ganfod yn gyflawn yn y gwaith ei hun, na'r tu allan iddo chwaith. Rhannau cyfnewidiol ohono, os nad ohonynt, a geir yn y bywyd a'r gwaith, ar wahân ac ar y cyd. Ys dywed Bobi Jones (R. M. Jones) yn ei hunangofiant: 'Ef yw pob fi, a fi yw ef. A dwi felly rywfodd i mewn a ma's yr un pryd. Arall wyf, a hunan hefyd.'[100] Ac am hynny, holwn gyda Saunders Lewis – 'sut y gall dyn fod yn gyson ag ef ei hun, pan nad oes ganddo "ef ei hun" y gall ef ei gofio'?[101] Nid rhyfedd, felly, mai *Nid Myfi yw Myfi fy Hun* ydoedd y teitl a ddewiswyd ar gyfer rhaglen deyrnged Alan Llwyd yntau.

Yn groes i'r gred mai cyfrwng diogel yw llenyddiaeth i'r awdur fynegi rhyw oddrychedd sicr a diamwys, awgryma sylw Bobi Jones mai'r hyn a gynnig llenyddiaeth i'r awdur yw cyfle iddo nid yn unig i'w fynegi ei hun, ond ei drawsnewid ei hun hefyd.[102] 'Wrth iddo chwilio amdano'i hun, y mae'n ffoi rhagddo'i hun', meddai am Dafydd ap Gwilym, er enghraifft.[103] Y mae'r awdur o hyd, felly, o sylweddoli nad yw'n berson syml un lleoliad, y tu hwnt i afael y beirniad na all ond ceisio llunio portread ohono. Dyna pam mai chwilio am awdur-destun a wneir, a hynny ar ffurf cwestiynau ac awgrymiadau, gan gydnabod mai cyflwyno darlleniad ohono y mae'r beirniad llenyddol. Fel y nododd M. Wynn Thomas mewn man arall, ar y gorau, naratif yw pob bywgraffiad, oherwydd '[a]fter death (as also, perhaps, during life) a person is present to others primarily as story'.[104]

Awdur a chanon: dwy ochr i'r un geiniog

Yn eu herthygl, 'The intentional fallacy', nododd W. K. Wimsatt Jr. a Monroe C. Beardsley fod bwriad yr awdur yn egwyddor a effeithiodd yn fawr ar wahaniaethau beirniadol.[105] A nodwyd mai mewn perthynas ag agweddau gwahanol tuag at yr awdur y dosrannodd Niall Lucy feirniadaeth lenyddol yn ddwy garfan wahanol, gyda'r naill yn synied am gynnyrch yr awdur, a'r llall yn synied am sut y mae ef ei hun wedi cael ei gynhyrchu. Dadleuir yma hefyd fod agwedd y beirniad tuag at yr awdur yn effeithio ar ei holl syniad am lenyddiaeth, ac yn benodol felly mewn perthynas â'r cysyniad o ganon llenyddol. Yn wir, gwelir yn y rhelyw o lyfrau sy'n cyflwyno neu'n trafod maes beirniadaeth neu theori lenyddol gyplysu beirniadaeth wrthawdurol a gwrthganoniaeth ynghyd. Er enghraifft, nododd Richard Freadman a Seumas Miller yn Re-thinking Theory (1992) fod prif nodweddion Theori yn cynnwys ynddi: gwadu grym cyfeiriadol llenyddiaeth a'i delweddau o'r unigolyn; mabwysiadu modelau diganol o'r hunan; gwadu awdurdod gwreiddiol yr awdur; gwadu yn sgil hynny fod gan destun ystyr benodol, ynghyd â deongliadau sy'n pennu ystyr testun; ystyried drwy hynny fod y testun yn cynnwys ynddo ystyron lluosog a darlleniadau di-ben-draw; cysylltu ynghyd hermeniwteg a'r dasg o ddehongli strwythurau grym; gwrthod y cysyniad o ganon a thraddodiad llenyddol, ac yn wir, gategori 'llenyddiaeth' ei hun.[106]

O edrych ar y gyfres o bwyntiau a nodir yma, gwelir mai'r un mwyaf arwyddocaol yw'r trydydd, sef herio awdurdod yr awdur, gan ei fod yn ansefydlogi'r maes cyfan ac yn arwain at y ddau bwynt dilynol ynghylch pennu ystyr testun a lluosedd darlleniadau. Fel y nododd Helen Fulton, 'swyddogaeth bwysicaf awdur a chanddo enw oedd . . . nid yn unig awdurdodi'r ffurf a'r cynnwys . . . ond gwarantu ystyron y testun'.[107] Gwrthawduraeth yw'r pwynt sy'n agor y llifddorau megis, a'i benllanw – neu benllanw'r pwyntiau dilynol yn eu tro, os nad holl wth theori lenyddol gyfoes – ydyw'r pwynt olaf, sef gwrthod y cysyniad o ganon neu draddodiad llenyddol, a llenyddiaeth ei hun. Arwain at y gwrthod eithaf hwnnw, megis, y mae'r cam blaenorol o herio awdurdod yr awdur.

Da y nododd Howard Felperin fod 'marwolaeth yr awdur' yn gysylltiedig â'r modd yr aethpwyd ati i herio'r cysyniad o ddarllen testunau ar eu telerau eu hunain ynghyd ag amlygu nad ydynt yn perthyn i'r canon ar eu telerau eu hunain, eithr yn cael eu cyflwyno i'r canon am resymau cymdeithasol penodol.[108]

Gellir, wrth gwrs, ddadlau bod y berthynas syniadol rhwng awdurdod yr awdur a chanon llenyddol yn symud y naill ffordd a'r llall. Oherwydd cyn gynted ag y mae un yn dechrau meddwl am y cysyniad o ganon llenyddol y mae'n cael ei yrru'n ôl megis i feddwl am berthynas llenyddiaeth â'r awdur. Dyna, er enghraifft, fu fy mhrofiad i wrth ysgrifennu'r llyfr hwn. Pan ddaethpwyd ar draws y cysyniad o ganon llenyddol Cymraeg, buan y sylweddolwyd mai canon o awduron yw'r Traddodiad Llenyddol Cymraeg, yn brin o destunau anhysbys, a'r beirniaid yn dadlau dros gynnwys lle i'r awdur hwn a'r llall ymhlith y clasuron, ac yn fwy felly, ar y cyfan, na'u testunau unigol hwy.

Yng nghyswllt y Dadeni, nododd Rosalie Colie mai mewn perthynas â llenddulliau arbennig y cyflwynid dyfeisgarwch llenyddol ac y trosglwyddid gwerthoedd o'r gorffennol.[109] Ac y mae'r berthynas rhwng canon a llenddull yn un berthnasol, heb os, yn achos ffurfiad y canon llenyddol Cymraeg, megis yn netholiad Bleddyn Owen Huws o gywyddau gofyn a diolch, neu flodeugerddi eraill a drefnwyd mewn perthynas â llenddull neu fesur.[110] Fodd bynnag, dim ond inni ddechrau enwi'r gynnau mawr – Taliesin, Aneirin, Dafydd ap Gwilym, William Williams – gwelir mai perthnasol i'r sefyllfa Gymraeg yw sylwadau Mary Depew a Dirk Obbink ar natur y canon clasurol. Oherwydd nododd y ddau fod y llenddulliau neu'r mathau gwahanol o ysgrifennu sy'n rhoi ffurf ar ganon llenyddol, fynychaf wedi eu dosbarthu mewn perthynas ag awduron.[111] Er i destunau megis *Pedeir Keinc y Mabinogi* ar un adeg fod yn dderbyniol heb angen cwestiynu identiti eu hawdur, canon o ysgrifenwyr mawr, nid o ysgrifennu mawr yw'r un llenyddol mwyach. Fel y dadleuodd Foucault yn 'What is an author?', o'r ddeunawfed ganrif ymlaen ceisiodd beirniaid ddod o hyd nid yn unig i awdur, ond hefyd ddyddiad, lleoliad ac amgylchiad cyfansoddi testunau anhysbys y canon llenyddol, ac osgoi'r gwagle y cyfeiriodd Jenny Rowland ato uchod. Ni allai Saunders Lewis hyd yn oed osgoi'r arfer feirniadol hon o chwilio am ddyddiad ac awdur dilys, er iddo ddibrisio'r arfer yn 'Dafydd Nanmor'.[112] Yn ei gyfres o erthyglau ar y pedair cainc, mynnodd fod y gwaith 'yn glasur sy'n gampwaith byw'.[113] Ond yn unol â sylw Foucault ynghylch awduraeth, ynghyd â dyddiad a chyd-destun cyfansoddi'r gwaith, gwelir o erthyglau Saunders Lewis fod statws clasurol y testun 'yn ddibynnol ar y wybodaeth hon'.[114] Yn ei ymgais i bennu'r clasuron byw, deuai yntau yn ôl i drafod materion yn ymwneud ag awduraeth. 'Y mae syniadau ynghylch y canon', meddai Andrew Bennett a Nicholas Royle, 'yn ein dwyn yn ôl i drafod cwestiynau yn ymwneud ag ystyr, dehongli a bwriad yr awdur.'[115]

Dwy ochr i'r un geiniog, felly, ydyw'r awdur a'r cysyniad o ganon llenyddol. Ac y mae'r modd yr ydym yn synied am y naill elfen yn effeithio ar y modd yr ydym yn synied am y llall. Yn achos gwaith y tri beirniad a astudir yn y gyfrol hon, R. M. Jones yw'r un a roes y sylw mwyaf i'r darllenydd.[116] Ac eto, amlyga *Beirniadaeth Gyfansawdd* mai anodd yw coleddu'r canon heb goleddu'r awdur yr un modd.

Amlygir y rhyngberthynas hon rhwng awdur a chanon yn arbennig, fe gredir, gan feirniadaeth ffeminyddol. Amlygwyd mor brin o awduresau y bydd canonau llenyddol fel rheol. Y mae hynny'n arwyddocaol os sylweddolir, fel y gwnaeth Patrocinio P. Schweickart, fod *'sut* yr ydym yn darllen yn annatod glwm wrth *beth* yr ydym yn ei ddarllen'.[117] Mor dynn yn wir y berthynas hon rhwng y sut a'r beth fel nad yw'n hawdd gwahaniaethu rhyngddynt. Ond dyma un o brif gyfraniadau beirniad-aeth ffeminyddol mewn perthynas â'r cysyniad o ganon llenyddol, sef amlygu'r cyswllt rhwng deunydd darllen a ffyrdd o ddarllen a meddwl; 'gweld cyd-gysylltedd pethau', fel y nododd Menna Elfyn,[118] a'r modd y 'gwreiddiwyd . . . rhagfarn . . . mor drwyadl yn sylfeini ein hiaith', ys dywed Jane Aaron.[119] Yn achos y canon, ystyr hynny yw y byddwn yn darllen yn dda, a chyda phleser, yr hyn yr ydym eisoes yn gwybod sut i'w ddarllen.[120] Drwy hynny, gwelir pam mai yn araf iawn y bydd cynnwys unrhyw ganon llenyddol yn newid. Canoneiddir ffyrdd o ddarllen a ffyrdd o feddwl gan ganonau llenyddol, nid testunau llen-yddol yn unig, sydd, maes o law, yn hyrwyddo'r un math o destunau llenyddol a safonau llenyddol i'w canoneiddio yn y dyfodol. Cydnabod yr egwyddor honno y mae R. M. Jones pan ddywed mai'r 'canon hwn wedi'r cwbl yw'r hyn a ddysgodd yn uniongyrchol neu'n anuniongyrchol inni ddarllen, os gallwn ddarllen, yn ddethol'.[121] Rhaid wrth ymdrech hynod o hunanymwybodol i dorri'r patrwm, felly, gan archwilio, nid yn unig y testunau llenyddol hynny sy'n rhan o'r canon, ond hefyd y strwythurau sefydliadol a'r cysylltiadau grym sy'n rhan o'r broses ganoneiddio. Dyna gyfraniad arbennig beirniadaeth ffeminyddol i'r drafod-aeth ar y canon, sef ei ddisgrifio yn nhermau 'proses strwythuriedig iawn sy'n ei chyflwyno ei hun megis un naturiol a chydsyniol', er y bydd y Traddodiad bob amser yn adlewyrchu diddordebau'r sawl a fu wrthi yn ei lunio.[122]

Fodd bynnag, gellir nodi yma fod y pwys hwn ar ddatgelu ffyrdd o ddarllen ynghyd â'r broses ganoneiddio erbyn hyn yn un weddol gyffredin. Fel yr awgrymwyd eisoes, dyma'r newid mawr a welwyd ym maes beirniadaeth lenyddol yn gyffredinol, sef ymgais i fod yn feirniadol dryloyw, drwy archwilio ffyrdd o ddarllen. Meddylir, er enghraifft, am erthygl Robert Rhys, 'Dysgu darllen'. Gan amau 'safonau digyfnewid', nododd fod y beirniad eisteddfodol, a phob beirniad o ran hynny, 'wedi'i gyflyru gan ei brofiad darllen i adnabod confesiynau llywodraethol ei gyfnod ac yn rhy aml yn gwobrwyo'r sawl sy'n cydymffurfio fwyaf â'r disgwyliadau hynny neu'n amrywio'n geidwadol arnynt'.[123] Nid yn athrylith yr awdur y deuir o hyd i ragoriaeth y gwaith mwyach, na chwaith yn athrylith y beirniad, ond yn hytrach yn ei brofiad darllen a'i gefndir addysgol: 'confensiynau llywodraethol ei gyfnod'.[124]

Megis y dadleuodd Stanley Fish yn ei lyfr *Is There a Text in This Class?* fod darlleniad y darllenydd unigol wedi'i gyflyru gan werthoedd y gymuned ddehongli y mae'n perthyn iddi, pwysleisio amgylchfyd y darllenydd y mae Robert Rhys yntau yn ei ysgrif, gan felly osgoi'r relatifrwydd eithaf a all nodweddu ymdriniaethau ôl-fodernaidd. Yn hyn o beth y mae, nid yn annhebyg i'r modernydd Jürgen Habermas, yn edrych ar iaith megis 'cyfrwng o gyfathrebu sy'n gwasanaethu dealltwriaeth',[125] sydd er yn fwy o lawer na'r unigolyn, heb fod y tu hwnt i'r modd y mae ef, megis aelodau eraill ei gymuned, yn medru ei ddefnyddio'n ystyrlon er mwyn strwythuro'i fywyd. Am hynny, gellir dweud am y gerdd eisteddfodol, ynghyd â phob datganiad arall, a dyfynnu Habermas, 'Deallwn ei [h]ystyr pan fyddwn yn gwybod o dan ba amgylchiadau y gellir ei derbyn yn [un] ddilys.'[126]

Ond gyda'r pwyslais ar gonfensiynau darllen, yr hyn a oedd yn wir ddefnyddiol i'r drafodaeth bresennol ydoedd sylwi bod Robert Rhys yn ei ysgrif, ac yntau'n trafod perthynas y testun a'r awdur a'r darllenydd, yn dewis cloi ei ysgrif gyda chyfeiriad at y canon llenyddol, megis y mae'r bennod hon hithau yn troi ei golygon oddi wrth yr awdur at y canon llenyddol. A dyfynnu Robert Rhys:

> Wrth bledio'r angen am ddamcaniaeth ynghylch 'gwerth' llenyddol, felly, bydd rhaid bod yn ymwybodol o rym confensiynau darllen a meysydd llafur swyddogol yn y broses o greu'r canon cyfoes ym mhob oes, ond dyw'r anawsterau hynny ddim yn ddigon o reswm i ildio'n dawel i'r ffilistiaeth ddadadeiladol newydd.[127]

Ni ddiffinnir yn union nodweddion y 'ffilistiaeth ddadadeiladol newydd', ond hwyrach y gellir rhagdybio ei bod yn cynnwys, ymysg pethau eraill, wrthod y cysyniad o ganon llenyddol, megis yn rhestr Freadman a Miller uchod. A dyna'r cwestiwn mawr ar gyfer y drafodaeth hon. A yw'r cysyniad o ganon llenyddol yn un defnyddiol heddiw? Nodwyd eisoes nad cyhoeddi marwolaeth y canon yw nod y llyfr hwn, eithr ei leoli, er mwyn gwybod o ba le y daeth a sut y mae'n gweithio. Dyna pam y ceisir addasu'r gwersi a ddysgwyd mewn perthynas â'r awdur-destun, a'u trosglwyddo i drafodaeth ar y canon llenyddol.

Delwedd y Crist atgyfodedig

Y wers bwysicaf, efallai, a gynnig hanes diweddar yr awdur ym maes Theori i'r drafodaeth hon ar y canon llenyddol heddiw yw nad yw cyhoeddi 'marwolaeth yr awdur' yn gyfystyr â mynychu ei angladd.[128] Felly hefyd yn achos 'canon llenyddol y Gorllewin' heddiw pan fo cryn ddadlau'n rhyngwladol ymysg ei ddyfodol ansicr. A'r un modd yn achos y canon llenyddol Cymraeg.

Am y rheswm hwn, cynigir yma mai delwedd addas ar gyfer cyfleu cyflwr yr awdur heddiw yw honno a gynigir gan John Schad yn *life.after.theory*. Delwedd y Crist atgyfodedig ydyw, ac yntau'n ymddangos i'r ddau gydymaith ar y ffordd i Emaus, gan ymddangos a diflannu yr un foment.[129] A dyfynnu Luc 24: 31: 'A'u llygaid hwynt a agorwyd, a hwy a'i hadnabuant ef: ac efe a ddiflannodd allan o'u golwg hwynt.'[130] Ffigwr rhithiol ar un olwg ydyw, sydd eto'n agor llygaid wrth iddo ddiflannu.

Nid llwyr annhebyg i ddelwedd Schad yw honno a gynigir gan Andrew Bennett a Nicholas Royle wrth iddynt hwythau grynhoi statws presennol yr awdur ym maes beirniadaeth lenyddol gyfoes. Gan gyflwyno'r un math o ffigwr rhithiol â'r Crist ar y ffordd i Emaus, pwysleisir nad oedd modd i Barthes ladd yr awdur, gan nad person ond ysbryd fu ef erioed, 'heb fod yn llwyr bresennol nac yn llwyr absennol, yn ffigwr o hud a lledrith'.[131] Cryfder delwedd Schad, fodd bynnag, o'i chymharu â delwedd yr ysbryd, yw ei bod yn cyfleu'r ddeuoliaeth sy'n nodweddu'r awdur – y person y tu ôl i'r gwaith a'r un a gyfansoddir ganddo – oherwydd er ei allu i ddiflannu megis ysbryd y mae'r Crist atgyfodedig yn aros yn gorff o hyd.

Yn 1968, cyhoeddodd Barthes farwolaeth yr Awdur-dduw. Yn 2003, barnodd Schad mai'r Crist atgyfodedig yw'r ddelwedd orau sy'n cyfleu gwir natur yr awdur. A'r marw a'r atgyfodi hwn, ar un olwg, yw stori'r awdur ym maes diweddar Theori. A chyda chymhariaeth Schad rhwng yr awdur a'r Crist atgyfodedig o *life.after.theory* yr awgrymir y dylid yn awr oedi, a hynny am ddau reswm; yn rhannol oherwydd bod Duw, er iddo farw yng ngolwg llawer, gyda ni o hyd.[132] Yn 'La mort de l'auteur', awgrymodd Barthes fod llenyddiaeth, neu ysgrifen yn hytrach, drwy wrthod cyfyngu'r testun i un ystyr yn unig yn arwain at 'weithgarwch gwrthddiwinyddol, gweithgarwch sy'n wironeddol chwyldroadol, gan fod gwrthod pennu ystyr, yn y pen draw, yn golygu gwrthod Duw a'i hanfodion – rheswm, gwyddoniaeth, deddf'.[133] Fodd bynnag, y mae crefydd eto'n amlwg iawn yn *life.after.theory* (2003), megis yr oedd yn 1988 pan nododd Jonathan Culler 'fod prin neb yn ymosod o ddifri' ar grefydd'.[134] Nid heb reswm da y nododd John Schad, felly, wrth iddo gloi'r gyfrol ar ôl-Theori mai'r ymwelydd mwyaf annisgwyl a gerddodd drwy ddrws Theori ydoedd ffigwr *embarrassing* Duw, er gwaethaf gobeithion Barthes.[135] Nododd Robert Rhys mai 'Anghysur i amryw ddeallusion cyfoes yw bod yr unig feirniad theori Cymraeg o faintioli Ewropeaidd yn Gristion o argyhoeddiad,'[136] ond yng ngoleuni sylwadau Schad, hwyrach y gwelir yn y man mor gyfoes berthnasol i'r byd sydd ohoni ydyw'r agweddau crefyddol ar ei feirniadaeth.

Ond ar wahân i berthynas barhaus Theori â Duw, dewisir oedi yma gyda delwedd y Crist atgyfodedig o awdur gan fod rhyngddo a'r Awdur-dduw a'i rhagflaenodd un gwahaniaeth mawr sy'n berthnasol i'r ymgais hon i drosglwyddo nodweddion yr awdur-destun at y cysyniad o ganon llenyddol. Hwnnw yw'r ddelwedd o gorff. Dyna'r gwahaniaeth rhwng yr Awdur-dduw a'r Crist ymgnawdoledig, croeshoeliedig, atgyfodedig. Ysbryd yw'r cyntaf. Corff yw'r ail: corff ac ynddo olion ei farwolaeth, ac sy'n byw gan wybod ei fod wedi marw. Dyna pam y mae'n ddelwedd mor addas ar gyfer yr awdur yn yr oes ôl-Theori hon, gan ei fod, yn drosiadol, nid yn unig yn pwysleisio ei allu i'w ddatgelu ei hun wrth iddo ddiflannu, a gweddnewid rhwng yr hyn ydoedd a'r hyn ydyw – rhwng James Kitchener Davies a *James Kitchener Davies*, er enghraifft – ond gan fod y tyllau yn ei ddwylo a'i draed yn atgof parhaus o'i farwolaeth.

Awgrymwyd eisoes mai dwy ochr i'r un geiniog yw'r awdur a'r canon llenyddol, wrth i'r ddadl ynghylch y naill gynnwys y llall, megis yn achos ymgais beirniaid ffeminyddol i gynnwys mwy o awduresau yn y canon llenyddol. Yn llyfr olaf R. M. Jones ar theori, *Beirniadaeth Gyfansawdd*, llwyddir i roi'r argraff mai tila iawn ydoedd y ddadl wrthganonaidd, yma a'r tu hwnt i Glawdd Offa, a thros y dŵr. Meddai, er enghraifft, am feirniadaeth ffeminyddol:

Torrwyd twll go fawr ac anochel gan Ffeminyddion estron y 1960au, mae'n wir. Dymunwyd ailfeddwl y canon. Ond aeth y canon newydd i'r gwellt yn o fuan. Ceisiwyd archwilio iaith fenywaidd, *écriture féminine*, ond yr oedd yn rhy ddealladwy i bawb arall. O'r diwedd penderfynwyd dechrau dringo allan o'r twll linc-di-lonc drwy beidio â gwneud môr a mynydd ohono. Dechreuwyd ystyried o'r newydd ym mha le y mae synnwyr cyffredin yn sefyll wedi'r dwli i gyd.[137]

Fodd bynnag, fel yr awgrymodd Angharad Price yn ei hadolygiad o'r llyfr, y mae R. M. Jones yn rhy barod â'i rethreg i ddifrïo eraill.[138] Nid dwli ydoedd y dadlau ynghylch y canon. Tystio i hynny, debyg, y mae'r sylw a rydd R. M. Jones i geisio gwrthbwyso llwyddiannau'r rheini a fu'n cwestiynu'r cysyniad o ganon llenyddol. Oherwydd y gwir plaen yw i'r cysyniad o ganon llenyddol gael ei herio, nid yn unig gan 'Ffeminyddion estron', ond gan wahanol garfanau Theori yng Nghymru hefyd: Marcsiaeth, ffeminyddiaeth ac ôl-strwythuraeth. Aethpwyd ati, a dyfynnu o ysgrif Menna Elfyn, 'Trwy lygaid ffeminyddol', i

> gwestiynu yn gyntaf rai o'r seiliau a gymerwyd yn ganiataol gan lawer iawn o bobl, sef y rhagdybiau a gywasgwyd ynghyd yn y 'Traddodiad'. Rhaid oedd datgan, fel y gwnaeth Ruthven, nad peth sy'n bodoli heb reswm yw traddodiad ond ei fod wedi cael ei greu.[139]

Ac yn dilyn y cwestiynu, awgrymwyd yn yr wythdegau gan Farcsiaid a ffeminyddion fel ei gilydd mai'r ateb i'r sefyllfa hon – a dyfynnu o ddarlith Dafydd Elis Thomas, *Traddodiadau Fory* – ydoedd 'ail-ysgrifennu hanes llenyddiaeth Gymraeg o safbwynt merched, gweithwyr a gweith-wragedd'.[140] Yn yr wythdegau tynnodd Iwan Llwyd Williams a Wiliam Owen Roberts sylw at sut yr oedd 'beirniaid blaenllaw, y system addysg (ysgol a phrifysgol) ac i raddau helaeth, beirniadaeth eisteddfodol, yn dal i hyrwyddo yr hyn a ystyriwn ni yn "fyth y traddodiad dethol"'.[141] Ac erbyn y nawdegau, cymaint yr adwaith gan rai yn erbyn y cysyniad o draddodiad nes i Simon Brooks bwysleisio bod '*Tu Chwith* yn ymddiried mewn gwahanrwydd yn hytrach nag undod'.[142] Nid yn unig cynnwys y canon a gwestiynwyd, felly, ond hefyd y cysyniad, megis yn ysgrif Rhys Evans, 'Hanes Cymru: y traddodiad ofnus', lle yr amheuwyd doethineb yr arfer o '[dd]yrchafu y cwmwl o dystion a haeddodd le yn ein canon hanesyddol', ynghyd â'r duedd i '[r]ygnu ymlaen ag ystrydebau slogan-aidd fel "undod" a "parhad cenedlaethol"'.[143]

Y mae i ba raddau y chwaraewyd y gêm honno o ddifrif yn Gymraeg, wrth gwrs, yn gwestiwn dadleuol. Y mae'n wir na ellir osgoi newydd-deb arddull a chenadwri ôl-fodernaidd *Tu Chwith*, yn enwedig wrth ddarllen y cyfrolau cyntaf dan olygyddiaeth rannol neu lwyr Simon Brooks, ac yntau'n nodi bod yma garfan o ysgrifenwyr a oedd 'am ailddiffinio hanfod ein seiliau beirniadol'.[144] Ond fel y nododd Jane Aaron, amodol fyddai'r hyn y gallai'r ysgrifenwyr hyn ei gyflawni yng Nghymru. Meddai:

> 'Rwy'n cynnig fod yna ryw fath o lithriad yn digwydd, y tu mewn i'n hagwedd baradocsaidd tuag at ôl-foderniaeth, rhwng yr hen safbwynt a'r un newydd. Nid ydym yn edrych ar Gymreictod fel rhywbeth heb realiti hanfodol, fel rhywbeth rydym ni ein hunain yn ei greu . . . Yn ymarferol, gwyddom mai nonsens yw hyn, ac na fydd inni, fel Cymry, unrhyw 'ddinas barhaus' yn unlle os nad ydym ni ein hunain yn ei chreu, a'i hail-greu. Ond mae gwybod hynny fel ffaith foel, fel theori, fel petai'n dinoethi'r sefyllfa'n ormodol.[145]

Drwy gyfrwng yr astudiaeth hon, deuthum innau i werthfawrogi'r cyfyngiadau y mae Theori yn eu hwynebu. Megis y daliwyd Jane Aaron 'rhwng yr hen safbwynt a'r un newydd', deuthum i werthfawrogi bod yn rhaid i'r theorïwr dderbyn ei fod ef ei hun wrth iddo adweithio yn erbyn rhagdybiau'r gorffennol yn ddibynnol arnynt i raddau helaeth hefyd. Cymharus yn hyn o beth yw'r modd y nododd Derrida fod dadadeiladaeth, er gwaethaf ei gwrthwynebiad i system feddwl o gyferbyniadau deuol, ei hun yn rhan o'r system honno.[146] Diriaethu'r syniad hwn, er enghraifft, y mae'r modd y bu'n rhaid i Simon Brooks ysgrifennu ei feirniadaeth ar oleuedigaeth John Morris-Jones yn yr union iaith ramadegol berffaith honno a hyrwyddwyd ganddo ef.

Gan gydnabod, felly, nad yw'r safbwynt newydd wedi llwyddo i ddileu'r un hen, rhaid nodi bod llyfr Simon Brooks *O Dan Lygaid y Gestapo* yn tystio i enillion Theori yn y Gymru Gymraeg hefyd. Enillion yw'r rheini sy'n cynnwys ynddynt ymdrechion ffrwythlon yn yr wythdegau a'r nawdegau i gwestiynu'r cysyniad o ganon neu draddodiad llenyddol. Os na laddwyd y Traddodiad Llenyddol Cymraeg, fe'i tyllwyd yn sicr ddigon. Ac oherwydd hynny, awgrymir yma fod delwedd yr awdur atgyfodedig yn un addas ar gyfer y cysyniad o ganon llenyddol hefyd. Oherwydd megis ôl yr hoelion yn nwylo a thraed y Crist atgyfodedig, ni all beirniad mor anystyriol o gyfraniad beirniadaeth ffeminyddol ag R. M. Jones hyd yn oed beidio â sylwi ar ambell '[d]wll go fawr' a adawyd ganddi ar ei hôl.

Fodd bynnag, rhag ofn fod rhai yn credu mai creithio ac nid tyllu'r cysyniad o ganon llenyddol a fu'r achos mewn beirniadaeth lenyddol Gymraeg, a bod y creithiau'n ceulo cyn iddynt fygwth gwaedu, a bod y drafodaeth hon yn gwneud môr a mynydd o fawr ddim, nodir bod delwedd y Crist atgyfodedig – y corff marw, byw – eisoes yn bresennol yn y Traddodiad Llenyddol Cymraeg, ar wahân megis i fwhwman Theori ddiweddar. Mor gyfarwydd yw'r ddelwedd, yn wir, fel nad ydym yn aml yn sylwi arni, fel pe bai'n ysbryd, os nad yn ddrychiolaeth. Ystyrier, er enghraifft, y dyfyniad enwog isod o lyfr dylanwadol Saunders Lewis, *Braslun o Hanes Llenyddiaeth Gymraeg*. Meddai:

> Yr hyn sy gan lenyddiaeth Gymraeg i'w osod ochr yn ochr ag amrywiaeth a chyfoeth didrefn Shakespeare a'i gydwladwyr ydyw corff o lenyddiaeth sy megis prifeglwys Othig yn adeilad canrifoedd o grefftwyr a fu'n llafurio'n ddifwlch i'r un amcan ac yn ôl yr unrhyw draddodiad ac egwyddor.[147]

Fynychaf, megis yn astudiaeth John Rowlands, *Saunders y Beirniad*, pwysleisir arwyddocâd delwedd yr eglwys.[148] Dyna'r gymhariaeth drawiadol-greadigol: '[t]rosiad cynhaliol y gwaith', meddai T. Robin Chapman yntau.[149] Fodd bynnag, trosiad mwy pwerus o lawer, o saf-bwynt cyflwyno'r cysyniad o ganon llenyddol yw'r un bach cynnil hwnnw sy'n ei ragflaenu, sef 'corff o lenyddiaeth'. Ac o safbwynt y bennod hon, y mae'n fodd inni gymhwyso'r hyn a ddywedwyd am yr awdur-destun at y drafodaeth ddilynol ar y canon llenyddol.

Yn ei ysgrif 'Subjects', nododd Terry Eagleton fod y gair *body* yn cyfleu'n gyntaf ddelwedd *corpse*.[150] Felly hefyd yn Gymraeg: pan ddyw-edir wrthym, 'Roedd corff yn y tŷ,' y mae'n ddealledig y cyfeirir at gorff marw. Felly hefyd, fe gredir, mewn perthynas â'r ymadrodd hwn, 'corff o lenyddiaeth'. Yn un peth, awduron meirw sy'n dominyddu'r canon, megis y cesglir corff o waith yr awdur ynghyd wedi iddo farw, fel rheol. Mewn gair, marwolaeth sy'n rhoi bod i'r canon; i'r corff. O'r herwydd, ar un olwg, y mae'r canon yn ffafrio marwolaeth ar draul bywyd. Dyna'r her yn ôl T. S. Eliot i awdur byw, sef ystyried 'ei berthynas â'r beirdd a'r artistiaid meirwon'.[151] I'r perwyl hwn, anogir y bardd i feddwl am y beirdd a'r artistiaid meirw hynny fel ei wir gymheiriaid.[152] Trigo – ac y mae dwy ystyr y gair yn addas – ymysg y meirw y mae. Nid yn annhebyg i'r hyn a ddadleuwyd uchod yn achos yr awdur-destun, yr awgrym yn ysgrif enwog Eliot, 'Tradition and the individual talent', yw fod angen i'r bardd droi at y meirw cyn y gall fyw.[153] Ar wahân, felly, i gredu bod y cysyniad o ganon llenyddol wedi derbyn ergyd farwol neu beidio yn sgil dyfodiad Theori, nodir yma fod y marw a'r ail-greu sy'n nodwedd ar gymeriad yr awdur-destun erioed wedi bod yn rhan o'r canon llenyddol hwnnw sy'n *gorff* o lenyddiaeth.

Nododd Eagleton fod ein perthynas â'n cyrff yn un ddeublyg, sy'n cynnwys ynddi elfen o uniaethu a pellhau.[154] Ar ôl dydd caled o waith, gellir dweud, 'Rwy'n brifo' neu 'Mae fy nghorff i'n brifo', fel pe bai'n wrthrych. Yn yr ail frawddeg, awgryma'r ymadrodd fod y person a'r corff yn ddau beth ar wahân. Ac ar lun yr ystyr hon o edrych ar y corff yn wrthrych, ystyrir yma y gall y Traddodiad Llenyddol Cymraeg yr ydym mor gyfarwydd ag ef erbyn hyn hefyd fod yn gorff o lenyddiaeth ac yn wrthrych astudiaeth. Megis y gwahaniaethwn rhyngom ni ein hunain a'n cyrff, felly y gellir edrych ar y cysyniad o gorff llenyddol yn beth ar ei ben ei hun, a thrwy hynny astudio nid yn gymaint y testunau canonaidd y mae'n eu cynnwys, ond hefyd agweddau ar y broses ganoneiddio ei hun.

At hyn, o sylweddoli mai dyfais yw'r corff – modd o dynnu ynghyd wahanol destunau – gellir gwerthfawrogi o'r newydd y cyfryw destunau eu hunain sy'n rhan ohono, heb boeni'n ormodol am eu rhyngberthynas â thestunau eraill. Canolbwyntio ar fwynhau'r darn unigol yn hytrach na meddwl am y cyfangorff. Dyma'r math o feirniadaeth a hyrwyddodd Roland Barthes, er enghraifft. Ar y naill law gwrthododd y cysyniad o gorff o lenyddiaeth, gan nodi nad ystyr llenyddiaeth iddo yw 'corff neu gyfres o weithiau'.[155] Ond ar y llaw arall, un o dermau pwysicaf ei waith yw 'corff', wrth iddo ganolbwyntio ar ymateb y darllenydd i'r testun, os nad y rhan o destun y mae'n ei ddarllen ar y pryd, a nodi ei fod yn ymateb iddi yn gorfforol – os nad yw corffaidd yn ansoddair gwell – nid â'i feddwl yn unig. Yr oedd darllen yn brofiad pleserus iddo, nid oherwydd cynnwys y stori, eithr y modd yr oedd yn ei ddarllen gan 'redeg ymlaen, sgipio, edrych i fyny, plymio i mewn eto'.[156] Dyma iddo bleser y testun: 'y foment honno pan fydd fy nghorff yn dilyn ei syniadau ei hun'.[157] Ymateb y corff i lenyddiaeth, ac nid corff o lenyddiaeth a oedd yn bwysig i Barthes.

Fodd bynnag, mae'n drawiadol na lwyddodd Barthes wrth ddyrchafu ymateb y corff i lenyddiaeth i ddirymu fawr ddim ar yr awydd cyffredinol ymhlith ei ddarllenwyr ei hun i gasglu ynghyd gorff o lenyddiaeth o'i eiddo, megis yng ngolygiad Susan Sontag o'i waith, *A Barthes Reader*. Ac er gwaethaf natur chwareus ei waith, bydd beirniaid, fynychaf, yn chwilio ymysg ei weithiau am y cyfryw ddilyniant a ddirmygodd yr awdur ei hun. 'Os darllen: dirnad a diriaethu. Hyn yw dyletswydd y darllenydd', meddai Angharad Price.[158] '[T]uedd isymwybodol darllenydd yw ceisio synnwyr ynghanol y disynnwyr', meddai R. M. Jones yntau.[159] Am hynny, nid syn clywed Jonathan Culler yn nodi na ddylai darllenwyr Barthes fod ofn chwilio am ddilyniant yn ei waith, eithr ei ddarllen yn nhermau un 'fenter theoretig barhaus'.[160]

Ond nid darllenwyr Barthes yn unig sy'n tueddu i chwilio am ddilyniant ystyrlon yn ei waith. Nododd Rick Rylance i Barthes ei hun adweithio yn erbyn ei syniadau ôl-strwythurol ar ddiwedd ei yrfa, gan weithio tuag at 'batrwm dyneiddiol mwy clasurol'.[161] 'Ar ein gwaethaf' megis – a defnyddio un o hoff ymadroddion R. M. Jones – chwilir am ddilyniant a chyfanrwydd, fel pe bai ynom oll ryw awydd i osod trefn ar bethau yng nghanon ein meddwl. Tystio i'r awydd hwn, er enghraifft, y mae'r llyfr *Y Casgliad Answyddogol*, sef llyfr safonol, clawr caled o gerddi beirdd a fu unwaith yn feddal ansafonol o radical.[162]

Wrth drafod gwaith Paul de Man, nododd J. Hillis Miller mai math o dwyll yw'r awydd hwn am undod.[163] Ond fel y nododd Julian Wolfreys, ac yntau'n ymateb i sylwadau Miller, awydd cyffredinol y rhelyw ohonom yw ceisio ystyr a deisyfu diffiniadau.[164] Gall ambell gangen o Theori wawdio'r awydd hwn am undod ac ystyr, eithr ei gadarnhau y mae'r antholegau hynny ym maes Theori a gasglodd ynghyd weithiau'r awduron hynny – a'r dadadeiladwyr de Man a Miller yn eu plith – a heriodd y cysyniad o ganon llenyddol. Cesglir pethau ynghyd. Ailadroddir arferion. Deuir yn ymwybodol o hoff bethau. Er gwaethaf ymgais ambell theorïwr i orbwysleisio amwysedd a natur gyfnewidiol iaith, chwilir o hyd am werth. Dyna pam y cyflwynir yma agwedd ddeublyg, debyg i un Frank Kermode, sy'n barod i gydnabod gyda'r dadadeiladwyr mai rhagfarn yn wir yw'r awydd hwn am undod, ond ystyrir hefyd ei bod yn rhagfarn anorchfygol, megis deddf yn y greadigaeth. Ar y naill law, credir y gellir dadadeiladu canonau. Ac eto, fel y nododd Kermode, ymddengys fod 'canoneiddrwydd yn gadwolyn pwysig, ac, er ei fod o dan fygythiad cyson, yn parhau'n rymus'.[165] Y mae yma ryw barodrwydd annymunol, felly, ar fy rhan i dderbyn y drefn sydd ohoni, dim ond i mi gael nodi ei diffygion. Am hynny, y mae gwir berygl y byddaf innau yn 'apolegydd ar gyfer y *status quo*', chwedl E. Dean Kolbas.[166]

Ni ddadleuir yma, felly, fod angen inni roi'r cysyniad o ganon llenyddol o'r neilltu. Yn hytrach, megis yn achos yr awdur dirmygedig gynt, troir y canon yn destun trafodaeth. Ymchwilir iddo. Troir y corff yn wrthrych astudiaeth, ar wahân i'r llenyddiaeth y mae'n ei chynnwys. Megis y nododd Derrida fod y goddrych yn gwbl anhepgor ac mai'r dasg ydyw ei leoli, nid ei ddifetha – 'y mae'n fater o wybod o ba le y daeth a sut y mae'n gweithio'[167] – awgrymir yma fod angen inni leoli'r canon llenyddol yn yr un modd. Dyna, o leiaf, ydyw'r nod ar gyfer y llyfr hwn, gan ganolbwyntio ar waith tri beirniad llenyddol. Nid cynnig diffiniad o gynnwys y canon yw'r nod, ond megis ar lun astudiaeth o'r awdur-destun, testunolir yma y canon llenyddol ei hun; cynigir darlleniad ohono, yn hytrach na chymryd ei awdurdod yn ganiataol.

Nodiadau

[1] John Rowlands (gol.), *Sglefrio ar Eiriau* (Llandysul, 1992), t. x.
[2] Terence Hawkes, 'General editor's preface', yn Catherine Belsey (gol.), *Critical Practice* (London, 1980), t. vi. Mynnai rhai beirniaid weld 'the erosion of the assumptions and presuppositions that support literary disciplines in their conventional form . . . Modes and categories inherited from the past no longer seem to fit the reality experienced by a new generation.'
[3] Gw. John Rowlands, *John Gwilym Jones: Amrywiadau Enigmatig* (Bangor, 2005), t. 17.
[4] Frank Kermode, 'Value after theory', yn Michael Payne a John Schad (goln), *life.after.theory.* (London, 2003), t. 66: '[T]heory has taken control of what is by now a very large, though impotent, institution: namely, the study of Literature.'
[5] Dafydd Elis Thomas, *Traddodiadau Fory: Darlith Lenyddol Eisteddfod Genedlaethol Cymru Ynys Môn, 1983* (Cyhoeddiadau Eisteddfod Genedlaethol Cymru, 1983), t. 14.
[6] Terry Eagleton, *The Significance of Theory* (Cambridge Mass., 1990), t. vi. Cyfeirir at '[f]undamental and far-reaching changes in literary studies, often compared to paradigmatic shifts in the sciences'.
[7] Ibid.
[8] David Lodge, 'Goodbye to all that' [adolygiad o Terry Eagleton, *After Theory*], *The New York Review of Books*, LI. 9, 27 Mai 2004, 39. 'One very controversial effect of Theory on the academic study of literature was to undermine the authority of the traditional canon.'
[9] Kathryn Curtis, Marged Haycock, Elin ap Hywel a Ceridwen Lloyd-Morgan (goln), *Y Traethodydd: Rhifyn Arbennig Merched a Llenyddiaeth*, 141 (1986), 1–84. Cymh. *Efrydiau Athronyddol: Syniadau Ffeminyddol*, LV (1992).
[10] John Rowlands, *Sglefrio ar Eiriau*, t. viii.
[11] Ibid., t. xi.
[12] Gw. Valentine Cuningham, *Reading After Theory* (Oxford, 2002), t. 2.
[13] Ibid., tt. 1–2.
[14] Ym maes athroniaeth, cymh. Kenneth Baynes, James Bohman a Thomas McCarthy (goln), *After Philosophy: End or Transformation?* (London, 1987); hefyd Alasdair MacIntyre, *After Virtue* (London, 1981).
[15] Am ddiffiniad cryno, gw. David Lodge, 'Goodbye to all that', 39.
[16] Gw. Peter Barry, *Beginning Theory: An Introduction to Literary and Cultural Theory* (Manchester, 1995), t. 16.

17 Howard Felperin, *The Uses of the Canon: Elizabethan Literature and Contemporary Theory* (Oxford, 1990), t. 80: 'The meanings of literature, while filling the demand left by religion for a reliable source of value and belief, needed the appearance of objectivity, of having been arrived at through something like disinterested enquiry, if they were to hold their own against the proliferating discoveries of science.'

18 W. J. Gruffydd, *Llenyddiaeth Cymru o 1450 hyd 1600* (Lerpwl, 1922), t. 3.

19 Jane Aaron, *Pur fel y Dur: Y Gymraes yn Llên Menywod y Bedwaredd Ganrif ar Bymtheg* (Caerdydd, 1998), t. 1.

20 Howard Felperin, *The Uses of the Canon*, t. 79: 'like seismic movements in the strata that support the landscape of knowledge'.

21 Paul de Man, 'The resistance to theory', yn Andrew Bennett (gol.), *Readers & Reading* (London, 1995), t. 204. Ailargraffwyd o *The Resistance to Theory* (Manchester, 1986).

22 John Schad, 'preface [:] what are we after?', yn Michael Payne a John Schad (goln), *life.after.theory*, t. x.

23 David Lodge, 'Goodbye to all that', 43.

24 Herman Rapaport, yn Frank Kermode, 'Value after theory', tt. 74–5: 'Indeed, among many there is always a desire for theory to go away, a kind of death wish.'

25 Simon Brooks, *O Dan Lygaid y Gestapo: Yr Oleuedigaeth Gymraeg a Theori Lenyddol yng Nghymru* (Caerdydd, 2004), t. 95.

26 Thomas Docherty, *After Theory* (Edinburgh, 1996), t. 1: 'the apparent inefficiacy of the theoretical intellectual in terms of social and political practice.'

27 Terry Eagleton, *After Theory* (London, 2004), tt. 101–2. Cyhoeddwyd gan Allen Lane yn 2003.

28 Owen Thomas (gol.), *Llenyddiaeth Mewn Theori* (Caerdydd, 2006).

29 Harold Bloom, *The Anxiety of Influence* (Oxford, 1973).

30 Terry Eagleton, *After Theory*, t. 4: 'Those who can, think up feminism or structuralism; those who can't, apply such insights to *Moby-Dick* or *The Cat in the Hat*.'

31 Simon Brooks, *O Dan Lygaid y Gestapo*, tt. 73, 95.

32 Ibid., t. 77.

33 Dafydd Elis Thomas, *Traddodiadau Fory*, t. 19.

34 Ibid., t. 3.

35 John Rowlands, *Cnoi Cil ar Lenyddiaeth* (Llandysul, 1989), t. 13.

36 Niall Lucy, *Postmodern Literary Theory: An Introduction* (Oxford, 1997), t. 1: 'Suppose there were just two ways of thinking about how literature is produced. One way might be to think that literature is produced by writers of genius, the other that writers themselves are produced (to varying degrees) by forces beyond their control.'

37 R. M. Jones, *Beirniadaeth Gyfansawdd: Fframwaith Cyflawn Beirniadaeth Lenyddol* (Cyhoeddiadau Barddas, 2003), t. 112.

38 Ibid., t. 18.

39 Ibid., t. 183. Cymh. t. 262: '[C]anolbwyntir ar y llenyddiaeth, nid ar y llenor na'i amgylchfyd ac eithrio cyn belled ag y cyfranna'r rheini at y brif ystyriaeth.'

40 Ibid., tt. 89–90.

41 Robert Rhys, 'Dysgu darllen', yn John Rowlands (gol.), *Sglefrio ar Eiriau*, t. 166.

42 Ibid., t. 165.

43 R. M. Jones, *Beirniadaeth Gyfansawdd*, t. 231. Cynnig yr Athro ei hun yn ei lyfr 'batrwm' addas o ddarllen clòs ar lun syniadau'r hen Feirniadaeth Newydd, gydag F. R. Leavis yn ddylanwad amlwg. Gw. tt. 233–43.

44 Robert Rhys, 'Dysgu darllen', t. 153.

45 Hugh Bevan, *Beirniadaeth Lenyddol: Erthyglau gan Hugh Bevan wedi'u dethol a'u golygu gan Brynley F. Roberts* (Caernarfon, 1982), t. 8.

46 Ibid., t. 5.

47 Gw. J. E. Caerwyn Williams, 'Arddulleg ffurfiolwyr Rwsia', yn *idem* (gol.), *Ysgrifau Beirniadol V* (Dinbych, 1970), tt. 276–96.

48 Roland Barthes, 'The death of the author', *Image-Music-Text*, cyf. Stephen Heath (Glasgow, 1977) t. 142. Cymh. Paul de Man, 'The resistance to theory', yn Andrew Bennett (gol.), *Readers & Reading* (London, 1995), t. 202. Disgrifir y pwyslais ar ddarllen mewn beirniadaeth gyfoes yn nhermau 'a direction which is already present, moreover, in the New Critical tradition of the forties and the fifties'.

49 Alan Llwyd, 'Thomas Hardy: trafod rhai cerddi', *Rhyfel a Gwrthryfel: Brwydr Moderniaeth a Beirdd Modern* (Cyhoeddiadau Barddas, 2003), t. 12.

50 Cymh. Simon Brooks, *O Dan Lygaid y Gestapo*, tt. 168–9.

51 M. Wynn Thomas, 'Pwys llên a phwysau hanes', yn John Rowlands (gol.), *Sglefrio ar Eiriau*, t. 2.

52 *Idem*, 'Rhagymadrodd', *DiFfinio Dwy Lenyddiaeth Cymru* (Caerdydd, 1995), t. 3.

53 Jacques Derrida, *The Ear of the Other: Otobiography, Transference, Translation. Texts and Discussions with Jacques Derrida*, cyf. Peggy Kamuf (New York, 1985), t. 148: '[I]f there is something untranslatable in literature (and, in a certain way, literature is the untranslatable), then it is sacred.'

54 M. Wynn Thomas, 'Rhagymadrodd', *DiFfinio Dwy Lenyddiaeth Cymru*, t. 5.

55 Tudur Hallam, '"Cwmwl Haf" Waldo a theori'r *Switches*', yn Owen Thomas (gol.), *Llenyddiaeth Mewn Theori* (Caerdydd, 2006), tt. 152–87.

56 Roland Barthes, *Mythologies*, cyf. Annette Lavers (London, 1993), t. 101: 'to scrape away at Nature, its "laws" and its "limits", in order to uncover History there and finally to establish Nature itself as historical'.

57 Jonathan Culler, *Barthes: Fontana Modern Masters* (London, 2il arg., 1990), t. 39.

58 M. Wynn Thomas, *James Kitchener Davies* (Cardiff, 2002). (*J.K.D.* o hyn ymlaen.)

59 Ibid. 'The tendency has been to read his creative writings in the light of his politics. The time has surely come to read his politics in the light of his writings.'

60 Roland Barthes, 'From work to text', *Image-Music-Text*, cyf. Stephen Heath (Glasgow, 1977), t. 161: 'his life no longer the origin of his fictions but a fiction contributing to his work; there is a reversion of the work on to the life (and no longer the contrary); it is the work of Proust, of Genet which allows their lives to be read as text'.

61 James Kitchener Davies, 'Adfyw', Manon Rhys ac M. Wynn Thomas (goln), *James Kitchener Davies: Detholiad o'i Waith* (Caerdydd, 2002), t. 16.

62 *J.K.D.* t. 67: 'Such is the power of *Sŵn y Gwynt sy'n Chwythu*, and such a compaction is it of Kitchener's vital energies, that it is tempting to treat all that

happened in the few years remaining to him after the war as a preparation for the writing of that one incomparable poem.'

63 Robert Rhys, *Daniel Owen* (Caerdydd, 2000), tt. 23, 32.

64 Ibid., t. 32.

65 Seán Burke, *The Death and Return of the Author* (Edinburgh, 1992), tt. 52–3.

66 Cymh. Terry Eagleton, *Literary Theory: An Introduction* (Oxford, 2il arg., 1996), t. 64: 'Indeed one might very roughly periodize the history of modern literary theory in three stages: a preoccupation with the author (Romanticism and the nineteenth century); an exclusive concern with the text (New Criticism); and a marked shift of attention to the reader over recent years.'

67 Jacques Derrida, 'Discussion', yn Richard Macksey ac Eugenio Donato (goln), *The Structuralist Controversy: The Languages of Criticism and the Sciences of Man* (Baltimore, 1972) t. 271: 'The subject is absolutely indispensable. I don't destroy the subject; I situate it . . . It is a question of knowing where it comes from and how it functions.'

68 Mihangel Morgan, *Caradog Prichard: Llên y Llenor* (Caernarfon, 2000), t. 15.

69 Ibid.

70 Ibid., t. 29.

71 T. Robin Chapman, *Un Bywyd o Blith Nifer: Cofiant Saunders Lewis* (Llandysul, 2006), t. 175.

72 Mihangel Morgan, *Caradog Prichard*, t. 44.

73 Cymh. Andrew Bennett a Nicholas Royle, *Introduction to Literature, Criticism and Theory* (London, 2il arg., 1999), t. 22: 'Even if we were to go to a living author and ask what he or she meant by a particular text, all we would get would be another *text* (his or her answer), which would then, in turn, be open to interpretation.'

74 Helen Fulton, 'Awdurdod ac awduriaeth: golygu'r cywyddwyr', yn Iestyn Daniel, Marged Haycock, Dafydd Johnston a Jenny Rowland (goln), *Cyfoeth y Testun: Ysgrifau ar Lenyddiaeth Gymraeg yr Oesoedd Canol* (Caerdydd, 2003), t. 51.

75 Kathryn Jenkins, 'O Lwynpiod i Lwynpia: hunangofiant James Kitchener Davies', gol. J. E. Caerwyn Williams, *Ysgrifau Beirniadol XIX* (Dinbych, 1993), t. 310.

76 *J.K.D.* t. 57.

77 Mihangel Morgan, *Caradog Prichard*, tt. 29–30.

78 *J.K.D.* t. 48: 'Both writers sought to uncover (or to construct) an alternative literary tradition that would facilitate and validate their own creative development.'

79 R. M. Jones, 'Pab ein llên', *Llenyddiaeth Gymraeg 1936–1972* (Llandybïe, 1975), t. 334.

80 Gerwyn Wiliams, 'Saunders Lewis: parodïwr ymrwymedig', *Taliesin*, 66 (Mawrth, 1989), 42.

81 Menna Elfyn, 'Trwy lygaid ffeminyddol', yn John Rowlands (gol.), *Sglefrio ar Eiriau*, t. 23.

82 Cymh. Niall Lucy, *Postmodern Literary Theory*, t. 2: 'What goes on inside our heads and how we act in the world, then, may not necessarily be what we think is going on or be an effect of desires and motivations we presume to understand.'

[83] Terry Eagleton, *Literary Theory*, t. 60: 'An author's intention is itself a complex "text", which can be debated, translated and variously interpreted just like any other.'

[84] *J.K.D.* t. 57: 'whether, when that motorbike careered over the edge, he was driving it or it was driving him'.

[85] Roland Barthes, *S/Z*, cyf. Richard Miller (London, 1975), tt. 211–12: 'a novelistic, irretrievable, irresponsible figure, caught up in the plural of his own text'.

[86] Hugh Bevan, *Beirniadaeth Lenyddol*, t. 5.

[87] *J.K.D.* Cyfeirir at hoffter James Kitchener Davies o gyfrol Saunders Lewis ar d. 80.

[88] Roland Barthes, *Roland Barthes by Roland Barthes*, cyf. Richard Howard (London, 1977), t. 142: 'Far from reaching the core of the matter, I remain on the surface, for this time it is a matter of "myself" (of the Ego); reaching the core, depth, profundity, belongs to others.'

[89] T. Robin Chapman, *Un Bywyd o Blith Nifer*, tt. xiv, xii.

[90] Jenny Rowland, 'Y beirdd enwog: anhysbys a'i cant', yn Iestyn Daniel, Marged Haycock, Dafydd Johnston a Jenny Rowland (goln), *Cyfoeth y Testun: Ysgrifau ar Lenyddiaeth Gymraeg yr Oesoedd Canol*, t. 45.

[91] Ibid.

[92] Helen Fulton, 'Awdurdod ac awduriaeth', t. 58.

[93] Ibid., t. 71.

[94] Ibid., t. 72.

[95] Ibid. Cymh. Mikhail Bakhtin, dyf. Seán Burke, *The Death and Return of the Author*, t. 55: 'Even if the author-creator had created the most perfect autobiography, or confession, he would, nonetheless have remained, in so far as he had produced it, outside the universe represented within it.'

[96] Roland Barthes, *Roland Barthes by Roland Barthes*, t. 168.

[97] Islwyn Ffowc Elis, dyf. T. Robin Chapman, *Rhywfaint o Anfarwoldeb: Bywgraffiad Islwyn Ffowc Elis* (Llandysul, 2003), t. 13.

[98] *J.K.D.* tt. 56–7: 'a futile attempt to find a name for the nameless, and thus to bring self-alienation to an end'.

[99] W. K. Wimsatt Jr. a Monroe C. Beardsley, 'The intentional fallacy', yn Seán Burke (gol.), *Authorship: From Plato to the Postmodern* (Edinburgh, 1995), t. 90: 'the design or intention of the author is neither available nor desirable as a standard for judging the success of a work of literary art'.

[100] Bobi Jones, *O'r Bedd i'r Crud: Hunangofiant Tafod gan Bobi Jones* (Llandysul, 2000), t. 246.

[101] Saunders Lewis, dyf. T. Robin Chapman, *Un Bywyd o Blith Nifer*, t. xiv.

[102] Cymh. Andrew Bennett a Nicholas Royle, *Introduction to Literature, Criticism and Theory*, t. 122. Cyfeirir at 'literature's capacity to question, defamiliarize and even transform the sense of who or what we are'.

[103] R. M. Jones, *Mawl a'i Gyfeillion* (Cyhoeddiadau Barddas, 2000), t. 122.

[104] M. Wynn Thomas, *John Ormond: Writers of Wales* (Cardiff, 1997), t. v.

[105] W. K. Wimsatt Jr. a Monroe C. Beardsley, 'The intentional fallacy', t. 90.

[106] Richard Freadman a Seumas Miller, *Re-thinking Theory: A Critique of Contemporary Literary Theory and an Alternative Account* (Cambridge, 1992), tt. 10–11: 'the denial of the referential power of literature and of its images of the

individual; the adoption of "decentred" models of the self; the denial of the "originary" authority of the author; the (related) denial of determinate meaning, and so of determinate acts of interpretation of texts; the (again related) image of the text as embodying an infinite plurality of meaning and a correspondingly infinite range of reading (or "subject") positions; the tying of hermeneutic acts to the analysis of social power relations; the rejection of canonical notions of literary tradition, and indeed of the very category "literature" itself'.

107 Helen Fulton, 'Awdurdod ac awduriaeth', t. 51.

108 Gw. Howard Felperin, *The Uses of the Canon*, t. 83.

109 Dyf. Mary Depew a Dirk Obbink, *Matrics of Genre: Authors, Canons, and Society: Center for Hellenic Studies Colloquia 4* (London, 2000), t. 1: '[L]iterary invention was largely generic, and transfer of ancient values was largely in generic terms, accomplished by generic instruments and helps.'

110 Bleddyn Owen Huws, *Detholiad o Gywyddau Gofyn a Diolch* (Cyhoeddiadau Barddas, 1998).

111 Mary Depew a Dirk Obbink, *Matrics of Genre*, t. 1: '[M]uch weight has been attached to the great writers of the past as models, and standard canons of their works have long dominated the course of education, book-collecting and editing, and literary fashion.'

112 Saunders Lewis, 'Math fab Mathonwy', yn R. Geraint Gruffydd (gol.), *Meistri'r Canrifoedd* (Caerdydd, 1973), t. 33: 'Os un awdur a fu i'r Pedair Cainc, ac at hynny y mae'r dystiolaeth yn tueddu, ai damcaniaethu gormod yw awgrymu mai brodor o wlad Dyfed a oedd yn fynach yn Ystrad Fflur, un wedi teithio yng Nghymru a Lloegr ac efallai yn neau Iwerddon, a sgrifennodd y Mabinogi yn ystod y blynyddoedd 1170–1190?'

113 *Idem*, 'Branwen,' *Meistri'r Canrifoedd*, t. 18.

114 Michel Foucault, 'What is an Author?', yn Seán Burke (gol.), *Authorship: From Plato to the Postmodern: A Reader*, t. 236: 'The meaning and value attributed to the text depended on this information.'

115 Andrew Bennett a Nicholas Royle, *Introduction to Literature, Criticism and Theory*, t. 47: '[I]deas about the canon, about literary survival and about the nature of the 'classic', bring us back to . . . questions of meaning, interpretation and authorial intention.'

116 Gw. Tudur Hallam, 'R. M. Jones a'r "gelyn" parchus', *Llên Cymru*, 29 (2006), 137–64.

117 Patrocinio P. Schweickart, 'Reading ourselves: toward a feminist theory of reading', yn Andrew Bennett (gol.), *Readers and Reading* (London, 1995), t. 71: 'For feminists the question of *how* we read is inextricably linked with the question of *what* we read.'

118 Menna Elfyn, 'Simone Weil a ffeministiaeth', *Efrydiau Athronyddol: Syniadau Ffeminyddol*, LV (1992), 49.

119 Jane Aaron, 'Gwahaniaeth a lluosogedd: golwg ar rai o theorïau'r ffeminyddion Ffrengig', *Efrydiau Athronyddol: Syniadau Ffeminyddol*, LV (1992), 39.

120 Cymh. Annette Kolodny, 'Dancing through the mindfield: some observations on the theory, practice, and politics of a feminist literary criticism', *Feminist Studies*, 6 (1980), 12. Dyf. Patrocinio P. Schweickart, 'Reading ourselves', t. 77:

'[W]hat we know how to read is to a large extent dependent on what we have already read (works from which we have developed our expectations and learned our interpretive strategies). What we then choose to read – and, by extension, teach and thereby "canonize" – usually follows upon our previous reading.'

121 R. M. Jones, *Beirniadaeth Gyfansawdd*, t. 241.

122 Jean Milloy a Rebecca O'Rourke, *The Woman Reader: Learning and Teaching Women's Writing* (London, 1991), tt. 96–7: 'a highly constructed process that presents itself as natural and consensual . . . Needless to say, the tradition turns out to be white, middle-class and although male-dominated, reserves a place for women . . . at the expense of a full, contextualised account of how women relate to the literary tradition.'

123 Robert Rhys, 'Dysgu darllen', tt. 169–70.

124 Cymh. Richard Freadman a Seumas Miller, *Re-thinking Theory*, t. 199: 'Thus in the case of literature the actions in question are speech acts performed by the writer, and the reader decodes these speech acts in so far as he/she is conversant with the conventions according to which they were performed.'

125 Jürgen Habermas, *The Theory of Communicative Action*, cyf. Thomas McCarthy (Boston, 1984), 1: 101: 'a medium of communication that serves understanding'.

126 *Idem, Philosophocal Discourses of Modernity*, cyf. Frederick G. Lawrence (Cambridge, 1987), t. 313: '[W]e understand its meaning when we know the conditions under which it can be accepted as valid.'

127 Robert Rhys, 'Dysgu darllen', t. 170.

128 Cymh. Seán Burke, *The Death and Return of the Author*, t. 7: '[T]he concept of the author is never more alive than when pronounced dead.'

129 John Schad, 'epilogue: coming back to "life"', yn Michael Payne a John Schad (goln), *life.after.theory.* (London, 2003), t. 178.

130 Luc 24: 31. Defnyddir cyhoeddiad y Gymdeithas Feiblaidd Frytanaidd a Thramor (Llundain, 1955) drwy gydol y gyfrol hon, gan amlygu dylanwad fy magwraeth arnaf.

131 Andrew Bennett a Nicholas Royle, *Introduction to Literature, Criticism and Theory*, t. 23: 'The "death of the author", in Barthesian terms, is explicitly figurative or metaphorical, and we could say, by way of a sort of corrective to possible misreading in this context, that the author cannot die precisely because, as we've been suggesting, the author is – always has been and always will be – a ghost. Never fully present or fully absent, a figure of fantasy and elusiveness, the author only ever haunts.'

132 Cymh. ibid., t. 152: '[T]o acknowledge that . . . he [God] is dead is not the same as getting rid of him.'

133 Roland Barthes, 'The death of the author', t. 147: 'an anti-theological activity, an activity that is truly revolutionary since to refuse to fix meaning is, in the end, to refuse God and his hypostases – reason, science, law.'

134 Jonathan Culler, *Framing the Sign: Criticism and Its Institutions* (Oxford, 1988), t. 78: '[S]eldom anyone . . . seriously attacks religion.'

135 John Schad, 'epilogue', t. 179.

136 Robert Rhys, 'Menter feirniadol o bwys' (adolygiad o R. M. Jones, *Mawl a Gelynion ei Elynion*), *Barddas*, 271 (Chwefror/Mawrth 2003), 46.

137 R. M. Jones, *Beirniadaeth Gyfansawdd*, t. 124.

138 Angharad Price, 'Tyst i gyfraniad rhyfeddol . . .' (adolygiad o R. M. Jones, *Beirniadaeth Gyfansawdd*), *Barddas*, 275 (Rhagfyr/Ionawr, 2003), 56. '[A]nodd yw parchu dadansoddiad Bobi Jones am ei fod mor aml yn parodïo syniadau a damcaniaethau'r ysgolion beirniadol eraill.'

139 Menna Elfyn, 'Trwy lygaid ffeminyddol', t. 23.

140 Dafydd Elis Thomas, *Traddodiadau Fory*, t. 23.

141 Iwan Llwyd Williams a Wiliam Owen Roberts, 'Myth y traddodiad dethol', *Llais Llyfrau* (Hydref 1982), 11.

142 Simon Brooks a John Rowlands, 'Holi Simon Brooks', *Taliesin*, 92 (Gaeaf 1995), 36–7.

143 Rhys Evans, 'Hanes Cymru: y traddodiad ofnus', *Tu Chwith*, 2 (Haf 1994), 39.

144 Simon Brooks, '*Tel Quel: Tu Chwith* : hanes Ewrop mewn 40 eiliad', *Tu Chwith*, 1 (Ebrill/Mai 1993), 6.

145 Jane Aaron, 'Cyn y geni: rhyngdestunoldeb a hunaniaeth Gymreig', *Tu Chwith*, 5 (Haf 1996), 113.

146 Jacques Derrida, *Writing and Difference*, cyf. Alan Blass (London, 1978), t. 20.

147 Saunders Lewis, *Braslun o Hanes Llenyddiaeth Gymraeg : Y Gyfrol Gyntaf: Hyd at 1535* (Caerdydd, 1932), t. 5.

148 John Rowlands, *Saunders y Beirniad: Llên y Llenor* (Caernarfon, 1990), tt. 21, 77.

149 T. Robin Chapman, *Un Bywyd o Blith Nifer*, t. 155.

150 Terry Eagleton, *The Significance of Theory*, t. 71.

151 T. S. Eliot, 'Tradition and the individual talent', yn David Lodge (gol.), *20th Century Literary Criticism: A Reader* (London, arg. 1995), t. 72: 'No poet, no artist of any art, has his complete meaning alone. His significance, his appreciation is the appreciation of his relation to the dead poets and artists'.

152 Ibid. 'to write not merely with his own generation in his bones'.

153 Ibid., t. 71: 'the dead poets, his ancestors, assert their immortality most vigorously'.

154 Terry Eagleton, *The Significance of Theory*, t. 75: 'It is not quite true that I have a body, and not quite true that I am one either.'

155 Roland Barthes, 'Inaugural lecture', *A Barthes Reader*, cyf. Richard Howard, yn Susan Sontag (gol.), (London, 1982), t. 462: 'By *literature*, I understand not a body or a sequence of works, nor even a commercial domain or area of instruction, but the complex inscription of the traces of a practice: the practice of writing.'

156 *Idem, The Pleasure of the Text*, cyf. Richard Miller (London, 1976), tt. 11–12: 'What I enjoy in a story is not directly its content, nor even its structure, but the abrasions I impose on the fine surface: I speed ahead, I skip, I look up, I dip in again.'

157 Ibid., t. 17: 'that moment when my body pursues its own ideas'.

158 Angharad Price, *Rhwng Gwyn a Du* (Caerdydd, 2002), tt. 62, 55, 169.

159 R. M. Jones, *Mawl a Gelynion ei Elynion* (Cyhoeddiadau Barddas, 2002), t. 141.

160 Jonathan Culler, *Barthes*, t. 99: 'If *La Plaisir du texte* seems not to take itself seriously as theory, self-consciously avoiding continuity, this does not mean

that readers should not take it seriously, as fragments of a continuing theoretical enterprise.'

161 Rick Rylance, *Roland Barthes: Modern Cultural Theorists* (London, 1994), t. 140: 'Late Barthes works towards a more classically humanist pattern, stressing personal authenticity and a complex epistemological confidence.'

162 Robat Gruffudd ac Elena Gruffudd (goln), *Y Casgliad Answyddogol* (Talybont, 1998). Gw. t. 8: 'Dyma hi, felly, y brad terfynol.'

163 J. Hillis Miller, 'Deconstruction Now? The states of deconstruction or thinking without synecdoche', yn Nicholas Royle (gol.), *Afterwords* (Tampere, 1992), t. 9: 'Thinking that because Paul de Man is one name all his work must be a piece or that because "deconstruction" is a single and singular name "deconstruction" must be one single, univocal, homogeneous thing is one example of mystified thinking.'

164 Julian Wolfreys, *Deconstruction. Derrida* (London, 1988), t. 14: 'It is of course in the nature of language, conventionally conceived, that meanings are sought, definitions desired.'

165 Frank Kermode, *Forms of Attention* (Chicago, 1985). Dyf. E. Dean Kolbas, *Critical Theory and the Literary Canon* (Cambridge, 2001), t. 32: '[C]anonicity still seems an important preservative and, though under repeated attack, still potent.'

166 E. Dean Kolbas, t. 35.

167 Jacques Derrida, 'Discussion', yn Richard Macksey ac Eugenio Donato (goln), *The Structuralist Controversy: The Languages of Criticism and the Sciences of Man* (Baltimore, 1972) t. 271: 'It is a question of knowing where it comes from and how it functions.'

Ar Drywydd Cynsail:
Canon y Testament Newydd

Gair llai hudol

Y mae'r gair 'corff' yn un 'y mae ei arwyddocâd taer, cymhleth, anhraeth-adwy, a rywfodd, sanctaidd yn creu'r rhith fod yn y gair hwn ateb i bopeth'.[1] Onid gair llai hudol a mwy dieithr o lawer ydyw 'canon'? Gair yw, er enghraifft, sydd ond yn codi ei ben yng ngwaith diweddaraf R. M. Jones. Ac yng ngwaith Saunders Lewis, fe'i defnyddir yng nghyswllt canon Dafydd ap Gwilym i gyfeirio at gorff ei waith, neu mewn modd mwy cyffredinol i olygu safon, megis yn yr ymadrodd, 'canonau beirn-iadol'. Oherwydd tan yn gymharol ddiweddar, sôn am draddodiad llenyddol a chorff o lenyddiaeth ydoedd yr arfer yn Gymraeg, nid canon. Am hynny, maentumir yma fod dieithrwch y gair yn cynnig cyfle inni edrych o'r newydd ar y gwaith o gasglu ynghyd destunau llenyddol o gyfnodau gwahanol, gan gofio mai mewn perthynas â dilysu gwaith awduron unigol y defnyddiwyd ef yn gyffredinol tan yn gymharol ddiweddar. Nododd Saunders Lewis fod modd i ambell air yn sgil gor-ddefnydd ohono '[g]olli bron bob ystyr bendant'.[2] Rhyw air felly yw traddodiad, ar un olwg. Dyna'i rym a'i wendid yn gyfamserol.

Y mae hefyd reswm da arall dros ddefnyddio'r gair 'canon'. Yn *Seiliau Beirniadaeth* nododd R. M. Jones fod y gair 'traddodiad' yn un problemus, wrth i feirniaid gymysgu ei gyfystyron â'i gilydd, a defnyddio'r un gair i ddadlau am bethau gwahanol. Nid rhyfedd, felly, i Christoph J. Nyíri ddisgrifio'r ymwybyddiaeth fodern ac ôl-fodern o'r hyn yw traddodiad, neu *tradition*, megis un 'disquietingly fuzzy', gan nodi nad yw'r modd y mae athronwyr yn trafod y cysyniad yn cyfateb i ddiffiniadau clir a llawn y geiriaduron.[3] Sefyllfa ydyw sy'n peri bod un yn gorfod holi gyda Stephen P. Turner, 'Whose tradition about tradition?'[4]

Yn achos llenyddiaeth Gymraeg, y broblem benodol yn ôl R. M. Jones yw hon:

Lle y bo Traddodiad yn golygu'r arferol, y cyfarwydd a'r derbyniol, iach o beth yw gweld gwrthryfel glaslanciau yn ei erbyn. Lle y bo'n golygu'r hyn sy'n werth ei ddiogelu a'i ddatblygu yn ein hanes, lle hefyd y bo'n fframwaith i wareiddiad, y mae'n fath o 'iaith' neu 'dafod' sy'n gynhysgaeth sylfaenol i holl lenyddiaeth y presennol a'r dyfodol. Yn fynych, wrth ddadlau ynghylch Traddodiad, bydd gwrthryfelwyr yn bwrw ar y diffiniad cyntaf, a'u gwrthwynebwyr hwythau'n amddiffyn yr ail, yn ôl yr arferiad gwynfydedig hwnnw o beidio â siarad â'n gilydd gan gylchymdroi ynghylch yr amherthnasol.[5]

Ni chredir y gellir llwyr osgoi'r sefyllfa hon. Ond lle y bo'r gair 'traddodiad' yn cyfeirio'n benodol at gorff o weithiau llenyddol, hynny yw, at gasgliad o destunau, credir y gellir defnyddio'r gair 'canon' i ddynodi hynny, gan ddeall bod 'traddodiad' yn cynrychioli rhywbeth llawer mwy anodd ei ddiffinio, megis fframwaith i wareiddiad, ymysg pethau eraill. Rhaid holi, felly, beth yw canon?

Ar wahân i olygu safon, rheol neu faen praw beirniadol, sef yr ystyr gyntaf a nodir yn *Geiriadur Prifysgol Cymru*,[6] nodir mai mewn perthynas â'r dasg o sefydlu casgliad o destunau ar sail awduraeth ddilys y cymhwyswyd y term gyntaf at lenyddiaeth seciwlar, megis yr holodd Saunders Lewis 'Sut y mae gwybod beth sy'n waith Dafydd ap Gwilym?' dan y pennawd 'CANON D.G.'.[7] Er enghraifft, yn ei ragymadrodd i'w lyfr, *Gwaith Iolo Goch*, nododd Dafydd Johnston iddo 'adael y cywydd i Owain Lawgoch allan o'r canon'.[8] Gan ddyfynnu'r *Geiriadur*, dyma ganon yn golygu 'rhestr o weithiau dilys awdur'.[9] Ond yn achos awduron hawlfraint yr ugeinfed ganrif, lle nad oes angen dilysu awduraeth eu gweithiau, esblygodd y gair i olygu dethol y gweithiau gorau hynny 'sy'n haeddu cael eu cynnwys yn y canon o'[u] gwaith', a hynny ar sail safon lenyddol, felly, ac nid awduraeth ddilys.[10] Felly y defnyddiodd Harri Pritchard Jones y gair wrth ddethol *Goreuon Storïau Kate Roberts*, er enghraifft. Yn hyn o beth, y mae'r defnydd newydd hwn o'r gair sy'n disgrifio cynnyrch a ddetholwyd gan feirniaid yn perthyn yn agos i'r modd y dechreuwyd yn gymharol ddiweddar ddefnyddio'r gair i ddisgrifio'r modd yr aeth beirniaid llenyddol ati i glustnodi pa weithiau oedd yn perthyn i glasuron yr iaith Gymraeg.[11] Nodwyd eisoes yn rhagair y llyfr hwn enghraifft o T. Robin Chapman yn cyfeirio at weithgarwch Saunders Lewis yn '[d]iffinio'r canon', a gwnaeth y cofiannydd hynny heb deimlo unrhyw angen i ddiffinio ystyr y gair 'canon' yn y cyswllt hwn o olygu clasuron yr iaith.[12] Nid mewn modd beirniadol chwaith y defnyddiodd y term. Ac eto, awgrymir yn betrus mai'r beirniaid hynny a oedd yn anhapus â chynnwys y traddodiad llenyddol a ddechreuodd naill ai roi iddo brif lythrennau neu ei alw yn ganon, megis y nododd Simon Brooks '[na] fyddai dewis gan ffeminyddion ond ymosod ar y syniad o ganon llenyddol'.[13]

Fynychaf, disgrifir y gwaith hwn o glustnodi clasuron cenedlaethol mewn cymhariaeth gysyniadol â phroses ganoneiddio'r Beibl. Er i'r canon llenyddol Saesneg ddatblygu'n rhan o ddadl rhwng amddiffynwyr y clasuron Groeg a Lladin a hyrwyddwyr ysgrifennu modern yn y ddeunawfed ganrif, fel y nododd Jonathan Brody Kramnick yn *Making the English Canon*,[14] nodi'r gymhariaeth â'r Beibl a wneir yn aml mewn geiriaduron a thermiaduron llenyddol Saesneg.[15] Nodir i'r prifysgolion yn hanner cyntaf yr ugeinfed ganrif bennu canon y clasuron llenyddol mewn modd cymharus i sut y pennodd yr Eglwys ganon y Beibl. Dyna'r gymhariaeth a nododd John Rowlands yntau yn *Cnoi Cil ar Lenyddiaeth*.[16] Y mae'r gymhariaeth, wrth gwrs, yn fodd i amlygu'r cysylltiad rhwng beirniadaeth lenyddol a phatriarchiaeth, a nododd Robert Alter y bydd beirniaid yn defnyddio'r gymhariaeth â'r Eglwys yn fodd i amlygu sut y mae gwahanol ddiwylliannau yn sicrhau undod mewnol drwy gyfrwng proses wleidyddol o hepgor. Yn sgil sylwi ar y broses honno, eir ymlaen i ailystyried gwerth y gweithiau a hepgorwyd.[17]

Fodd bynnag, nid yw'r gymhariaeth hon rhwng y canon llenyddol a'r un Beiblaidd mor unffurf ag yr awgryma diffiniad ambell dermiadur llenyddol, gan mai dadl barhaus fu ac yw'r broses ganoneiddio yn y naill achos a'r llall, nid yn unig mewn perthynas â chynnwys y canonau, ond mewn perthynas â'r cysyniad o ganon ei hun. At hyn, ys dywed Robert Alter, ac yn groes i'r farn boblogaidd: 'nid ffenomen syml a sicr o gorffori athrawiaeth mewn testun yw [hanes] canoneiddrwydd y Beibl'.[18] Edrych ar ganon y Testament Newydd yn unig a wneir yma, ond deuir i'r un casgliad ag Alter parthed canon yr Hen Destament, sef y gall canon fod yn fwy hyblyg o lawer na'r modd y rhagdybir heddiw mai culni yw prif nodwedd unrhyw ganon.[19]

Hanes gair yn yr Eglwys

Yn ei lyfr *The Making of the Modern Canon*, pwysleisiodd Jan Gorak mor hyblyg ydoedd y cysyniad o ganon i'r awduron clasurol. Nododd, er enghraifft, cyn i'r gair 'canon' fagu ystyr benodol o gasgliad terfynol o destunau, fod iddo ystyr wahanol iawn i'r awduron clasurol, o Blaton i Aristoteles, a'u bod hwy yn pwysleisio 'hyblygrwydd y canon ac mor bwysig ydoedd ei addasu'.[20]

Yr oedd y cysyniad clasurol o ganon yn un llawer iawn mwy hyblyg na'r un a ddatblygodd maes o law yn yr Eglwys, ac yn nes o bosib at ddelfryd y beirniad llenyddol sy'n dymuno ehangu tipyn ar gynnwys y canon llenyddol heddiw. Nododd Gorak, er enghraifft, fod Aristoteles wrth ddisgrifio'r 'dyn da' fel 'y safon a'r mesur [*kanón kai metron*] ar gyfer y bonheddig a'r dymunol' yn cyfuno'r cysyniad o ffon fesur fyrhoedlog a safon barhaol.[21]

Fodd bynnag, mewn perthynas â chanon y Testament Newydd tueddir i bwysleisio'r parhaol yn unig ar draul y byrhoedlog, a synied am ganon yn nhermau proses a arweiniodd at ddetholiad gorffenedig o berfformiadau ysgrifenedig, nid fel cynsail safonol ar gyfer gweithiau ysgrifenedig pellach. Tueddir i ganolbwyntio ar ei gaeadrwydd yn hytrach na'i allu i ysgogi creadigrwydd newydd. Y mae'r canon yn derfyn, a'r testunau nad ydynt yn perthyn i'r canon yn rhai llai dilys. Er enghraifft, nododd y diwinydd efengylaidd Alister E. McGrath fod 'yr adroddiadau sydd gennym ynghylch Iesu mewn ffynonellau allganonaidd yn rhai amheus o ran dibynadwyaeth, a chyfyng iawn yw eu gwerth'.[22] Didolir rhwng y canonaidd a'r allganonaidd, felly, gan briodoli gwerth uwch a statws anghyffwrdd i'r cyntaf yn unig.

Mewn perthynas â chanon y Testament Newydd, yr ydym yn benodol yn cyfeirio at y rhestr o ysgrifeniadau a ddefnyddiwyd gan yr Eglwys ac a gafodd ei chydnabod ganddi'n ysgrythur. Nodir mai canon yw Lladineiddiad y Groeg *kanón*, sef 'corsen' (S. *reed*), sydd, oherwydd y gwahanol ffyrdd y defnyddiwyd y planhigyn ar gyfer mesur a llinellu, yn dod i olygu pren mesur neu riwler, y llinell y mae'r riwler yn ei chreu, y golofn a'r llinell o'i hamgylch, ac felly, y rhestr a ysgrifennir yn y golofn. Drwy hynny, daeth y canon i olygu'r rhestr lyfrau y mae'r Eglwys yn ei defnyddio ar gyfer addoli cyhoeddus. Daeth hefyd mewn modd mwy cyffredinol a throsiadol i olygu rheol neu safon.[23]

Gwelir isod enghraifft o'r gair *kanón* wedi ei gyfieithu'n 'rheol' yn y Beibl Cymraeg. Ystyr glasurol y gair oedd gwialen neu bren union: yn ôl *Greek-English Lexicon* Liddell a Scott, 'any straight rod or bar'. Dyma'r enghreifftiau a nodir yn eu geiriadur Groeg-Saesneg:

> in Homer, *kanónes* are two rods running across the hollow of the shield, through which the arm was passed, to hold it by. 2. a rod used in weaving; the shuttle or quill by which the threads of the woof . . . were passed between the threads of the warp. 3. a carpenter's rule: metaph. a rule or level ray of light. 4. the beam or tongue of the balance: pl. the keys or stops of a flute.[24]

Gwelir, felly, y defnyddiwyd y gair Groeg clasurol mewn amrywiaeth o gyd-destunau. At y rhain, nododd Thomas Charles mai canon 'oedd y llinell wen yn y rhedegfa oedd yn nodi y llwybr yr oedd y rhedegwyr i redeg wrthi'.[25] Ond er mor amrywiol cyd-destunau'r gair, y mae elfen o uniondeb yn gyffredin i bob un o'r ystyron hyn. Y mae'r canon yn sicrhau effeithlonrwydd, cywirdeb, cysondeb a safon arbennig. Hebddo, er enghraifft, y mae'r darian yn deilchion a'r llinell fesur yn gam. Yn achos pob un o'r gwrthrychau a restrir uchod y mae'r sawl sy'n defnyddio'r gwrthrych yn defnyddio'r *kanón* gan ei fod yn gyson ddibynadwy ac felly'n hyrwyddo safon arbennig. Ac yn rhinwedd yr ystyr gyffredin honno o ddefnyddioldeb sicr a dibynadwyaeth gyson y cyplyswyd y gair â'r ystyr drosiadol o fesur, rheol neu safon. Am y wialen neu'r pren union hwn, nododd Alexander Souter fod angen iddo nid yn unig fod yn syth, ond ni ddylai fod modd ei blygu chwaith. Wedi'r cyfan, fe'i defnyddiwyd gan sgrifellwyr ar gyfer ysgrifennu. 'O'r ystyr hon o lefel, riwler (S. *ruler*), y mae'r holl ystyron trosiadol yn tarddu', meddai Souter.[26]

Awgrymodd Jan Gorak fod y canon yn fwy o fodel yn y cyd-destun clasurol ond yn fwy o reol yn y cyd-destun eglwysig, a chadarnhau hynny y mae'r diffiniadau yng ngeiriadur Liddell a Scott, gyda *kanónes* yn golygu 'rheolau a modelau o arbenigedd' yn y cyd-destun clasurol, ond, gan ddefnyddio'r enw unigol, 'rheol ffydd ac ymddygiad' yn y cyd-destun eglwysig.[27] Yn ôl Souter, y modd y cyplyswyd dwy ystyr wahanol ynghyd sy'n gyfrifol am hynny; sef canon i olygu rhestr o lyfrau, a chanon i olygu rheol ffydd. Rhestr o lyfrau i'w defnyddio gan unrhyw eglwys ar gyfer addoli ydoedd *kanón* yn wreiddiol, ond wrth i arweinwyr yr Eglwys maes o law awdurdodi'r cyfryw restr o lyfrau, 'crëwyd yn naturiol ddryswch rhwng [yr ystyr hon] ac ystyr arall *rheol* . . . a oedd eisoes yn gyfarwydd ym mywyd yr Eglwys'.[28] Er y ceir gwahaniaethau pwyslais, cymharus yw dyfarniad ysgolheigion eraill wrth iddynt gyfeirio at esblygiad graddol ystyr y gair *kanón*. Yn ôl Kurt Aland, 'yn gyntaf y mae'n golygu'r *reglua fidei*, wedyn penderfyniadau'r synodau, ac yn olaf wedyn, a dim ond o'r bedwaredd ganrif ymlaen, rhestr lyfrau'r Ysgrythur Sanctaidd a roir yng ngofal yr Eglwys i'w defnyddio ganddi'.[29]

Gwelir, felly, fod yna ganon neu reol ffydd yn blaenori'r canon llyfrau, ac mai diben y canon llyfrau ydoedd diogelu'r rheol ffydd a oedd eisoes yn nodwedd ar fywyd aelodau'r Eglwys. Maes o law arweiniodd hynny at edrych ar y rhestr lyfrau fel rhan annatod o'r rheol ei hun. Am hynny, nid ystyriwyd canon y Testament Newydd yn fodel ar gyfer gweithiau ysgrifenedig dilynol – gan nad oedd modd maes o law ychwanegu at y canon caeedig o ysgrythur – ond yn hytrach fel model ar gyfer bywyd yr Eglwys ei hun. Yn hyn o beth, nod amgen y canon o ysgrifeniadau ydoedd diogelu'r rheol neu'r canon ffydd (*regula fidei*). Bodolai'r canon hwnnw yn y Gair a chyn i air o ysgrifeniadau'r Apostolion gael ei ystyried yn ganonaidd. Nid cyfeirio at gasgliad o ysgrifeniadau yr oedd Paul wrth ddefnyddio *kanón*, ond yn hytrach at y rheol – yr uniondeb, y cysondeb, y cywirdeb – a rannodd Duw yng Nghrist. Meddai yn Galatiaid 4: 16: 'A chynifer ag a rodiant yn ôl y rheol [*kanoni*] hon, tangnefedd arnynt a thrugaredd, ac ar Israel Duw.'[30]

Yn yr un modd ag yr oedd y saer yn torri'r pren gan ddilyn llinell union y *kanón*, neu'r rhedwr yn dilyn 'y llinell wen yn y rhedegfa', felly hefyd yr oedd y Cristion i rodio mewn perthynas â'r *kanón*, y rheol, y cyfeirir ati uchod. Y rheol hon y cyfeirir ati'n benodol yw 'ymffrostio ond yng nghroes ein Harglwydd Iesu Grist, trwy yr hwn y croeshoeliwyd y byd i mi a minnau i'r byd. Canys yng Nghrist Iesu ni ddichon enwaediad ddim, na dienwaediad, ond creadur newydd.'[31] Nid oedd angen i'r Galatiaid gael eu henwaedu yn ôl y ddeddf. Y rheol, felly – y canon – yw'r 'rhyddid â'r hwn y rhyddhaodd Crist ni'.[32] Y canon i Paul oedd y 'testament newydd yn fy ngwaed i', nid y Testament Newydd.[33] Canon o ffydd, nid o ysgrythur ydoedd.[34] Rhaid cofio am y modd y traddodwyd yr Efengyl ar lafar.[35] Disgwyliai Paul i'w frodyr yn Thesalonica ddal y traddodiadau a ddysgasent, 'pa un bynnag ai trwy ymadrodd, ai trwy ein hepistol ni'.[36] Fel y pwysleisiodd James Barr: 'Daeth San Paul i gredu bod Iesu'n fyw ac yn Arglwydd, ond nid am ei fod wedi darllen amdano mewn unrhyw Efengyl ysgrifenedig.'[37] Er amlyced ysgrifeniadau'r Apostol Paul ei hun yn y canon Beiblaidd, rhaid nodi nad tan ganrifoedd yn ddiweddarach y dechreuwyd diffinio Cristnogaeth 'yn grefydd ysgrythurol . . . sy'n cael ei phennu a'i rheoli gan lyfr sanctaidd ysgrifenedig'.[38]

Nodir yn aml nad awduron sy'n creu canonau, eithr eu darllenwyr. Yn achos y Testament Newydd, wrth gwrs, nid ystyriaeth fechan oedd anallu'r traddodiad llafar i gyfleu hanesoldeb y dystiolaeth apostolaidd i'r bedwaredd a'r bumed genhedlaeth o Gristnogion. Ond fel egwyddor gyffredinol, nodir yma hefyd mai darllenwyr dilynol sy'n canoneiddio gweithiau'r awduron, gan ddefnyddio, o bosib, eu hysgrifeniadau mewn modd na fwriadwyd ar eu cyfer yn yr achos cyntaf. Yr Eglwys a olynodd Paul a ganoneiddiodd ei gysyniad rhyddfreiniol o'r *kanón*, gan gysylltu ffydd yng Nghrist â'r gair ysgrifenedig mewn modd na wnaethai yr Apostol ei hun – o leiaf, mewn perthynas â'i ddefnydd ymarferol, personol o'i ysgrifeniadau ei hun a'i gyfoeswyr. Nid yw hynny'n gwadu na pharchai'r Hen Destament fel ysgrythur sanctaidd, ac nad ystyriai fod i'w eiriau ysgrifenedig ei hun awdurdod dwyfol: 'gorchmynion yr Arglwydd', meddai; 'Crist yn llefaru ynof'.[39] Nodir hefyd ei fod yn dyfynnu o Efengyl Luc fel llyfr a chanddo awdurdod cydradd ag eiddo'r Hen Destament.[40] Ond o geisio dyfalu beth oedd byw trwy ffydd yn ei olygu iddo, yn ymarferol – un nad oedd ganddo Destament Newydd – y mae'r *kanón* a oedd megis yn cynnwys Paul, ac yn ei ryddhau, yn wahanol i'r canon a ddaeth i gynnwys ei ysgrifeniadau, a chau amdanynt. Darllenir yn II Corinthiaid 3: 1–6 fod 'y llythyren yn lladd, ond yr Ysbryd yn bywhau'.

Fodd bynnag, i'r Eglwys, yr oedd ac y mae llythyrau'r Apostol Paul yn llythrennau ysbrydoledig, ac yn fodd i'w chyfarwyddo, nid yn annhebyg i'r modd yr oedd yr Ysbryd yn cyfarwyddo'r Apostol ei hun. Am hynny, diffinnir y rhyddid sydd yng Nghrist mewn perthynas â'r cyfrwng ysgrifenedig i raddau llawer mwy heddiw nag yn achos y sawl a ddefnyddiodd y cyfryw gyfrwng er mwyn hyrwyddo'r rhyddid hwnnw. Ac yn ôl Justo González felly'r oedd hefyd yn achos Tadau'r Eglwys a olynodd yr Apostolion, oherwydd nododd fod pellter rhwng Cristnogaeth y Testament Newydd a Christnogaeth y Tadau. Gan gydnabod bod mynych gyfeiriadau at Paul a'r Apostolion eraill yng ngwaith y Tadau, nododd González fod 'y ffydd newydd yn datblygu fwyfwy yn ddeddf newydd, ac y mae athrawiaeth cyfiawnhad graslon Duw yn datblygu'n athrawiaeth o ras sy'n ein cynorthwyo i fyw'n gyfiawn'.[41]

Fynychaf dehonglir y newid hwn mewn perthynas â datblygiad sefydliadol yr Eglwys a'i hangen i gadw trefn ar ei gwahanol gynulleidfaoedd. Cyfeiriodd Roger E. Olsen, er enghraifft, at y gwahaniaeth rhwng y modd yr oedd Paul a Clemens yn ceisio hyrwyddo undod ymhlith aelodau'r Eglwys. Lle'r oedd Paul wedi pwysleisio undod y Cristnogion mewn perthynas ag un Ysbryd ac un bedydd drwy ffydd yng Nghrist, 'gorchymynnodd Clemens iddynt ufuddhau i'r esgob yr oedd Duw wedi ei benodi [yn ben] arnynt'.[42]

Nododd eraill yr ychwanegwyd maes o law at y pellter hwn rhwng agwedd Paul a'r Tadau at y *kanón* yn sgil cyfieithiad Lladin y gair. Defnyddiwyd *regularis* ar gyfer cyfieithu *kanonikós*, ac yn ôl Souter yr oedd yn anochel y byddai'r cyfieithiad yn arwain at gamddeall 'grym gwreiddiol y term *canon*, a ddefnyddiwyd yng nghyswllt yr Ysgrythur. Achosodd hyn iddynt ystyried yr Ysgrythur megis yr awdurdod pennaf, ac mewn perthynas â materion ffydd, yr awdurdod terfynol.'[43] Yn yr un modd, go brin fod y cyfieithiad Cymraeg 'rheol' yn cyfleu ystyr greadigolgrefftus y gair Groeg o fesur yn gywir er mwyn annog creadigrwydd newydd. Yng ngeiriadur Thomas Charles, er enghraifft, pwysleisir mai ystyr rheol, o'r Lladin *regula*, yw 'trefn, cyflun, gorchymyn, llywodraeth, rheolaeth; prawf i weithredu arno; mesur neu derfyn na ellir yn addas fyned drosto; llywodraethu'.[44]

Ond ar wahân i'r enghraifft benodol hon o'r modd y mae anghyfieith-iadwyedd yn arwain at newid ystyr,[45] rhaid hefyd ystyried bod y pellter rhwng Paul a'r Tadau dilynol yn nodwedd sy'n gysylltiedig â'r modd yr oedd y Tadau yn diffinio eu ffydd mewn perthynas ag ysgrifeniadau Paul a'r Apostolion eraill, a'r modd y mae'r cyfrwng ysgrifenedig yn gyffredinol yn cyfyngu ystyr i'r broses o ddarllen testun. Gan ymateb i sylw o waith Ioan Eurfin neu Ioan Aurenau (*c*.347–407) sy'n nodi y byddai'n dda pe na bai'n rhaid i Gristnogion ei oes ddefnyddio'r Gair ysgrifenedig o gwbl, awgrymodd Jacques Derrida fod y testun ysgrifen-edig yn llwyddo i awgrymu bod ystyr, megis o anghenraid, wedi ei chyfyngu yn y fan a'r lle i'r broses ddarllen ei hun.[46] Am hynny, nid yn annhebyg i'r modd y nododd yr Apostol Paul fod y llythyren yn lladd, sylwodd Derrida mai ystyr '[y]sgrifennu, felly, yw iselhau ystyr'.[47]

Fodd bynnag, ar ôl awgrymu mor rhyddhaol ydoedd y rheol neu'r canon ffydd i Paul, a hynny'n rhannol gan nad oedd yn diffinio'r Testament Newydd mewn perthynas â'r canon a fyddai maes o law yn cynnwys ei ysgrifeniadau ei hun, rhaid peidio â meddwl bod y canon ffydd yn benrhyddid iddo chwaith. Mewn perthynas â'r Galatiaid, nododd Jan Gorak fod canon i Paul 'yn dileu safonau sefydlog yn hytrach na'u trosglwyddo'.[48] A gwir hynny. Ond yn II Corinthiaid 10, mewn perthynas â'r 'rheol a rannodd Duw i ni', cyfeiria Paul hefyd at '*ein* rheol' a hynny mewn cyferbyniad â 'rheol un arall'.[49] Fel model o Gristion, neu enghraifft o safon Gristnogol, yr oedd Paul yn awyddus na fyddai'r Corinthiaid yn dilyn modelau eraill o safon. Yr oedd canon hefyd yn hyrwyddo safon arbennig o ffydd. Yr un Efengyl yr oedd Paul yn ei phregethu o hyd, ac ystyriai ei fod ef ei hun yn gyson, ac yn esiampl i eraill. Nid oedd dyrchafu rhyddid yn gyfystyr â hyrwyddo amwysedd.

Felly, cyn sefydlu canon y Testament Newydd, yr oedd i'r gair gysylltiadau pendant â safon o fywyd newydd, neilltuedig yng Nghrist. Amlygwyd y fath gysylltiadau yn yr ail ganrif yn ôl Dafydd G. Davies, 'mewn llenyddiaeth Gristnogol sy'n trafod traddodiad yr Eglwys ac yn sôn am "reol gwirionedd" neu "reol ffydd"'.[50] Dyma ydoedd y *kanón* a dderbyniodd yr Eglwys, sef ffydd, o Grist, yng Nghrist. Mewn ym-adroddion o'r fath – *regula fidei, regula veritatis* – y mae ymwybyddiaeth bendant, wrth gwrs, o safon arbennig, yn neilltuo credoau ac arferion arbennig, gwirioneddau penodol, ac eraill yn cael eu gosod o'r neilltu, neu eu gwahardd. Ceid rheol gwirionedd gan na ellid coleddu'r anwir, yn yr un modd ag y ceid rheol ffydd i warchod rhag heresïau. Ac yn yr hinsawdd hon o geisio diogelu'r canon ffydd y dechreuwyd defnyddio'r gair mewn perthynas ag ysgrifeniadau eglwysig yn y bedwaredd ganrif, fel y nododd Kurt Aland. Yn yr un modd ag yr oedd angen diffinio'r rhyddid newydd yng Nghrist, rhaid hefyd oedd amlygu pa lyfrau'n union a oedd yn tystio i'r rhyddid hwnnw, ac yn eiddo, o'r herwydd, i'r Eglwys.

Cyfeiriodd Origen at yr 'ysgrythurau canonaidd', ac ym mhumdegau cynnar y bedwaredd ganrif, cyfeiriodd Athanasius at *Bugail* Hermas fel gwaith 'nad yw'n perthyn i'r Canon'. Yn 367 cyfeiriodd yr un esgob at y Testament Newydd fel ag y mae gennym heddiw. Dyma ddiffinio'r canon caeedig, terfynol. Lle y digwyddodd hynny yn y Dwyrain, yn y Gorllewin, ddeng mlynedd ar hugain yn ddiweddarach, yn 397 O.C., gwelwyd yn adroddiad Cyngor Laodicea gyfeirio at 'lyfrau canonaidd'. Cyflwynwyd rhestr nid annhebyg i eiddo Athanasius. Nododd Dafydd G. Davies fod y gair 'canon' o hyn ymlaen 'yn cynrychioli'r "casgliad cydnabyddedig o lyfrau" a ddewiswyd ac a dderbyniwyd fel safon ffydd a bywyd yr Eglwys Gristnogol'.[51]

Marcion, y canoneiddiwr cyntaf?

O ran y broses ganoneiddio ei hun, a'r cymhellion y tu ôl i ffurfiad y Testament Newydd, credir y gallai astudiaeth fer o'r hanes fod yn berthnasol iawn ar gyfer ystyried y cysyniad o ganon llenyddol Cymraeg. Nid yn gymaint am fod y Beibl heddiw'n derbyn cymaint o sylw o fewn rhai canonau llenyddol, ond yn hytrach am fod yn natblygiad hanesyddol y llyfr nifer o gymariaethau cysyniadol posib â datblygiad hanesyddol y canonau llenyddol sydd bellach yn ei gynnwys. Awgrymir nid yn anaml i'r prifysgolion – yn Lloegr, neu America, ond cymhwysir y sylw yma at y sefyllfa yng Nghymru yn hanner cyntaf yr ugeinfed ganrif – ymddwyn mewn modd nid annhebyg i'r Eglwys gynnar: bod tebygrwydd, megis, rhwng ymdrech Saunders Lewis a Thomas Parry, ymhlith eraill ar y naill law, a'r Tadau ar y llaw arall i hyrwyddo casgliad arbennig o ysgrifeniadau. Ond awgrymir yma fod unrhyw gymhariaeth a wneir rhwng y cysyniad o ganon llenyddol a hanes canon y Testament Newydd, mewn gwirionedd, yn gorfodi'r beirniad llenyddol i werthfawrogi mor arwynebol yw'r gymhariaeth ac mai proses gymhleth, ddadleuol ac amlweddog ydoedd ffurfiad y canon Beiblaidd hwnnw y cyfeirir ato fel model ar gyfer y canon llenyddol.

Y mae'r cysyniad o ganon llenyddol heddiw – o leiaf mewn perthynas â'r ystyr o un canon llenyddol, cenedlaethol, lledgaeedig – yn un dadleuol. Awgrymodd Sven P. Birkerts fod athrawon a gweinyddwyr yng ngholegau a phrifysgolion Lloegr yn ymrafael â'i gilydd 'mewn brwydrau ffyrnig ynghylch y canon'.[52] Ni theimlir bod hynny'n wir i'r un graddau yma yng Nghymru yn achos y canon llenyddol Cymraeg, a hynny'n rhannol yn sgil grym y traddodiad beirniadol empeiraidd, nifer cyfyngedig y sefydliadau, ynghyd â mesur da o gydweithio rhwng addysgwyr Cymraeg wyneb yn wyneb â bygythiad grym imperialaidd y Saesneg.

Ond fel y gwelir ym mhennod 2, rhan o gymhelliad R. M. Jones dros hyrwyddo math arbennig o ganon llenyddol Cymraeg yw sylweddoli mor amlwg yw'r gwrthwynebiad iddo, yn arbennig, felly, mewn perthynas â beirniadaeth ffeministaidd, hoyw a sosialaidd. Afraid dweud erbyn heddiw fod y cysyniad o ganon llenyddol – yn cynrychioli ond y gorau o gynhyrchion llenyddol – yn wrthun i unrhyw feirniad sy'n amau'r modd yr hyrwyddir y fath gysyniad eclectig â Llenyddiaeth Fawr. Mewn man arall, nododd R. M. Jones ei bryderon ynghylch sut y mae gweithiau'r canon fel pe baent wedi diflannu o faes llafur y Dystysgrif Gyffredinol yn yr ysgolion.[53]

Wyneb yn wyneb â'r dadleuon presennol hyn ynghylch y cysyniad o ganon llenyddol, perthnasol iawn yw hanes canon y Testament Newydd. Oherwydd, a dyfynnu Bart D. Ehrman: 'Yr oedd Cristnogaeth yn yr ail a'r drydedd ganrif yn un pair mawr o newid.' Ac awgrymodd Ehrman nad yw cyflwr newidiol tair canrif gyntaf y ffydd – 'o safbwynt strwythurau cymdeithasol, arferion crefyddol ac ideolegau' – erioed wedi ei atgynhyrchu.[54] Nid yn annhebyg, felly, i'n hoes ôl-fodern ni, datblygodd canon y Testament Newydd mewn perthynas â lluosogrwydd o leisiau. Un o'r lleisiau hynny ydoedd Marcion, a'i gyfraniad dadleuol ef a drafodir yma'n bennaf, yn anad dim gan y'i hystyrir gan nifer fawr o ysgolheigion fel yr un a lefarodd gyntaf ar y mater dan sylw.

Nododd Isaac Thomas fod 'y cynnig cyntaf i bennu canon yr Ysgrythurau Cristnogol' yn eiddo i Marcion, sef, o safbwynt yr Eglwys, heretic mwyaf dylanwadol yr ail ganrif.[55] Cysylltir ei enw yn aml â Gnosticiaeth, fel yng ngwaith Isaac Thomas. Felly y dadleuodd Barbara Aland hefyd. Ond gan ddilyn Adolf von Harnack y mae nifer o ysgolheigion bellach wedi nodi bod gormod o wahaniaethau rhwng Marcion a'r Gnosticiaid iddo ef ei hun gael ei ystyried yn un ohonynt.[56] Ymroi i'r ddadl mewn troednodyn yn unig a wnaeth Bruce M. Metzger yn ei lyfr, *The Canon of the New Testament*.[57]

P'un ai'n Gnostig neu beidio, cyflwynir diwinyddiaeth Marcion inni yn ysgrifeniadau'r apolegwyr a ysgrifennodd yn ei erbyn, gan gynnwys gwaith Irenaeus a Tertulianus.[58] Ymwrthodai â'r byd materol ac â'r cnawd – gan gynnwys rhyw a phriodas – ynghyd ag ymgnawdoliad dynol Crist. Ond fel y pwysleisiodd Robert Smith Wilson, yr oedd Marcion yn wahanol i'r rhelyw o Gnosticiaid am fod ei gredoau wedi eu seilio ar ddiwinyddiaeth feiblaidd, yn hytrach na chredoau paganaidd neu ei ddychmygion ei hun.[59] A'r llyfr hwnnw sydd o ddiddordeb inni yma gan ei fod yn amlygu'r rhyngberthynas sy'n bodoli rhwng credo a chanon, a rhwng credo-au a chanon-au. Oherwydd yn ôl Wilson, Marcion oedd y cyntaf i ddiffinio diwinyddiaeth y glasenw hwnnw, 'Cristion'; y cyntaf i ofyn: 'Beth sy'n rhaid i ddyn ei dderbyn o ran athrawiaeth a llenyddiaeth os ydyw am ei alw ei hun yn Gristion? A golygodd hyn gasgliad o gorff penodol o lenyddiaeth ac iddo awdurdod canonaidd.'[60]

Hyd yn oed os nad Marcion ydoedd y cyntaf i ofyn y fath gwestiwn, ymddengys mai ef oedd y cyntaf i gynnig ateb cwbl wahanol, ond trylwyr, i eiddo'i gyfoedion, ac ateb a oedd yn herio diwinyddiaeth gynhenid yr Eglwys. Oherwydd i Marcion, nid yr un ydoedd Duw'r Hen Destament a'r Duw Goruchaf a ddatguddiodd Crist i'r byd. Gan amlygu'r dylanwad Gnostig ar ei feddwl, gwahaniaethodd rhwng y ddau Dduw; 'rhwng Duw Goruchaf daioni a Duw israddol cyfiawnder, sef Creawdwr a Duw'r Iddewon. Ystyriai mai Crist oedd negesydd y Duw Goruchaf.'[61] Yr oedd oherwydd hyn yn gwrthod yr Hen Destament yn ei gyfan-rwydd. At hyn, pwysleisiodd Metzger y credai fod y deuddeg apostol wedi camddeall dysgeidiaeth Crist a chamgyflwyno ei eiriau. Dim ond yr Apostol Paul a ddeallodd nad Meseia'r Duw Iddewig ydoedd, ond yn hytrach negesydd y Duw Goruchaf: dehongliad a seiliwyd yn rhannol ar bennod gyntaf yr Epistol at y Galatiaid. O'r herwydd, derbyniodd Marcion fod awdurdod arbennig yn perthyn i'r naw Epistol a ddanfonodd Paul at saith eglwys, ynghyd â'r llythyr at Philemon. Fel y nododd Metzer, i Marcion y deg epistol hyn ydoedd 'y gwraidd, y gwarant a'r norm ar gyfer gwir athrawiaeth'.[62] O ran yr Efengylau, trodd at Efengyl Luc, gan ei fod, o bosib, yn ei ystyried yn ddisgybl i Paul.[63]

Ond ar wahân i'r ddiwinyddiaeth megis, yr hyn sy'n ddiddorol i'r astudiaeth bresennol yw gwleidyddiaeth yr hanes. Oherwydd yr ymgais hon o eiddo Marcion a ysgogodd yr Eglwys i ddiogelu'r traddodiadau a gyflwynwyd iddi ar ffurf canon ysgrifenedig, cydnabyddedig, ac anwybyddu pwyslais Papias – pwyslais a adleisir hefyd yng ngwaith Iestyn Ferthyr – ar ddilysrwydd 'y llais byw sy'n goroesi o hyd': sylw sy'n awgrymu ym marn R. Beasley-Murray 'nad ystyriai mai'r hyn a ysgrifennwyd am Iesu yn unig a oedd yn Ysgrythur'.[64]

Awgrymodd sawl ysgolhaig mai Marcion yn anad neb a oedd yn gyfrifol am y cysyniad o Destament Newydd, ac am gyflwyno'r fersiwn gyntaf ohono. Ond, fodd bynnag, nid yw'r ddadl honno heb wrthddadl gref iawn. Yn un peth, yr oedd yr Eglwys ei hun yn gyfarwydd â'r Epistolau Pawlaidd ac Efengyl Luc eisoes. At hyn, nid ystyriaeth fechan yw fod Marcion ei hun wedi bod yn aelod o un o eglwysi Rhufain – a sefydlwyd, wrth gwrs, gan yr Apostol Paul – cyn iddo yn 144 gael ei esgymuno ohoni.

Ynghylch union bwysigrwydd Marcion, nid yw'r beirniaid yn gytûn o gwbl. Hwyrach fod perthynas beirniaid â thraddodiadau gwahanol o ysgrifennu yn esbonio rhyw gymaint ar yr anghytuno a fu. Fel y nododd Isaac Thomas: 'Tuedd y beirniad o hyd yw bwrw delw ei ragdybiaethau ei hun ar y deunydd y cais ei archwilio.'[65] Ar y naill law, pwysleisiodd Hans von Campenhausen mor chwyldroadol o newydd ydoedd y canon Marcionaidd, gan nodi mai dilyn ei esiampl ef a wnaeth yr Eglwys.[66] Ar y llaw arall, cymedrolir y pwyslais hwn gan eraill. Nododd Theodor von Zahn, er enghraifft, i Marcion ffurfio ei feibl mewn adwaith i ysgrythurau'r Eglwys a ddefnyddiwyd yn yr eglwys a adawodd ef, ac mai cynorthwyo'r Eglwys yn unig i feithrin ymwybod gwell ynghylch treftadaeth ei hysgrifeniadau apostolaidd a wnaeth.[67] Gan ddilyn trywydd Zahn, nododd F. F. Bruce fod '"canon" Marcion yn adolygiad o gasgliad blaenorol o ysgrifeniadau'r Testament Newydd'.[68] Honno yw'r ddadl empeiraidd sy'n f'argyhoeddi innau. Ystyrir i Marcion – yn ôl Hahneman, 'hyrwyddwr cynnar casgliad o ysgrythurau Testament Newydd', nid cynllunydd y canon cyntaf[69] – symbylu'r Eglwys i gyflymu proses o ganoneiddio a oedd eisoes mewn bodolaeth. Y cwestiwn dadleuol yw diffinio'n union natur y gweithgarwch hwnnw, ynghyd â pha faint o'r broses a oedd eisoes wedi digwydd yn yr Eglwys. Ai cynllunio, cyflwyno neu hyrwyddo a wnaeth Marcion? Ai'r canon ei hun, ynteu'r syniad y tu ôl iddo a oedd yn chwyldroadol? Yr hyn sy'n amlwg i mi yw na ddylid ar unrhyw gyfrif synied nad oedd gan yr Eglwys ar unrhyw adeg gasgliad o ysgrythur, sef llenyddiaeth grefyddol y cyfeirir ati mewn perthynas ag awdurdod crefyddol. Er mai edrych ar y Testament Newydd a wneir yma, da y nododd W. G. Kummel y byddai'r Iesu a'i ddisgyblion yn dyfynnu'r Hen Destament, yr ysgrythur, ac yn dyfynnu o dair rhan ddiwethaf yr Hen Destament nad oedd ei ganon wedi ffurfio'n derfynol eto. 'Felly o'r dechrau'n deg yr oedd yn amlwg iawn i'r eglwys gyntefig fod datguddiad Duw wedi ei roi ar ffurf ysgrifenedig.'[70]

Yn achos canon y Testament Newydd, y mae'n werth nodi nad synied yr ydym am broses o ddarganfod ysgrythurau o'r newydd, ond am broses o gadarnhau'n gyhoeddus awdurdod y cyfryw ysgrythurau a oedd eisoes yn cael eu defnyddio yn y gwahanol eglwysi.[71] Wrth drafod yr hanes mewn perthynas â'r cysyniad o ganon llenyddol, rhaid cofio nad y dadlau ynghylch meini praw penodol, er y caed hynny hefyd, ond y defnydd parhaus a wnaed o lyfrau ydoedd y dylanwad mawr ar broses ganoneiddio'r Testament Newydd. Da y nododd Brevard S. Childs fod yr esboniadau ar feini praw canoneiddrwydd yn rhai a oedd yn adlewyrchu profiad ffydd yr Eglwys o Iesu Grist ac yn rhai a bennwyd yn bennaf gan y defnydd parhaus a wnaed o'r llyfrau canonaidd.[72] Dyma, heb os, y gwahaniaeth mawr rhwng canon y Testament Newydd a'r canon llenyddol Cymraeg. Nododd Childs mai bychan ydoedd rôl y Tadau yn diffinio cynnwys y cyntaf, ac mai cadarnhau arfer aelodau'r gwahanol eglwysi oedd eu gwaith. Ond yn wyneb diffyg traddodiad addysgol Cymraeg, a'r modd yr oedd llenyddiaeth y canrifoedd yn aros yn guddiedig mewn llawysgrifau, cyfres o feistri-feirniaid yn bennaf fu'n gyfrifol am bennu cynnwys y canon llenyddol Cymraeg, ac ystyriai corff bychan o ysgolheigion mai eu gwaith hwy ydoedd cyfarwyddo chwaeth lenyddol y cyhoedd.

Nododd G. M. Hahneman nad oes raid i ysgrythurau ymffurfio'n ganon.[73] Rhaid cofio y defnyddiwyd yr ysgrythurau a ganoneiddiwyd gan yr Eglwys cyn ac wrth iddynt gael eu canoneiddio, a gellir cymhwyso'r sylw hwn at berthynas testunau llenyddol â chanonau llenyddol. Ond tueddir i edrych ar ysgrythurau neu weithiau llenyddol a ganoneiddir mewn golau gwahanol i'r modd y'u hystyrid yn eu cyflwr cynganonaidd. Dyna un o'r rhesymau pam y mae pellter rhwng Cristnogaeth yr Apostolion a'r Tadau, wrth i'r gair ysgrifenedig, yn hytrach na gweithredu'n symbolaidd – a chyfeirio'r darllenwyr at Arwyddedig allanol – fagu arwyddocâd symbolaidd ynddo'i hun ac iddo'i hun. Yn absenoldeb yr Apostolion a'r genhedlaeth gyntaf o Gristnogion a'u holynodd, ac mewn ymateb i heresïau'r ail a'r drydedd ganrif, sef unrhyw ddysgeidiaeth a oedd yn tynnu'n groes i eiddo'r Apostolion, pwysleisiodd yr Eglwys fod awdurdod y cyfryw wŷr ynghyd â'i hawdurdod hithau i'w canfod yn eu hysgrifeniadau. Nid cyfrwng i draddodi'r Efengyl yn unig ydoedd y gair ysgrifenedig, felly, eithr yr oedd hefyd, fel y nododd Childs, 'yn ddehongliad ar y traddodiad a oedd yn aml yn trosgynnu cyfnodau cynnar ei ddatblygiad', sef y cyfnodau cynnar hynny a oedd yn fwy parod i ddibynnu ar dystiolaeth ddibynadwy'r cyfrwng llafar.[74] Dyna pam y cytunir yma â Childs, fod modd dehongli hanes datblygiad yr Eglwys mewn perthynas â'r broses o ganoneiddio ysgrythurau. Datblygodd y rheol ffydd wrth i'r canon ysgrythur ddod yn rhan ohoni.

Ac yn yr un modd, gellir nodi nad modd yn unig i gyflwyno agweddau ar lenyddiaeth Gymraeg yw synied amdani yn nhermau canon, eithr y mae trefnu testunau yn ganon llenyddol hefyd yn ddehongliad ar eu gwerth a'u swyddogaeth gymdeithasol gyfoes.

Mewn perthynas â'r dasg o bwyso a mesur cyfraniad Marcion, ceir sylwadau cytbwys gan Edwin Cyril Blackman yn ei lyfr *Marcion and His Influence*. Cydnabyddir cyfraniad Marcion i'r broses ganoneiddio, ond nid i'r un graddau â'r ysgolheigion hynny sy'n edrych arno fel sylfaenydd neu chwyldroadwr y broses honno.[75] Yn ôl Blackman yr oedd y broses ganoneiddio yn yr Eglwys ar waith cyn i Marcion gyflwyno ei gasgliad dethol ef o ysgrifeniadau. Dylanwadu ar y broses honno yn hytrach a wnaeth ef.

Prif ddylanwad Marcion ar yr Eglwys ydoedd ei bwyslais ar Epistolau Paul. Mynnodd von Campenhausen – sydd, fel ei athro Harnack, yn portreadu Marcion fel *y* prif gymeriad yn hanes canoneiddio'r Testament Newydd – nad oedd yr Eglwys wedi ei pharatoi ei hun ar gyfer canon cyfyngedig mor chwyldroadol, yn cynnwys ynddo'n unig dalfyriad o Efengyl Luc ac argraffiad beirniadol o Epistolau Paul.[76] Ac, yn wir, hawdd yw gweld cysylltiad rhwng canon Marcion ac amlygrwydd yr Epistolau Pawlaidd yn y Testament Newydd. Yn wir, yn ôl J. Morgan Jones: '[E]iddo Marcion yn fwy na neb oedd y syniad am Destament Newydd . . . ei ddelw ef sydd ddyfnaf ar ei natur a'i gynnwys hyd heddiw.'[77]

Cydymdeimlir yn y bennod nesaf â'r awydd cyffredinol hwn ymhlith darllenwyr diweddarach i ddod o hyd i gychwynnydd. Ond rhaid hefyd ystyried mor wahanol ydoedd Efengyl Marcion ac Efengylau'r Eglwys. At hyn, gellir ychwanegu bod i Lyfr yr Actau rôl arbennig yn fframwaith y Testament Newydd, fel llyfr sy'n cysylltu'r Efengylau a'r Epistolau ynghyd, a bod Llyfr y Datguddiad yn chwarae rhan allweddol hefyd yn y fframwaith hwnnw, drwy roi i'r casgliad gymeriad teleolegol arbennig. Ac, wrth gwrs, er gwaethaf amlygrwydd Epistolau Paul, fe ganoneiddiodd yr Eglwys ei lythyrau bugeiliol, heb sôn am Epistolau'r Apostolion eraill, datblygiad sy'n tystio i'r ffaith 'nad San Paul ydoedd yr unig Apostol, ac nad adeiladwyd Cristnogaeth ar sylfeini Pawlaidd yn unig'.[78]

Cyflwynodd Marcion ganon deublyg: yr efengyl dalfyredig ynghyd â chorpws Pawlaidd o ddeg llythyr. Mewn perthynas â'r corpws Pawlaidd y dylid priodoli iddo ddylanwad ar y broses ganoneiddio. Yn wir, derbyniodd yr Eglwys ei hun fod yr Epistolau hyn yn ffon fesur ar gyfer cynnwys gweithiau eraill yn y canon. Derbyniad cymysg, er enghraifft, a gafodd Epistol Iago ymhlith yr eglwysi cynnar, gan fod y pwyslais ar ffydd a gweithredoedd megis yn tynnu'n groes i bwyslais Paul ar gyfiawnhad trwy ffydd yn unig. (Yr oedd yr Epistol, o'r herwydd, hefyd yn broblem i Luther.) Oherwydd nid heb gymharu'r gweithiau â'i gilydd y llunnir canon, ac nid heb greu rhyw fath o ganon canol o'r tu mewn i'r canon. Ond nodwn yma na ddylid priodoli pwysigrwydd y corpws canonaidd i ddylanwad Marcion yn unig. Rhaid cofio mai Paul ei hun, wedi'r cyfan, a sefydlodd nifer o'r eglwysi. Yr oedd ei Epistolau o'r herwydd – o leiaf yn y cyfryw eglwysi – yn rhwym o gael eu hystyried yn ddogfennau awdurdodol. Ystyriaethau eraill yn y broses ganoneiddio oedd grym awdurdod ac awduraeth apostolaidd ar y naill law, ac ar y llaw arall, rym sefydliadaeth. Ystyriaethau yw'r rhain sydd yn berthnasol i'r drafodaeth ar y canon llenyddol, fel y gwelir yn y man, gan fod statws y meistr-feirniad yn dibynnu'n fawr ar ei allu i sefydlu ei awdurdod ei hun.

Egwyddorion canoneiddio Marcion

Yr hyn sy'n nodweddu'r canon Marcionaidd yw'r elfen gyfyngedig, leihaol, sydd yn ei leihad a'i wrthodiad o gynifer o lyfrau'r Eglwys, heb sôn am yr Hen Destament yn ei gyfanrwydd, yn enghraifft eithafol o'r modd y llunnir canon er mwyn hyrwyddo credo arbennig. Detholir yn fwriadol. Y mae hynny'n wir am bob canon, i ryw raddau, ond nid i'r un graddau bob amser. Gyda'i bwyslais ar ddethol Epistolau Paul yn unig, gellir dadlau mai yn nhermau'r egwyddor hon o hepgor y dylanwadodd Marcion ar ganon yr Eglwys. Fel y nododd Blackman, 'mae'r Testament Newydd Catholig yn gynnyrch proses o ddethol yn hytrach na chasglu'.[79] Oherwydd hyn, mae'n werth nodi i'r Eglwys weld yr union broses hon o hepgor ar waith, mewn modd eithafol iawn, yng nghanon Marcion, gyda'r elfen o hepgor yn chwarae rhan bwysig yn y dethol. Ac mewn perthynas â phroses ganoneiddio'r Testament Newydd fe ymddengys fod y weithred fwriadol, greadigol o hepgor cyn bwysiced â'r weithred o gynnwys, yn enwedig mewn perthynas ag ambell lyfr, fel *Bugail* Hermas. Y mae'n rhaid dethol a chyfyngu ar y detholiad, os nad ei gau. Dyma inni heddiw hanfod cysyniadol canoneiddio. Meddai Lynda Hart yn 'Canonizing Lesbians?', er enghraifft: 'Canons, by definition . . . are . . . inherently exclusionary.'[80] Ni ellir cynnwys popeth. Nododd Athanasius fod yr holl ysgrythur wedi ei ysbrydoli'n ddwyfol ac yn cynnwys ynddo lyfrau sydd, nid yn ddiddiwedd o ran eu rhif, ond sy'n gyfyngedig, ac sy'n ystyrlon mewn un canon.[81] Am yr union rif hwnnw o saith llyfr ar hugain, nododd Awstin ei fod yn fychan er mwyn sicrhau nad yw'r hyn sy'n werthfawr yng ngolwg crefydd yn cael ei iselhau mewn gormodedd, ond ei fod hefyd yn ddigon o rif i amlygu cytundeb y llyfrau â'i gilydd.[82] (Cymharus yn hyn o beth yw sylw Irenaeus ynghylch nifer yr Efengylau, heb fedru bod yn fwy nac yn llai mewn nifer na'r hyn ydynt.[83]) Ac y mae sylw Awstin yn ategu'r egwyddor na all canon – er lles ei ddefnyddioldeb ei hun – gynnwys popeth. Yn yr un modd, ni all yr un flodeugerdd ganrifol gynnwys ond detholiad o waith y ganrif. Ni all yr un adran brifysgol chwaith gyflwyno'r Traddodiad Llenyddol cyfan.

Yn ei bennod ar 'The emergence of the New Testament', dadleuodd von Campenhausen na ellir esbonio detholiad rhyfedd Marcion ac eithrio mewn perthynas â'i 'Bawliniaeth ddogmatig'.[84] Nid pob ysgolhaig sy'n derbyn y ddadl honno. Nododd A. G. Padgett fod y dehongliad, er enghraifft, yn anwybyddu dylanwad gwrth-Iddewiaeth, deuoliaeth ac asgetigiaeth ar feddwl Marcion.[85] Ac eto, er gwaethaf ei bwyslais ar ragfarnau gwrth-Iddewig Marcion, nododd Padgett y gallai fod wedi cynnwys talfyriad o Efengyl Luc oherwydd y traddodiad a oedd yn ei gysylltu â Paul.[86] O bosib, y mae'r ddwy elfen hon yn bresennol fel ei gilydd. Oni ellir dweud i Marcion drwy hepgor a gwrthod yr Hen Destament ynghyd â chyfeiriadau at yr Hen Destament greu canon a oedd yn adlewyrchu ei amharodrwydd i gydnabod unrhyw gysylltiad rhwng Iddewiaeth a Christnogaeth ac iddo'n gyfamserol drwy gynnwys llythyrau Paul hyrwyddo'r Bawliniaeth honno a oedd yn gymaint rhan o ganon ffydd y golygydd ei hun? Y mae'r cynnwys a'r hepgor cyn bwysiced â'i gilydd ac yn rhan o'r un broses o lunio canon, sydd, fe ymddengys, yn cael ei lunio mewn perthynas â chredoau pendant. Enghraifft amlwg o'r gweithgarwch dethol hwn yw talfyriad digywilydd Marcion o lyfr y Rhufeiniaid, yn hepgor penodau 15 a 16 gan nad ydynt yn hyrwyddo ei syniadau ynghylch amherthnasolrwydd yr Hen Destament. Nododd von Campenhausen nad dadansoddiad o gyflwr ansicr yr Eglwys oedd y cymhelliad y tu ôl i ganon Marcion, nac ymgais i ateb ei hanghenion, eithr '[it] was theologically conditioned'.[87] A mynegi'r un farn honno a wnaeth Robert Smith Wilson, sef nodi i Marcion 'gynhyrchu gwaith a fyddai'n cefnogi ei safle diwinyddol, ac am hynny newidiwyd y testun er mwyn cefnogi prif bwyntiau ei athrawiaeth'.[88] Yn hyn o beth, y mae'r ysgolheigion diweddar yn adlewyrchu beirniadaeth Irenaeus ar waith Marcion. Condemniodd ef lurguniad Marcion o Efengyl Luc, a oedd yn dileu ymhlith darnau eraill gyffes Crist mai Creawdwr y bydysawd hwn yw Ei Dad. Ac yn yr un modd, beirniadodd ei lurguniad o Epistolau Paul; am hepgor y cyfeiriadau at berthynas Crist â'r Tad, Creawdwr y byd, a'r dyfyniadau o lyfrau'r proffwydi a gododd Paul yn dyst i'r modd y rhagddywedwyd dyfodiad Crist. Am waith yr Epistolau eraill, beirniadodd Marcion am ddysgu ei ddisgyblion ei fod ef ei hun yn bwysicach na'r Apostolion.[89]

Y llurgunio amlwg hwn, bid siŵr, ydoedd y prif wahaniaeth rhwng canon Marcion a chanon yr Eglwys. Lle'r oedd y cyntaf yn waith dyfeisgar, unigolyddol, sydyn a llurguniedig, datblygodd y llall mewn perthynas â phrofiad parhaus a chonsensws graddol nifer o eglwysi. Ffrwyth proses oedd yr ail ganon; 'derived of no reasoning', meddai Westcott, eithr ffrwyth twf naturiol a graddol yr Eglwys.[90] *Theologically conditioned* ar y naill law, felly; *no reasoning*, ar y llaw arall. Bid siŵr, y mae elfen o ormodiaith yn perthyn i sylw ceidwadol Westcott sy'n agored i estyniad ar y feirniadaeth redacteg honno a bwysleisiodd 'fod yr efengylwyr wedi cyfansoddi yn ôl tueddiadau diwinyddol arbennig', ys dywed David Protheroe Davies.[91] Ond erys y pwyslais ar raddoldeb twf y broses ganoneiddio'n gywir.

O gredu na ragflaenwyd Marcion yn ei ymgais i gyflwyno'n fwriadol gasgliad dogfennol, dilys a gynrychiolai'r ffydd Gristnogol (ac a oedd yn herio arfer yr Eglwys o ddarllen Efengylau ac Epistolau nas cynhwyswyd yn ei ganon) nid syndod, efallai, iddo geisio cyfiawnhau ei ganon detholedig yn ei lyfr *Antitheses* a oedd yn cyflwyno'r gwrthbwyntiau rhwng dysgeidiaeth Iesu, Paul a'r Hen Destament. Ni chadwyd inni gopi o'r llyfr hwnnw. Trwy ysgrifeniadau'r sawl a fu'n dadlau yn erbyn Marcion – Irenaeus a Tertulianus yn bennaf – y llunnir braslun ohono. Ond efallai'n fwy na chynnwys y llyfr, yr hyn sy'n ddiddorol i'r astudiaeth bresennol yw iddo gael ei goleddu'n frwdfrydig gan yr Eglwys Farcionaidd, megis testun credoaidd, gan ei fod yn anhepgor os oedd y canon Marcionaidd i gael ei dderbyn o gwbl. Awgrymodd C. K. Barrett i Marcion ysgrifennu'r *Antitheses* er mwyn peidio â chynnwys yr Actau yn ei ganon dethol.[92] Y mae'n bwynt teg. Ond mewn perthynas â hanes canon y Testament Newydd fe ymddengys fod y broses o lunio canon, ynghyd â'i gyfiawnhau'n feirniadol wedi mynd law yn llaw, a bod ysgrifeniadau cyfiawnhaol megis, er nad yn ganonaidd eu hunain, yn anhepgor ar gyfer unrhyw ganon. Enghraifft lenyddol gyfoes o hyn yw'r modd – cyn iddo fynd ati i werthfawrogi canon llenyddol y Gorllewin – y mae Harold Bloom ym mhennod gyntaf ei lyfr *The Western Canon*, yn cyfiawnhau ei ddetholiad arbennig o awduron canonaidd. Wrth gwrs, gan wybod na chytunai rhai beirniaid cyfoes, nid yn unig â'i ddetholiad, ond â'r cysyniad o ganoneiddio llenyddiaeth, rhaid oedd iddo hefyd gyfiawnhau'r cysyniad hwnnw.[93] Fel cymhariaeth fwy cyffredinol, meddylir am ddiben rhagymadroddion mewn blodeugerddi cynrychioladol a chasgliadau eraill, a'r modd y mae adolygiadau o lyfrau tebyg fynychaf yn trafod y rhagymadrodd, a'r detholiad, neu'r dull o ddethol, yn hytrach na'r casgliad ei hun. Ymddengys fod y feirniadaeth gyfiawnhaol cyn bwysiced â'r llenyddiaeth olygedig ei hun, a bod y naill yn hyrwyddo'r llall.

Er iddo'n sicr gael peth dylanwad, nid oedodd yr Eglwys yn hir cyn diarddel y canon Marcionaidd. A dyma ystyriaeth berthnasol arall i'r cysyniad o ganon llenyddol. Crëwyd canon y Testament Newydd mewn perthynas â chanonau eraill. Er gwaethaf awgrym Westcott ynghylch natur ddireswm y broses ganoneiddio, bu'n rhaid i'r Eglwys ymateb i ganonau yr oedd yn eu hystyried yn rhai annerbyniol: gwrthganonau. Yr enghraifft amlycaf o'r egwyddor hon ar waith, o bosib, yw traethawd Irenaeus, *Yn Erbyn Heresïau*, yn diffinio'r canon mewn perthynas ag amrywiadau'r Gnosticiaid a'r Manicheaid. Nid yn annhebyg i hyn, isdeitl *Canon Eglwysig* (coll, ac eithrio dernyn) Clemens o Alecsandria ydoedd *Yn Erbyn yr Iddewiaethwyr*. Enghraifft arall yw *Y Ddadl yn Erbyn Trypho* o waith Iestyn Ferthyr, lle'r esbonia'r awdur – yn groes i safbwynt yr athronydd Iddewig, Trypho – nad gwrthddywediad abswrd yw credu yn yr ymgnawdoliad mewn perthynas ag undduwiaeth. Diffinnid y canon, felly, mewn ymateb i'r amrywiadau arno ac wrth i'r cysyniad o ganon ddatblygu'n fodd i grŵp o bobl ddiffinio ei arwahanrwydd. Pwysleisiodd R. W. Jones yn *Canrifoedd Cynnar Cristnogaeth* mai 'Hereticiaid fel Falentinus a Marcion a barodd i'r Eglwys feddwl am greu Testament Newydd yn cynnwys casgliad o lyfrau awdurdodedig, a hwy a roes iddi awgrymiadau am y modd i ddewis a gwrthod.'[94] Yn ôl Christoph Lorey a John L. Plews, dyma'r union broses sydd ar waith mewn perthynas â chanon llenyddol y Gorllewin yntau. Y mae angen i'r canon gael ei gydnabod gan fath arall o draddodiad sy'n chwarae rhan hanfodol yn y broses o ddylanwadu ar farn a llunio gwerthoedd, sef 'asesiad a dylanwad y ffurfiau hynny a ystyrir yn gyffredinol yn "gyfeiliornus"'.[95] Y mae'r gwrthganon yn chwarae cymaint o ran â'r canon ei hun yn y broses ganoneiddio. Beth yw'r Eglwys heb sectau? Beth yw'r bardd heb y beirdd answyddogol? Yn hyn o beth y mae tebygrwydd sicr rhwng canon y Testament Newydd a'r canon llenyddol. Yn achos Saunders Lewis, er enghraifft, nodir mai mewn perthynas â herio consensws ei ddydd y cyflwynai ef ei farn ar wahanol lenorion, cymaint felly nes y byddai ar adegau yn ffugio consenws fel y gallai anghytuno ag ef.

Er bod rhesymau amlycach yn esbonio pam yn union iddo gael ei wrthod, y mae'n werth nodi ar gyfer yr astudiaeth bresennol na cheisiodd Marcion gyfiawnhau'r canon ar dir anffaeledigrwydd, a bod y canon Marcionaidd, felly, er ei wrthodiad o'r hen ysgrythurau a'r llyfrau apostolaidd cyfoes, yn agored i ychwanegiadau, neu ddiwygiadau. Dyna a wnaed o fewn yr Eglwys Farcionaidd ei hun. Nid ystyriwyd y canon erioed yn yr un modd ag yr ystyriwyd yr hen ysgrythurau Iddewaidd a ddiystyriodd Marcion. Yn wir, er gwaethaf ei ymgais i waredu ei ganon newydd rhag cyfeiriadau at yr hen ysgrythurau, ystyriai Marcion fod yr Hen Destament, fel casgliad o berfformiadau ysgrifenedig, yn gasgliad cwbl orffenedig.[96] Nid felly ei ganon ei hun yng ngolwg ei ddisgyblion: gwaith ysgolheigaidd, agored ydoedd. Am hynny, fel y nododd von Campenhausen, 'nid oedd dim oll, felly, yn rhwystro disgyblion Marcion rhag parhau â gwaith eu meistr, ac ychwanegu diwygiadau a "gwell-iannau" pellach at ei destun'.[97] Yn hyn o beth, yr oedd yr Eglwys Farcionaidd yn adleisio'r modd yr oedd yr awduron clasurol gynt yn synied am ganon agored, yn hytrach nag un cyfan gwbl gaeedig. Mewn perthynas â dehongliad Pliny o waith Polycletus, *Canon*, er enghraifft, nododd Jan Gorak fod 'y canon yn hedyn yn hytrach nag yn gynllun, hedyn â'r potensial i gynnwys ynddo fydysawd cyfan o fesuriadau a chreadigrwydd i'r dyfodol'.[98] Dyma'r awduron clasurol, felly, yn synied am broses ganoneiddio barhaus, nid yn annhebyg i'r math o ymagweddu beirniadol a argymhellwyd gan feirniaid fel Jarold Ramsey a Robert Hemenway a garai weld y canon Americanaidd yn cynnwys ynddo lenyddiaethau lleiafrifol. Dyma'n sicr yw agwedd y beirniad llenyddol sy'n ymddiddori yn y math o lenyddiaeth sydd wedi cael ei anwybyddu yn y gorffennol am resymau yn ymwneud â hil, lliw, crefydd, cenedl neu ryw. Ond i raddau llai, dyma hefyd yw agwedd y mwyafrif llethol o feirniaid llenyddol sy'n synied am ganon llenyddol fel rhyw fath o gasgliad o berfformiadau ysgrifenedig nad yw byth yn gyfan gwbl orffenedig. Byddai'r beirniad mwyaf ceidwadol hyd yn oed yn croesawu cerdd newydd o eiddo Dafydd ap Gwilym neu ryw un o'r meistri canon-ganolog eraill, ynghyd â gwaith newydd, cyfoes o safon debyg.

Y canon cilagored

Yn ei erthygl, 'Defining the canon', dadleuodd Harold H. Kolb Jr. fod canon o lenyddiaeth Americanaidd yn anghenraid, er gwaethaf y problemau amlwg o ran diffinio'r fath gasgliad. Cynnig Kolb yw ein bod yn synied am ganon, nid yn nhermau un rhestr awdurdodol o weithiau na chwaith yn nhermau cacoffoni lluosog o leisiau aneirif, 'but as *a tiered set of options*', gyda'r naill ben yn gymharol sefydlog a'r llall yn gymharol benagored, wedi eu cysylltu ynghyd drwy i newid fod yn bosib.[99] Cryfder y cynllun hwn, wrth gwrs, yw ei fod yn cydnabod bod modd i'r canon newid, ac eto diogelir statws canonganolog rhai gweithiau sefydlog, sy'n rhwym o ddylanwadu ar natur y gweithiau ymylol a ffyrdd darllen yn gyffredinol. Diogelir yr hyn a alwodd David Murray yn 'unchallenged authority' rhai gweithiau.[100]

Nid yn annhebyg i 'raddfeydd dewisiadau' Kolb, cyfeiriodd 'hanesydd yr Eglwys' Eusebius yn y drydedd ganrif at dri chategori o ysgrifeniadau. Yn y dosbarth cyntaf, gosododd y llyfrau a dderbyniwyd yn gyffredinol yn yr eglwysi; yn yr ail, y llyfrau a dderbyniwyd yn bur gyffredinol er bod dadlau yn eu cylch; ac yn y trydydd, y llyfrau annilys.[101] Yn y dosbarth cyntaf derbyniol, gosododd Eusebius y pedair Efengyl, Llyfr yr Actau, Epistolau Paul (gan gynnwys yr Hebreaid), I Pedr, I Ioan a Datguddiad Ioan (os cywir hynny). Yn yr ail ddosbarth pur gyffredinol ond mwy dadleuol, gosodwyd Iago, Jwdas, II Pedr, a II a III Ioan. Yn y trydydd dosbarth annilys, gosodwyd Actau Paul, Bugail Hermas, Datguddiad Pedr, Epistol Barnabas, y *Didache*, Efengyl yr Hebreaid (ym marn rhai) a Datguddiad Ioan (os cywir hynny).

Gwelir yma fod Eusebius yn gwahaniaethu rhwng y canol a'r ymyl, a'r tu allan yn gyfan gwbl, ac yn cydnabod nad yw'r ffin rhwng y canol a'r ymyl bob amser yn amlwg. Nododd hefyd y gallai'r llyfrau annilys gael eu hystyried ar y cyd â'r rhai dadleuol, gan eu bod, er nad yn ganonaidd, o leiaf yn wahanol i bedwerydd categori o lyfrau, sef y llyfrau anuniongred a gyflwynai hereticiaid dan enwau'r Apostolion. Am y cyfryw, nododd fod natur yr arddull yn wahanol iawn i eiddo'r Apostolion, a bod eu cynnwys yn gwbl anghyson â 'gwir uniongrededd', ac na ddylid felly eu hystyried hyd yn oed yn gydradd â'r llyfrau annilys, ond eu gwrthod yn llwyr.[102]

Ynghyd ag awduraeth neu awdurdod apostolaidd, yr oedd y defnydd a wnaed o'r llyfrau, a'u huniongrededd yn feini praw arwyddocaol ar gyfer y dasg hon o wahaniaethu rhwng y pedwar categori. Yr hyn a nodweddai'r trydydd categori o lyfrau annilys, ac a'u gosodai ar wahân i'r categori olaf ydoedd y parch a oedd iddynt ymhlith rhai eglwysi. 'Os nad yn ganonaidd', meddai Bruce, 'yr oeddent o leiaf yn uniongred.'[103]

O blith y rhestri, y llyfr sy'n dal sylw'r darllenydd fwyaf yw Llyfr y Datguddiad, gan ei fod yn perthyn i'r rhestr gydnabyddedig ac annilys fel ei gilydd. Yn ôl Bruce yr hyn sydd i gyfrif am yr anghysondeb a'r amwysedd amlwg yw gwahaniaeth barn. Er na hoffai Eusebius ei hun Lyfr y Datguddiad, fe'i cydnabyddwyd gan yr eglwysi yr oedd ef yn parchu eu barn fwyaf.[104] Dyma'r unigolyn, felly, yn wahanol i Marcion, ac yn unol â rheol consensws yn arddel gwahaniaethau ei gyfoedion, heb wadu ei farn ei hun. Cydnebydd luosogrwydd y broses ganoneiddio, gan amlygu bod modd i lyfr berthyn i'r canol a'r ymyl fel ei gilydd, o leiaf cyn i gonsensws cyfan gwbl glir ddylanwadu ar y broses ganoneiddio, ynghyd ag ystyriaethau o ran awdurdod y sefydliad, neu wahanol eglwysi o fewn yr Eglwys. O gyfieithu hyn oll i'r drafodaeth bresennol, nodir bod sefyllfa canon y Testament Newydd yn y drydedd ganrif yn cynnig patrwm o asesu ar gyfer diffinio'r canon llenyddol cyfoes, gan gofio i'r llyfrau dadleuol oll, maes o law, gael eu cynnwys yn y canon, ynghyd ag un llyfr a oedd ym marn rhai yn perthyn i'r dosbarth annilys. Cydnabyddir amrywiadau. Cydnabyddir mai proses yw canoneiddio, ac na ellir cau canon sy'n dal i symud. Nid yw dweud hynny'n golygu na thrafodir y gweithiau oll mewn perthynas â'r egwyddor ganolog o ganoneiddio ar sail dethol. Ond o'u cymharu â'r ddwy ymdrech fawr i ddiffinio'r canon yn y bedwaredd ganrif, sef Llythyr Pasgaidd Athanasius a chydsyniaeth y Cyngor yng Ngharthag, y mae'r dosbarthiadau y mae Eusebius yn eu nodi – a oedd, wrth gwrs, yn rhan o'r un broses ganoneiddio, o fewn yr un sefydliad, ac yn symud i'r un cyfeiriad hwnnw o gau'r canon – yn adlewyrchu'r elfen symudol a oedd yn nodweddu'r canon, neu, o leiaf, ymylon y canon, yn y drydedd ganrif. Am yr amrywiadau hyn, nododd Childs eu bod 'yn adlewyrchu'r hyblygrwydd a gysylltwyd â'r norm canonaidd'.[105] Dyma'r hyblygrwydd a'r lluosogrwydd – sy'n chwarae rhan mor amlwg yn hanes ffurfiad canon y Testament Newydd – a ddylai fod yn nodwedd ar y canon llenyddol Cymraeg. Gellir, hwyrach, gyfieithu'r hyblygrwydd eglwysig yn ddemocratiaeth lenyddol, o ddiffinio'r gymuned lenyddol Gymraeg yn y fath fodd fel y byddo pob carfan ohoni yn cael eu hystyried. Yr anogaeth fawr i'r sawl sydd ar yr ymyl, wrth gwrs, yw fod y llyfrau dadleuol yn ymdroi'n dderbyniol. Fe'u canoneiddir. Canolir yr ymyl.

Yn ôl Christoph Lorey a John L. Plews, proses gyfarwydd, geidwadol yw hon o gynnwys y gwahanol a'r annerbyniol.[106] Proses barhaus o fewnosod o'r ymylon yw canoneiddio. Ond yng ngoleuni'r egwyddor a nodwyd uchod – na all canon gynnwys popeth – o fynd ati a mewnosod, y mae'n rhaid gwaredu hefyd. Ochr arall y geiniog yw fod modd i destunau a fu unwaith yn uchel eu bri golli ffafr y beirniaid. Mewn perthynas â'r Americanwr, James Dickey, er enghraifft, nododd Ernest Suarez iddo – 'bardd pwysicaf ei gyfnod' – golli ei barch gymaint fel yr anwybyddid ef, fwy neu lai, o'r drafodaeth ar hanes barddoniaeth

Americanaidd wedi'r Ail Ryfel Byd.[107] A hyn oll o fewn deng mlynedd. Yn yr un modd ag y gall testun neu awdur symud o'r ymyl i'r canol, fe all y cyfryw hefyd symud o'r canol i'r ymyl. Digwyddodd hyn hefyd yn achos ambell lyfr eglwysig yn yr ail a'r drydedd ganrif, a hyd yn oed ar ôl 367 a 397. Ond rhaid cofio nad mewnosod fel y cyfryw a wnaed yn achos llyfrau dadleuol y Testament Newydd, ond yn hytrach gydnabod awdurdod y llyfrau hynny a oedd eisoes yn cael eu darllen. Yn hyn o beth, gellir dadlau bod gwahaniaeth mawr rhwng canon y Testament Newydd a'r canon llenyddol, fel yr amlygir gan awydd Saunders Lewis i gyflwyno awdur newydd i'r canon Cymraeg, ynghyd â'i awydd i gyflwyno portread newydd o'r awduron sefydlog. Ys dywed R. Geraint Gruffydd: 'Pob awdur a chyfnod a drafododd, fe newidiodd y ffordd y canfyddid yr awdur a'r cyfnod hwnnw.'[108] Nid dyma sut y ffurfiwyd canon y Testament Newydd.

Yn achos y canon Marcionaidd, datblygiad rhesymol yn nhyb disgyblion Marcion oedd eu bod yn canoneiddio rhagor o lythyrau Pawlaidd, er enghraifft, yr Epistolau at y Laodiceaid a'r Alecsandriaid: llythyrau a oedd yn ffugiadau Marcionaidd, ac sydd, fel ffugiadau, yn atgoffa'r darllenydd Cymraeg o gyfraniad Iolo Morganwg mewn perthynas â chanon Dafydd ap Gwilym, ac sy'n codi mater perthnasol arall, sef yr elfen ddyfeisgar mewn traddodiad llenyddol. Ond gan adael yr agwedd honno am y tro, nodir yma i'r parodrwydd hwn i ychwanegu at y canon Marcionaidd ennyn beirniadaeth ddifrïol oddi wrth yr Eglwys, gyda Tertulianus yn awgrymu eu bod yn ailgynllunio eu hefengyl 'ddydd ar ôl dydd'.[109] Nododd von Campenhausen fod elfen gref o ormodiaith yn y feirniadaeth hon, ac yr ychwanegwyd at y canon Marcionaidd yn unig mewn perthynas â'r egwyddor o awduraeth apostolaidd.[110] Ond nid oedd y Marcioniaid yn synied am ganon yn nhermau casgliad perffaith o ysbrydoliaeth derfynol. O'r herwydd, fel yr awgryma beirniadaeth Tertulianus – yn yr un modd ag y gwêl Harold Bloom ddirywiad canon llenyddol y Gorllewin yn anochel gan mor awyddus yw gwahanol garfanau i ychwanegu ato – un o'r rhesymau pam y gwrthodwyd y canon Marcionaidd oedd yr elfen gyfnewidiol hon, gyda'r ychwanegiadau yn gwanhau'r casgliad cyfan wrth iddynt gael eu mewnosod fesul un a thynnu'r ffocws oddi ar y corff cyfan.

Gwelir yr un meddylfryd ar waith ym meirniadaeth Irenaeus ar y ddiwinyddiaeth ei hun, yn sarhau'r arfer o greu enwau dwyfol newydd.[111] Effaith y newydd, nid yn unig yw dileu'r hen, ond y mae hefyd yn gwanhau'r cysyniad o ganon gan na cheir ar y naill law ryngberthynas rhwng y testunau, nac ar y llaw arall ganol sylweddol ar gyfer derbyn y gweithiau ymylol. Y canlyniad yw anundod wrth i'r ffocws gael ei dynnu oddi ar y canol tuag at yr ymyl. Dyma, fel y gwelir ym mhennod 2, yw gofid R. M. Jones ynghylch effaith ôl-foderniaeth ar lenyddiaeth Gymraeg.

Montaniaeth

Mewn perthynas â'r syniad hwn o symudedd parhaol, dylid ystyried un nodwedd benodol ar grefydd y Montaniaid, sef carfan Gristnogol a ddaeth i amlygrwydd o gylch 160 neu 170 o.c. dan arweiniad Montanus yn Phrygia, ac y ceid olion ohoni o hyd ar ddiwedd y bedwaredd ganrif yn Affrica yn oes Awstin Sant. Nodwedd fwyaf perthnasol y Montaniaid i'r drafodaeth hon ar y canon yw'r modd yr hawlient nad oedd Ysbryd Duw yn perthyn i oes yr Apostolion yn unig, a'i fod yn llefaru trwy broffwydi'r presennol. Yr oedd hyn, ar un olwg, yn fwy o her i'r Eglwys na Marcioniaeth, gan fod perygl i'r athrawiaeth hon herio statws uwch ysgrifeniadau'r Apostolion, ynghyd â'r cysyniad o ganon caeedig. Fel y gwelir yn ymateb Eusebius i Fontaniaeth, ystyriwyd bod Montanus yn 'rafio a baldorddi gan ddweud geiriau dieithr, hynny yw, proffwydo'n groes i'r dull a dderbyniwyd gan yr Eglwys trwy draddodiad o genhedlaeth i genhedlaeth o'r dechrau'.[112] A nododd Irenaeus fod y Montaniaid yn dyrchafu eu proffwydi 'uwchlaw'r Apostolion a phob dawn gras, fel na ryfyga rhai ohonynt honni fod rhywbeth o'u cwmpas sy'n rhagori ar Grist'.[113]

Yn ei lyfr *Methodism*, nododd Rupert E. Davies fod Montaniaeth yn grefydd a roddai bwys ar berthynas bersonol â Duw yn hytrach nag ar awdurdod sefydliadol, awydd i gyflwyno'r gwirionedd i bobl gyffredin, pwyslais ar sancteiddrwydd, cadarnhau athrawiaeth yr Ysbryd Glân, trefn eglwysig gymharol leyg, a hyn oll mewn perthynas ag uniongrededd. 'Gwir', meddai, 'y ceisiwyd rhoi stamp heresi ar Fontaniaeth. Ond . . . ni fyddai Tertulianus byth wedi ymuno â mudiad ac arno'r staen lleiaf o athrawiaeth gyfeiliornus . . . un o'r rhai a greodd uniongrededd.'[114] Yn *Yr Eglwys Foreuol* (1893), nododd John Pryce mai 'gwresogrwydd ei dymmer Affricanaidd a'i danbeidrwydd cynhenid a'i tueddasant ef [Tertulianus] i'r golygiadau celyd a goleddid gan Montanus'. Ond da yr amododd y sylw hwn drwy nodi bod Tertulianus yn 'adgofia'r [*sic*] darllenydd o St Paul yn yr amlygiad o gyffelyb wres nefol, ac yn yr anghof o bob ystyriaeth oddi eithr mewn cysylltiad â gogoniant ei Arglwydd'.[115] '[Y] mae gyda'r bywiocaf o'r Tadau cynnar i'w darllen', meddai R. Tudur Jones.[116]

Er gwaetha'r pwyslais ar uniongrededd y Montaniaid, cydnabu Rupert E. Davies fod Montanus fel pe bai'n annog pobl i'w gamddeall wrth ddweud iddo ddod 'nid fel angel na llysgennad ond fel Duw'r Tad'.[117] Fel y nododd Edwin Cyril Blackman, 'nid braint cenhedlaeth yn y gorffennol ydoedd yr Ysbryd, ond yr oedd yn awr eto ar waith ymhlith dynion'.[118] Er mor ysgrythurol ydyw'r gred hon yng ngallu dilynwyr Crist i broffwydo o'r newydd, yr oedd ar un olwg yn her i awdurdod ysgrifeniadau'r Apostolion, gan nad oedd yn cyfyngu Gair Duw i'r ysgrythur ysgrifenedig. Fel y nododd Roger E. Olson, yr oedd Montanus fel pe bai'n pwysleisio 'grym a realiti parhaus datganiadau ysbrydoledig, megis ei rai ef ei hun'.[119] Yn ymarferol, felly, yr oedd perygl i gred y Montaniaid yng ngallu'r proffwydi Montanaidd i gyhoeddi negeseuon Duw herio'r cysyniad o un canon awdurdodedig, yn enwedig gan iddynt, maes o law, gofnodi eu proffwydoliaethau a'u dosbarthu i'w darllen. Haerai'r Montaniaid fod 'y Diddanydd Arall wedi llefaru mwy o bethau drwy Montanus nag a lefarodd Crist yn yr Efengyl, ac nid mwy yn unig ond gwell'.[120] Cyfeiriai Montanus – esgob pagan a drodd at Gristnogaeth oddeutu canol yr ail ganrif – ato'i hun fel 'genau'r Ysbryd Glân'. Pa derfyn, felly, y gellid ei roi ar y broses ganoneiddio? Pa reol, gan fod modd i'r Ysbryd lefaru eto yn y dyfodol? 'Yn wyneb yr honiadau gwyllt hyn', meddai Isaac Thomas, 'dyfarnodd yr Eglwys na ddichon i lyfr fod yn "ysbrydoledig" heb fod yn apostolaidd ac na all llyfr fod yn apostolaidd heb fod yn hen.'[121] Fel arall, nid canon yr Eglwys, ond canon-au'r eglwysi a geid.

Er efallai y gorfodir yma'r gymhariaeth, a hynny'n annheg yng ngoleuni sylwadau Rupert E. Davies ar natur uniongred Montaniaeth, nodir nad llwyr annhebyg i'r awydd i awdurdodi proffwydoliaethau'n barhaus yw'r feirniadaeth ôl-fodernaidd gyfoes sy'n pwysleisio symudedd parhaus y canon llenyddol. Pwysleisir hefyd yr angen am ganon personol ar gyfer pob carfan wahanol o ddarllenwyr, neu'r angen ar i bob carfan synied am ganon-au, neu, o ganlyniad, am system gyfan gwbl wahanol ar gyfer safoni llenyddiaeth, os oes modd safoni, hynny yw, ac os oes y fath gategori pendant â llenyddiaeth. 'Golyga hyn', fel y nododd Arnold Krupat, 'fod un yn rhoi'r gorau'n llwyr i'r cysyniad o ganon – o unrhyw ganon o destunau awdurdodedig – fel y mae'r hyn y mae un yn ei ddysgu neu'n ysgrifennu yn ei gylch yw, yn syml, lyfrau sy'n digwydd bod yn ddiddorol, neu sy'n ddefnyddiol ar gyfer un math o brawf neu'i gilydd'.[122]

Yn yr un modd ag yr oedd y Montaniaid yn awdurdodi geiriau eu proffwydi eu hunain, a'r Marcioniaid yn darllen eu canon Marcionaidd, a'r Eglwys yn wyneb y canonau eraill hyn am awdurdodi ei chanon hithau, yn ôl y ddadl hon, dylid cydnabod mai detholiad personol iawn ar gyfer rhyw garfan arbennig o ddarllenwyr yw pob un canon. 'Everyone does her own thing', meddai Krupat, a hyd yn oed os llwyddwn i ddwyn ein diddordeb ni i sylw llaweroedd, ni ddylem dybied ei fod yn addas ar gyfer pawb yn gyffredinol, 'for it remains "ours" only'.[123] Dyma pam y mae'r syniad o gychwynbwynt gwreiddiol a dwyfol yn fodd i wahaniaethau rhwng gwahanol ganonau, ac awdurdodi un canon ar draul canonau eraill. Priodolir 'ein' gwerthoedd 'ni' i safon wrthrychol ac amgenach na'n diddordeb ni ein hunain. Gwelir ym mhennod 1, er enghraifft, sut y gwnaeth Saunders Lewis Daliesin yn gychwynbwynt ar gyfer cyfeirio'r canon cyfan; ac ym mhennod 2, gwelir mai ond y sawl sy'n ysgrifennu o'r tu mewn i'r traddodiad Cristnogol Cymraeg, gan arddel felly ei gysylltiad â'i wreiddiau a all wir ddeall y canon llenyddol Cymraeg i R. M. Jones. Apelir at wraidd y canon fel modd i'w ddilysu, a rhoi hawl uwch i ddiddordebau un 'ni' ar draul rhyw 'ni' arall.

Mewn perthynas â chanon yr Eglwys, ystyriai'r Cristnogion cynnar eu bod yn olynwyr i'r Apostolion a oedd wedi derbyn awdurdod arbennig oddi wrth Grist ei hun, sylfaenydd yr Eglwys. Y cwestiwn mawr, felly, ydoedd awdurdod Crist ei hun. O gredu mai Duw yn y cnawd ydoedd, gwelodd yr Eglwys fod yn rhaid i'w haelodau ddiffinio eu cred mewn perthynas ag ysgrifeniadau'r gwŷr nesaf ato Ef ei Hun, y rhai a'i gwelodd yn y cnawd ac a gymeradwyodd waith yr Apostol Paul, y rhai a deimlasant nid yn unig ysbryd Duw yn eu hysbryd hwythau ond hefyd anadl Crist ar eu cyrff.[124] Am hynny nid oedd modd ychwanegu at y canon yn barhaus. Rhoddwyd bri ar eiriau'r sawl a fu yn bresennol yng nghwmni Crist ac a oedd yn gymorth i eraill fwynhau cymdeithas ag Ef. Fel y nododd Schlatter: 'Drwy ganoneiddio'r ysgrifeniadau hyn, nododd y cenedlaethau a ddilynodd yr apostolion ymhle y daethant o hyd i'r gair, trwy'r hwn yr ymddangosodd yr eglwys a derbyn ei chysylltiad â Christ am byth.'[125]

Yn hyn o beth y mae'r gymhariaeth rhwng canon y Testament Newydd ac unrhyw ganon llenyddol a ddiffinnir yn bennaf yn ôl ei safon a'i gwerth llenyddol yn ddiffygiol iawn, oherwydd er y cyfeiriodd Eusebius at ddiffygion dull ymadroddi'r llyfrau annilys, anuniongred, nid mewn perthynas â'u safonau llenyddol y canoneiddiwyd llyfrau'r Testament Newydd. Ceisio cysylltiad â Christ a wnaed. Wrth restru meini praw yr Eglwys yn y broses ganoneiddio, nododd Bruce iddi ystyried awdurdod neu awduraeth apostolaidd, hynafiaeth, uniongrededd, catholigrwydd [consensws], traddodiad, ac ysbrydoliaeth – 'a corollary of canonicity'.[126]

Nid oedd safon neu werth llenyddol yn ystyriaeth amlwg, er gwaetha'r ffaith y diffinnir safonau llenyddol yn aml mewn perthynas â dylanwad llenyddol y Beibl.

'Tyfu ... o brofiad', nid penderfynu

Ni wedir yma nad oedd ac nad oes i'r Testament Newydd apêl lenyddol, ac na ddarllenir darnau o'r Beibl weithiau am resymau esthetaidd. Awgrymodd Robert Alter i 'rym llenyddol a phoblogrwydd' fod yn ystyriaethau perthnasol ar gyfer cynnwys Esther a Chaniad Solomon yn y canon Hebraeg, er enghraifft.[127] Yn yr un modd, nododd David Jasper mai ei apêl lenyddol yn ei amryfal ffyrdd a alluogodd y Beibl i barhau'n ddylanwad ar Ramantiaeth, 'hyd yn oed ar ôl i "ffydd" mewn traddodiad neu eglwys wanhau'.[128] Ond, a throsi geiriau T. S. Eliot i'r Gymraeg:

> y mae'r Beibl wedi cael dylanwad *llenyddol* ar lenyddiaeth Saesneg *nid* oherwydd yr ystyriwyd ef yn llenyddiaeth, ond oherwydd yr ystyriwyd ei fod yn datgan Gair Duw. Ac y mae'r ffaith fod gwŷr llên bellach yn ei drafod megis 'llenyddiaeth' hwyrach yn arwyddo diwedd ei ddylanwad llenyddol.[129]

Heb wadu apêl lenyddol y Testament Newydd, felly, nodir nad cymhelliad llenyddol a oedd y tu ôl i ddarllen y Testament Newydd yn y lle cyntaf – a hyd yn oed yn achos cyfieithwyr dysgedig y Beibl Cymraeg, amhosibl yw anghofio mai'r nod ydoedd achub eneidiau'r Cymry – eithr ymgais i ddiogelu'r canon ffydd, ac i fwynhau cymundeb y tu hwnt i'r testun.[130] Ni ellir gwadu apêl y profiad deallusol ac emosiynol o ddarllen yr ysgrythurau. Ond yn hyn o beth, o safbwynt didoli rhwng deunyddiau ar sail gwerth llenyddol, y mae yna wahaniaeth mawr rhwng ffurfiad canon y Testament Newydd ac unrhyw ganon *llenyddol*, oni bai ein bod, wrth gwrs, yn medru amlygu y diffinnir y canon llenyddol yntau er mwyn 'boddio carfanau', ac nid yn unig am resymau esthetaidd.[131]

Dyma, wrth gwrs, ydoedd yr union beth a wnaeth Dafydd Elis Thomas yn *Traddodiadau Fory*. Meddai:

> Mae'r cysyniad o draddodiad llenyddol wedi bod yn un hwylus iawn i gynnal math arbennig o lenyddiaeth ar gyfer cynnal statws math arbennig o lenor a beirniad llenyddol, a chynulleidfa gyfyng a darostyngedig i syniadaeth a chyfundrefn gynhyrchu lenyddol.[132]

Os felly, ni ellir ond awgrymu mai angen pennaf y canon llenyddol Cymraeg ydyw ystyried o'r newydd rai o'r egwyddorion sy'n codi yn sgil hanes ffurfiad y Testament Newydd. Oherwydd fel y dywedodd Payne, 'Nid yw hanes canon y Testament Newydd yn cefnogi'r ddadl y ffurfir canonau er mwyn cau allan amrywiaeth.'[133]

Awgrymir yn aml mai penderfynu ar ba lyfrau'n union a fyddai'n ganon o Destament Newydd a wnaeth yr Eglwys (neu wahanol eglwysi). Ond ni wnaeth hynny yn yr un modd ag y nododd Saunders Lewis, er enghraifft, fod y canu rhwng 1435 a 1535 yn 'Ganrif Fawr' o ganu, gan awgrymu yn y *Braslun* gynnwys y canon llenyddol Cymraeg cyn i'r testunau llenyddol eu hunain gael eu cyhoeddi a'u darllen. Y mae gwahan-iaeth mawr rhwng unigolyn yn mesur gwerth llenyddol gwahanol destunau, gan 'weithredu fel barnwr', ys dywed G. J. Williams, a '[b]od yn offeryn i feithrin chwaeth y cyhoedd', a sefydliad a fu'n graddol ddatblygu am dair a phedair canrif yn mynegi ei phrofiad parhaus o ddarllen ysgrifeniadau a oedd yn cynorthwyo ei aelodau i ymarfer eu ffydd.[134]

Mewn trafodaeth academaidd fel hon sy'n edrych yn bennaf ar y cysyniad o ganon, hawdd iawn yw colli golwg ar y ffaith y bu darllen manwl a thrafod mawr ar y llyfrau a roes fod i'r canon, nid yn unig o fewn yr eglwysi unigol, ond rhwng aelodau o eglwysi gwahanol, ac y'u defnyddiwyd yn adnodd o ddysgeidiaeth yng nghyd-destun addoliad yr Eglwys, a'r eglwysi, o Dduw. Nid mater o chwaeth lenyddol ydoedd y broses ganoneiddio, ond mater o arddel y rheol ffydd a rannodd Duw yng Nghrist ac a oedd i'w chanfod yn ysgrifeniadau cynnar yr Eglwys. Profwyd yr ysgrythurau, nid yn gymaint mewn perthynas â'r meini praw, ond mewn perthynas â datblygiad yr Eglwys, neu aelodau'r eglwysi unigol eu hunain: mewn perthynas â'r erledigaeth a'r heresïau yr oeddent yn eu hwynebu, ac mewn perthynas â'r gras yr oeddent yn ei dderbyn gan Dduw, a hynny'n rhannol trwy gynhaliaeth y cyfryw ysgrythurau. Nid yw dweud hynny'n gwadu na fu'r Tadau yn dadlau achos eu dysg-eidiaeth apostolaidd, yn diffinio eu diwinyddiaeth, yn ffurfio canon. Ond fel y nododd R. W. Jones: 'Nid oherwydd dyfarniad unrhyw gynhadledd . . . y daeth i ni'r Testament Newydd fel y mae, ond oherwydd y defnyddid ei wahanol lyfrau yn rheolaidd gan fwyafrif yr eglwysi Catholig yn y tair canrif fel moddion gras effeithiol.'[135] Diogelu, ac nid creu ydoedd rhaglen waith y Tadau, gan gydnabod statws llyfrau nid trwy eu mewnosod yn y canon, ond trwy dderbyn mai dyma'r rhai a brofwyd eisoes yn gynhaliaeth. Ys dywed Tertulianus am arferion addoli'r Cristnogion yn yr ail ganrif: 'Ymgynullwn er mwyn galw'r Ysgrythur

Lân i gof, pan fo ansawdd yr amseroedd ar y pryd yn awgrymu fod angen ein rhybuddio o rywbeth neu ein hatgoffa o rywbeth. Yn sicr, trwy'r geiriau sanctaidd hyn fe borthwn ein ffydd a dyrchafu ein gobaith . . .'[136] Nid rhyfedd, felly, i Isaac Thomas nodi mai '[t]yfu a wnaeth y canon o brofiad cyffredin yr amrywiol eglwysi fod yn narlleniad y llyfrau arbennig hyn gysylltiad bywiol ag ysgogiad cyntaf y grefydd Gristionogol'.[137] 'Elfen a ddatblygodd yn naturiol o'i phrofiad ei hun', meddai Dafydd G. Davies yntau am ganon yr Eglwys.[138]

Mewn gwirionedd, yn y cyd-destun hwn y mae'r berfenw 'penderfynu' yn anffodus. Awgrymir, rywsut, mai arweinwyr yr Eglwys a benderfynodd pa lyfrau'n union y gellid eu defnyddio yn yr eglwysi, yn yr un modd ag y mae golygydd rhyw flodeugerdd gynrychioliadol yn penderfynu ar ran ei ddarllenwyr pa gerddi y dylid eu hastudio. Ond ys dywed Kurt Aland: 'tyfodd y canon hwn, mewn gwirionedd, o'r gwaelod i fyny, yn y cymunedau, ymhlith y credinwyr, a dim ond yn ddiweddarach y cyfiawnhawyd ef yn ffurfiol oddi uchod'.[139] Pan aethpwyd ati i gau'r canon ar ddiwedd y bedwaredd ganrif, canon cilagored ydoedd. Nododd Aland fod pumed ran o chwech eisoes yn gyfan erbyn 200, yn y Dwyrain a'r Gorllewin fel ei gilydd. Rhestrir yn y Dernyn Muratori (*c*.190), sef y rhestr hynaf o lyfrau'r Testament Newydd, holl lyfrau'r Testament Newydd ac eithrio Hebreaid, Iago, I a II Pedr.[140] Trafod yr ymylon symudol a wnaed yn y drydedd a'r bedwaredd ganrif, wrth i'r naill eglwys, neu ysgol ddiwinyddol, ymateb i brofiadau'r llall, a chydgreu eu consensws.[141]

Seiliwyd y consensws hwnnw ar brofiad yr eglwysi cyfain o un egwyddor gyffredin, sef eu rheol ffydd (*regula fidei*): y canon hwnnw a oedd yn blaenori'r canon o ysgrifeniadau. Yn ôl Irenaeus, credai'r 'Eglwys a dderbyniodd y pregethu hwn a'r ffydd hon . . . [y] pwyntiau hyn o athrawiaeth fel pe bai'n feddiannol ar un enaid, yr un a'r unrhyw galon, ac mae'n eu cyhoeddi, yn eu dysgu a'u traddodi mewn cytgord perffaith fel pe bai yn ei meddiant un genau'n unig'.[142]

Mewn perthynas â'r canon ffydd hwn y ffurfiwyd y canon ysgrythur, gan ddatblygu maes o law'n rhan annatod ohono. Yn ôl Aland, 'rhagbrofion' yn unig i faen praw ffydd ydoedd profion awduraeth a hynafiaeth.[143] Oherwydd ac yntau'n dechrau o bwynt hanesyddol arbennig, o Berson penodol, diffinnid y Testament Newydd mewn perthynas â'r Gwirionedd hwn: dysgeidiaeth Crist a bywyd yng Nghrist. Yn nhrefn y rheol hon – y *regula veritatis* – y priodolwyd i ysgrifeniadau'r Apostolion – a dderbyniodd gomisiwn i ledaenu efengyl Crist, gan Grist ei hun – swyddogaeth ffydd arbennig, gan eu bod yn cyflwyno'r *kanón* ffydd a oedd yn ymestyn yn ôl i draddodiad llafar y cenedlaethau cyntaf o Gristnogion, a thraddodi llafar Crist ei hun. 'Rhaid i bob rhywogaeth gael ei barnu yn ôl ei tharddle', meddai Tertulianus.[144] A phwysleisiodd Irenaeus y gellid 'olrhain hyd at ein dyddiau ni olyniaeth o ddynion na wyddent ddim ac na ddysgent ddim sy'n debyg i faldordd yr hereticiaid. Yn yr un drefn ac yn ôl yr un olyniaeth y disgynnodd traddodiad yr eglwys a phregethiad y gwirionedd o'r apostolion hyd atom ni.'[145]

Gwrthodwyd y canon Marcionaidd, felly, am nad oedd yn perthyn i'r broses draddodi hon. O ran ei gynllun a'i ddatblygiad, yr oedd yn debycach i'r canon llenyddol, unigolyddol hwnnw a all fod yn greadigaeth gymharol sydyn, ddyfeisgar, anhanesyddol, ac yn agored i fewnosodiadau newydd. Ond yr oedd hefyd, fel canon – fel casgliad o berfformiadau ysgrifenedig, dethol, talfyredig – yn tynnu'n groes i *kanón* ffydd yr Eglwys Gatholig: 'i reol [*kanona*] ogoneddus a hybarchus ein traddodiad', chwedl Clemens.[146] Gwrthodwyd y canon gan bobl nad oeddynt – gorff, meddwl ac enaid – yn diffinio eu ffydd yng Nghrist yn yr un modd â Marcion. Ni allent rannu ag ef y rhagenw 'ni'. A'i syniadau ef am berson Crist mor wahanol i'r sawl a gredai mai Duw yn y cnawd ydoedd a Mab y Creawdwr, ni welent fod Cristion yn golygu'r un peth iddo ef ag iddynt hwy, hyd yn oed os mai ef ydoedd y cyntaf, fel y dadleuodd rhai, i ddiffinio ystyr y term mewn perthynas â chanon o lyfrau.[147]

Nodiadau

1 Roland Barthes, *Roland Barthes by Roland Barthes*, cyf. Richard Howard (London, 1977), t. 133: '[Its] ardent, complex, ineffable, and somehow sacred signification gives the illusion that this word holds an answer to everything.'

2 Saunders Lewis, 'Ann Griffiths a chyfriniaeth', yn R. Geraint Gruffydd (gol.), *Meistri'r Canrifoedd* (Caerdydd, 1973), t. 329.

3 Christoph J. Nyíri (gol.), 'Preface', *Tradition: Proceedings of an International Workshop at IFK*, (Wien, 1995), t. 5.

4 Stephen P. Turner, 'Whose tradition about tradition?', *Theory, Culture & Society*, 7 (1990), 175–85.

5 R. M. Jones, 'Traddodiad', *Seiliau Beirniadaeth: Cyfrol 4: Cyfanweithiau Llenyddol* (Aberystwyth, 1988), t. 583.

6 Cymh. Saunders Lewis, 'Emrys ap Iwan', *Ysgrifau Dydd Mercher* (Cyhoeddiadau'r Clwb Llyfrau Cymraeg, 1945), t. 79: '[R]haid i feirniad llenyddol pwysig a chreadigol yn yr oesoedd diweddar hyn brofi fod ganddo glust a deall ac ehangder diwylliant a chwaeth mewn barddoniaeth yn gystal ag mewn rhyddiaith. Os yw'r canonau hyn yn ddilys, fe welir yn ebrwydd nad ymroes Emrys ap Iwan o gwbl i geisio ennill llawryf y beirniad.' Gw. hefyd 'Safonau beirniadaeth lenyddol', *Y Llenor*, 1 (1922), 242–8.

7 Saunders Lewis, 'Dafydd ap Gwilym', yn R. Geraint Gruffydd (gol.), *Meistri'r Canrifoedd* (Caerdydd, 1973), t. 41.

8 D. R. Johnston, *Gwaith Iolo Goch* (Caerdydd, 1988), t. xxiv.

9 *Geiriadur Prifysgol Cymru: I* (Caerdydd, 1950–67), s.v. 'canon', t. 416.

10 Harri Pritchard Jones (gol.), 'Rhagymadrodd', *Goreuon Storïau Kate Roberts*, (Dinbych, 1997), t. 8.

11 Nid oes cyd-destun seciwlar i'r gair 'canon' yn yr *Oxford English Dictionary* yn 1955. Yn *Geiriadur Prifysgol Cymru*, ceir 'rhestr o weithiau awdur dilys', ond nid yr ystyr o ganon cenedlaethol.

12 T. Robin Chapman, *Un Bywyd o Blith Nifer: Cofiant Saunders Lewis* (Llandysul, 2006), t. 87.

13 Simon Brooks, *O Dan Lygaid y Gestapo: Yr Oleuedigaeth Gymraeg a Theori Lenyddol yng Nghymru* (Caerdydd, 2004), t. 177.

14 Gw. Jonathan Brody Kramnick, *Making the English Canon: Print-Capitalism and the Cultural Past, 1700–1770* (Cambridge, 1998), t. 16.

15 Jeremy Hawthorn, *A Glossary of Contemporary Literary Theory* (London, 1992), t. 25: 'By the middle of the present century . . . just as the church (or different churches) decided upon the Biblical canon, so the universities decided of which literary works the literary canon consisted.' Am y drafodaeth gyflawn, gw. tt. 25–8.

16 John Rowlands, *Cnoi Cil ar Lenyddiaeth* (Llandysul, 1989), t. 17.

17 Robert Alter, *Canon and Creativity: Modern Writing and the Authority of Scripture* (London, 2000), t. 2: 'the ways in which cultures achieve internal coherence through a politics of exclusion, and it thus laid the grounds for a critical and cultural reconsideration of excluded works and writers'.

18 Ibid.: '[T]he canonicity of the Bible is by no means the simple and assured phenomenon of enshrining doctrine in text that it is often assumed to be.'

19 Ibid.: '[A] canon can be much more flexible, and less ideologically binding, than prevalent conceptions allow.'

20 Jan Gorak, *The Making of the Modern Canon* (London, 1991), t. 12: 'All these authors emphasize the flexibility of the canon and the importance of its adjustment to the human subjects it was designed to serve.'

21 Ibid., tt. 17–18.

22 Alister E. McGrath, *Christian Theology: An Introduction* (Oxford, 1994), t. 274: 'The reports we have concerning Jesus from extracanonical sources are of questionable reliability, and strictly limited value.'

23 I. H. Marshall, A. R. Millard, J. I. Packer a D. J. Wiseman (goln), *New Bible Dictionary* (Leicester, 3ydd arg., 1996), s.v. 'Canon of the New Testament', t. 169: ' "Canon" is here the latinization of the Gk. *Kanón*, "a reed", which, from the various uses of that plant for measuring and ruling, comes to mean a ruler, the line ruled, the column bounded by the line, and hence, the list written in the column. Canon is the list of books which the church uses in public worship. *kanón* also means rule or standard: hence a secondary meaning of Canon is the list of books which the church acknowledges as inspired Scripture, normative for faith and practice.'

24 Henry George Liddell a Robert Scott, *A Lexicon Abridged from Liddell and Scott's Greek-English Lexicon* (Oxford, 1909), s.v. 'kanon', tt. 347–8.

25 Thomas Charles, *Geiriadur Ysgrythurol* (Wrexham, arg. 1893), s.v. 'rheol', t. 775.

26 Alexander Souter, addasiad C. S. C. Williams, *The Text and Canon of the New Testament* (London, 2il arg., 1954), t. 141: 'Besides being straight, it had to be incapable of bending. It was used also for the scribe's ruler, *regula*. It is from this literal sense of level, ruler, that all the metaphorical senses are derived.'

27 Gw. Henry George Liddell a Robert Scott, *A Lexicon Abridged from Liddell and Scott's Greek-English Lexicon*, t. 348: 'II. metaph. like Lat. *norma*, a rule or standard of excellence: – so, the old Greek authors were called *kanónes*, *rules or models of excellence*, classics; and the books received by the Church as the *rule of faith and practice* are called the Canon or canonical scriptures.'

28 Alexander Souter, *The Text and Canon of the New Testament*, t. 143: '[a] confusion with the other sense of *rule* . . . already familiar in Church life, was naturally produced'.

29 Kurt Aland, *The Problem of the New Testament Canon* (London, 1962), t. 18: 'at first it means the *regula fidei*, then the decisions of the synods, and then finally, and only from the fourth century onwards, the list of the books of the Holy Scriptures which are entrusted to the Church for her use'.

30 Galatiaid 6: 16.

31 Galatiaid 6: 14–15.

32 Galatiaid 5: 1.

33 Luc 22: 20.

34 Cymh. J. Gresham Machan, *The New Testament: An Introduction to its Literature and History* (Edinburgh, 1976), t. 15: 'The phrase "new covenant" occurs about five times in the New Testament. In none of these passages does the phrase refer to the "New Testament" in our sense. It designates a new relationship into which men have been received with God.'

35 I Corinthiad 15: 3: 'Canys mi a draddodais i chwi ar y cyntaf yr hyn hefyd a dderbyniais, farw o Grist dros ein pechodau ni, yn ôl yr ysgrythurau.'

36 II Thesaloniaid 2: 15.

37 James Barr, *Holy Scripture: Canon, Authority, Criticism* (Oxford, 1983), t. 1: 'St. Paul came to believe that Jesus was alive and was Lord, but not because he had read about it in any written Gospel.'

38 Ibid.: 'a scriptural religion . . . determined and controlled by a written holy book'.

39 I Cor. 14: 37; II Cor. 13: 3; gw., Rhuf. 2: 16; Gal. 1: 8–9; I Thes. 2: 13; 4: 8, 15; 5: 27; II Thes. 3: 6, 14.

40 I Tim. 5: 17–18, sy'n dyfynnu Deut. 25: 4 a Luc 10: 7. Gw. Wayne Grudem, *Systematic Theology: An Introduction to Biblical Doctrine* (Leicester, 1994), tt. 61–2.

41 Justo González, *A History of Christian Thought, vol. 1: From the Beginnings of the Council of Chalcedon* (Nashville, 1987), t. 86: '[T]he new faith becomes more and more a new law, and the doctrine of God's gracious justification becomes a doctrine of grace that helps us act justly.'

42 Roger E. Olson, *The Story of Christian Theology: Twenty Centuries of Tradition & Reform* (Leicester, 1999), t. 43: 'Whereas Paul had pointed to their union in one Spirit and one baptism through faith in Christ, Clemens ordered them to obey the bishop God had appointed to be over them.'

43 Alexander Souter, *The Text and Canon of the New Testament*, t. 143: 'the . . . original force of the term *canon*, used in connexion with Scripture. This caused

them to conceive of Scripture as the highest, and in matters of faith the final, authority.'

44 Thomas Charles, *Y Geiriadur Ysgrythurol*, t. 775.

45 Cymh. J. Arwyn Charles, 'Credo'r Apostolion', yn R. Tudur Jones (gol.), *Ffynonellau Hanes yr Eglwys: 1. Y Cyfnod Cynnar* (Caerdydd, 1979), t. 53: 'Yn y Groeg y mae'r gair [*pantokrator*] yn fwy gweithredol ei ystyr [nag *omnipotens*]'.

46 Jacques Derrida, *Writing and Difference* (Oxon, arg. 2002), t. 12: '[I]s not the experience of *secondality* tied to the strange redoubling by means of which constituted – written – meaning presents itself as prerequisitely and simultaneously *read*?'

47 Ibid., tt. 10–11: 'To write . . . is thus to lower meaning.'

48 Jan Gorak, *The Making of the Modern Canon*, t. 22: 'For Paul, a "canon" erases rather than transmits established standards.'

49 II Corinthiaid 10: 13. Gw. hefyd ad. 15–16 o'r un bennod.

50 Dafydd G. Davies, *Canon y Testament Newydd: Ei Ffurfiad a'i Genadwri* (Abertawe, 1986), t. 7.

51 Ibid.

52 Gw. Sven P. Birkerts (gol.), 'Preface', *Literature: The Evolving Canon* (London, 2il arg., 1996): 'In colleges and universities all over the country teachers and administrators are locked in fierce struggles over the canon.'

53 R. M. Jones, 'Adolygiadau hwyr [20]', *Barddas*, 290 (Tachwedd/Rhagfyr 2006/ Ionawr 2007), 10.

54 Bart D. Ehrman, *The Orthodox Corruption of Scripture* (Oxford, 1993), t. 3: 'Christianity in the second and third centuries was in a remarkable state of flux . . . [T]he diverse manifestations of its first three hundred years – whether in terms of social structures, religious practicies, or ideologies – have never been replicated.'

55 Isaac Thomas, *Arweiniad Byr i'r Testament Newydd* (Caerdydd, 1963), t. 44.

56 A. G. Padgett, 'Marcion', yn Ralph P. Martin a Peter H. Davids (goln), *Dictionary of the Later New Testament* (Leicester, 1997), t. 706: 'While Marcion was no doubt influenced by Gnosticism, he differed from it in too many ways to be called a Gnostic.'

57 Bruce M. Metzger, *The Canon of the New Testament* (Oxford, arg. 1997), t. 91: 'Marcion developed a non-Gnostic soteriology, rejected cosmological mythology, and radicalized Paul's view of human inability to transcend the world.'

58 Gw. J. Stevenson (gol.), *A New Eusebius: Documents Illustrative of the History of the Church to A.D. 337* (London, 1960), tt. 97–103. Gw. R. Tudur Jones (gol.), *Ffynonellau Hanes yr Eglwys*, tt. 49–50.

59 Robert Smith Wilson, *Marcion: A Study of a Second-century Heretic* (London, 1932), t. 77: '[H]e found the keys to the interpretation of past history, present experience, and future destiny, in the literal understanding of a book.'

60 Ibid., t. 121: 'What must a man really accept in doctrine and in literature if he is to call himself Christian? And this involved the collection of a definite body of literature with canonical authority.'

61 Bruce M. Metzger, *The Canon of the New Testament*, t. 91. Gwahaniaethodd 'between the Supreme God of goodness and an inferior God of justice, who was

the Creator and the God of the Jews. He regarded Christ as the messenger of the Supreme God'.

62 Gw. ibid., t. 92: 'These ten Epistles became for him the source, the guarantee, and the norm of true doctrine.'

63 Gw. David Protheroe Davies, *Yr Efengylau a'r Actau* (Caerdydd, 1978), tt. 89–91.

64 Gw. Arthur G. Patzia, *The Making of the New Testament: Origin, Collection, Text & Canon* (Leicester, 1995), tt. 63, 67: '[H]e did not regard what was written about Jesus as uniquely Scripture.'

65 Isaac Thomas, *Arweiniad Byr i'r Testament Newydd*, t. 12.

66 Hans von Campenhausen, *The Formation of the Christian Bible* (London, 1972), t. 246: '[T]he idea and the reality of a Christian Bible were the work of Marcion, and the Church which rejected his work, so far from being ahead of him in this field, from a formal point of view simply followed his example.'

67 Theodor von Zahn, *Geschichte des neutestamentlichen Kanons*, I (Erlangen/Leipzig, 1888), t. 586: 'Marcion formed his Bible in declared opposition to the holy scriptures of the church from which he had separated; it was in opposition to his criticism that the church in its turn first became rightly conscious of its heritage of apostolic writings.' Cyfieithiad F. F. Bruce, gw. isod.

68 F. F. Bruce, *The Canon of Scripture* (Glasgow, 1988), tt. 144, 147: 'Marcion's "canon" was his revision of an existing collection of New Testament writings.' Meddai ymhellach: 'in the light of such treatises from Nag Hammadi it can be argued with some show of reason that Marcion's "canon" was his revision of an existing collection of New Testament writings – in particular, that his *Apostle* was his revision of an existing copy of the Pauline letters.'

69 Geoffrey Mark Hahneman, *The Muratorian Fragment and the Development of the Canon* (Oxford, 1992), t. 93: 'an early promoter of a collection of New Testament scriptures'.

70 W. G. Kummel, *Introduction to the New Testament* (London, 1966), t. 335: 'They took over the OT as "the scriptures" (Mk. 12: 24) from Judaism and quoted from all three parts of the later OT canon [nad oedd eto wedi ymffurfio'n derfynol]. Thus from the beginning it was self-evident to the primitive church that God's revelation was set down in written form.'

71 Wayne Grudem, *Systematic Theology*, tt. 67–8: '[T]he work of the early church was not to bestow divine authority or even ecclesiastical authority upon some merely human writings, but rather to recognize the divinely authored characteristic of writings that already had such a quality.'

72 Brevard S. Childs, *The New Testament as Canon* (London, 1984), t. 32: 'It is hard to escape the impression that the later expositions of the criteria of canonicity were, in large part, after-the-fact explanations of an expression of the church's experience of faith in Jesus Christ which were evoked by the continued use of certain books.'

73 Geoffrey Mark Hahneman, *The Muratorian Fragment and the Development of the Canon*, t. 73: 'It is entirely possible to possess scriptures without having a canon, and this was in fact the situation in the first few centuries of the Church.'

74 Brevard S. Childs, *The New Testament as Canon*, t. 32: 'an interpretation of the tradition which often transcended the earlier stages of its growth'.

75 Edwin Cyril Blackman, *Marcion and His Influence* (London, 1948), t. 33: 'There were in the Church growing collections of writings, and sooner or later order would have been imposed on them; some would have been credited with more, some with less authority; and some would have dropped out of use altogether, as was actually the case after the New Testament as we know it was formed . . . [T]he common mind of the Church was already before Marcion's time moving towards canonization of Gospels and apostolic writings, in addition to the Old Testament . . . It need not be denied, however, that the example of his canon of the New Testament was not without effect upon Christianity at large, beyond the circle of his own adherents.'

76 Hans von Campenhausen, *The Formation of the Christian Bible*, tt. 148–67.

77 J. Morgan Jones, *Y Testament Newydd: Ei Hanes a'i Gynnwys* (Caerdydd, 1930), t. iii.

78 Edwin Cyril Blackman, *Marcion and His Influence*, tt. 36–7: 'St. Paul was not the only Apostle, and that Christianity was not built solely on Pauline foundations.'

79 Ibid., t. 35: '[T]he Catholic New Testament is the result of a process of selection rather than of collection.'

80 Lynda Hart, 'Canonizing lesbians?', yn June Schlueter (gol.), *Modern American Drama: The Female Canon* (Rutherford, 1990) t. 279.

81 Philip Schaff a Henry Wace (goln), *A Select Library of Nicene and Post-nicene Fathers of the Christian Church*, ail gyfres, 14 cyfrol, 4 (New York, 1892), 551–2. Ar statws canonaidd llyfrau'r Beibl (*biblia kanonizomena*) i Athanasius, gw. Jan Gorak, *The Making of the Modern Canon*, t. 28.

82 Gw. St. Augustine, *The City of God 6*, cyf. William Chase Greene (London, 1960), tt. 6–7.

83 Gw. J. Stevenson (gol.), *A New Eusebius*, t. 122.

84 Hans von Campenhausen, *The Formation of the Christian Bible*, t. 153: 'In fact, the strange construction of Marcion's Bible is explicable solely in terms of his dogmatic Paulinism.'

85 A. G. Padgett, 'Marcion', t. 706: 'The interpretation ignores the influence of anti-Judaism, dualism and asceticism on his thought.'

86 Ibid., t. 707.

87 Hans von Campenhausen, *The Formation of the Christian Bible*, t. 149.

88 Robert Smith Wilson, *Marcion: A Study of a Second-century Heretic*, t. 125: 'Marcion was careful to produce a work that would support his theological position, and therefore alterations of text were made to support his doctrine in its important points.'

89 Gw. J. Stevenson (gol.), *A New Eusebius*, tt. 97–8.

90 Westcott, dyf. Edwin Cyril Blackman, *Marcion and His Influence*, t. 29: '[T]he Canon was an act of the intuition of the Church, derived from no reasoning, but realized in the course of its natural growth as one of the first results of its self-consciousness.'

91 David Protheroe Davies, *Yr Efengyl a'r Actau*, t. 47: roedd 'y beirniaid redacteg yn honni mai tuedd . . . ddiwinyddol yr awdur oedd y prif ddylanwad arno wrth ddethol deunydd o'r traddodiad yr oedd wedi ei etifeddu a'i drefnu'.

92 Gw. C. K. Barrett, *A Critical and Exegetical Commentary on the Book of Acts 1–14* (Edinburgh, 1994), t. 47.

93 Harold Bloom, *The Western Canon* (London, 1995) tt. 15–41.
94 Cymh. R. W. Jones, *Canrifoedd Cynnar Cristnogaeth* (Caernarfon, 1937), t. 63.
Gw. ymhellach tt. 62–3. Pwysleisir mai 'o'i hanfodd bron y derbyniodd yr
Eglwys ef [y Testament Newydd] fel safon ysbrydoledig ei ffydd a'i bywyd'.
Ond nodir iddi o'r dechrau etifeddu '[ll]yfrau cysegredig Iddewiaeth, a dilynid
hen arfer y Synagog o ddarllen y llyfrau hyn yn yr addoliad. Yn fuan wedi
sefydlu eglwysi cenhedlig darllenid ochr yn ochr â'r Hen Destament ryw
gasgliad neu'i gilydd o eiriau'r Arglwydd ac o hanes ei werthoedd.' Datblyg-
iad pellach ydoedd darllen llythyrau'r Apostolion yn yr eglwysi.
95 Christoph Lorey a John L. Plews (goln), *Queering the Canon: Defying Sights in
German Literature and Culture* (Drawer, Columbia, 1998) t. xv: 'For its own
purpose of tradition in the development of civilization, the canon requires the
"recognition", "integration", and "acknowledgment" of another tradition and
constituent part of orthodox views and values, namely precisely the assess-
ment and influence of those forms commonly held to be "deviant".'
96 Adolf von Harnack, *The Origin of the New Testament and the most Important
Consequences of the New Creation*, cyf. J. R. Wilkinson (London, 1925), tt. 67, 86:
'It is very remarkable, however, that Marcion accepted the O.T. as a whole
and intact, refused to recognize any corruptions, interpolations, or anything
of that sort . . . and regarded its text as absolutely reliable.'
97 Hans von Campenhausen, *The Formation of the Christian Bible*, t. 163: 'There was,
therefore, nothing to stop Marcion's disciples from continuing their master's
work, and from introducing further corrections and "improvements" into his
text.'
98 Jan Gorak, *The Making of the Modern Canon*, t. 11: '[T]he canon becomes a seed
rather than scheme, a seed that potentially contains a whole universe of
measurements and future creation.'
99 Harold H. Kolb, Jr., 'Defining the canon', yn A. La Vonne Brown Ruoff a Jerry
W. Ward, Jr. (goln), *Redefining American Literary History* (New York, 3ydd arg.,
1993), t. 40.
100 David Murray (gol.), 'Introduction', *Literary Theory and Poetry: Extending the
Canon* (London, 1989), t. 1.
101 Gw. J. Stevenson (gol.), *A New Eusebius*, tt. 339–40. Cymh. Isaac Thomas,
Arweiniad Byr i'r Testament Newydd, t. 50.
102 Ibid.
103 F. F. Bruce, *The Canon of Scripture*, t. 200: 'If not canonical, they were at least
orthodox.' Ar y meini prawf, gw. ibid., tt. 255–69.
104 Ibid., t. 199.
105 Brevard S. Childs, *The New Testament as Canon*, t. 44: 'Such distinctions cor-
rectly reflect the flexibility associated with the canonical norm. That certain
Christian communities draw the outer limits of the canonical circle in a slightly
different fashion is another warrant for retaining the maximum element of
theological flexibility.'
106 Christoph Lorey a John L. Plews, *Queering the Canon*, t. xvi: 'In fact, it seems to
be the clandestine rule of the canon that *the barred* become *the standard*.'
107 Ernest Suarez, *James Dickey and the Politics of Canon* (Missouri, 1993), t. 1.

[108] R. Geraint Gruffydd, 'Portread', yn D. Ben Rees (gol.), *Ffydd a Gwreiddiau John Saunders Lewis* (Lerpwl. 2002), t. 11.

[109] Gw. Hans von Campenhausen, *The Formation of the Christian Bible*, t. 163.

[110] Ibid.

[111] Gw. Roger E. Olson, *The Story of Christian Theology*, t. 73.

[112] Eusebius, 'Montaniaeth', yn R. Tudur Jones (gol.), *Ffynonellau Hanes yr Eglwys*, t. 97.

[113] Irenaeus, 'Montaniaeth yn ôl Hipolytus', yn R. Tudur Jones (gol.), *Ffynonellau Hanes yr Eglwys*, t. 98.

[114] Rupert E. Davies, *Methodism* (London, 1976), t. 15: 'It is true that attempts have been made to brand Montanism with heresy. But . . . Tertulianus would never have joined a movement which had the slightest taint of erroneous doctrine; and he, Montanism's outstanding teacher, was not so much orthodox as one of the creators of orthodoxy.' Cymh. y sylwadau yn *Ffynonellau Hanes yr Eglwys*, t. 98: 'Er eu condemnio fel hereticiaid, nid oeddent, â bod yn fanwl, yn gwadu bannau'r Ffydd. Yn hytrach Ymneilltuwyr oeddent a brotestiai yn erbyn ffurfioldeb a diffyg teimlad yr Eglwys erbyn canol yr ail ganrif.'

[115] John Pryce, *Yr Eglwys Foreuol* (Bangor, 1893), t. 242.

[116] R. Tudur Jones (gol.), *Ffynonellau Hanes yr Eglwys*, t. 226.

[117] Rupert E. Davies, *Methodism*, t. 14: 'Montanus certainly opened himself to misunderstanding by saying: "I am come, neither as angel nor as ambassador but as God the Father."'

[118] Edwin Cyril Blackman, *Marcion and His Influence*, t. 33: '[T]he Spirit was not the prerogative of a past generation, but was now once again active among men.'

[119] Roger E. Olson, *The Story of Christian Theology*, t. 31: 'He strenuously opposed any such limitation or restriction and seemed to emphasize the continuous power and reality of inspired utterances such as his own.'

[120] Dyf. Isaac Thomas, *Arweiniad Byr i'r Testament Newydd*, t. 47.

[121] Ibid.

[122] Arnold Krupat, *The Voice in the Margin: Native American Literature and the Canon* (Oxford, 1989), t. 28: 'This means, in effect that one simply dispenses entirely with the concept of the canon – of *any* canon of authorized texts – so that what one teaches and writes about is simply books that happen to be interesting, or useful for one sort of demonstration or another.'

[123] Ibid., t. 29.

[124] Ar anadl Duw, gw. Jacques Derrida, *Writing and Difference*, t. 384.

[125] A. Schlatter, 'The theology of the New Testament and dogmatics', yn R. Morgan (gol.), *The Nature of New Testament Theology* (London, 1973) t. 146: 'By canonizing these writings, the generations following the apostles expressed where they found that word through which the church emerged and receives for all time its connection with the Christ.'

[126] F. F. Bruce, *The Canon of Scripture*, tt. 256–69.

[127] Robert Alter, *Canon and Creativity*, t. 27.

[128] David Jasper, *The Sacred and the Secular Canon in Romanticisim: Preserving the Sacred Truths* (London, 1999), t. 117: 'even when "faith" in tradition or church has waned'.

129 T. S. Eliot, 'Religion and literature', *Selected Essays* (London, 3ydd arg., 1951), t. 390. Dyfynnir gan David Jasper, ibid., ond mewn modd eironig: '[T]he Bible has had a *literary* influence upon English literature *not* because it has been considered as literature, but because it has been considered as the report of the Word of God. And the fact that men of letters now discuss it as "literature" probably indicates the end of its literary influence.'

130 Cymh. Maurice Jones, 'Y Testament Newydd yng ngoleuni'r wybodaeth ddiweddaraf', *Y Beirniad*, 4 (1916), 87: 'Y mae'n amhosibl i oleuni pur a gonest amharu ar yr hyn sydd yn hanfodol yn y Testament Newydd, ac y mae'r hen air Cymraeg, "Y Gwir yn erbyn y Byd," mor gymwysiadol at y gyfrol santaidd ag ydyw at unrhyw lenyddiaeth arall.'

131 Alan Llwyd, 'Ar drothwy mileniwm,' *Y Grefft o Greu: Ysgrifau ar Feirdd a Barddoniaeth* (Cyhoeddiadau Barddas: 1997), tt. 114–15.

132 Dafydd Elis Thomas, *Traddodiadau Fory: Darlith Lenyddol Eisteddfod Genedlaethol Cymru Ynys Môn, 1983* (Cyhoeddiadau Eisteddfod Genedlaethol Cymru, 1983), t. 22.

133 Michael Payne (gol.), *A Dictionary of Cultural and Critical Theory* (Oxford, 1996), s.v. 'canon', t. 91: 'The history of the New Testament canon does not serve the argument that canons are formed to exclude diversity.'

134 G. J. Williams, 'Adolygu llyfrau', *Y Llenor*, 2 (1923), 94.

135 R. W. Jones, *Canrifoedd Cynnar Cristnogaeth*, t. 64.

136 Tertulianus, 'Addoli', yn R. Tudur Jones (gol.), *Ffynonellau Hanes yr Eglwys*, t. 61.

137 Isaac Thomas, *Arweiniad Byr i'r Testament Newydd*, t. 52.

138 Dafydd G. Davies, *Canon y Testament Newydd*, t. 41.

139 Kurt Aland, *The Problem of the New Testament Canon*, t. 18: '[T]his canon grew, in fact, from the bottom upwards, in the communities, among the believers, and only later was officially legitimatized from the top.'

140 Gw. 'Dernyn Muratori ar y canon, tua 190 O.C.', yn R. Tudur Jones (gol.), *Ffynonellau Hanes yr Eglwys*, tt. 94–6.

141 Kurt Aland, *The Problem of the New Testament Canon*, t. 23.

142 Irenaeus, 'Rheol ffydd', yn R. Tudur Jones (gol.), *Ffynonellau Hanes Cymru*, tt. 51–2.

143 Ibid., t. 16.

144 Tertulianus, 'Yr olyniaeth', yn R. Tudur Jones (gol.), *Ffynonellau Hanes Cymru*, tt. 70–1.

145 Irenaeus, 'Y ddadl ar sail traddodiad', yn R. Tudur Jones (gol.), *Ffynonellau Hanes yr Eglwys*, tt. 72–3.

146 Dyf. Gorak, *The Making of the Modern Canon*, t. 29.

147 Gw. Tertulianus, 'Marcion's Christ', yn J. Stevenson (gol.), *A New Eusebius*, tt. 101–2.

Canoneiddrwydd Saunders Lewis

Amgylchfyd parod y llyfr hwn

Yn y bennod hon, yr amcan yw cyflwyno un syniad llywodraethol a ailadroddir yn y llyfr, sef bod sefyllfa'r darllenydd ei hun, ei amgylchfyd parod, yn effeithio ar yr hyn y mae ef yn ei ddarllen, a'r modd y mae'n ei ddarllen hefyd. A dyfynnu John Meirion Morris: 'Nid mater syml o ddadansoddi arddull allanol celfyddyd yw beirniadaeth. Y mae'r posibilrwydd y gall beirniaid fod â rhagfarnau sydd ynghlwm wrth eu cefndir yn amlwg.'[1] Fodd bynnag, nid yw dweud hyn yn gyfystyr â dadlau nad yw ymateb y darllenydd yn cael ei gyflyru gan yr hyn y mae'n ymateb iddo, ac nad oes modd i ragfarnau'r darllenydd gael eu herio gan yr hyn y mae'n ei ddarllen. Er fy mod yma yn canoli'r sylw ar sefyllfa a rhagfarnau'r darllenydd, felly, nodaf imi mewn man arall ddadlau '[na] ellir osgoi'r hyn sy'n bresennol yn y testun'.[2] Beirniedir Saunders Lewis yn aml am roi gormod ohono ef ei hun yn y testun ger ei fron, megis yn ei lyfr *Williams Pantycelyn*.[3] Ac eto, nododd ef yn y llyfr hwnnw fod angen inni 'gydnabod sylwedd y byd gwrthrychol y tu allan inni a'i hawl arnom'.[4] Er gwaethaf y pwyslais yma ar y darllenydd, cytunaf innau â'r safbwynt hwn.

Mewn astudiaeth gymharol o waith R. M. Jones a Wolfgang Iser, un o enwau amlycaf theori ymateb y darllenydd yn Ewrop a'r Unol Daleithiau, dadleuais fod yr ymdrech feirniadol yn chwarter olaf yr ugeinfed ganrif i ddarllen yn groes i'r graen yn awgrymu bod y darllenwyr hynny yn ymwybodol o rediad y graen hefyd.[5] Yn hytrach, amlygu a wna darllen yn groes i'r graen – neu ddarllen 'yn groes i'r drefn', ys dywed Jane Aaron[6] – fod yn rhaid wrth ymdrech fwriadol i ddarllen unrhyw destun mewn ffordd wahanol gan y bydd y darllenydd eisoes wedi dysgu gan ei gymdeithas sut y dylai ddarllen yn dda.

Yn achos yr astudiaeth hon, yr hyn sy'n rhyfedd i mi yw nad yw'r gwahaniaeth rhwng y graen a'r modd yr edrychir ar y graen hwnnw yn gwbl amlwg. Oherwydd nid gwrthrych y gwaith yn unig yw Saunders Lewis, ond hefyd un o'r rhai a ddylanwadodd yn bennaf ar y dulliau astudio, a'm gwerthoedd beirniadol dyfnaf. Cymaint felly fel mai 'prin y gallwn sefyll yn ddigon pell oddi wrtho i'w weld yn glir', fel y nododd T. Robin Chapman. '[A]r lefel . . . isymwybodol bron' y mae canfod dylanwad Saunders Lewis.[7] Pa ryfedd, felly, imi geisio ffoi rhagddo a chwilio am werthoedd beirniadol newydd? Ac eto, drysu'r sefyllfa ymhellach fyth y mae'r modd y croesawai ef ei hun ffyrdd newydd o edrych ar lenyddiaeth a beirniadaeth lenyddol, yr hyn a'i gwnaeth yn bosibl i eraill maes o law herio ei gysyniad o draddodiad llenyddol di-dor, ac amlygu mai dull o astudio yn unig yw'r Traddodiad.

Nododd R. M. Jones yn gywir iawn nad '[y] man cychwyn' i'r un darllenydd yw'r testun ger ei fron, eithr yn hytrach 'ei ddoniau etifeddol' a 'dylanwadau magwraeth ac amgylchfyd parod'.[8] Yn y bennod hon, dadansoddir y modd y mae canoneiddrwydd Saunders Lewis yn rhan o'r amgylchfyd parod hwnnw.

Sefyllfa ddarllen y Cristnogion cynnar

Gwelir yr egwyddor hon o berthynas sefyllfa ddarllen â thestun ar waith yn achos darllenwyr cyntaf y Testament Newydd. Yr hyn sy'n arbennig o ddiddorol am y Cristnogion cynnar, wrth gwrs, yw nad deubeth ar wahân ydoedd y broses o greu cymdeithas o gredinwyr a ffurfio canon o destunau ar gyfer ei chynnal. Am hynny, wrth i'r gymdeithas newydd hon ddarganfod a diffinio ei nodweddion creiddiol ar adeg pan nad oedd y canon Beiblaidd eto wedi ffurfio'n derfynol, yr oedd yn naturiol iddi roi pwys mawr ar y testunau hynny a fyddai'n ei chynorthwyo i oroesi ac amlhau nifer ei haelodau. Mewn perthynas â *Ffactor Erledigaeth* – un o ddwy ddogfen a ddiogelwyd gan Eusebius yn ei *Hanes Eglwysig* – dadleuodd W. R. Farmer, er enghraifft, fod perthynas glòs rhwng yr erledigaeth a brofasai'r Cristnogion yn yr ail a'r drydedd ganrif a'u dewis o lyfrau sy'n tystio i ferthyrdod eu Gwaredwr a'i ddisgyblion. Yn ôl y dehongliad hwn pwysleisir bod Llyfr yr Actau, nid yn unig o saf-bwynt strwythurol yn uno'r Efengylau ac Epistolau'r Apostolion, ond hefyd yn amlygu hanes bywyd dau apostol a ferthyrwyd, sef Pedr a Paul.[9] Yr oedd modd i Gristnogion yr ail a'r drydedd ganrif, felly, weld yn y llyfr hwn esiampl o dystiolaeth aberthol. Fe'i darllenwyd, nid yn unig oherwydd bod iddo awduraeth apostolaidd, ond gan fod ei gynnwys yn hynod berthnasol i fywyd beunyddiol y darllenwyr.

Dyma, felly, bwyslais ar amgylchfyd y broses ganoneiddio: pwyslais sy'n gydnaws â'r dehongliad o'r canon fel casgliad o ysgrifeniadau a *ddefnyddiwyd* gan aelodau'r eglwysi, nid er mwyn llunio casgliad o ysgrifeniadau fel y cyfryw, ond er mwyn eu cynorthwyo yn eu hymdrech i arddel eu canon ffydd gan addoli Duw. Wrth gwrs, fel yr awgryma teitl y ddogfen arall a ddiogelodd Eusebius, sef *Ffactor Heresi*, law yn llaw â'r erledigaeth, yr oedd gan y credoau Cristganolog a'r ymddiriedaeth mewn tystiolaeth apostolaidd a goleddai'r Cristnogion hefyd ran allweddol yn ffurfiad y Testament Newydd. Ys dywed Dafydd G. Davies: 'Dylanwadodd y naill a'r llall ar y proses o ffurfio'r Testament Newydd.'[10] Dywedwyd eisoes mai mewn perthynas â gwrthganonau y llunnir canon, y rhai a elwir fel rheol yn heresïau, neu'r hyn a alwodd Paul yn 'rheol un arall'.[11]

Yr hyn sy'n bwysig i'r drafodaeth yn y bennod hon yw cydnabod nad disgyn fel manna o'r nefoedd a wnaeth y Testament Newydd, neu gael ei roi i un patriarch ar ffurf orffenedig ar fynydd sanctaidd, eithr dod i fodolaeth wrth iddo gael ei ddarllen. Yn achos canon o destunau 'yr oedd a wnelo'r Ysbryd â'u hysgrifennu', chwithig braidd i'r neb sy'n credu yn ei anffaeledigrwydd yw meddwl bod gan y darllenwyr eu hunain rôl weithredol yn y broses honno o bennu ei gynnwys.[12] Ond tystio i hynny y mae sylwadau Eusebius sy'n nodi'n glir fod gwahanol lefelau o ganoneiddrwydd yn bodoli ymysg y gwahanol eglwysi. Er nad y bwriad yma yw trafod athrawiaeth ysbrydoliaeth y Beibl, nodir bod yr athrawiaeth honno'n cadarnhau'r dehongliad hwn o rôl weithredol darllenwyr cyntaf y Testament Newydd, gan ei fod nid yn unig yn nodi bod 'gwaith gwrthrychol yr Ysbryd Glân i'w weld yn ffurfiant yr Ysgrythurau', ond hefyd yn nodi bod 'gwaith goddrychol yr Ysbryd Glân i'w weld pan oleuai feddyliau credinwyr i weld graslonrwydd Duw yn y Beibl', fel y nododd R. Tudur Jones.[13]

Dyma, heb os, y gwahaniaeth mawr rhwng canon y Testament Newydd ac unrhyw ganon llenyddol arall nad yw'n ysgrythur, pan nad yw Awdur yr ysgrifennu yn medru bod yn bresennol hefyd yng nghalon y darllenydd. Ond am y rheswm hwnnw, y mae'r hyn a nodwyd yn achos darllenwyr y Testament Newydd, sef bod eu sefyllfa a'u credoau hwy wedi effeithio ar y broses ganoneiddio, yn chwarae rhan fwy allweddol eto fyth yn achos ffurfiad y canon llenyddol Cymraeg.

Sefyllfa ddarllen Saunders Lewis: cydnabod rhagfarn

Yn achos Saunders Lewis, nododd Iorwerth C. Peate fod cyswllt rhwng y safle llywodraethol a roddodd y beirniad i feirdd yr Oesoedd Canol a'i berthynas bersonol ef â'r ffydd Gatholig yn hanner cyntaf yr ugeinfed ganrif. Meddai yn ei ysgrif, 'Awdurdod a thraddodiad':

> Un o arwyddion mwyaf digalon yr oes hon yw tuedd ysgol arbennig o feddylwyr – yng Nghymru fel mewn gwledydd eraill – i ddymuno dych-weliad at rai o safonau'r Oesoedd Canol . . . Y gwir yw bod y gri am y dychweliad hwn ynghlwm â galw am ddychweliad hefyd i'r Eglwys Babyddol . . . [F]e gynrychiolir y neo-sgolasticiaeth hon orau gan wŷr fel M. Jacques Martain yn Ffrainc a Mr. T. S. Eliot yn Lloegr. Mr. Saunders Lewis yw apostol arbennig Mr. Eliot a'r dull hwn o feddwl yng Nghymru.[14]

Mewn ymateb i'r feirniadaeth hon, gellir nodi mai yn anaml y byddai Saunders Lewis yn trafod ei ffydd Gatholig yn gyhoeddus. Ys dywed ei offeiriad, yr Esgob Daniel John Mullins: 'Nid oedd yn gyfforddus pan fyddai pobl yn ceisio ei holi am ei fywyd ysbrydol.'[15] Ond hwyrach mai dyna union ergyd y feirniadaeth uchod, sef, yn wahanol i achos darllen-wyr y Testament Newydd, nad yw'r berthynas ideolegol rhwng credoau'r beirniad a'r testunau llenyddol y mae'n eu hyrwyddo yn gwbl amlwg. Celir y 'gwir'.

Fodd bynnag, rhaid pwyllo cyn cyhuddo Saunders Lewis o geisio celu ei gredoau Catholig. Tystio i hynny y mae'r ysgrif, 'Traddodiadau Catholig Cymru', er enghraifft, lle y cysylltir ynghyd y gwaith o '[dd]eall a gwerthfawrogi [y] meistri canoloesol', a'r modd y gall y 'critig Catholig' gynorthwyo yn y dasg o 'ymgydnabod ag athroniaeth Gatholig ac ag arferion meddwl Catholig'.[16] Nid beirniad nad addefai ei fod ef ei hun yn edrych ar lenyddiaeth o du sefyllfa ddarllen a safbwynt arbennig ydoedd Saunders Lewis. Ni chredai fel y gwnâi Thomas Parry ei fod yn dod at gerdd 'heb gynragfarn',[17] er iddo mewn llythyr cynnar at Gynan, gan ddeall cynodiadau negyddol y gair, sôn am 'garthu o'm meddwl bob cas neu ddig neu ragfarn'.[18] Ac yn wahanol i Thomas Parry a gredai mai'r cwestiwn y dylai'r beirniad llenyddol ei ofyn ydoedd 'beth a gynhyrfodd y bardd i ysgrifennu ei gân, pam y rhoes y cynhyrfiad hwnnw mewn geiriau, a pha effaith y mae'n bwriadu i'w gân ei gael ar y sawl sy'n darllen', yr hyn a wnâi Saunders Lewis wrth ddarllen ydoedd 'turio i ddarganfod ym mha ffordd y mae'r gerdd yn ddelwedd', sef yr union beth hwnnw na fynnai Thomas Parry mohono.[19] Ymgolli yn y testun llenyddol a wnâi Saunders Lewis. Er enghraifft, wrth adolygu llyfr

T. H. Parry-Williams, *Elfennau Barddoniaeth*, meddai: 'Y mae gennyf fwy o ddiddordeb mewn barddoniaeth, pan fyddwyf yn darllen barddoniaeth, nag y sy gennyf yn y bardd. Y peth a wnaeth y bardd, ac nid y bardd a wnaeth y peth, sy'n ddiddorol gennyf.'[20] Y darllen, ac nid bwriadau'r awdur a oedd o ddiddordeb iddo, a cheir o'r herwydd nifer o gyfeiriadau at y profiad o ddarllen yn ei waith. Llinell gan Dudur Aled, er enghraifft, yn 'codi darllenydd heddiw ar ei draed',[21] a sawl peth mewn chwedl yn 'synnu darllenydd'.[22] Wrth ddarllen un o gywyddau Siôn Cent, nododd na allai '[dd]arllen y cywydd heb ymgynhyrfu'.[23]

Yn *Ceiriog*, a chan gadarnhau'r hyn a ddywedwyd yn y rhagymadrodd cyntaf am feddwl yr awdur, nododd Saunders Lewis y ceir 'ym mywyd dyn o gig a gwaed . . . syniadau a thueddiadau na all na hanesydd nac eneidegydd eu hegluro'.[24] Gan hynny, ei ddiddordeb yn hytrach ydoedd y berthynas rhwng testun a darllenydd: 'barddoniaeth, pan fyddwyf yn darllen'. Dyna pam y dywedodd am y gân, 'John Jones a John Bull', a 'llawer o ganeuon Ceiriog', 'mae'n annifyr eu darllen. Nac ymresymwn amdanynt, ond edrych a mynd heibio.'[25] A hynny gan ei fod yn wahanol i Thomas Parry yn cydnabod – fel y gwnaeth yn ei ysgrif gynnar, 'Tueddiadau Cymru rhwng 1919 a 1923' – fod ganddo ei '[r]agfarnau gwreiddiol' a oedd 'yn cyfyngu cylch [ei] [g]ydymdeimlad'.[26] Am y rheswm hwnnw, ni allai 'ddarllen dim o waith awduron ac athronwyr megis Bertrand Russell neu Anatole France â meddwl caredig, agored, megis y dylai'r neb a fynnai eu mwynhau, canys nid oes gan yr awduron hyn fawr barch i'm rhagfarnau i'.[27]

Yn ei ysgrif 'Trasiedi', sef adolygiad ar lyfr Herbert Vaughan, *The South Wales Squires*, nododd Saunders Lewis '[f]od yn llyfr Mr. Vaughan ragfarn o'u plaid [yr hen sgwïeriaid], a bydd hynny'n help i gywiro'r hen ragfarn yn eu herbyn'.[28] Hynny yw, er y portreadir Saunders Lewis weithiau yn sylfaenydd y feirniadaeth lenyddol Gymraeg honno sy'n tueddu i gyfeirio at y Traddodiad Llenyddol fel bod gwrthrychol, ac er ei fod yn ddylanwad ar nifer o feirniaid Cymraeg sy'n credu eu bod yn llefaru'n ddiragfarn, gwelir iddo ef ei hun gydnabod yn llawen ddigon mai rhagfarn o blaid y naill safon ac yn erbyn y llall yw calon pob beirniadaeth. Dyna pam, fe gredir, yr oedd ef yn awyddus i weld cyfnodolion megis *Tir Newydd* a *Heddiw* yn dwyn 'newyddwch i feirniadaeth lenyddol Gymraeg',[29] ac yn fawr ei ganmoliaeth i weithiau beirniadol a oedd yn edrych ar lenyddiaeth Gymraeg o du cyfeiriadau newydd. Cafwyd enghraifft gynnar o hynny, wrth gwrs, gan Saunders Lewis ei hun yn *Williams Pantycelyn* lle yr edrychwyd ar waith yr emynydd o du cyfeiriad 'eneideg', neu feirniadaeth seicdreiddiol;[30] ac nid yw'r modd yr arferai ddarllen testun llenyddol yng ngoleuni testun anllenyddol cyfoed yn annhebyg i ddulliau'r Hanesyddiaeth Newydd a gyflwynwyd yn y Gymraeg gan M. Wynn Thomas yn *Sglefrio ar Eiriau*.[31] Darllen Taliesin yng ngoleuni Gildas, er enghraifft, a 'Sieffre a'r *Pedair Cainc* gyda'i gilydd', gan weld arwyddocâd y naill destun yn y llall ac amlygu'r cytgord rhyngddynt.[32] Cyflwynodd Saunders Lewis inni hefyd gyfres o awdur-destunau, ar lun y patrwm a nodwyd yn y rhagymadrodd cyntaf. Yng nghyswllt Guto'r Glyn, meddai John Rowlands: 'troswyd ei fywyd yn ddrama . . . a phitw fuasai cwyno'n fisi fod llawn gormod o ddyfalu dychymygus yn yr holl beth. Onid gwylio artist yr ydym?'[33] Rhoes y beirniad gig a gwaed ar esgyrn sychion y bardd, a'i droi ef ei hun yn destun llenyddol iddo'i hun. Hola'r empeirydd, wrth gwrs, pa linellau'n union o waith y bardd sy'n cefnogi'r portread ohono 'yn llanc tal, mawr o gorff, pryd tywyll, gwrdd wyneb, bwyall o drwyn, gwallt du – fe aeth yn foel cyn canol oed, – dwylo fel dwylo gof – ai gof oedd ei dad?'[34] Ond y mae'r gymhariaeth gan Saunders Lewis rhwng Guto'r Glyn a 'D.J.' yn amlygu nad aros gyda'r testun a ddarllenai oedd bwriad Saunders Lewis, eithr creu ar sail hwnnw destun newydd ar gyfer cynulleidfa gyfoes.

Nid bob amser y gwerthfawrogir mor barod oedd Saunders Lewis i groesawu ffyrdd newydd o ddarllen llenyddiaeth. Bu'n gocyn hitio i ambell feirniad Marcsaidd o bryd i'w gilydd, megis i Iwan Llwyd (Williams) a Wiliam Owen Roberts yn 'Myth y traddodiad dethol',[35] ond gwerthfawrogai Saunders Lewis waith a ddangosai 'olion beirniadaeth Farcsaidd' ac a oedd 'yn werthfawr athronyddol o'r herwydd'.[36] Yn wir, cymaint y diddordeb mewn ffyrdd newydd o edrych ar lenyddiaeth fel mai testun llawenydd iddo ef ydoedd fod y feirniadaeth honno a ddeallai'r Traddodiad Llenyddol Cymraeg 'yn ei chael ei hun ar ben llanw llif beirniadaeth nodweddiadol yr ugeinfed ganrif yn Ewrop'. Wrth adolygu llyfr Thomas Parry ar faledi'r ddeunawfed ganrif, nododd y 'gallai'r beirniad llenyddol Marxaidd ddarllen llyfr Mr. Tom Parry a'i gael yn llyfr byw'.[37]

O ystyried amlygrwydd theori yng ngwaith Saunders Lewis, felly,[38] gwelir bod yr hyn a ddywed Simon Brooks am berthynas John Morris-Jones â'r 'gymdeithas Gymraeg' hefyd fel pe bai'n wir am berthynas Saunders Lewis â'r cenedlaethau dilynol o feirniaid llenyddol. Yn ôl Simon Brooks:

[B]u theori yn hanfodol i ganfod yr hyn y tybiai cenedlaethau diweddarach ei fod yn 'synnwyr cyffredin'. Ni thybid bod angen theori eto; yn wir, i'r graddau fod theori yn rhwym o danseilio 'synnwyr cyffredin' cymdeithas Gymraeg a oleuwyd eisoes, fe'i gwatwerid.[39]

Rhyfedd yw fod Saunders Lewis ei hun yn barod iawn i gydnabod natur gyfyngus ei ragfarnau ond bod ei olynwyr a'i edmygwyr beirniadol yn awyddus iawn i arddel yr hyn a alwodd R. M. Jones yn '[f]yth "diniwed" . . . [g]wrthrycholdeb'.[40] Er enghraifft, gwelir yn yr ysgrif 'Saunders Lewis a T. S. Eliot' gymaint o barch sydd gan Alan Llwyd tuag ato, er gwaethaf y ffaith fod ei agwedd empeiraidd ef yn nes at un 'ddiragfarn' Thomas Parry.[41]

Dileu'r sefyllfa ddarllen: gwadu rhagfarn

Enghraifft loyw o 'fyth "diniwed" . . . gwrthrycholdeb' yw'r sylw isod o waith y prifardd a'r beirniad Donald Evans. Meddai ef:

> Dywedwyd yn fynych mai cwbl amhosibl yw i feirniad llenyddol geisio bod yn ddiduedd wrth ei waith, gan fod 'na ryw ragdyb neu'i gilydd o'i eiddo'n siŵr o liwio neu gyfeirio'i argraffiadau. Cwbl gywir, dylai sicrhau fod ganddo ragdyb, anferth o ragdyb holl-lywodraethol, i'w lywio drwy gydol ei waith, sef clamp o ragfarn yn erbyn rhagfarn ei hunan.[42]

Nodwyd eisoes nad arddelir y safbwynt hwn yma. A hynny gan y credir bod gwrthrycholdeb beirniadol yn dasg amhosibl sy'n gofyn i'r unigolyn 'ei ddileu ei hun', chwedl R. M. Jones.[43] Amlygu hyn a wnaeth Derec Llwyd Morgan yn 2004 wrth draethu ar *Hanes Llenyddiaeth* Thomas Parry, a nodi bod yr awdur 'yn cyfeiliorni o ran ei dueddfrydedd heb iddo ystyried hynny'.[44] Wrth adolygu'r llyfr yn 1945, meddai T. J. Morgan: 'Byddai'n anodd i neb ddywedyd fod ganddo ragfarn neu orduedd at ddim. [...] Nid oes ganddo athrawiaeth i'w gweithio allan nac i'w gwthio arnom. [...] A'r pennaf rhagoriaeth yw bod Tom Parry ei hunan o'r golwg.'[45] Ceir yma gyfeiriad cynnil, fel yr awgrymodd Derec Llwyd Morgan, at Saunders Lewis, yn enwedig felly yng ngoleuni'r sylwadau dilynol ar 'yr adwaith yn erbyn y *bourgeoisie* sy'n cyfrif fod plaid yr adwaith yn canmol pob peth a berthyn i'r bendefigaeth'.[46] Anodd credu nad yn ddigyfeiriad chwaith y defnyddir yr ymadrodd 'pan ddaw estron i'n plith'.[47] Na, nid enwir Saunders Lewis, y Sais a'r Ffraincgarwr; ond ef yw gwrthrych y feirniadaeth ar oddrychedd barn pan nodir hefyd fod 'dywedyd fod canu Beirdd yr Uchelwyr yn gymdeithasol yr un fath â phe dywedai Ffrancwr wrth ei gymydog fod ganddo acen Ffrengig'.[48]

Yn ôl T. J. Morgan, rhaid oedd anwybyddu 'safonau oes y beirniad', a dibrisio'r feirniadaeth honno a astudiai 'yn ôl lliw sbectol y beirniad' ei hun.[49] Ond yr oedd Saunders Lewis Gatholig a gwleidyddol amlwg wedi ennill enw am 'basio'i ddefnyddiau drwy ei bersonoliaeth ei hunan', fel y nododd W. J. Gruffydd.[50] Fe'i beirniadwyd yn hallt gan Moelwyn yn *Mr. Saunders Lewis a Williams Pantycelyn* am gyflwyno *'theory'*, ac am esgeuluso'r ffeithiau 'yn ei ymdrech i geisio'i phrofi'.[51] A'r un ydoedd dyfarniad W. J. Gruffydd yn 1932: beirniadwyd Saunders Lewis am '[g]rwydro ymhell o'r "ffeithiau"', sylw a gymhwysodd yntau at *Williams Pantycelyn* ynghyd â'r *Braslun o Hanes Llenyddiaeth Gymraeg*. Tuedd Saunders Lewis ydoedd cyflwyno beirniadaeth 'oddrychol, yn croniclo nid yn gymaint yr hyn a wêl pawb yn y gwrthrych, ond gweledigaeth arbennig a dehongliad personol y beirniad'.[52]

Yr un ydoedd dedfryd Ifor Williams ar y *Braslun* hefyd: 'creadigaeth yn hytrach na phortread'.[53] Ac felly D. Gwenallt Jones yr un flwyddyn (1933): yr oedd Saunders Lewis yn tueddu i chwilio am dystiolaeth mewn cerdd a fyddai'n cadarnhau ei ddamcaniaethau ei hun am natur y traddodiad barddol.[54] 'Didwytho' ydoedd gair D. Tecwyn Lloyd am hyn: 'cymryd gafael ar syniad, neu greu syniad, ac yna ei gymhwyso at y rhannau hynny o'r deunydd sydd yn digwydd ei ffitio.'[55] Yn fwy diweddar, nododd Robert Rhys fod Saunders Lewis yn rhoi sylw i'r elfennau llenyddol hynny a oedd 'yn digwydd cyfateb i un o'r pwyntiau ar agenda Lewis ei hun'.[56] Dyma'r feirniadaeth gonsenws fawr yn ei erbyn, felly. Nododd R. M. Jones hyd yn oed mai '[g]orgariad Saunders Lewis at ddireidi paradocs a pheri syndod' sy'n cyfrif am ei bwyslais ar natur bersonol a rhamantaidd *Williams Pantycelyn*, ac nid gwaith yr emynydd ei hun.[57]

Sylfaen y feirniadaeth hon yn erbyn Saunders Lewis yw tuedd beirniaid i gadw at ddosraniad W. J. Gruffydd o dri math o feirniadaeth lenyddol, a chredu mai'r olaf yn unig sy'n oddrychol. Y math cyntaf yw'r 'gwaith ysgolheigaidd . . . casglu'r defnyddiau [golygu testunau] ac ymchwiliad manwl i'w hamseriad a'u lleoliad'. Yr ail yw 'gwaith hanesydd llên . . . dangos undod datblygiad, croniclo pob ysgrifennydd yn ôl ei drefn . . . dangos sut y mae'n tyfu allan o draddodiad'. 'Gwrthrychol hollol ydyw'r ddwy feirniadaeth gyntaf', meddai Gruffydd, dim ond yr olaf sydd yn 'aml yn oddrychol . . . [a] all fod yn llenyddiaeth ynddi ei hunan yn ogystal ag yn ddehongliad ar ei thestun'.[58]

Fodd bynnag, y mae nifer o ysgolheigion erbyn hyn yn amau'r didoli pendant hwn rhwng beirniadaeth wrthrychol a beirniadaeth oddrychol. Mewn perthynas â'r math cyntaf o feirniadaeth, tynnodd Helen Fulton, er enghraifft, sylw at yr elfen oddrychol yn '[n]isgwrs draddodiadol y golygyddion ysgolheigaidd', a hwythau'n defnyddio eu 'rhagdybiaeth' ynghylch ansawdd canu'r bardd 'fel ffon fesur wrth fynd at y cerddi a dethol y rheini a weddai orau i'r bardd, fel yr adluniwyd ef gan y golygydd'.[59] Yn yr un modd tynnodd Jerry Hunter sylw at natur ymwthiol y dasg o '[g]reu testunau sefydlog ansymudol o lenyddiaeth a gynhyrchwyd gan gymdeithas na wyddai ddim am sefydlogrwydd testunol'.[60]

Mewn perthynas â'r ail fath o feirniadaeth 'wrthrychol', cyfeiriwyd eisoes at sylwadau R. M. Jones ar dueddrwydd hanes, a'r modd yr amlygodd Derec Llwyd Morgan dueddrwydd *Hanes* Thomas Parry, 'er honni o'i awdur yn ddiniwed nad "amcanwyd [ynddo] ond disgrifio"'.[61] Y rheswm am hynny yw am fod gan bob un darllenydd, wrth iddo ddarllen, 'norm neu batrwm delfrydol yn ei feddwl'.[62] Am hynny, ni ellir osgoi rhagfarn, ddim mwy na'r testun gwrthrychol a ddarllenir. Dyna a awgrymodd Saunders Lewis ei hun wrth adolygu'r *Hanes*, gan nodi mai 'anffodus yw'r rhagfarn' yn erbyn llenyddiaeth grefyddol.[63]

'[Y]n hinsawdd feirniadol yr ôl-foderniaid', holodd Derec Llwyd Morgan a ellir mwyach ysgrifennu hanes llenyddol.[64] Ond o edrych ar ddatblygiadau yn y math cyntaf o feirniadaeth, sef golygu a dyddio testunau, awgrymir yma nad newid gwaith yr hanesydd llên na'r beirniad llenyddol a wnaeth Theori, eithr yn hytrach amodi arddull y dweud. Gwelir hyn, er enghraifft, yng nghyflwyniad caboledig Dafydd Johnston i'r golygiad diweddaraf o waith Dafydd ap Gwilym. Gan ymateb i feirniadaeth Helen Fulton ar natur oddrychol y traddodiad golygyddol modern, amddiffynnodd y traddodiad hwnnw gan amlygu bod 'perchnogaeth awdur ar gerdd yn gysyniad ystyrlon yng Nghymru'r Oesoedd Canol,' ac nad diystyr felly'r dasg o sefydlu canon awdur, ac ategu'r feirniadaeth honno ar waith Helen Fulton a wnaeth Owen Thomas yntau'n ddiweddar.[65]

Ac eto, fel y sylwyd ar dduedd M. Wynn Thomas yn *James Kitchener Davies* i gynnal sgwrs aml-leisiol drwy gyfrwng cromfachau, nododd Dafydd Johnston i Helen Fulton ddadlau 'nad yw'r un o'r meini praw a ddefnyddir i benderfynu awduraeth yn gwbl wrthrychol, fod pob ymgais i ddiffinio'r canon yn oddrychol (fel y cydnabu Thomas Parry ei hun)'.[66] Ar un olwg, ceisio annilysu'r feirniadaeth honno yw gwaith Dafydd Johnston yn ei ragymadrodd i'r golygiad diwygiedig, a sicrhau eto wrthrychedd y math hwn o feirniadaeth. Ond y mae'n ddiddorol mai iaith y dirfodwr a ddefnyddir ganddo er mwyn cyflawni'r orchwyl honno. Meddai:

Er bod y ddadl gylch [sef golygu testun sy'n cyd-fynd â syniadau parod y golygydd am y math o ganu a ddisgwylir ei ganfod] yn berygl yn achos pob maen praw ar ei ben ei hun, *siawns* nad yw cwlwm ohonynt gyda'i gilydd yn dystiolaeth ddigon cryf i dorri allan o'r cylch seithug.[67]

Na, ni lwyddodd Theori i annilysu gwaith y math hwn o feirniadaeth wrthrychol, ac ymddengys i mi yr enillwyd y ddadl dros sefydlu canonau'r beirdd. Ond y mae ei ddisgrifio mwyach yn nhermau siawns yn tystio i ddylanwad Theori hefyd. Nid '[g]wrthrychol *hollol*' ydyw'r gwaith golygu mwyach, chwedl Gruffydd, oherwydd gwerthfawrogwn i'r copïwyr cyntaf oll wrth iddynt greu casgliad o waith Dafydd ap Gwilym '[f]ynd ati, efallai'n ddiarwybod, i greu canon o waith Dafydd ap Gwilym *a hwnnw'n ddethol, o reidrwydd*, fel y mae golygiad Helen Fulton yn gasgliad dethol o waith apocryffaidd Dafydd ap Gwilym'.[68] Nododd Owen Thomas, er enghraifft, yn achos Hafod 26 – un o'r llawysgrifau y bu Thomas Parry yn 'dibynnu'n drwm' arni yn ei lyfr nodiadau – ei bod yn 'hawdd credu mai Thomas Wiliems a fu'n gyfrifol am ddiweddaru'r testun'; ac awgrymodd yn achos Peniarth 48, un o'r casgliadau cynharaf o waith Dafydd ap Gwilym, mai '[g]waith ysgrifydd amaturaidd ydyw ac efallai mai gwaith bardd yn codi testunau o wahanol ffynonellau, gan gynnwys ffynonellau llafar'.[69] Rhaid cofio bod bwlch o o leiaf canrif rhwng cyfnod cyfansoddi'r cywyddau cynharaf a'r llawysgrifau cynharaf ohonynt yn ail hanner y bymthegfed ganrif, ac mai hyrwyddo amrywiadau testunol yr oedd y ffaith honno.[70] At hyn, awgrymodd Dafydd Johnston yn 'Dafydd ap Gwilym and oral tradition' (2003) y byddai'r beirdd wrth iddynt ysgrifennu eu testunau yn gwneud hynny mewn modd mwy creadigol na'r datgeiniaid, gan 'addasu cynganeddion i gydymffurfio â safonau cyfoes'.[71] Yr oedd yr arfer honno, felly, yn adleisio eu parodrwydd i chwarae â photensial y gynghanedd ac amrywio ambell air o gynghanedd mewn gwahanol berfformiadau llafar, syniad a ddatblygodd Dafydd Johnston ymhellach yn narlith goffa J. E. Caerwyn Williams yn 2006, ac sydd ar un olwg yn bygwth y cysyniad o destun gwreiddiol a llwyr ddigyfnewid.

Ar un olwg, natur tystiolaeth y llawysgrifau – sydd 'yn aml yn llai cryf nag yr ymddengys ar yr olwg gyntaf'[72] – sy'n gyfrifol am 'siawns' y golygydd. Ond gan adael y drafodaeth honno'n agored i ysgolheigion y maes, f'awgrym i yma yw mai un o effeithiau Theori ydoedd amodi arddull golygyddion, haneswyr llên a beirniaid llenyddol. Y rheswm dros hynny yw gan yr ymchwilir i'r Traddodiad Llenyddol mewn perthynas â'r ail draddodiad o ymchwil feirniadol iddo, sydd bellach yn cynnwys ynddo bwyslais ar dueddrwydd beirniaid. Sylwer i John Meirion Morris nodi uchod fod 'y posibilrwydd y gall beirniaid fod â rhagfarnau sydd ynghlwm wrth eu cefndir [mwyach] *yn amlwg*'.[73]

Un o'r amlycaf ymhlith beirniaid Cymraeg i bwysleisio ein tuedd-rwydd ni oll yw R. M. Jones, megis yn ei ddadl â Dewi Z. Phillips ynghylch didueddrwydd yn *Y Traethodydd* yn yr wythdegau. Safbwynt yw a grynhoir gan y ddihareb, 'Nid gwybodaeth, gwybodaeth heb rag-dybiaeth.'[74] Amlygu hynny'n eironig ddigon y mae sylw Donald Evans uchod ynghylch ei 'ragfarn yn erbyn rhagfarn', sydd ei hun, wrth gwrs, yn rhagfarn (yn erbyn rhagfarn), ac sy'n cadarnhau awgrym yr athronydd Hans-Georg Gadamer, sef y 'bydd goresgyn pob un rhagfarn . . . ei hun yn datblygu i fod yn rhagfarn'.[75]

Pwysleisiodd Gadamer fod pob beirniadaeth – hyd yn oed honno yn erbyn rhagfarn – yn cychwyn o ryw bwynt arbennig, ac na ellir o gwbl feirniadu pob rhagfarn yn gyfamserol. Ar y gorau, gall yr unigolyn feirn-iadu rhai rhagfarnau'n unig, a hynny o safbwynt arbennig sy'n derbyn rhagfarnau eraill. Ond nid oes modd dianc rhag dylanwadau hanesyddol a diwylliannol yn llwyr ac arddel safbwynt cwbl niwtral a fydd yn caniatáu i'r unigolyn feirniadu pob rhagfarn yn rhesymol a gwrthrychol; oblegid nid yw rhesymoledd yn bodoli y tu allan i hanes, arferion a thraddodiadau arbennig. Nododd Gadamer nad penderfyniaeth gaeth mo hyn, eithr fod cyfyngiadau yn nodwedd ar y bywyd mwyaf rhydd hyd yn oed.[76]

Felly y gwelai Saunders Lewis hi hefyd, ac yntau'n rhoi pwys ar rag-farn a thraddodiad. Yn 1928, ac mewn ymateb i'r modd yr oedd awdl Gwenallt, 'Y sant', wedi rhannu'r beirniaid yn ddwy garfan, cyhoeddodd ysgrif yn *Y Llenor* a oedd nid yn unig yn cydnabod bod beirniaid llenyddol yn darllen testunau llenyddol o safbwynt rhagfarnau penodol, ond awgrymodd hefyd mai'r unig fodd o gymodi rhwng dwy garfan sy'n arddel rhagfarnau gwahanol yw trwy ymchwilio i hanes y rhag-farnau.[77] Ymatebodd i'r awdl ar ôl i'r bardd gyhoeddi *Y Mynach a'r Sant*,[78] ond nid llai ei ddiddordeb yn nhestun rhagfarnau'r beirniad, a'r rheswm dros yr anghytundeb. Gwelai, a dyfynnu'r athronydd Alasdair MacIntyre, 'fod pob un blaid . . . yn llwyddo yn ôl safonau mewnol ei draddodiad o ymchwil foesol ei hun, ond yn methu yn ôl safonau mewnol traddodiadau ei gwrthwynebwyr'.[79] Am hynny ceisiodd ddeall sut y gall dwy ddadl nad oes modd eu cyfaddawdu â'i gilydd fod yn iawn, gan astudio'r 'casgliad o ragdybiaethau y mae'r naill a'r llall yn dibynnu arnynt'.[80] Yn ôl un o feirniaid Alasdair MacIntyre, Gordon Graham, y mae hyn yn golygu archwilio 'traddodiadau o feddwl ac ymchwil foesol ac astudio eu datblygiad dros gyfnod o amser'.[81] I'r perwyl hwn y cyfeiriodd Saunders Lewis at Blaton, Horas ac Aristoteles, er mwyn atgoffa darllenwyr *Y Llenor* 'mor oedrannus yw'r broblem hon [o berthynas egwyddorion moesol a llenyddol]', cyn bwrw ymlaen a dechrau ei 'ymchwil yng Nghymru yr Oesoedd Canol' â chanu Beirdd yr Uchelwyr.[82] Oddi yno, trodd 'oddi wrth fardd Cymraeg yr Oesoedd Canol' at feirniaid llenyddol y Dadeni Dysg', ac at Ellis Wynne, hyd oni ddaeth at ramantiaeth Pantycelyn.[83] Y mae'r erthygl yn batrwm o'r math o astudiaeth a awgrymwyd gan waith Alasdair MacIntyre. A gwnaeth Saunders Lewis beth tebyg yn 'Llenorion a lleygwyr', lle y ceisiodd esbonio pam mai 'yn hwyrfrydig ac yn sarrug' y derbynnir gweithiau ysgolheigaidd Cymraeg ar 'darddiad yr Eisteddfod, am yr Orsedd, am Gyfrinach y Beirdd, am ffugion Iolo Morganwg . . . a phaham na chaiff yr ysgolheigion mawr sy'n gyfrifol amdanynt mo'r clod a roddir yn hael iddynt ymhen ugain mlynedd'.[84] Deallai Saunders Lewis fod 'gwirionedd histori', chwedl Theophilus Evans, yn ddibynnol ar natur rhagfarnau'r gynulleidfa, ac na ddylai'r hanesydd anwybyddu'r rheini.[85]

Dyma'r safbwynt athronyddol a arddelir yma hefyd. Rhennir y diddordeb hwn mewn archwilio rhagfarnau, gan gofio bod y sawl sy'n chwilio am '[g]efndir ehangach i'n rhagfarnau' ei hun yn gwneud hynny o safbwynt rhagfarnol a hanesyddol penodol. Dyna'r cyfyngiad mawr sy'n peri bod yn rhaid i un gydnabod weithiau nad oes modd iddo 'lwyr ddeall' gweithiau a gyfansoddwyd y tu allan i'w ddiwylliant ei hun. Ys dywed Kate Bosse-Griffiths, er enghraifft, am waith Lao-Tse: 'Y mae iaith y llyfr . . . mor gymhleth fel na chaiff y meddwl gorllewinol byth, hwyrach, ei ddeall yn gyflawn . . .' [ac eithrio yn ôl safonau'r meddwl gorllewinol].[86]

Saunders Lewis a'm sefyllfa ddarllen i

Pwysleisiodd yr athronwyr Hans-Georg Gadamer ac Alasdair MacIntyre nad yw rheswm yn bodoli ar wahân i hanes, eithr ei fod yn ddibynnol ar ei amgylchiadau. Er mwyn amlygu'r egwyddor hon ar waith yn y llyfr hwn – llyfr a gais astudio'r cysyniad o ganon llenyddol Cymraeg – cydnabyddir yma fod y cysyniad o draddodiad a chanon llenyddol Cymraeg yr ymchwilir iddo yma yn un a oedd eisoes wedi dylanwadu'n fawr arnaf cyn i'r un gair o'r llyfr hwn gael ei ysgrifennu, ac nad yn ddiragfarn chwaith yr edrychir ar waith Saunders Lewis, gŵr nid yn unig a roddod inni draddodiad llenyddol i ymfalchïo ynddo, ond sydd ei hun yn cael ei draddodi o genhedlaeth i genhedlaeth yn arwr diwylliannol.[87] Ni ellir osgoi'r feirniadaeth ar wahanol agweddau ar ei syniadaeth, bid siŵr. Ond fel y nododd D. Ben Rees erys 'yn symbyliad i bawb sydd am amddiffyn yr iaith Gymraeg', ac yn yr ysgolion cyflwynir Penyberth yn un o chwedlau gwerin cyfoes Cymru, fel y mae 'Gwinllan a roddwyd i Gymru' yn un o anthemau answyddogol gwlad y Pethe.[88]

Y bwriad yma yw astudio'r cysyniad o ganon llenyddol Cymraeg. Fodd bynnag, dadl y rhagymadrodd hwn yw y gwneir hynny'n bennaf o du traddodiad beirniadol ac addysgol a gredai tan yn gymharol ddiweddar mai mater o 'synnwyr cyffredin' oedd bod y fath beth â thraddodiad llenyddol Cymraeg unedig a di-dor yn bodoli, a hynny ar lun canon llenyddol cymharol sefydlog, sef y Traddodiad. Nododd Derec Llwyd Morgan mai tuedd beirniaid fu 'derbyn yr undod hwnnw fel ffaith, yn nodwedd o'n hanes llenyddol yn hytrach nag yn *ddehongliad* arno'.[89] Cymerwyd yr undod hwnnw yn ganiatatol yn *Hanes Llenyddiaeth Gymraeg* Thomas Parry, 'undod organig y corpws llenyddol', chwedl T. J. Morgan.[90] Ond fe'i gwelwyd cyn hynny yn *Braslun o Hanes Llenyddiaeth Gymraeg* Saunders Lewis, ac yntau'r beirniad yn dadlau mai '[y]r hyn sy gan lenyddiaeth Gymraeg i'w osod ochr yn ochr ag amrywiaeth a chyfoeth didrefn Shakespeare a'i gydwladwyr ydyw corff o lenyddiaeth . . . yn ôl yr unrhyw draddodiad ac egwyddor'.[91] Dyna pam yr oedd Saunders Lewis, er mor wahanol ydoedd ei agwedd ef at ddarllen llenyddiaeth ar un olwg, mor frwd ei ganmoliaeth wrth adolygu llyfr arall o waith Thomas Parry, sef *Baledi'r Ddeunawfed Ganrif*, a hynny gan fod y beirniad hwn 'yn deall natur a hanfod y traddodiad llenyddol Cymraeg . . . wrth [i feirniadaeth] ddychwelyd at safonau a sylfeini'r hen draddodiad llenyddol Cymraeg', sef y safonau hynny a ddyrchafodd Saunders Lewis ei hun yn *Williams Pantycelyn* a'r *Braslun*, sef safonau 'barddoniaeth yn gweini mewn cymdeithas'.[92] Er bod agwedd Thomas Parry yn fwy empeiraidd-oleuedig o lawer nag un wleidyddol-Gristnogol Saunders Lewis, yr oedd y naill feirniad a'r llall, awdur y *Braslun o Hanes* ac awdur yr *Hanes*, yn rhannu'r rhagfarn hon o blaid y Traddodiad Llenyddol, a'i undod rhagosodedig. Dyma'r rhagfarn sydd hefyd i'w gweld yn llyfr Gwyn Thomas, *Y Traddodiad Barddol*, sef llawlyfr dysg pob myfyriwr Safon Uwch mewn Cymraeg mamiaith yng Nghymru ers sawl cenhedlaeth bellach, ac a wnaeth gyfraniad clodwiw i lenyddiaeth Gymraeg drwy sicrhau bod y rhelyw o fyfyrwyr Cymraeg cyn iddynt ddarllen na'r *Braslun o Hanes* na'r *Hanes* yn cymryd yn ganiatatol fod undod yn nodwedd arbennig o wrthrychol ar lenyddiaeth Gymraeg.[93] Felly y syniaf innau amdani, yn y bôn, hefyd. Dyna'r graen na ellir ei ddileu, dim ond ei groesi.

Ond nid yr ystyriaeth hon ynghylch y rhagfarn o blaid undod y Traddodiad Llenyddol Cymraeg yw'r unig ddylanwad sy'n fy rhwystro i rhag cyflwyno yma farn wrthrychol am y canon llenyddol Cymraeg. Ystyriaeth arall sy'n cymylu'r darlun yw'r modd y gwnaeth Saunders Lewis ddisgrifio llenyddiaeth Gymraeg yn nhermau 'corff o lenyddiaeth' cyn i wahanol aelodau'r corff hwnnw gael eu golygu gan ysgolheigion a'u cyhoeddi. Oherwydd hynny, nid yw'r ffin rhwng y Traddodiad Llenyddol Cymraeg a'r traddodiad beirniadol o ymchwil iddo yn un gyfan gwbl eglur, gyda rhai o ffigurau canolog y Traddodiad Llenyddol yn anorfod glwm wrth ysgrifau o'r un enw o waith Saunders Lewis a roes, ar un olwg, fod iddynt. Fel y nododd Joel C. Weinsheimer yn ei lyfr *Gadamer's Hermeneutics*, ar wahân i'r traddodiad yr ymchwilir iddo, fe'n dylanwedir hefyd gan y traddodiad ymchwil hwnnw sy'n cyfarwyddo ein gwaith ymchwil ninnau ac sy'n ei symbylu.[94]

Yn ôl myth gwrthrycholdeb, natur y traddodiad cyntaf sy'n diffinio'r ail; hynny yw canu Dafydd Nanmor, er enghraifft, a fyddai'r dylanwad mawr ar unrhyw waith ymchwil ar ei ganu heddiw. Ond credir yma fod natur y berthynas rhwng y ddau draddodiad yn un fwy cymhleth na hynny, ac na ellir gwahaniaethu bob amser rhwng Dafydd Nanmor a 'Dafydd Nanmor', Williams Pantycelyn a *Williams Pantycelyn*. Gall yr ail draddodiad o ymchwil feirniadol ddylanwadu ar y cyntaf.

Yn achos y llyfr hwn, er enghraifft, nodir nad astudir y cysyniad o ganon yng ngwaith Saunders Lewis heb fod yn ymwybodol o'r modd y mae ei ysgrifau beirniadol, ei berson, ynghyd â'i gysyniad o ganon llenyddol eisoes wedi'u canoneiddio ganddo ef ei hun, ac yn fwyaf arbennig, gan eraill. Dyna'r sefyllfa ddarllen yr ydwyf eisoes, cyn imi ddechrau trafod gwaith Saunders Lewis, yn teimlo'n rhan ohoni, ac sy'n cyflyru'r darllen. Wrth drafod gwaith dramatig Saunders Lewis, nododd Ioan M. Williams fod y cymeriadau yn ei ddramâu aeddfed yn dyfod i ddeall fod ymwybyddiaeth 'o'r grymoedd a'r strwythurau sydd wedi ffurfio ymwybyddiaeth a hunaniaeth yn rhyddhau'r unigolyn rhag bod yn ynysig ac yn ddiymadferth'.[95] Rhyw ymgais yn rhannol at deimlo hynny sy'n nodweddu'r astudiaeth bresennol hefyd, a pharodrwydd i gydnabod mai Saunders Lewis yn anad neb arall a osododd y llwyfan ar gyfer yr astudiaeth hon o'r canon llenyddol Cymraeg. Fel y dywedodd ef am berthynas Daniel Owen â'i olynwyr ym maes y nofel, felly yntau ym maes beirniadaeth a theori lenyddol. 'Gwnaeth hi'n bosibl i'r neb a fynnai ac a allai, ar ei ôl ef, ddechrau yn y man y gorffennodd ef.'[96]

Canoneiddio gwaith Saunders Lewis

Yn ei ragymadrodd i *Meistri'r Canrifoedd*, meddai R. Geraint Gruffydd: 'Bwriad y gyfrol hon yw rhoi yn nwylo'r darllenydd gasgliad o ysgrifau pwysicaf Mr. Saunders Lewis ar hanes llenyddiaeth Gymraeg.'[97] Yn yr un modd, meddai Gwynn ap Gwilym yn ei ragymadrodd yntau i *Meistri a'u Crefft*:

> Dylid darllen y gyfrol hon ochr yn ochr â'r erthyglau gan Mr Lewis a gyhoeddwyd yn *Presenting Saunders Lewis*, dan olygyddiaeth yr Athro Alun Jones a'r Dr Gwyn Thomas, a *Meistri'r Canrifoedd*, a'r llyfrau a'r monograffau a restrir ar ddechrau'r gyfrol honno. Fe gaiff y darllenydd wedyn fod ganddo wrth law gasgliad hwylus o weithiau beirniadol pwysicaf yr awdur eithriadol hwn.[98]

Dyma drefnu, yn y naill achos a'r llall, gasgliad o'r gweithiau pwysicaf, a gwelir dwy egwyddor fawr y broses o ganoneiddio ar waith yma, sef derbyn a gwrthod, a thrwy hynny sefydlu testun safonol ar gyfer y dyfodol: un rheol ar gyfer pawb. Dyma'r egwyddor a welir hefyd ar waith yng nghasgliad dwy gyfrol Ioan M. Williams, *Dramâu Saunders Lewis*. Derbynnir y dramâu oll, ond eto, bu'n rhaid i'r golygydd ddethol rhwng gwahanol fersiynau, gan anelu at 'greu testunau sy'n ddarllenadwy ac eto'n awdurdodol'.[99] Ni dderbynnir, er enghraifft, 'amryw sgriptiau radio a theledu, lle y cyflwynir tystiolaeth am weledigaeth cynhyrchydd yn hytrach nag am feddwl y dramodydd ei hun'.[100] Ac yn unol ag arfer Saunders Lewis o fesur maintioli Cymreig mewn perthynas â gwledydd eraill, noda'r golygydd mai ei fwriad yw 'gosod gweithiau Saunders Lewis ar yr un sylfaen â chlasuron llenyddol a dramataidd gwledydd eraill'.[101] Detholir safon.

Yn y naill gyfrol a'r llall, *Meistri'r Canrifoedd* a *Meistri a'u Crefft*, cydnabu'r golygyddion eu dyled i Saunders Lewis. Er i R. Geraint Gruffydd bwysleisio iddo, ar gais Saunders Lewis, ddilyn ei lwybr ei hun, nododd y naill olygydd a'r llall iddynt lunio eu cyfrolau mewn 'ymholiad' â'r beirniad ei hun. Yn achos *Meistri a'u Crefft*, nodir i'r beirniad 'gynnig dwy ysgrif newydd ac ysblennydd'.[102] Yn yr un modd, er y pwysleisir yn *Presenting Saunders Lewis* nad Saunders Lewis ei hun a ddetholodd y cynnwys, dywedir amdano: 'he is not only the subject of the book . . . but at all times made it possible for the book to be produced'.[103] Yn aml iawn mewn ymdriniaethau sy'n ystyried egwyddorion canoneiddio, pwysleisir nad yr awdur ei hun sy'n canoneiddio ei waith ond yn hytrach ei olynwyr, a hynny'n aml iawn gan fod yr awdur wedi hen farw. Nodwyd yr egwyddor mewn perthynas ag ysgrifeniadau'r Apostol Paul yn y rhagymadrodd blaenorol. Gellir cymhwyso'r sylw hefyd at y llyfr, *Saunders Lewis: Letters to Margaret Gilcriest* – llyfr na ddychmygodd Saunders Lewis ei gynhyrchu, heb sôn am ei gyhoeddi. Fodd bynnag, ymddengys fod o leiaf sêl bendith yr awdur ei hun ar y casgliadau o'i ysgrifau beirniadol. Yr oedd yn ddetholwr profiadol. Yn ei ragair i *Ysgrifau Dydd Mercher*, nododd Saunders Lewis iddo 'ddethol nifer o'm hadolygiadau ar lenyddiaeth yn *Y Faner* i wneud llyfr i'r Clwb Llyfrau. Dewisais ar gyfer y gyfrol hon ysgrifau ar lên a hanes y gorffennol.'[104]

Gwŷr eraill a ddetholodd ysgrifau'r ddwy gyfrol feirniadol ddilynol. O holi ym mha le y deuir o hyd i'r canon llenyddol Cymraeg a hyrwyddodd Saunders Lewis, cyfeirio at y cyfrolau golygedig sydd raid. Megis y nododd Roland Barthes mai gwaith i eraill yw dod o hyd i'r awdur, felly'r un modd gyda'r canon hwn.[105] Nododd R. Geraint Gruffydd i Saunders Lewis 'ymdrin â bron bob awdur o bwys yn holl hanes llenyddiaeth Gymraeg'.[106] Rhestrodd Pennar Davies yntau weithiau Saunders Lewis, gan nodi bod yr ystod yn gatholig.[107] Detholwyd awduron gwahanol iawn i'w gilydd ar un olwg, ac ar sail amrywiaeth o feini praw clasurol a rhamantaidd, ond camp golygyddion y ddwy gyfrol ydoedd pwysleisio undod y weledigaeth drwy roi iddi ffurf faterol llyfr mewn llaw. Wedi imi draddodi papur ar y pwnc hwn yn y Ganolfan Uwchefrydiau Cymreig a Cheltaidd yn Aberystwyth, dywedodd yr Athro R. Geraint Gruffydd wrthyf i Saunders Lewis ganiatáu pob rhyddid iddo ddethol yr ysgrifau ei hun, er iddo ofyn iddo beidio â chynnwys 'Safonau beirniadaeth lenyddol'. Derbyniaf hynny'n ddigwestiwn. Ond ar wahân i unrhyw ddylanwad uniongyrchol penodol ar y golygu, ystyrir mai un o'r prif ddylanwadau ar y detholwyr golygyddol ydoedd y modd yr oedd Saunders Lewis ei hun wedi hyrwyddo'r cysyniad o ddethol a chasglu ynghyd oreuon sy'n rhannu egwyddorion cyffredin, nid yn unig drwy gyhoeddi *Ysgrifau Dydd Mercher*, ond drwy gyflwyno drwodd a thro y cysyniad o gorff o lenyddiaeth Gymraeg unedig a di-dor.

Yn ei ragymadrodd i *Annwyl Kate, Annwyl Saunders* pwysleisiodd Dafydd Ifans na chyflwynodd Saunders Lewis ei bapurau oll i'r Llyfrgell Genedlaethol. 'Dihidlwyd ei bapurau ganddo'n ofalus i adael y trysorau'n unig.'[108] A chadarnhau'r portread hwn o'r dihidlwr papurau y mae sylw ei ferch, Mair Saunders Jones, pan ddywed am ei lythyrau at ei wraig, Margaret Gilcriest: 'Petai 'nhad wedi sylweddoli eu bod wedi cael eu cadw, hwyrach na fuasen nhw ddim wedi goroesi.'[109] Prawf o hynny yw nid yn unig y modd y dihidlodd ei bapurau personol, ond hefyd ei ysgrifau beirniadol. Meddai R. M. Jones, er enghraifft: 'Pan ddaeth yn amser ymhellach ymlaen yn ei oes i gyhoeddi detholiadau safonol o'i ysgrifau beirniadol gwasgar, ni chynhwyswyd dim oll o'r pethau hyn a ddywedodd ef cyn 1923.'[110]

Un o'r ysgrifau annetholedig ydoedd 'Safonau beirniadaeth lenyddol' y cyfeiriwyd ati uchod. Ynddi bychenir T. S. Eliot am geisio 'penderfynu canonau'r ddrama', a dadleuir na ellir dosbarthu llenyddiaeth gan nad oes y fath beth â safonau beirniadol. 'Canys od yw campwaith yn beth ar ei ben ei hun, heb iddo un gwir gymar, sut y gellwch chwi ei ddosbarthu ef ag eraill? Ac ni cheir fyth safon heb ddosbarth.'[111] Nid rhyfedd na ddetholwyd yr ysgrif hon. Ysgrif sy'n dadlau fel hyn: '[O] cheisiwn ninnau ganonau llenyddol ac egwyddorion beirniadaeth, odid fawr nad gwaith ein plant fydd chwalu ein llafur a'n melltithio ni.'[112]

Pwysleisiodd eraill, yn arbennig Pennar Davies, Dafydd Glyn Jones, R. M. Jones a John Rowlands, na lwyddodd y beirniad clasurol yn Saunders Lewis, o 1923 ymlaen, i lwyr ddianc rhag y rhamantydd cynnar. Yng nghyd-destun y drafodaeth hon, er enghraifft, nodir iddo barhau i arddel, i raddau o leiaf, ddau o'i ddatganiadau rhamantaidd cynnar: sef, yn gyntaf, mai 'yr anghyffredin yw hanfod llenyddiaeth', ac yn ail, 'nad oes angen am gydweled'.[113] Fel beirniad yr oedd yn awyddus i ddyrchafu'r newydd, ac yn barod i herio consensws academaidd y dydd. Cychwynfan nifer o'i ysgrifau yw datganiad sy'n nodi y bydd yn cyflwyno dehongliad a fydd yn herio'r consensws cyfoes.[114] At hyn, y mae'n eironig fod R. Geraint Gruffydd yn ei ragymadrodd i *Meistri'r Canrifoedd* yn dyfynnu o'r ysgrif annetholedig hon, 'Safonau beirniadaeth lenyddol', er mwyn pwysleisio creadigrwydd yr ysgrifau detholedig. Ond y beirniad rhamantus, gwrthganonaidd yn 'Safonau beirniadaeth lenyddol' a fynnodd mai 'gwaith beirniad llenyddol yw cyfansoddi llenyddiaeth,' sef y trydydd datganiad rhamantaidd, cynnar a arddelodd y beirniad drwy gydol ei yrfa, ac sy'n esbonio'n rhannol pam y mae'r ffin rhwng y Traddodiad Llenyddol a'r traddodiad o feirniadu'r Traddodiad Llenyddol mor amwys – gan mai llenyddiaeth greadigol yw'r naill a'r llall.[115] Nododd R. Geraint Gruffydd fod yr ysgrifau yn *Meistri'r Canrifoedd* 'nid yn unig yn ysgrifau am lenyddiaeth ond hefyd yn ysgrifau sy'n llenyddiaeth ynddynt eu hunain'.[116] Ac yn hyn o beth, y mae'n drawiadol mai dyma'r union beth a nodir yn achos rhai o feirniaid amlycaf Theori, sef bod eu gwaith ar y canon llenyddol ei hun bellach yn rhan ohono. Meddai Seán Burke am y dadadeiladwr, Jacques Derrida, er enghraifft: 'Wedi iddo ailysgrifennu'r testun canonaidd, â'r beirniad rhagddo i gynhyrchu ei destunau ei hun . . . Y mae beirniadaeth yn ei chanfod ei hun yn rhan o lenyddiaeth.'[117] Pwysleisio hynny mewn ffordd goncrit iawn y mae'r ffaith fod ysgrifau'r beirniad llenyddol hwn wedi eu cyhoeddi ar lun cyfrolau clawr caled sy'n fodd i bwysleisio mai 'cynhyrchu testunau' yr oedd ef ei hun, yn gymaint â thrafod rhai eraill. Am hynny, credir bod i'r broses hon o ganoneiddio gwaith beirniadol Saunders Lewis oblygiadau pendant o safbwynt ei dylanwad ar ddarllenwyr y beirniad. Oherwydd y mae'r casglu ynghyd a fu ar ysgrifau beirniadol Saunders Lewis, gyda'r bwriad o roi trefn derfynol arnynt – er y cyhoeddodd John Rowlands restr o ysgrifau annetholedig yn *Saunders y Beirniad* – yn hyrwyddo'r cysyniad o ganon lawn cymaint ag unrhyw ddatganiad a wneir ynghylch meistri'r canon yn yr ysgrifau beirniadol hynny. A dyfynnu hen wireb Marshall McLuhan a Quentin Fiore: 'y cyfrwng ydyw'r neges'.[118]

Canoneiddio person Saunders Lewis

Fodd bynnag, yn achos Saunders Lewis nid y gwaith beirniadol yn unig a ganoneiddiwyd, ond hefyd ei berson, gydag eraill wrth iddynt ei ganmol yn priodoli iddo ddisgleirdeb sant. Yn hyn o beth, deuir yma at Saunders Lewis o du traddodiad penodol o edrych arno mewn ffordd edmygus iawn. Nid yw heb ei feirniaid erbyn hyn, ond yn bersonol, nodaf y gwn i ryw gymaint am yr 'edmygedd anfeirniadol' hwnnw, chwedl D. Tecwyn Lloyd, a oedd 'yn ymylu ar addoliad' – edmygedd a ysgogwyd gan y ddelwedd gyhoeddus, ddethol a nodweddai yrfa Saunders Lewis ar hyd ei oes – 'ei ddawn hynod i gyfleu sicrwydd ac awdurdod ynghylch y pwnc y bo'n digwydd traethu arno'.[119] Yn y cyswllt hwn, felly, y mae'r gair 'canoneiddio', a dyfynnu *Geiriadur Prifysgol Cymru*, yn golygu 'cyfrif yn sant, weithiau'n *ffig*'.[120]

Ymranna'r canoneiddwyr y tro hwn yn dair prif garfan: beirdd, llenorion a chydnabod. O blith y beirdd, diolch i gwricwlwm ysgol a choleg, cerddi R. Williams Parry a ddaw gyntaf i feddwl llawer o ddarllenwyr fy nghenhedlaeth i, 'Cymru 1937', 'J.S.L.' ac 'Y Gwrthodedig', er i Gerwyn Wiliams yn ei ysgrif 'Saunders y beirdd' gyfeirio at gerddi amrywiol eraill.[121] Dywedwyd eisoes mai dwy egwyddor fawr canoneiddio yw fod yn rhaid derbyn ar y naill law, ac ar y llaw arall, wrthod. Yn 'J.S.L.', meddai'r bardd, wrth y golomen honno a ddisgynnodd o'r nef:

> Buost ffôl, O *wrthodedig* ffôl; canys gwae
> Aderyn heb gâr ac enaid digymar heb gefnydd;
> Heb hanfod o'r un cynefin yng nghwr yr un cae –
> Heb gorff o gyffelyb glai na Duw o'r un defnydd.[122]

Yn 'Y Gwrthodedig', pwysleisir bod yma 'fab di-nam', 'y llwythog a'r blinderog hwn' sy'n cael 'ei wadu a'i wrthod' gan ei wlad ei hun.[123] Y mae'r gyffelybiaeth Feseianaidd yn amlwg ac yn ein paratoi megis ar gyfer cywydd Gerallt Lloyd Owen, 'Y Gŵr sydd ar y gorwel':

> Ond ei ddysg a'i ddistaw ddod
> Ni wybu ei gydnabod,
> Fel y Gŵr eithafol gynt
> Fu ar drawst farw drostynt.[124]

Yng ngherddi R. Williams Parry ac yn y gerdd hon, pwysleisir tri pheth a gysylltir â pherson Crist ei hun: ei arwahanrwydd, ei aberth, a'i wrthod gan ei bobl ei hun. 'Unhabited/He moved among us', meddai R. S. Thomas: heb le i roi'i ben i lawr.[125] Yng ngherdd Alan Llwyd, 'Saunders Lewis', fe'i portreadir yn ferthyr Cristnogol yn derbyn yr un driniaeth â Steffan yn Llyfr yr Actau. Y tro hwn, Saunders ei hun sy'n gwrthod:

> Gwrthodaist roi'r winllan ar werth, rhag ein cywilyddio,
> a'r genedl, o'i bodd, â'i cherrig yn dy labyddio.[126]

Gwelir, felly, y gwnaed sant ohono, a hynny gan brifeirdd swyddogol sy'n perthyn i'r canon llenyddol a hyrwyddodd Saunders Lewis ei hun. Dyna, o bosib, sy'n esbonio pam mai'r beirdd a fu cefnogwyr mwyaf ffyddlon Saunders Lewis, ac yn flaenllaw yn '[y] broses o ganoneiddio, yn wir, santeiddio Saunders', ys dywed Gerwyn Wiliams.[127] Y maent yn perthyn i'r canon hwnnw'n rhannol gan i'w cerddi ymddangos ar restri darllen swyddogol. Nododd John Guillory yn ei lyfr *Cultural Capital: The Problem of Literary Canon Formation* mai yn nhermau diwylliant cwricwlwm yr ysgol y lluniwyd y canon llenyddol Saesneg.[128] Gan gydnabod cyfraniad allweddol y diwylliant eisteddfodol yng Nghymru, credir bod modd cymhwyso'r sylw hwn at berthynas y canon llenyddol ag addysg Gymraeg. Yn achos Gerallt Lloyd Owen, er enghraifft, cyfeiriodd Ceri Williams at gerdd arall o'i eiddo, 'Fy Ngwlad', fel un a enillodd ei phlwy drwy 'i genedlaetholwyr ddadlau o blaid ei hystyried yn rhan o'r *canon*, gan ei chynnwys wedyn ar restri darllen fel rhestr ddarllen TGAU'.[129] Bu 'Cymru 1937' ynghyd â 'Y Gŵr sydd ar y gorwel', er enghraifft, ar faes llafur yr ysgolion, ynghyd â cherddi eraill gan Alan Llwyd. Yng nghanu'r beirdd canonaidd hyn, felly, gwelir eto sut y mae'r ffin rhwng y ddau draddodiad, y Traddodiad Llenyddol a'r traddodiad sy'n ymchwilio iddo yn gorgyffwrdd, wrth i'r beirdd foli beirniad o fardd a roes eto hawl i feirdd ystyried eu hunain yn ffigurau cymdeithasol pwysig.

Nid y beirdd yn unig a fu wrthi'n canoneiddio person Saunders Lewis, fodd bynnag. Gwelir yr un portread o'r sant neu'r merthyr Cristnogol yn yr ysgrifau beirniadol niferus a ysgrifennwyd am waith llenyddol a gwleidyddol Saunders Lewis, megis yr ysgrifau a ymddangosodd yn *Saunders Lewis: Ei Feddwl a'i Waith*. 'Gan ei fod yr hyn ydyw', meddai Catherine Daniel am Saunders Lewis, gan esbonio'i weithredoedd mewn perthynas â'i berson, megis Duw yn Exodus 3: 14.[130] Fel y beirdd, pwysleisir hefyd yr aberth. 'Collodd Mr. Lewis swydd a braint a chynhaliaeth – collodd y byd ac fe roddwyd Cymru iddo yn ysbrydol i'w chadw.'[131] Ac am y gwrthod, nododd 'mai ei wrthodiad gan ei gyd-Gymry ei hun a berffeithiodd aberth y gwladgarwr a rhoddi arno sêl merthyrdod ysbrydol'.[132]

At y tair elfen hyn – aberth, gwrthodiad, merthyrdod – pwysleisir hefyd fod y merthyr hwn yn un a oedd yn myfyrio. Nododd J. E. Caerwyn Williams, er enghraifft, fod Saunders Lewis yn darllen 'â'r holl feddwl, yr holl galon ac â'r holl enaid'.[133] Meddai Saunders Lewis ei hun ar ddiwedd ei ysgrif ar Ddafydd ap Gwilym: 'Bûm yn darllen a myfyrio'n feunyddiol, ac am oriau bob dydd, yn y gyfrol hon ers pedwar mis.'[134] Dyma ddarllenydd defosiynol, ysbrydol. Nododd Daniel John Mullins fod Saunders Lewis 'bob dydd yn darllen yn ei Feibl', ond trosglwyddodd reoleidd-dra'r rhythm darllen cyson hwnnw at destunau llenyddol hefyd.[135] Ar sail y cyfryw ddarllen y gellir adeiladu canon llenyddol, pan fo 'dynion yn . . . cysegru oes gyfan yn ymroddgar ddirwgnach i waith na ddaw byth yn ddigon amlwg i gael na chanmoliaeth na thâl', ys dywed W. J. Gruffydd.[136] 'Trwy lafur y gwŷr', meddai Thomas Parry yntau.[137] Ac yn hyn o beth, y mae'r cyfeiriadau hyn at 'ddynion' a 'gwŷr' yn darllen gweithiau'r canon llenyddol Cymraeg yn ddefosiynol – nid enwir yr un ddynes yn rhestr arloeswyr Thomas Parry – yn atgof o'r darllenydd defosiynol hwnnw yn y salm gyntaf:

> Gwyn ei fyd y gŵr ni rodia yng nghyngor yr annuwiolion, ac ni saif yn ffordd pechaduriaid, ac nid eistedd yn eisteddfa gwatwarwyr. Ond sydd â'i ewyllys yng nghyfraith yr Arglwydd; ac yn myfyrio yn ei gyfraith ef ddydd a nos.[138]

Ategu'r gymhariaeth hon y mae'r ffaith i ambell feirniad wrth drafod gwaith Saunders Lewis ddyfynnu ambell adnod. J. Gwyn Griffiths, er enghraifft, er mwyn amlygu'r gwahaniaeth rhwng Saunders Lewis a Chymdeithas yr Iaith yn dyfynnu'n chwareus Eseia 55: 8: 'Canys nid fy meddyliau i yw eich meddyliau chwi, ac nid eich ffyrdd chwi yw fy ffyrdd i, medd yr Arglwydd.'[139] Ac eto, ychwanegodd mai 'S.L. yw tad ysbrydol y mudiad'.[140] Ac nid tad ysbrydol yn unig yn ôl R. M. Jones, ond 'Pab ein llên'.[141] Fe'i labelwyd hefyd gan Branwen Jarvis mewn modd mwy beirniadol yn 'apostol patriarchiaeth'.[142] Ymddengys, felly, fod ysbrydolrwydd, neu o leiaf, statws uchelgrefyddol y ffigwr hwn yn ddigwestiwn.

Ond rhag inni feddwl na all y ffigwr ysbrydol hwn gydymdeimlo â ni hefyd, pwysleisiodd ei edmygwyr fod iddo wedd ddynol ac agos-atom hefyd. Cyflwynwyd ymdriniaethau mwy personol gan gyfeillion, mewn arddull lai ymchwilgar na chyfrol D. Tecwyn Lloyd, *John Saunders Lewis*. Cyflwynodd Marion Arthur, er enghraifft, bortread personol o'r ysgolhaig a'r beirniad, gan gyfeirio ato ar ddiwedd ei hysgrif fel 'taid Dyfrig'.[143] Ac yn ei ragair i *Bro a Bywyd*, nododd R. Geraint Gruffydd fod yma 'etifedd cenedlaethau o bregethwyr Methodist, bachgen ysgol, myfyriwr, swyddog milwrol, gŵr priod, tad a thaid'.[144] Ac y mae gennym hefyd, wrth gwrs ei lythyrau personol at Margaret Gilcriest a Kate Roberts.

Ond gan mai yng nghyd-destun y portreadau amlycach o ysbrydolrwydd neilltuol Saunders Lewis y cyflwynwyd y portreadau teuluol ac agos-atom, tueddir i ystyried mai gwedd arall ar y portread Meseianaidd ydynt. Ac fel yn achos Crist ei hun, nododd Bruce Griffiths nad ysgrifennodd Saunders Lewis yr un bywgraffiad, eithr gadael i eraill lunio eu portread ohono. Yn unol ag egwyddor yr awdur-destun a drafodwyd yn y rhagymadrodd cyntaf, seilir yr hyn a wyddom amdano ar 'stray anecdotes and half-truths'.[145] Ac fel y nododd Dafydd Glyn Jones, y mae'r 'gwrthddywediadau ymddangosiadol' ym mywyd Saunders Lewis, sydd fel pe baent yn herio'r cysyniad o undod – 'Y Methodist Calfinaidd a drodd at Rufain, y cenedlaetholwr Cymreig a oedd hefyd yn Ffraincgarwr ac yn Ewropead hunanymwybodol' – yn 'anodd eu cysoni â'i gilydd'.[146] Am hynny, nododd Ifor ap Dafydd fod 'hon yn broblem sy'n bodoli'n barhaus' i'r sawl sydd am ddehongli'r gwaith yn nhermau bywyd yr awdur.[147] Ac ni wnaeth Saunders Lewis ei hun fawr i hyrwyddo'r dull hwn o ddarllen ei amryfal weithiau. Nododd D. Tecwyn Lloyd, er enghraifft, nad oedd yn awyddus iddo gyhoeddi pennod ar ei fagwraeth yn Wallasey yn y gyfrol gyfarch *Saunders Lewis* (1975),[148] er iddo, fel y nododd T. Robin Chapman, adael 'i eraill ei liwio fel athrylith, fel bwgan, fel *magus* ac oracl a sant a ffŵl sanctaidd'.[149] Fel y nodwyd eisoes, ymddiddori yn yr awdur-destun a wnaeth ef ei hun, yr awdur hwnnw y rhoddai'r darllenydd fywyd iddo, nid yn yr awdur go-iawn. Ac yn unol â'r egwyddor honno, gadael ambell hanesyn hwnt ac yma a wnaeth ef ei hun, fel y gallai eraill lunio portreadau amrywiol ohono.

Dyna pam yr erys ei ganon portreadau ef yn agored i ychwanegiadau newydd, ac mai *Un Bywyd o Blith Nifer* a gyflwynodd T. Robin Chapman.

Hyd yma, fodd bynnag, ni ddaethpwyd o hyd i drosiad gwell na'r un sanctaidd ar gyfer y gwaith o draddodi Saunders Lewis i eraill. Rhinwedd y trosiad hwn ydoedd ei fod yn annog edmygedd ac agosatrwydd, gan bwysleisio'r ysbrydol ar y naill law a'r dynol ar y llall. Yn ei ragymadrodd i *Meistri'r Canrifoedd*, meddai R. Geraint Gruffydd: 'ni allwn ond gwyleiddio ym mhresenoldeb y fath ddisgleirdeb'.[150] Nid yw'n syndod, efallai, fod un o olygyddion gwaith Saunders Lewis yn ei bortreadu fel sant. Ond cyfeiriodd John Rowlands, edmygydd mwy beirniadol o lawer, hefyd at 'y fath ddisgleirdeb':[151] y disgleirdeb hwnnw sy'n amlygu bod person wedi'i ganoneiddio, fel sy'n digwydd heddiw ym mhortreadau'r Eglwys Gatholig o seintiau a chanddynt leugylch am eu pen, 'permitted only for persons canonized or beatified or whose cultus has been otherwise approved by the Latin Church'.[152]

Nodir i berson Saunders Lewis gael ei ganoneiddio gan mai mewn perthynas â dwy egwyddor fawr canoneiddio yr ystyriwyd ac yr ystyrir ef yn aml iawn, sef yn nhermau derbyn a gwrthod. 'Mae pobl un ai'n ei gasáu neu'n ei addoli', meddai John Gwilym Jones.[153] Ym meddwl y dyn ei hun yr oedd mwy yn perthyn i'r garfan gyntaf nag i'r ail. Meddai: 'Fe'm gwrthodwyd i gan bawb.'[154] Ond nododd Richard Wyn Jones mai 'llais y dramodydd a glywir yma' gan 'na wrthodwyd syniadau gwleidyddol Saunders Lewis i'r graddau y credai ef'.[155] Yn ôl Grahame Davies: 'Y mae'r wlad wedi dethol yr hyn a ddymunai o'r hyn a gynigiodd Saunders Lewis, ac wedi rhoi heibio'r gweddill.'[156] Fel canon llenyddol, mewn perthynas â derbyn a gwrthod yr ystyrir person Saunders Lewis, ac yn yr un modd ag y bydd beirniaid diweddarach yn anghytuno â'u rhagflaenwyr ynghylch pwysigrwydd tybiedig ambell destun llenyddol, y mae'r genhedlaeth ddiweddaraf o feirniaid heddiw am ailagor canon portreadau Saunders Lewis, er y credir yn gyffredinol na wneir hynny'n unig er mwyn ei feirniadu'n negyddol mwyach. Ar un olwg, dim ond yn awr wedi iddo fod drwy'r felin feirniadol y gellir gwir werthfawrogi ei gyfraniad. Ys dywed John Rowlands: 'wedi'r holl ddadfytholegu, llwydda rywsut i ddal ei dir wyneb yn wyneb â phob beirniadaeth a chodi fel ffenics o'r llwch'.[157] Ategu'r farn honno y mae cofiant T. Robin Chapman yntau.

Canoneiddio'r cysyniad Saundersaidd o ganon llenyddol

Canoneiddiwyd ei waith. Canoneiddiwyd ei berson. Yn olaf, awgrymir mai'r dylanwad mwyaf ar yr astudiaeth bresennol yw'r ffaith fod y cysyniad o ganon llenyddol Cymraeg a gyflwynodd Saunders Lewis ei hun wedi'i ganoneiddio – hynny yw, wedi ei droi'n ffon fesur ac yn norm. Dadleuir yma i hynny ddigwydd yn rhannol oherwydd (i) ei gyntafiaeth fel beirniad, a (ii) yn sgil tuedd olynwyr i droedio'r llwybr a greodd y cyntaf ar eu cyfer. O'r cyfnod 1922–25 ymlaen, nododd R. M. Jones i Saunders Lewis ddechrau esgeuluso yr arbennig a'r unigol, 'yn theoretig o leiaf', a rhoi'r flaenoriaeth i 'werth y tebygrwydd a'r traddodiad a'r cyd-berthynas', sef pennaf nodweddion y canon.[158] Ystyrir yn yr adran olaf hon effaith y rhaglen waith honno ar faes efrydiaeth Gymraeg.

Yn y cyfnod 1922–25 datblygodd 'undod cydlynol yn yr agwedd at draddodiad llenyddol Cymru', ac nid heb reswm da yr awgrymodd R. M. Jones mai Saunders Lewis 'sy'n mynd â'r wobr' am ddylanwadu ar '[d]wf meddwl ein hysgolheictod'.[159] Yr oedd yn allweddol wrth i do o ysgolheigion osod undod y Traddodiad Llenyddol yn fath o fframwaith syniadol ar gyfer eu gwaith. Cymaint felly yn wir fel mai o du theori estron yn unig y gellid ei chwestiynu, fel y gwnaethpwyd yn ysgrifau Marcsaidd *Traddodiadau Fory* a 'Myth y traddodiad dethol' – datblygiad eironig o gofio agwedd groesawgar Saunders Lewis ei hun at y gangen honno o feirniadaeth lenyddol.[160]

(i) Cyntafiaeth Saunders Lewis
Yn ei lyfr *Beginnings*, nododd Edward Said mai tasg anodd yw diffinio pa bryd y bydd unrhyw beth yn dechrau, a beth yn union yw dechreuad. Holodd hefyd, a oes yna fath o unigolyn 'for whom beginning is the most important of activities'.[161]

Yn achos Saunders Lewis, y mae sylwadau Said yn berthnasol. Yn gyntaf, yr oedd ef ei hun yn hoff o ddwyn sylw at 'bwysigrwydd mewn hanes' a'r modd yr oedd ambell fardd neu lenor yn '[c]ychwyn cyfnod newydd'.[162] Ond hefyd portreedir Saunders Lewis yn aml fel unig gychwynnydd y dull cyffredin mwyach o ddarllen ac ysgrifennu am lenyddiaeth Gymraeg yn nhermau'r Traddodiad di-dor. Yn y rhagymadrodd blaenorol, sylwyd ar orawydd yr ysgolheigion i sefydlu cyntafiaeth Marcion, ac yn yr un modd, gwelir yn ymateb cenedlaethau dilynol i Saunders Lewis yr hyn a alwodd Said yn 'an aboriginal human need to point to or locate a beginning'.[163] Oherwydd yn yr un modd ag y chwiliodd Saunders Lewis ei hun am ddechreubwynt hanesyddol i lenyddiaeth

Gymraeg, a'i ganfod yn Nhaliesin, datblygodd Saunders Lewis ei hun yn ddechreubwynt hanesyddol i'r ail draddodiad o ymchwil i'r Traddodiad Taliesinaidd. Ni ddadleuir yma na ellir dadlau'n rhesymegol yn erbyn cyntafiaeth Saunders Lewis. Er enghraifft, un ymhlith nifer ydyw yn rhagair Thomas Parry, a John Morris-Jones yw'r enw cyntaf oll.[164] Yn wir, awgrymodd Saunders Lewis ei hun mai John Morris-Jones a ddaeth o hyd i'r Traddodiad gyntaf, 'the expounder of a tradition'.[165] Yn y bennod nesaf, crybwyllir hefyd enw Lewis Edwards, ac y mae Emrys ap Iwan, wrth gwrs, yn rhagflaenydd amlycach, chwedl Saunders ei hun.[166] Ond fel y mae'r dewis hwn o air yn ei awgrymu – rhagflaenydd – tueddir i ganoli'r sylw ar Saunders Lewis, ac edrych arno'n gyfeirnod i'r hyn a fu o'i flaen ac ar ei ôl.

Rhaid nodi, felly, nad yr amcan yma yw cyflwyno hanes beirniadaeth lenyddol Gymraeg, na chwaith ffurfiad y canon llenyddol fel y cyfryw, eithr nodi'n hytrach y pwysleisir drwodd a thro yn y portreadau a gafwyd o Saunders Lewis fel darlithydd ac ysgolhaig ifanc mor newydd ydoedd ei ddull o ddysgu ac edrych ar lenyddiaeth. Nododd Stephen J. Williams, er enghraifft, 'ei fod yn torri cwys newydd ac annibynnol ym maes beirniadaeth lenyddol yng Nghymru'.[167] Cyn Saunders Lewis, yng ngeiriau R. Tudur Jones: 'Testun ar y ddesg o'n blaen oedd y *Pedair Cainc* nid rhannau o stori enaid ein hynafiaid.'[168] Yr awgrym cyson yn y portreadau hyn yw fod yma ddechreubwynt: ffordd newydd o edrych ar lenyddiaeth Gymraeg a fyddai maes o law yn datblygu'n *episteme*, sef ffordd newydd o ddarllen llenyddiaeth, a honno'n cydredeg â ffordd newydd o'i dysgu i fyfyrwyr Cymraeg a fyddai maes o law yn addysgu eraill, sef y brif ffordd y traddodir canon yn ôl John Guillory.[169]

Nododd Pennar Davies, 'gyda phob parch i'w ragflaenwyr [John Morris-Jones, ymhlith eraill] a'i gyfoedion [W. J. Gruffydd, ac eraill], mai Lewis a oedd y cyntaf i ddehongli'n foddhaol y traddodiad a'i gwneud yn bosibl inni ddechrau ei werthfawrogi'.[170] Pwysleisiodd D. Myrddin Lloyd yntau'r un gyntafiaeth feirniadol.[171] Ac yn hyn o beth, adleisio'r oeddent bwyslais Saunders Lewis ei hun ar newydd-deb ei feirniadaeth. Oherwydd gan gyfeirio at yr hen ddull dienaid o ddarllen a dysgu llenyddiaeth Gymraeg, meddai ar ddechrau 'Dafydd Nanmor':

> Bu'n help i sefydlu safonau'r iaith, i buro cystrawen, ac i adfer urddas ein llên; a mawr yw'r diolch am hyn oll . . . Ond dyna'r cwbl. Ychydig a dybiodd fod gan yr hen brydyddion amgyffred am fywyd na ffilosoffi y byddai'n wiw i ninnau eu hystyried . . . Ni cheisiodd neb eto esbonio'r Estheteg Cymreig, y peth sylfaenol yn hanes ein llenyddiaeth.[172]

Nid yn annhebyg i Marcion, felly, rhan fawr o ddylanwad Saunders Lewis ar feirniaid llenyddol dilynol ydoedd, nid yn unig ei flaengarwch, ond hefyd ei flaenoriaeth. Yn ôl ei addefiad ei hun uchod, nid oedd neb o'i flaen, na neb o'i gyfoedion, wedi ceisio gwneud yr hyn a wnaeth. Ef oedd y beirniad cyntaf, meddai G. J. Williams, i weld 'yr hyn na welsai'r un hanesydd llenyddol cyn hynny', sef bod 'hanes llenyddiaeth Gymraeg' yn 'rhan o hanes Ewrop'; a bod yng ngwaith Dafydd Nanmor a'r corff o lenyddiaeth a berthynai iddo 'neges gyfamserol' ar ein cyfer 'ni'.[173] Mewn gair, dyma edrych arno'n gychwynnydd traddodiad newydd o feirniadu llenyddiaeth Gymraeg.

Fodd bynnag, yn ei awydd i gyflwyno'r corff hwnnw o lenyddiaeth Gymraeg i eraill, bu'n rhaid i Saunders Lewis anwybyddu un o'r prif egwyddorion a oedd ar waith ym mhroses ganoneiddio'r Testament Newydd, sef egwyddor consensws. Am hynny, gwelir paradocs yn y modd y bu'n rhaid i Saunders Lewis hyrwyddo'r cysyniad o draddodiad llenyddol, unedig a di-dor mewn modd unigolyddol ac anhraddodiadol iawn. Ar y naill law, ni allai fod fel arall, gan mor ifanc ydoedd ysgolheictod Cymraeg, ac eto, sylwodd Ifor ap Dafydd ar y modd yr oedd Saunders Lewis 'yn darlunio ymateb i gonsensws a oedd heb ei ddatgan'.[174]

Yn ei lyfr *The Making of the Modern Canon*, nododd Jan Gorak mai'r ymdrech i sefydlu canon Shakespeare, 'the quintessential "English" author', a wnaeth annog beirniaid i geisio diffinio canon cenedlaethol o lenyddiaeth Saesneg.[175] Ar ôl sefydlu canon yr awdur amlycaf, aethpwyd ati i gymhwyso'r un dasg o sefydlu rhestr ddarllen safonol ar gyfer holl lenyddiaeth Lloegr. Er enghraifft, yn 1925, holodd Ernest Baker: 'What are the dozen books, or poems, or passages of literature most likely to be chosen, by common consent, as those which have established themselves definitely as a national possession or influence?'[176]

Fel rhan o'r ymdrech i ateb y cwestiwn hwn, cyhoeddwyd rhwng 1880 ac 1940 gannoedd o restri darllen mewn cyfnodolion, pamffledi a llyfrau. Yr oedd y gostyngiad sylweddol mewn prisiau llyfrau wedi creu marchnad newydd ar gyfer llyfrau o'r fath, ynghyd â hyrwyddo'r syniad o lyfrgell bersonol yn y cartref, fel yr oedd gan dad Saunders Lewis ei hun ei lyfrgell bersonol. Ceir yr ystadegau yn llyfr Gorak. Yr hyn sy'n bwysig ar gyfer y drafodaeth hon yw sylweddoli na allai'r beirniad llenyddol yn Lloegr geisio ateb y cwestiwn uchod heb ystyried barnau beirniaid eraill, yn rhagflaenwyr a chyfoedion: 'chosen, by common consent', chwedl Baker. Fodd bynnag, go brin y gellid cymhwyso'r un dasg o sefydlu canon llenyddol o'r fath yng Nghymru, *by common consent*, gan na cheid eto destunau safonol na chwaith draddodiad o'u darllen. O safbwynt ysgolheictod, ifanc oedd Prifysgol Cymru a'r adrannau Cymraeg, a diddordeb nifer o ysgolheigion ydoedd ieithyddiaeth. Yn 1922 y dechreuodd *Y Llenor*, ac ychydig o destunau llenyddol y gorffennol a gaed o gwbl.

Effaith y fath sefyllfa lle'r oedd yr adnoddau beirniadol hynny ar gyfer darllen llenyddiaeth Gymraeg ym meddiant lleiafrif o academyddion ydoedd hyrwyddo diwylliant y meistr-feirniad a ysgrifennai i addysgu'r werin. Lle y gwêl John Guillory mai'r sefydliad addysgol sy'n pennu'n bennaf gynnwys y canon, ychwanegir yma mai cyfyng yn aml yw'r drafodaeth ar destunau o fewn nifer fechan o sefydliadau addysgol yng Nghymru – sydd hefyd yn cynnwys y wasg – a bod modd, felly, yn enwedig os llwydda i greu delwedd gyhoeddus iddo'i hun, i ambell feirniad gyflwyno barn ddylanwadol iawn.[177] Cyfraniad arbennig Saunders Lewis ar gyfer y fath ddiwylliant ydoedd gosod fframwaith deallusol arbennig a roddai iddo gyfeiriad. Proses o gasglu ynghyd ganon llenyddol Cymraeg ydoedd y cyfeiriad hwnnw. Proses o sefydlu testunau'r canon. Mynegodd ei safbwynt gliriaf yn y *Braslun*, er iddo ei fynegi eisoes yn *Williams Pantycelyn*, ac wedi hynny droeon. Ceir enghraifft ymarferol ohono yn 'Trem ar lenyddiaeth y Dadeni Dysg', lle y gwelir mai gwaith y beirniad yw dweud wrth eraill 'beth y dylid ei ddarllen', a hefyd nodi 'nodweddion ac ysbryd y cyfnod'.[178]

Aeth Saunders Lewis ati i astudio'r gwahanol awduron Cymraeg yn unigol – a hynny'n sgil derbyniad damniol y *Braslun*, bid siŵr. Ond fel y nododd R. M. Jones, '[p]rin mai ef yw'r llafurwr dycnaf ar fynegeion',[179] a phwysleisiodd yn hytrach undod y gwahanol rannau. Ys dywed Gwynn ap Gwilym: 'Y ddadl yw bod i lenyddiaeth Gymraeg undod unigryw a bair iddi yn ei threigl glymu'r cenedlaethau.'[180]

Yn y *Braslun* nododd Saunders Lewis fod yr undod hwn yn arbennig i lenyddiaeth Gymraeg. Nid yw'n nodwedd ar lenyddiaeth Lloegr. Fe'i cymharodd yn hytrach â'r 'ysgrythurau canonaidd'. Am ganu'r Gogynfeirdd, meddai: 'Fel yr ymfalchïai athrawon yr ysgolion mynachaidd yn eu hastudiaeth o'r ysgrythurau canonaidd, felly'r beirdd Cymraeg yn eu "canon cerddorion".'[181]

Dyna gymhariaeth arwyddocaol, fe gredir, sy'n awgrymu bod i'r Traddodiad Llenyddol Cymraeg, yn hanesyddol, ffurfiad a swyddogaeth debyg i'r ysgrythurau canonaidd. Y gwahaniaeth, fodd bynnag, rhwng 'y cyfnod cyn colli'r traddodiad llenyddol', a dechrau'r ugeinfed ganrif ydoedd bod y consenws hwnnw sy'n nodweddu 'dysg draddodiadol ac athrawiaeth ysgol' ar goll yn yr ail.[182] Am hynny, da y nododd Saunders

Lewis ar ddechrau'r bennod, 'Y Ganrif Fawr, 1435–1535' na allai ei fras-
lun ef 'fod yn fynegiant o gydsyniad cyffredin a thraddodiadol, megis
barn Ffrainc ar lenyddiaeth oes Louis XIV neu farn Lloegr ar lenyddiaeth
oes Elizabeth'.[183]

Oherwydd diffyg traddodiad beirniadol Cymru, anghyffredin ac
anhraddodiadol, felly, yw'r hyn a geir yn y *Braslun*, pan oedd 'beirniad-
aeth destunol a hanesyddol ar lenyddiaeth y cyfnodau yr ymdrinid [sic]
â hwynt eto yn ei chychwyn'.[184] Ceir, yn wir, yn y *Braslun* enghreifftiau o
feirniadaeth ar destunau yn ymddangos cyn y testunau llenyddol eu
hunain, yn arbennig felly yn achos Beirdd yr Uchelwyr, sydd, o bosib, yn
esbonio'n rhannol pam y bu'r ffin rhwng y Traddodiad Llenyddol a'r
traddodiad o ymchwil iddo, er y dechrau'n deg, megis, yn un amwys
iawn, gyda'r drefn gronolegol wedi ei drysu, wrth i'r astudiaeth len-
yddol gael ei chyhoeddi cyn y llenyddiaeth a astudiwyd, a honno'n
cynnwys ynddi 'weithiau beirdd tra enwog'.[185] Mewn gair, cyflwynwyd
y cysyniad o ganon llenyddol, neu a defnyddio term Saunders Lewis,
gorff o lenyddiaeth, cyn i wahanol aelodau'r corff hwnnw weld golau
dydd, a chyn i ysgolheigion sefydlu canon y gwahanol feirdd unigol. A'r
rheswm am hynny, fe gredir, oedd am fod sefydlu fframwaith y canon
llenyddol yn bwysicach i Saunders Lewis na dilysu awduraeth y testunau
y byddai maes o law yn eu cynnwys. Gŵr ar frys ydoedd. Yn y *Braslun*, y
mae'n arwyddocaol fod llenyddiaeth Gymraeg yn gorfod cael ei '[g]osod
ochr yn ochr ag amrywiaeth a chyfoeth didrefn Shakespeare a'i gyd-
wladwyr'.[186] Yn 'Diwylliant yng Nghymru', nododd y '[d]yry addysg
lenyddol Saesneg yn ysgolion canol Cymru o leiaf ryw syniad am
etifeddiaeth fawr llenyddiaeth Saesneg i blentyn ysgol'.[187] Amcanu at
weld sefyllfa debyg yng Nghymru yr oedd Saunders Lewis, ac yr oedd
i'r *Braslun*, felly, amcan seicolegol y tu hwnt i ofynion ysgolheictod.

Gwelir o ddarllen traethawd Lewis Edwards, 'Barddoniaeth y Cymry',
fod Shakespeare yn fodd i feithrin teimladau israddol ymysg y Cymry. Y
cwestiwn o bwys ydoedd, 'A oes genym [sic] gymaint ag un bardd yn
haeddu ei gystadlu am fynyd [sic] â Shakespeare neu Milton?'[188] Bwriad
Saunders Lewis ydoedd ateb y cwestiwn hwnnw mewn modd cadarn-
haol. Dyna pam y gwelir ef mewn mannau eraill yn nodi mai 'yr un
sylfaen metaffusegol i'r athroniaeth honno, sy gan Shakespeare a Thwm
o'r Nant', a bod Williams Pantycelyn ar 'ei gyflawn egni . . . yn debyg yn
ei ddull o drin iaith i Shakespeare yng nghyfnod olaf ei ddramâu'.[189] I'r
perwyl gwrthdrefedigaethol hwn, felly, yr adeiladodd ei '[b]rifeglwys
Othig' na ellir ond rhyfeddu ati. Ond pan ddaeth yn adeg i'r arolygwyr
bwyso a mesur ei waith, gwelwyd i'r beirniad yn ei frys mawr osod

ambell garreg nad oedd eto wedi ei naddu i'w ffurf gywir.[190] Er enghraifft, meddai Ifor Williams wrth adolygu'r *Braslun*: '[Y] mae Mr. Lewis i bwrpas ei ddamcaniaeth ar Ddafydd yn defnyddio llinellau na chanodd Dafydd erioed mohonynt. A'r rheswm yw ei fod yn gwneud gwaith yr Uwch-feirniad cyn i'r Is-feirniad gwblhau ei orchwyl ef, a setlo'r testun.'[191] Fel yr awgryma'r dyfyniad, datblygodd beirniadaeth lenyddol Gymraeg, diolch i Saunders Lewis, yn groes i'r drefn ddisgwyliedig. Mewn ym-drech i roi cyfeiriad i ysgolheictod a beirniadaeth lenyddol Gymraeg, a chydag argyhoeddiad a menter gwleidydd ar frys, gosododd yr uwch-feirniad fframwaith ar gyfer yr isfeirniaid, sef y gwrthwyneb i'r drefn arferol, gan awgrymu pa destunau y dylid eu hastudio a'u cyhoeddi gyntaf. Cyflwynodd y cysyniad o'r canon cerddorion, gan sefydlu undod rhyngdestunol yn egwyddor fawr cyn y ceid o gwbl destunau i'w cymharu. Dibrisiodd 'y canu ar lawer dull arall gan feirdd nad oeddynt gerddorion' cyn i fawr neb arall ei ddarllen o gwbl.[192] A defnyddio tros-iad Alasdair MacIntyre: gosododd y llwyfan cyn bod eraill yn gwybod bod y ddrama wedi dechrau.[193] Dyna'n rhannol sy'n cyfrif am ei ddylan-wad pellgyrhaeddol ym maes beirniadaeth lenyddol Gymraeg. 'Fel rheol gyffredin', meddai W. J. Gruffydd, 'ni ddylid ymdrin â dim llenyddiaeth nag ydyw wedi bod dan law'r math hwn o feirniad [yr ysgolhaig sy'n sefydlu'r testun], oherwydd ni bydd ymdriniaeth o'r fath ond damcan-iaeth noeth.'[194] Ein dyled fawr i Saunders Lewis yw iddo dorri'r rheol honno, oherwydd amlygodd beth oedd *telos* yr ysgolhaig a'r hanesydd llên – pen draw eu gwaith – sef llyfryn bychan o wybodaeth a fyddai'n ganon dysg i'r brifysgol a'r werin fel ei gilydd. Llyfr poced yn wir y gellir ei ddysgu o glawr i glawr, os nad o genhedlaeth i genhedlaeth. Ni olygai hynny na fynnai ef weld cyflawni gwaith yr isfeirniaid ac na phoenai am ddilysrwydd testunau a safon ysgolheictod. Gweler ei apêl daer ar ddechrau 'Ann Griffiths: arolwg llenyddol', er enghraifft.[195] Ond ei gamp a'i gyfraniad mawr ef ei hun yn ei weithiau beirniadol cynnar ydoedd gosod diben ar gyfer gwaith yr isfeirniaid, ac awydd amdano. Rhoes gyfeiriad i sefydliad proffesiynol ifanc Cymraeg, ac efallai mai arwydd o'i gamp yw cymaint o olygyddion testunol sydd yng Nghymru heddiw, a haneswyr a beirniaid llên, a chyn lleied o ramadegwyr.

(ii) Dilyn y cyntaf
Cadarnhau'r dehongliad hwn o waith cyfarwyddol Saunders Lewis y mae'r cyflwyniad iddo yn llyfr A. O. H. Jarman a Gwilym Rees Hughes, *A Guide to Welsh Literature: Vol. 2*. Meddai'r cyflwyniad: 'For Saunders Lewis who interpreted the tradition.'[196] Dyma gyfrol a gyhoeddwyd ar

ddiwedd y saithdegau ac sy'n cynnwys ysgrifau gan rai o'r ysgolheigion amlycaf ym maes efrydiau llenyddiaeth Gymraeg, ac yn arbennig, lên yr Oesoedd Canol: A. D. Carr, D. Myrddin Lloyd, Ceri W. Lewis, Rachel Bromwich, G. E. Ruddock, Eurys Rowlands, J. E. Caerwyn Williams, E. D. Jones, R. Wallis Evans a Morfydd E. Owen. Ac y mae'r cyfeiriadau niferus at waith Saunders Lewis drwy gydol y gyfrol yn amlygu maint ei ddylanwad ar yr ail draddodiad o ymchwil i'r Traddodiad Llenyddol Cymraeg. Noda'r mynegai y cyfeirir yn uniongyrchol at ei waith ar 26 o dudalennau. Cyfeirir at waith Ifor Williams ar 11 o dudalennau. Go brin y gellir mesur dylanwad drwy gyfeirio at ystadegau o'r fath. Fodd bynnag, y mae'n werth nodi bod ffurf y gyfrol yn efelychu dehongliad Saunders Lewis yn y *Braslun* o'r canon cerddorion. Fel yn y *Braslun*, neilltuir pennod gyfan i drafod gwaith Dafydd ap Gwilym, ac fel y gwnaeth Saunders Lewis yn ei ysgrif, 'Y Cywyddwyr cyntaf', yn 1964–5, edrychir ar waith beirdd eraill y cyfnod gyda'i gilydd mewn un bennod, 'Poets contemporary with Dafydd ap Gwilym'. (Yn 1952–3, cyhoeddodd Saunders Lewis ysgrif arall ar Ddafydd ap Gwilym yn dilyn golygiad Thomas Parry o waith y bardd.) Rhoddir pennod unigol i Siôn Cent, sydd eto'n adleisio'r sylw a roddodd Saunders Lewis iddo yn ei bennod, 'Ysgol Rhydychen', yn y *Braslun*, a fu'n sail i ysgrif arall ar y bardd ar gyfer *Meistri a'u Crefft*, 1981. Yn olaf, neilltua'r *Guide* bennod yr un ar gyfer pump o'r beirdd hynny sy'n perthyn i'r Ganrif Fawr, Dafydd Nanmor, Guto'r Glyn, Lewys Glyn Cothi, Gutun Owain a Thudur Aled. Dyma, gyda Dafydd ab Edmwnd, y cyhoeddodd Saunders Lewis ysgrif ar ei waith yn 1977, y beirdd hynny a ganmolwyd fwyaf gan Saunders Lewis yn y *Braslun*. Meddai: '[N]i ellir petruso ynghylch [mawredd] Dafydd ab Edmwnd, Dafydd Nanmor, Guto'r Glyn, Lewis Glyn Cothi, Tudur Aled, Gutyn Owain. Clasuron yr iaith Gymraeg ydynt.'[197] Yr oedd Saunders Lewis yn barod i ystyried clasuroldeb ambell fardd arall. Fodd bynnag, cadw at y canon cerddorion a awgrymwyd gyntaf yn y *Braslun* a wnaeth golygyddion *A Guide to Welsh Literature: Vol. 2*, a thrwy hynny ei gadarnhau.

Heb os, gellir dadlau mai ansawdd gwaith y beirdd eu hunain, ac nid y sylw a roes Saunders Lewis iddynt ydoedd y rheswm dros roi pennod yr un iddynt. Ond gwelir ymhellach wrth ddarllen llyfr diweddar Dafydd Johnston, *Llên yr Uchelwyr* – llyfr awdurdodol y maes, mwyach – nad deubeth ar wahân yw'r Traddodiad Llenyddol a'r traddodiad beirniadol o ymchwil iddo. Wrth drafod Llywelyn Goch ap Meurig Hen, nodir, er enghraifft, mai 'da yw cofio geiriau Saunders Lewis mewn ysgrif dreiddgar amdano [sef "Y Cywyddwyr cyntaf"]'.[198] Ac wrth drafod gwaith Siôn Cent, gwahaniaethir rhwng 'dychan' a 'gogan', 'ac arfer y term "gogan" am y math yma o feirniadaeth foesol ddiflewyn-ar-dafod, fel yr awgrymodd Saunders Lewis'.[199] Yn achos Dafydd ab Edmwnd, ceir hefyd 'Teg y dywedodd Saunders Lewis mai "y cywydd, nid y ferch, oedd ei wir gariad ef"'; ac yn achos Tudur Aled, 'Da y son-iodd Saunders Lewis am yr egni cyhyrog, tyn, sydd ar frawddegau ac iaith Tudur Aled.'[200] Hyd yn oed pan fo 'lle i amau rhai o'r manylion' ym meirniadaeth Saunders Lewis, ynghyd â'r modd y troes 'rhai cyfeiriadau amhendant' yn 'yrfa filwrol' i Guto'r Glyn, perchir o hyd allu Saunders Lewis i ddehongli cynneddf y canu.[201]

Cyfeiriwyd eisoes at y modd y pwysleisiodd John Rowlands mai creadigaeth artist ydoedd y portread a roes Saunders Lewis inni o Guto'r Glyn. Ond gwelir mwyach fod modd inni ddarllen cerddi'r bardd yng ngoleuni'r portread hwnnw – yn groes i'r drefn ddisgwyliedig, megis – a'i gael yn un cywir. Ys dywed Dafydd Johnston: 'Portreadwyd Guto inni gan Saunders Lewis fel gŵr ffraeth ac egnïol, un a fwynhâi gwmnïaeth lawen, ac yn ddiamau y mae'r bersonoliaeth honno i'w theimlo'n gryf yn ei gerddi.'[202] Drwodd a thro yn *Llên yr Uchelwyr*, felly, gwelir parch mawr Dafydd Johnston at weledigaeth Saunders Lewis. Anghytunir ynghylch ambell ddyfarniad ar gerddi unigol, megis sylwadau Saunders Lewis ar y cywydd 'Gobeithiaw a ddaw ydd wyf', ynghyd â'r hyn a ddywedodd am berthynas Dafydd Nanmor â chanu serch.[203] Ond arddelir bod gwaith Beirdd yr Uchelwyr o'r 1430au ymlaen yn 'un o gyfnodau euraid y traddodiad barddol, a elwid gan Saunders Lewis "Y Ganrif Fawr"', ac y mae'r bennod a briodolir i drafod 'Beirdd y bymthegfed ganrif' yn cadarnhau'r cysyniad o ganon canol a drafodir yn y bennod nesaf.[204] At hyn, cadarnhau y mae'r drafodaeth ar gywydd cyngor Dafydd Nanmor i Rys ap Rhydderch ap Rhys, '[dd]ehongliad dylanwadol [Saunders Lewis] o athroniaeth gymdeithasol Beirdd yr Uchelwyr'.[205] Ac er nad ar ffurf penodau i unigolion y patrymwyd y llyfr, ac eithrio'r bennod ar Ddafydd ap Gwilym, arddelir ymhellach arfer Saunders Lewis yn y *Braslun* o osod y beirdd mewn rhengoedd o safon.[206]

Dyna grybwyll mewn perthynas â Beirdd yr Uchelwyr, felly, ddwy enghraifft benodol o lyfrau diweddarach yn troedio ar hyd llwybr a baratowyd gyntaf gan Saunders Lewis. A cheir enghreifftiau cyffelyb o ddylanwad mewn llyfrau beirniadol ar gyfnodau ac awduron eraill – o Daliesin i'r Dadeni i Dwm o'r Nant, ac yn ôl at y Mabinogi – yn enwedig gan mor hoff ydoedd Saunders Lewis o gyflwyno awdur newydd am y tro cyntaf i efrydwyr Cymraeg. Cyfeiriodd R. Geraint Gruffydd at ei allu 'dro ar ôl tro i ganfod mawredd ac arbenigrwydd mewn awdur unigol y tueddid i fynd heibio iddo'n ddibris ddigon o'r blaen'.[207] Ystyrier, er enghraifft, baragraff agoriadol ei ysgrif ar 'John Morgan': 'Llenor a anghofiwyd yw John Morgan. Ychydig heddiw a ŵyr ei enw. Haedda yntau le ymysg clasuron y Gymraeg; profi hynny, a chasglu hanes ei fywyd, yw amcan yr ysgrif hon.'[208] Diben ysgrifennu'r ysgrif ydoedd ennill aelod newydd i'r corff hwnnw o lenyddiaeth a adwaenir wrth yr enw 'clasuron'. Hynny yw, cyfeirio'r canon. Rhoi aelodau'r corff at ei gilydd. Diffinio cynnwys llenyddiaeth Gymraeg drwy ragdybio ei ffurf ganonaidd. A dyna, hwyrach, sy'n cyfrif am yr amrywiaeth testunau yr ymdriniodd Saunders Lewis â hwynt. Yn wir, digon prin yw'r enghreifft-iau hynny ohono'n dychwelyd at destun yr oedd wedi traethu yn ei gylch o'r blaen. Enghraifft ohono'n gwneud hynny yw ei ysgrif, 'Siôn Cent', a ysgrifennodd mewn ymateb i'r hyn a ddywedodd dau feirniad diweddarach am ei bennod 'Ysgol Rhydychen' yn y *Braslun*. Ac efallai yr esbonia'r ysgrif hon pam na ddychwelai Saunders Lewis at destunau yr ymdriniodd â hwynt o'r blaen. Er iddo'n amlwg newid ei farn ynghylch ansawdd gwaith Gutun Owain,[209] rhaid nodi mai yn anaml yr oedd yn gwneud hynny. Meddai yn 1979, gan gyfeirio at y bennod 'Ysgol Rhydychen' yn y *Braslun* (1932): 'Nid oes fawr ddim yn y bennod honno nad ydwyf yn awr yn barod i'w arddel a'i amddiffyn. Ond datguddio mawredd y bardd, os gallaf, yw fy nod. Bu am hanner canrif dan gwmwl. Mae'n bryd edrych arno eto.'[210]

Yn wyneb beirniadaeth Thomas Parry a ddadleuai y ceid 'yn yr iaith Ladin a'r Ffrangeg a'r Saesneg yn y cyfnod hwnnw ddigon o ganu o'r un ansawdd yn union â gwaith Siôn Cent', yr oedd mawredd Siôn Cent yn y fantol. Dyma feirniadaeth yn ôl Saunders Lewis, a oedd 'yn aros i gladdu Ysgol Rhydychen ac ysywaeth i gladdu Siôn Cent hefyd'.[211] Hynny yw, yr oedd siawns i Siôn Cent golli'r statws canonaidd a roddwyd iddo gan Saunders Lewis yn 1932. Dyna pam y dychwelodd Saunders Lewis ato yn 1979, sef er mwyn sicrhau ei fod yn aelod cyflawn o'r corff llenydd-iaeth. Ac mewn ymateb i'r hyn a ysgrifennwyd ddiwethaf am y bardd, sef beirniadaeth Thomas Parry, aeth Saunders Lewis ati o'r newydd i ddadlau i Siôn Cent gyfansoddi nid yn unig 'gerdd rymusaf yr iaith Gymraeg yn y bymthegfed ganrif' ond hefyd 'un o gampweithiau pennaf cerdd dafod erioed'.[212] Pa fodd, felly, y gellir gwarafun iddo ei aelodaeth gyflawn yn y Traddodiad Llenyddol Cymraeg? Os claddodd Thomas Parry ef, fe'i hatgyfodwyd gan Saunders Lewis.

Gwelir yn ysgrifau *Meistri'r Canrifoedd* a *Meistri a'u Crefft* mai diddordeb mawr Saunders Lewis fel beirniad llenyddol ydoedd cyfeirio'r canon. Wele gatalog o enwau yn rhychwantu'r canrifoedd. Yn *Ceiriog*, meddai:

'Rhaid cael nifer o efrydiau manwl ar lu o unigolion cyn y gallom yn hyderus fynd ymlaen i dynnu map o'r cyfnod cyfan.'[213] Dyma'r rhaglen waith a osododd iddo ef ei hun, ond iddo ei chymhwyso at 'feistri'r canrifoedd' gan adael i eraill 'dynnu'r map' ynghyd. Er gwaetha'r rhagoriaeth a welodd yng nghanu'r Ganrif Fawr, nid arhosodd gyda'r bymthegfed a'r unfed ganrif ar bymtheg, ond bwrw ymlaen at y Dadeni, a'r tair canrif ddilynol, ac yn ôl at y chwedlau rhyddiaith, gan ymestyn y rhestr enwau o hyd.[214]

Yn sgil ei gyntafiaeth fel beirniad, gellir, heb os, nodi enghreifftiau penodol o ddylanwad ar weithiau beirniadol diweddarach. Nododd T. Robin Chapman fod mawredd pob bardd a llenor y barnodd Saunders Lewis eu bod yn awduron arwyddocaol yn *An Introduction to Contemporary Welsh Literature* (1926) wedi ei gydnabod yn fwy cyffredinol gan eraill wedi hynny, ac iddo ddylanwadu ar y modd y trafodid awduron yr ail reng hefyd.[215] Yn ei ragair i'w gyfrol ar Williams Pantycelyn, nododd J. Gwilym Jones mai 'egwan iawn yw'r gobaith o fedru taflu unrhyw oleuni newydd arno'; sylw sydd eto'n pwysleisio nad yw'r ffin rhwng Williams Pantycelyn a *Williams Pantycelyn* bellach yn amlwg.[216] A chymharus yw sylwadau Derec Llwyd Morgan,[217] tra bo R. M. Jones – er gwaethaf 'dwsinau eraill o draethodau ar William Williams, Pantycelyn', chwedl John Gwilym Jones – yn labelu'r emynydd yn empeirydd mewn ymateb i label y rhamantydd a roes Saunders Lewis arno'n gyntaf, pan ddadleuodd fod Pantycelyn yn un o ddau sylfaenydd 'y mudiad rhamantus yn llên Ewrop'.[218]

Ond credir bod dylanwad Saunders Lewis ar y traddodiad ymchwil i'r Traddodiad Llenyddol Cymraeg yn fwy nag unrhyw enghraifft benodol o ddylanwad uniongyrchol mewn perthynas ag un cyfnod, awdur neu destun llenyddol.[219] Yng ngeiriau R. Geraint Gruffydd, y mae angen ystyried ei ddylanwad '[a]r lefel fwy cyffredinol', sef ar lefel 'cynneddf' – gair sydd fel pe bai'n awgrymu bod elfen gorffaidd, deimladol yn perthyn i'r rhaglen feirniadol hon, ac nid rhesymeg empeiraidd yn unig. 'Ar lefel fwy cyffredinol, hi sy'n peri ei fod yn gweld holl hanes llenyddiaeth Gymraeg o Daliesin hyd heddiw yn undod crwn, gweld ein holl lenyddiaeth yn ymrithio o'i flaen yn un corff cyfan.'[220]

Yn fwy nag unrhyw ddylanwad deongliadol uniongyrchol ar feirniaid sy'n trafod unrhyw un awdur, awdures, testun neu gyfnod llenyddol, ar y lefel gyffredinol hon o gynneddf y mae cydnabod dylanwad Saunders Lewis, pan fo'n rhaid profi, chwedl yntau, fod unrhyw awdur neu awdures yn perthyn i'r cyfryw gorff ac 'ymhlith y meistri'.[221] Profi drwy '[dd]atguddio mawredd', ac nid olyniaeth uniongyrchol o'r naill awdur at y llall o angenrheidrwydd.[222] Nid yn annhebyg i'r modd y mae beirniaid yn dadlau ynghylch dilysrwydd gwahanol gerddi yng nghanon un o Feirdd yr Uchelwyr, Saunders Lewis a'n dysgodd fod yn rhaid profi bod awduron unigol yn perthyn i'n llenyddiaeth, fel yr haeddai John Morgan 'le ymysg clasuron y Gymraeg'.[223] Ys dywed Ceri W. Lewis: '[c]eisir egluro arwyddocâd y gwaith a'r lle neilltuol sydd iddo yn hanes llenyddiaeth Gymraeg ac yn llenyddiaeth Ewrob achlân'.[224]

Hyd yn oed pan fydd beirniaid yn edrych ar waith awduron mwy diweddar nad oeddent yn perthyn i'r traddodiad barddol fel y'i diffinnid gan Saunders Lewis yn nhermau athrawiaeth ysgol a dysg draddodiadol, ac nad ydynt wedi derbyn llawer o sylw gan feirniaid blaenorol, gan gynnwys Saunders Lewis ei hun, ymddengys mai'r un dull o werthfawrogi testunau llenyddol o safbwynt ansawdd rhyngdestunol a ddefnyddir. Er enghraifft, yn ei rhagymadrodd i *Cerddi'r Ficer*, nododd Nesta Lloyd fod '[y]r ychydig feirniaid llenyddol neu haneswyr llên sydd wedi mentro cyfeirio at y Ficer Prichard fel bardd yn ymddiheurol iawn, bob amser. Y mae'r beirniaid llenyddol yn unfryd na ddylid rhoi llawer o ystyriaeth feirniadol i'w waith fel barddoniaeth.' Bardd ar gyfer haneswyr yw, 'ac nid yw ei ddiffygion barddonol o ddim pwys iddynt hwy'.[225]

Ennill cydnabyddiaeth i'r Ficer yw nod Nesta Lloyd; gwyrdroi'r duedd i edrych arno fel rhywun nad yw'n talu am ei le yn y corff llenyddiaeth. Fodd bynnag, gwneir hynny drwy ddefnyddio'r un agwedd at lenyddiaeth ag a ddefnyddiodd y sawl a fu'n ddibris o waith y Ficer. Holodd y beirniad: 'A oes unrhyw werth llenyddol i'w gerddi ar ddiwedd yr ugeinfed ganrif, dri chant a hanner o flynyddoedd ar ôl ei farw?'[226] Er cydnabod 'mai perthyn i'r traddodiad llafar y mae'r cerddi hyn',[227] er mwyn ennill lle i'r Ficer yn y Traddodiad Llenyddol Cymraeg, efelychodd y beirniad ddull Saunders Lewis a'i ddilynwyr o arddangos mawredd, gan amlygu yn ei rhagymadrodd ddawn y Ficer i dynnu llun, ei eirfa 'eithriadol o grefftus a gwyrthiol o berthnasol', a'i 'feistrolaeth ar ffurf a strwythur ei gerddi'.[228] Pwyso a mesur ansawdd crefft y farddoniaeth a wneir, yn union fel pe bai'r beirniad yn trafod gwaith un o Feirdd yr Uchelwyr, gan ddod i'r casgliad hwn am y Ficer:

> Y mae'r rhinweddau hyn yn ei godi, yn fy marn i, nid i'r dosbarth cyntaf o feirdd, bid siŵr (ffwlbri noeth fyddai honni'r fath beth), ond i'r lefel honno o feirdd sydd, ar eu gorau, yn gallu goleuo'n bywyd, er, efallai, mai golau cannwyll mewn oes o *neon* yw ei lun ef, dri chant a hanner o flynyddoedd ar ôl ei farw.[229]

Yr oedd Saunders Lewis yn y *Braslun* yn synied am feirdd a llenorion y Traddodiad Llenyddol yn nhermau tair lefel o ansawdd: clasuron, cerddorion uwch na'r cyffredin, a cherddorion cyffredin, nid yn llwyr annhebyg i ddosraniad triphlyg Eusebius yn achos canon y Testament Newydd. Gwelir uchod yn y dyfyniad o ragymadrodd Nesta Lloyd ei bod hi – yma o leiaf – yn synied am lenyddiaeth yn yr un modd.[230] Lle'r oedd beirniaid blaenorol wedi gosod cerddi'r Ficer yn y dosbarth isaf, dadleuodd hi o blaid ei 'godi' lefel yn uwch, gan gydnabod nad yw'n perthyn i'r lefel uchaf. A'i godi gan iddi weld 'yn ei gerddi gorau . . . well bardd nag a dybiwyd . . . [y]n feistr ar ei ddeunydd a'i ffurf'.[231] Yr un yw'r dull cyffredinol o edrych ar destunau llenyddol, hyd yn oed os oes iddynt gefndir llafar a chwbl wahanol i ganu Beirdd yr Uchelwyr, sef yn nhermau casgliad o berfformiadau sydd angen eu trefnu'n ganon o feistri a mân-feistri yn ôl gwerth llenyddol. Yr un yw'r damcaniaethau neu ragfarnau sylfaenol am berthynas awdur â chanon.[232] Teimlir bod yn rhaid profi gwerth llenyddol y testun, a dadlau ar sail y gwerth hwnnw ei fod yn haeddu ei le yn y Traddodiad Llenyddol. Fel y nododd Dafydd Elis Thomas, 'Pigwch i fyny unrhyw lyfr gosod neu unrhyw lyfr hanes llenyddiaeth, neu o ran hynny unrhyw gylchgrawn llenyddol, ac os oes un gred sy'n ymddangos yn ddigwestiwn, hyd yn oed yn ddiweddar, y gred yn y traddodiad llenyddol yw honno.'[233]

Dyma, heb os, y dull arferol, traddodiadol erbyn hyn, o ddarllen testunau llenyddol Cymraeg, sef fel rhan o gasgliad o destunau sy'n perthyn i draddodiad llenyddol cyfoethog o ansawdd uchel. Hyd yn oed os yw awdur yn 'tynnu llun mwstash ar hyd gwep ein traddodiad llenyddol', ystyrir ei fod hefyd yn gwneud hynny '*yn y broses o gyfrannu ato*', a dyfynnu Sioned Puw Rowlands.[234] Dyma ydoedd y gynneddf feirniadol Gymraeg a hyrwyddodd Saunders Lewis. Dysgodd mai tasg y beirniad llenyddol ydyw ennill lle i'w hoff awduron yn y canon. Ac ar gyfer hyn o dasg, gosododd ganonau pendant ar gyfer beirniaid ac ysgolheigion Cymraeg yr ugeinfed ganrif – '[y] safon y mae'n rhaid i'r beirniad llenyddol ei fesur ei hun wrthi', chwedl J. E. Caerwyn Williams.[235] Golygai'r safon neu'r canonau hynny fod beirniad yn 'ymgodymu . . . ag awdur a fawrbrisia er mwyn ei ddeall a dilyn ei feddwl ac olrhain twf ei greadigaethau a'i ddangos wedyn yn ei gyfnod ac yn ei *le* mewn hanes a thraddodiad'.[236] 'Unig gychwynnydd' y dull hwn o feirniadu ydoedd Saunders Lewis, a dyfynnu ei sylw ef ei hun am Bantycelyn yn ei gyflwyniad i *Monica*. O leiaf, fe'i portreadwyd felly gan eraill a chanddo ef ei hun.[237] Anodd i'r sawl a ddarllenodd ei gyfweliad ag Aneirin Talfan Davies, er enghraifft, beidio â meddwl amdano fel dyn a fynnai weld newid yn fwy na'r un dim arall, dyn yn wir a chanddo 'awydd mawr iawn i newid hanes Cymru'.[238]

Gan gyfeirio at gyfraniad Saunders Lewis ym maes beirniadaeth ac ysgolheictod, nododd Thomas Parry yn ei *Hanes* nad 'yw pob un o'i ddamcaniaethau yn cael ei derbyn gan bawb'.[239] A mwy felly heddiw. Serch hynny, os mai camp *Hanes* Thomas Parry i T. J. Morgan ydoedd iddo 'wneuthur corff cyfan o'r aelodau a'r esgyrn sychion sydd ar chwâl a pheri i'r corff hwnnw gael enaid ynddo', rhaid ychwanegu iddo weld y gwneuthur hwnnw ar waith eisoes yn y *Braslun o Hanes*.[240]

Wrth edrych yn ôl ar ei yrfa feirniadol, nododd Saunders Lewis iddo ddysgu 'un wers wrth y derbyniad a gafodd rhan gyntaf fy *Mraslun* i, sef mai ffolineb yw ysgrifennu llyfr bychan ar gyfnodau llenyddiaeth cyn gorffen y gyfres o weithiau llawn a manwl a thrwyadl, sy'n anhepgor cyn crynhoi pethau i lyfr bychan'.[241] Mewn gair, ymddengys iddo dderbyn yn rhannol feirniadaeth W. J. Gruffydd ac Ifor Williams ar ei waith, er mai mewn perthynas ag ysbryd cenedlaetholgar y canu, yn hytrach na dilysrwydd y testunau a ddyfynnodd y nododd iddo newid ei farn.[242] Dyna a boenai ef – cynneddf y canu. Gwelir yn 'Dafydd ap Gwilym', er enghraifft, mai ei arbenigedd fel beirniad ydoedd profion arddull, er yr ymddiddorai hefyd mewn profion cynghanedd.[243] Ond hyd yn oed os na newidiodd ei farn am lawer o gynnwys y llyfr, megis y bennod ar Siôn Cent, deallai hefyd pam yr oedd 'y beirniaid yn dawnsio wrth ei ddamnio'.[244] Daeth i weld beth oedd yn 'ddisgyrsaidd bosibl', chwedl Simon Brooks.[245] Rhaid oedd cael y testun yn gyntaf cyn i bobl chwilio ynddo am wirionedd. Dyna ydoedd effaith traddodiad y Gair ar ei genhedlaeth ef.

Ac eto, camp ryfeddol y 'llyfr bychan' ydoedd gosod nod y corff ar yr aelodau hynny nad oeddent eto wedi ymddangos. Fel y nododd Ceri W. Lewis, yr oedd y llyfr yn cynnwys 'damcaniaethau a deongliadau dadleuol, sydd wedi arwain o bryd i'w gilydd at anghytundeb brwd ymhlith ysgolheigion Cymraeg'.[246] Ond y prawf mwyaf o'i gyfraniad pellgyrhaeddol i feirniadaeth lenyddol Gymraeg, efallai, ydoedd i'r dull hwn o ddarllen llenyddiaeth yn nhermau corff o weithiau gael ei fabwysiadu gan feirniaid Saunders Lewis hefyd, ac na sylwent hwy mai *gwneuthur* corff a wnâi'r hanesydd llên, hyd yn oed wrth ddefnyddio'r union ymadrodd i ddisgrifio ei waith.

Nodiadau

1 John Meirion Morris, 'Gweld traddodiad o'r newydd' (erthygl-adolygiad ar Peter Lord, *The Aesthetics of Relevance*), *Taliesin*, 80 (Ionawr/Chwefror, 1993), 63.

2 Tudur Hallam, 'R. M. Jones a'r "gelyn" parchus', *Llên Cymru*, 29 (2006), 163.

3 Gw. John Rowlands, *Saunders y Beirniad* (Caernarfon, 1990), t. 46: 'Mae'n debyg mai'r gwir amdani yw bod pob beirniadaeth yn ffrwyth perthynas rhwng y beirniad a'r gwaith ond bod pwynt y cyfarfyddiad yn amrywio o feirniad i feirniad.'

4 Saunders Lewis, *Williams Pantycelyn* (Llundain, 1927), 237.

5 Tudur Hallam, 'R. M. Jones a'r "gelyn" parchus', 161.

6 Gw. Jane Aaron, 'Darllen yn groes i'r drefn', yn John Rowlands (gol.), *Sglefrio ar Eiriau* (Llandysul, 1992), tt. 62–83.

7 T. Robin Chapman, *Un Bywyd o Blith Nifer: Cofiant Saunders Lewis* (Llandysul, 2006), tt. xvii, 384.

8 R. M. Jones, *Beirniadaeth Gyfansawdd: Fframwaith Cyflawn Beirniadaeth Lenyddol* (Cyhoeddiadau Barddas, 2003), t. 232.

9 W. R. Farmer, *Jesus and the Gospel* (Cyhoeddiadau Fortress Press, 1982), t. 209.

10 Dafydd G. Davies, *Canon y Testament Newydd: Ei Ffurfiad a'i Genadwri* (Abertawe, 1986) t. 36.

11 Gw. II Corinthiaid 10: 13.

12 R. Tudur Jones, *Yr Ysbryd Glân* (Caernarfon, 1972), t. 44.

13 Ibid., t. 46.

14 Iorwerth C. Peate, *Sylfeini* (Wrecsam, 1938), tt. 151–2.

15 Daniel John Mullins, 'Ffydd Saunders Lewis', yn D. Ben Rees (gol.), *Ffydd a Gwreiddiau John Saunders Lewis* (Lerpwl, 2002), t. 44.

16 Saunders Lewis, 'Traddodiadau Catholig Cymru', detholwyd gan Marged Dafydd, *Ati, Wŷr Ifainc* (Caerdydd, 1986), tt. 11–13.

17 Thomas Parry, 'Megis seren wib', *Taliesin*, 23 (Rhagfyr 1971), 52.

18 Saunders Lewis, 'Llythyr at Gynan', *Y Ddraig Goch* (Hydref 1926), 7.

19 Thomas Parry, 'Megis seren wib', 52.

20 Saunders Lewis, 'Sut y mae'r bardd yn cyfansoddi: llyfr Dr Parry-Williams ar elfennau barddoniaeth', *Western Mail*, 1 Chwefror 1936, 11.

21 *Idem*, 'Tudur Aled', yn R. Geraint Gruffydd (gol.), *Meistri'r Canrifoedd*, (Caerdydd, 1973), t. 112.

22 *Idem*, 'Manawydan Fab Llŷr', *Meistri'r Canrifoedd*, t. 23.

23 *Idem*, 'Siôn Cent', yn Gwynn ap Gwilym (gol.), *Meistri a'u Crefft* (Caerdydd, 1981), t. 150.

24 *Idem*, *Ceiriog: Yr Artist yn Philistia – I* (Aberystwyth, 1929), t. 39.

25 Ibid., t. 38.

26 *Idem*, 'Tueddiadau Cymru rhwng 1919 a 1923', *Baner ac Amserau Cymru*, 6 Medi 1923, 5.

27 Ibid.

28 *Idem*, 'Trasiedi', *Y Ddraig Goch*, 1.2 (Gorffennaf 1926), 5.

29 *Idem*, 'Cyflwr ein llenyddiaeth', *Meistri a'u Crefft*, t. 168.

30 *Idem*, *Williams Pantycelyn*, t. 48.

31 M. Wynn Thomas, 'Pwys llên a phwysau hanes', yn John Rowlands (gol.), *Sglefrio ar Eiriau*, tt. 1–21.

32 Gw. e.e. Saunders Lewis, 'The tradition of Taliesin', yn Alun R. Jones a Gwyn Thomas (goln), *Presenting Saunders Lewis* (Cardiff, 1973), t. 150: 'I submit that Taliesin cannot be read apart from Gildas.' Cymh. 'Branwen', *Meistri'r Canrifoedd*, t. 7: 'Fe dâl inni ddarllen Sieffre a'r *Pedair Cainc* gyda'i gilydd.'

33 John Rowlands, *Saunders y Beirniad* (Caernarfon, 1990), t. 26.

34 Saunders Lewis, 'Gyrfa filwrol Guto'r Glyn', *Meistri a'u Crefft*, t. 108.

35 Iwan Llwyd Williams a Wiliam Owen Roberts, 'Myth y traddodiad dethol', *Llais Llyfrau* (Hydref 1982), 10–11.

36 Saunders Lewis, 'Beirdd a beirniaid', *Western Mail*, 12 Mehefin 1965, 8.

37 *Idem*, 'Baledi'r ddeunawfed ganrif: nodau'r feirniadaeth Gymraeg newydd', *Western Mail*, 30 Tachwedd 1935, 11.

38 Gw. *idem, Letters to Margaret Gilcriest*, yn Mair Saunders Jones, Ned Thomas a Harri Prichard Jones (goln) (Cardiff, 1993), t. 11: 'a sort of theory I have been feeling my way towards'.

39 Simon Brooks, *O Dan Lygaid y Gestapo: Yr Oleuedigaeth Gymraeg a Theori Lenyddol yng Nghymru* (Caerdydd, 2004), t. 95.

40 R. M. Jones, *Llên Cymru a Chrefydd: Diben y Llenor* (Abertawe, 1977), t. 61.

41 Alan Llwyd, 'Saunders Lewis a T. S. Eliot', *Y Grefft o Greu* (Cyhoeddiadau Barddas, 1997), tt. 155–60.

42 Donald Evans, 'Cyfoesoledd (parhad)', *Barddas*, 263 (Mehefin/Gorffennaf 2001), 2.

43 R. M. Jones, 'Dychwelyd at y diduedd', *Y Traethodydd*, 140 (Ionawr 1985), 44: 'Dyna pam y mae haneswyr o gyfnodau gwahanol bob amser yn dehongli arwyddocâd hanes yn wahanol ac yn canfod cydlyniad ffeithiau syml ac oer mewn modd gwahanol.'

44 Derec Llwyd Morgan, *'Nid Hwn Mo'r Llyfr Terfynol'*: Hanes Llenyddiaeth *Thomas Parry: Darlith Lenyddol Eisteddfod Genedlaethol Cymru Casnewydd 2004* (Cyhoeddiadau Eisteddfod Genedlaethol Cymru, 2004), t. 16.

45 T. J. Morgan, (adolygiad o Thomas Parry, *Hanes Llenyddiaeth Gymraeg hyd 1900*), *Y Llenor*, 24 (1945), 95.

46 Ibid., t. 99.

47 Ibid., t. 100.

48 Ibid.

49 Ibid., t. 96.

50 W. J. Gruffydd (adolygiad o Saunders Lewis, *Braslun o Hanes Llenyddiaeth Gymraeg: I*), *Y Llenor*, 11 (1932), 253.

51 John Gruffydd Hughes (Moelwyn), *Mr. Saunders Lewis a Williams Pantycelyn* (Birkenhead, 1928), t. 33. Cymh. Pennar Davies, 'His criticism', yn Alun R. Jones a Gwyn Thomas (goln), *Presenting Saunders Lewis*, t. 97: 'I suspect there is a little more of Saunders Lewis than of Williams Pantycelyn in this final synthesis [ar ddiwedd y llyfr].'

52 W. J. Gruffydd (adolygiad o Saunders Lewis, *Braslun o Hanes Llenyddiaeth Gymraeg: I*), 253.

53 Ifor Williams, 'Braslun o hanes llenyddiaeth Gymraeg' (adolygiad o'r llyfr), *Yr Efrydydd*, 9 (1933), 88.

54 Gw. D. Gwenallt Jones, 'Beirniadu beirniad', *Y Llenor*, 12 (1932), 23–33.

55 D. Tecwyn Lloyd, *John Saunders Lewis: Y Gyfrol Gyntaf* (Dinbych, 1988), t. 179.

56 Robert Rhys, *Dawn Dweud: Daniel Owen* (Caerdydd, 2000) t. 80.

57 R. M. Jones, *Mawl a'i Gyfeillion* (Cyhoeddiadau Barddas, 2000), t. 218.

58 W. J. Gruffydd (adolygiad o Saunders Lewis, *Braslun o Hanes Llenyddiaeth Gymraeg: I*), 249–50.

59 Helen Fulton, 'Awdurdod ac awduriaeth: golygu'r Cywyddwyr', yn Iestyn Daniel, Marged Haycock, Dafydd Johnston, Jenny Rowland (goln), *Cyfoeth y Testun: Ysgrifau ar Lenyddiaeth Gymraeg yr Oesoedd Canol* (Caerdydd, 2003), tt. 58–9.

60 Jerry Hunter, 'Testun dadl', *Tu Chwith*, 3 (1995), 83–4.

61 Derec Llwyd Morgan, '*Nid Hwn Mo'r Llyfr Terfynol*', tt. 17, 14.

62 Ibid., t. 13.

63 Saunders Lewis, 'Hanes llenyddiaeth Gymraeg', *Meistri a'u Crefft*, t. 269. Cymh. 'Kywydd Barnad Ithel ap Rotbert', *Meistri'r Canrifoedd*, t. 64: 'Yn wir, y mae sefydlu testun sicr a safonol i gywydd gan Iolo Goch yn amhosibl.' Am resymau hanesyddol, nid athronyddol, y nodir hyn; ond erys yn sylw gwerthfawr ar 'waith ysgolheigaidd.'

64 Derec Llwyd Morgan, '*Nid Hwn Mo'r Llyfr Terfynol*', t. 17.

65 Owen Thomas, 'Cywyddau Dafydd ap Gwilym ym Mheniarth 48', *Llên Cymru*, 29 (2006), 14. F'italeiddio i.

66 Dafydd Johnston, 'Awduraeth', *www.dafyddapgwilym.net*

67 Ibid. F'italeiddio i.

68 Owen Thomas, 'Cywyddau Dafydd ap Gwilym ym Mheniarth 48', 14.

69 Ibid., tt. 22, 32.

70 Dafydd Johnston, 'Dafydd ap Gwilym and oral tradition', *Studia Celtica*, 37 (2003), 143.

71 Ibid., 147.

72 *Idem*, 'Awduraeth'.

73 John Meirion Morris, 63. F'iataleiddio i.

74 R. M. Jones, 'Hanes seciwlar a hanes go iawn', *Barn*, 35 (Medi 1965), 312.

75 Hans-Georg Gadamer, *Truth and Method*, cyf. Joel Weinsheimer a David G. Marshal (New York, 2il arg., 1991), t. 276: 'The overcoming of all prejudices, this global demand of the Enlightenment, will itself prove to be a prejudice, and removing it opens the way to an appropriate understanding of the finitude which dominates not only our humanity but also our historical consciousness.' Cymh. R. M. Jones, 'Myth y diduedd', *Y Traethodydd*, 139 (Ionawr 1984), 49–50: 'Pan fo athronydd yn hawlio nad yw am gymryd ond rheswm pur a diragdyb yn fan cychwyn i'w athroniaeth am fywyd, y mae ef eisoes wedi dechrau gyda dogma rhagdyb sy'n gyn-resymol . . . Myth ydyw pob disgrifio diduedd.'

76 Ibid.: 'Does being situated within traditions really mean being subject to prejudices and limited in one's freedom? Is not, rather, all human existence, even the freest, limited and qualified in various ways?'

77 Saunders Lewis, 'Y sant', *Y Llenor*, 7 (Gaeaf 1928), 218: 'Fel y saif y ddadl heddiw, nid ydym fawr goleuach ein meddyliau na phan godwyd hi. Eglurodd y ddwy blaid eu tueddiadau, ac nid ymddengys bod cymod rhyngddynt na

chymrodedd. Gan hynny mi dybiaf nad diwerth fyddai holi yn hanes llenyddiaeth a syniadau llenyddol er mwyn cael cefndir ehangach i'n rhagfarnau, ac er mwyn oeri ein gwaed hefyd – peth a all fod yn fuddiol hyd yn oed mewn dadl.'

78   *Idem*, 'Addurn ar lenyddiaeth Cymru heddiw', *Y Ddraig Goch*, 3.9, Chwefror 1929, t. 3.

79   Alasdair MacIntyre, 'A partial response to my critics', yn John Horton a Susan Mendus (goln), *After MacIntyre: Critical Perspectives on the Work of Alasdair MacIntyre* (Oxford, 2il arg., 1996), t. 294: 'Each party . . . succeeds by the standards internal to its own tradition of moral inquiry, but fails by the standards internal to the traditions of its opponents.'

80   Gordon Graham, 'MacIntyre's fusion of history and philosophy', yn John Horton a Susan Mendus (goln), *After MacIntyre*, t. 165: Nodir y bydd MacIntyre yn astudio 'the difference of approach each adopts, the larger set of assumptions each relies on'.

81   Ibid. 'To do this is to be steered into an exploration of traditions of moral thought and inquiry and into the study of their development over time.'

82   Saunders Lewis, 'Y sant', tt. 218–19.

83   Ibid., t. 220.

84   *Idem*, 'Llenorion a lleygwyr', *Meistri a'u Crefft*, t. 164. Cymh. 'Ann Griffiths a chyfriniaeth', *Meistri'r Canrifoedd*, t. 320. Cyn ymateb i ddadl J. R. Jones, nodir ei fod 'yn athronydd proffesiynol', a bod angen deall ei fod ef yn diffinio'r gair 'cyfriniaeth' mewn perthynas â'r 'traddodiad athronyddol a diwinyddol', nid traddodiad ei 'ragflaenwyr Cymraeg'.

85   Cymh. 'Drych y Prif Oesoedd', *Meistri'r Canrifoedd*, tt. 243, 246: 'Ond ai maes i'r gwyddonwyr newydd yw hanes? . . . *Drych y Prif Oesoedd* yw'r llyfr a drosglwyddodd y ddau futhos hyn i Gymru fodern a'u gwneud yn rhan o draddodiad cefn gwlad, hyd oni ddaeth addysg fodern i ddinistrio diwylliant.'

86   Kate Bosse-Griffiths, 'Detholion o'r dwyrain: Lao-Tse', yn J. Gwyn Griffiths (gol.), *Teithiau'r Meddwl: Ysgrifau Llenyddol Kate Bosse-Griffiths* (Talybont, 2004), t. 39. Dim ond y sawl sy'n meddu ar 'wahanol haenau o hunaniaeth' a all bontio'r gagendor rhwng dau ddiwylliant gwahanol. Gw. t. 233.

87   Alasdair MacIntyre, *After Virtue: A Study in Moral Enquiry* (London, 2il arg., 1985), t. 213: 'Only in fantasy do we live what story we please. In life, as both Aristotle and Engels noted, we are always under certain constraints. We enter upon a stage which we did not design and we find ourselves part of an action that was not our making.'

88   D. Ben Rees, 'Gwreiddiau J. Saunders Lewis ar Lannau Mersi', yn *idem* (gol.), *Ffydd a Gwreiddiau John Saunders Lewis* (Lerpwl, 2002), t. 40.

89   Derec Llwyd Morgan, '*Nid Hwn Mo'r Llyfr Terfynol*', t. 10.

90   Dyf. ibid., t. 9.

91   Saunders Lewis, *Braslun o Hanes Llenyddiaeth Gymraeg: Y Gyfrol Gyntaf: Hyd at 1535* (Caerdydd, 1932), t. 5.

92   *Idem*, 'Baledi'r ddeunawfed ganrif: nodau'r feirniadaeth Gymraeg newydd'.

93   Gwyn Thomas, *Y Traddodiad Barddol* (Caerdydd, 1976).

94   Joel C. Weinsheimer, *Gadamer's Hermeneutics: A Reading of Truth and Method* (London, 1985), t. 172: 'There is not only the tradition into which research inquires but also the tradition that directs historical inquiry and motivates it.'

95 Ioan Williams, *A Straitened Stage* (Bridgend, 1991), t. 72: 'Recognising that his consciousness is actually an aspect of the world on which he reflects, the hero of Saunders Lewis' mature drama is free from the self-disgust which destroyed the characters of *Monica*. A conscious acceptance of the forces and the structures which have moulded consciousness and identity frees the individual from isolation and impotence.'

96 Saunders Lewis, *Daniel Owen: Yr Artist yn Philistia – II* (Aberystwyth, 1936), t. 4.

97 R. Geraint Gruffydd, 'Rhagymadrodd', *Meistri'r Canrifoedd*, t. ix.

98 Gwynn ap Gwilym, 'Rhagymadrodd', *Meistri a'u Crefft*, t. ix.

99 Ioan Williams (gol.), 'Rhagymadrodd', *Dramâu Saunders Lewis: Y Casgliad Cyflawn I* (Caerdydd, 1996), t. ix.

100 Ibid.

101 Ibid., t. x.

102 Gwynn ap Gwilym, 'Rhagymadrodd', t. vii.

103 Alun R. Jones a Gwyn Thomas (goln), 'Acknowledgements', *Presenting Saunders Lewis*, t. x.

104 Saunders Lewis, *Ysgrifau Dydd Mercher* (Cyhoeddiadau'r Clwb Llyfrau Cymreig, 1945), t. 5.

105 Roland Barthes, *Roland Barthes by Roland Barthes*, cyf. Richard Howard (London, 1977), t. 142.

106 R. Geraint Gruffydd, 'Rhagymadrodd', t. ix.

107 Pennar Davies, 'His criticism', t. 103.

108 Dafydd Ifans, 'Rhagymadrodd', *Annwyl Kate, Annwyl Saunders: Gohebiaeth 1923–1983* (Aberystwyth, 1992), t. xi.

109 Mair Saunders Jones, dyf. Harri Pritchard Jones a Ned Thomas, 'Rhagymadrodd', *Letters to Margaret Gilcriest*, t. vii.

110 R. M. Jones, *Llenyddiaeth Gymraeg: 1902–1936* (Cyhoeddiadau Barddas, 1987), t. 383.

111 Saunders Lewis, 'Safonau beirniadaeth lenyddol, *Y Llenor*, 1 (1922), 247.

112 Ibid., tt. 245–6.

113 Ibid., tt. 245, 247.

114 Gw. e.e. *idem*, 'Drych y Prif Oesoedd', *Meistri'r Canrifoedd*, t. 232; 'Thema Storm Islwyn', *Meistri'r Canrifoedd*, t. 357: 'Y mae'r beirniaid diweddar oll yn gytûn nad oes dim undod thema neu gynnwys yn *Y Storm* . . . Yn yr ysgrif bresennol fy mwriad yw ystyried yn unig thema'r gerdd a chynnig dehongliad i ddangos ei hundod a'i chyfanrwydd.'

115 *Idem*, 'Safonau beirniadaeth lenyddol', t. 246.

116 R. Geraint Gruffydd, 'Rhagymadrodd', t. x.

117 Seán Burke, *The Death and Return of the Author: Criticism and Subjectivity in Barthes, Foucault and Derrida* (Edinburgh, 1992), tt. 159–60: 'Having rewritten the canonical text, the critic goes on to produce texts of his own . . . [C]riticism finds itself within literature.'

118 Marshall McLuhan a Quentin Fiore, *The Medium is the Message* (Cyhoeddiadau Corte Madera, 2001). Cyhoeddwyd gyntaf yn 1967 gan Random House.

119 D. Tecwyn Lloyd, *John Saunders Lewis*, t. 127. Cymh. t. 225, n. 30, lle yr awgrymir '[b]od S.L. ar hyd ei yrfa wedi tynnu llawer o sylw at ei berson, yn anfwriadol efallai'.

120 *Geiriadur Prifysgol Cymru: I: A–Ffysur* (Caerdydd, 1950–67), s.v. 'canoneiddio'.
121 Cymh. Gerwyn Wiliams, 'Saunders y beirdd', *Taliesin*, 122 (Haf 2004), 36. Trafodir llawer mwy o gerddi i Saunders yn yr ysgrif hon.
122 R. Williams Parry, *Cerddi'r Gaeaf* (Dinbych, 1952), t. 76. F'italeiddio i.
123 Ibid., t. 50.
124 Gerallt Lloyd Owen, 'Y Gŵr sydd ar y gorwel', *Blodeugerdd o Farddoniaeth Gymraeg yr Ugeinfed Ganrif* (Llandysul/Cyhoeddiadau Barddas, 1987), t. 507. Cyhoeddwyd gyntaf yn *Cerddi'r Cywilydd* (Caernarfon, 1977).
125 R. S. Thomas, yn Alun R. Jones a Gwyn Thomas (goln), *Presenting Saunders Lewis*, t. xv.
126 Alan Llwyd, *Cerddi Alan Llwyd 1968–1990: Y Casgliad Cyflawn Cyntaf* (Cyhoeddiadau Barddas, 1990), t. 187.
127 Gerwyn Wiliams, 'Saunders y beirdd', 40.
128 John Guillory, *Cultural Capital: The Problem of Literary Canon Formation* (London, 1993), t. 56: '[I]n its concrete form as a syllabus or curriculum, the canon is a discursive instrument of "transmission" situated historically within a specific instituition of reproduction: the school.'
129 Ceri Williams, 'Llafur a Glyndŵr', *Barn*, 452 (Medi 2000), 29.
130 Catherine Daniel, 'Saunders Lewis: Ewropead', yn Pennar Davies (gol.), *Saunders Lewis: Ei Feddwl a'i Waith* (Dinbych, 1950), t. 34.
131 Ibid., t. 41.
132 Ibid.
133 Dyf. D. Tecwyn Lloyd, *John Saunders Lewis*, t. 55.
134 Saunders Lewis, 'Dafydd ap Gwilym', *Meistri'r Canrifoedd*, t. 55.
135 Daniel John Mullins, 'Ffydd Saunders Lewis', t. 44.
136 W. J. Gruffydd, *Llenyddiaeth Cymru o 1450 hyd 1600*, t. 1.
137 Thomas Parry, *Hanes Llenyddiaeth Gymraeg hyd 1900* (Caerdydd, 1944), t. viii.
138 Salm 1: 1–2.
139 Dyf. D. Tecwyn Lloyd, *John Saunders Lewis*, t. 95.
140 Ibid., t. 95.
141 R. M. Jones, *Llenyddiaeth Gymraeg 1936–72* (Cyhoeddiadau Barddas, 1975), t. 328.
142 Branwen Jarvis, 'Saunders Lewis, apostol patriarchiaeth', yn J. E. Caerwyn Williams (gol.), *Ysgrifau Beirniadol VIII* (Dinbych, 1974), tt. 296–311.
143 Marion Arthur, 'Saunders Lewis: dyn anorfod', yn D. Tecwyn Lloyd a Gwilym Rees Hughes (goln), *Saunders Lewis* (Llandybïe, 1975), tt. 196–205.
144 Mair Saunders (gol.), *Bro a Bywyd Saunders Lewis* (Caerdydd, 1987), t. 2.
145 Bruce Griffiths, *Saunders Lewis: Writers of Wales* (Caerdydd, 1979), t. 122.
146 Dafydd Glyn Jones, 'Y gwleidydd', *Saunders Lewis: Agweddau ar ei Fywyd a'i Waith/Aspects of his Life and Works* (Ymddiriedolaeth Cronfa Goffa Saunders Lewis, 1991), t. 10. Dyf. Ifor ap Dafydd, 'Saunders Lewis a'r "Estheteg Gymreig": agweddau ar ei farddoniaeth lenyddol' (traethawd M.Phil., Prifysgol Cymru, Aberystwyth, 2001), t. 10.
147 Ifor ap Dafydd, 'Saunders Lewis a'r "Estheteg Gymreig"', t. 10.
148 Gw. D. Tecwyn Lloyd, *John Saunders Lewis*, t. 20.
149 T. Robin Chapman, *Un Bywyd o Blith Nifer: Cofiant Saunders Lewis* (Llandysul, 2006), t. xiv.
150 R. Geraint Gruffydd, 'Rhagymadrodd', t. xi.

151 John Rowlands, *Saunders y Beirniad* (Caernarfon, 1990), t. 77.

152 F. L. Cross (gol.), *The Oxford Dictionary of the Christian Church* (Oxford, 1957), s.v. 'Halo'.

153 John Gwilym Jones, 'Saunders Lewis dramodydd', *Y Traethodydd*, 141 (1986), 152.

154 Saunders Lewis, 'Dylanwadau', *Taliesin*, 2 (Rhifyn Nadolig 1961), 13. Gw. hefyd 'Dylanwadau', *Taliesin*, 3 (1962), 120–4.

155 Richard Wyn Jones, 'Saunders Lewis a'r blaid genedlaethol', yn Geraint H. Jenkins (gol.), *Cof Cenedl 14* (Llandysul, 1999), t. 191.

156 Grahame Davies, *Sefyll yn y Bwlch: Cymru a'r Mudiad Gwrth-fodern: Astudiaeth o Waith R. S. Thomas, Saunders Lewis, T. S. Eliot a Simone Weil* (Caerdydd, 1999), tt. 89–90.

157 John Rowlands, 'Yr ysgolhaig a'r beirniad', *Saunders Lewis: Agweddau ar ei Fywyd a'i Waith/Aspects of his Life and Works* (Ymddiriedolaeth Cronfa Goffa Saunders Lewis, 1991), t. 22.

158 R. M. Jones, 'Beirniadaeth gynnar Saunders Lewis', *Llenyddiaeth Gymraeg 1902–1936* (Cyhoeddiadau Barddas, 1987), t. 387.

159 Ibid., t. 387.

160 Dafydd Elis Thomas, *Traddodiadau Fory: Darlith Lenyddol Eisteddfod Genedlaethol Cymru Caernarfon 1983* (Cyhoeddiadau Eisteddfod Genedlaethol Cymru, 1983).

161 Edward Said, *Beginnings* (New York, 1975), t. xi.

162 Saunders Lewis, *Ceiriog*, t. 26.

163 Edward Said, *Beginnings*, t. 5. Cymh. J. E. Caerwyn Williams, 'Saunders Lewis: yr ysgolhaig a'r beirniad', yn D. Tecwyn Lloyd a Gwilym Rees Hughes (goln), *Saunders Lewis*, t. 22. Cyfeirir at yr ymadrodd 'In my beginning is my end' o *Four Quarters*, T. S. Eliot, gan nodi bod 'gwneud cyfanbeth a chyfundod' o fywyd yn 'arbennig wir am Saunders Lewis'.

164 Thomas Parry, *Hanes Llenyddiaeth Gymraeg hyd 1900*, tt. vii–viii.

165 Saunders Lewis, 'The literary man's life in Wales' (anerchiad gerbron y Gyngres Geltaidd yn Glasgow, Medi 1929), *The Welsh Outlook*, 16 (Hydref 1929), 295.

166 Saunders Lewis, 'Emrys ap Iwan', *Ysgrifau Dydd Mercher*, tt. 74–83.

167 Dyf. D. Tecwyn Lloyd, *John Saunders Lewis*, t. 206.

168 Dyf. R. M. Jones, *Llenyddiaeth Gymraeg: 1902–1936*, t. 390.

169 Gw. John Guillory, *Cultural Capital*, pennod 6.

170 Gw. Pennar Davies, 'His criticism', t. 96. Eir ymlaen i sôn am gyfraniad John Morris-Jones a W. J. Gruffydd mewn cymhariaeth ag un Saunders Lewis. Cymh. Ceri W. Lewis, 'Saunders Lewis (1893–1985)', *Y Traethodydd*, 141 (1986), 148: 'Y mae gwahaniaeth trawiadol rhwng ei weithiau ef a'r rheini a gyn-hyrchwyd gan y rhan fwyaf o ddigon o'r awduron Cymraeg cyffredin, gan gynnwys cyfoeswyr a rhagflaenwyr modern fel ei gilydd.'

171 D. Myrddin Lloyd, 'Dafydd Nanmor', yn A. O. H. Jarman a Gwilym Rees Hughes (goln), *A Guide to Welsh Literature: Volume 2* (Llandybïe, 2il arg., 1984), t. 189: 'For too long these classical poets had been regarded merely as models of formal excellence, for their mastery in the use of the language, but a new appreciation was heralded in 1925 by Saunders Lewis's essay on Dafydd Nanmor where the significance of what that past had to say was emphasized.'

172 Saunders Lewis, 'Dafydd Nanmor', *Meistri'r Canrifoedd*, t. 80.
173 G. J. Williams, 'Cyfraniad Saunders Lewis fel ysgolhaig Cymraeg', yn Pennar Davies (gol.), *Saunders Lewis: Ei Feddwl a'i Waith*, t. 123.
174 Ifor ap Dafydd, 'Saunders Lewis a'r "Estheteg Gymreig"', t. 59.
175 Jan Gorak, *The Making of the Modern Canon* (London, 1991), t. 63.
176 Dyf. ibid., t. 64.
177 Gan feddwl yn benodol am R. M. Jones, cymh. John Guillory, *Cultural Capital*, t. 255: 'the master theorist, as the person in whom institutional and personol prestige is "blended," and in whom the concept of "autonomy" is maximally overdetermined, was always a condition for the emergence of theory'.
178 Saunders Lewis, 'Trem ar lenyddiaeth y Dadeni Dysg', *Meistri a'u Crefft*, t. 173.
179 R. M. Jones, 'Beirniadaeth gynnar Saunders Lewis', t. 387.
180 Gwynn ap Gwilym, 'Rhagymadrodd', t. ix. Cymh. Saunders Lewis, 'Arddull D. J. Williams', *Meistri a'u Crefft*, t. 36: 'Ffling olaf achau Llywele oedd rhoi i Gymru artist nad oes modd deall ei swyn heb ddeall hanes cymdeithasol Cymru a holl gyfoeth chwe chanrif o'i thraddodiad llenyddol.'
181 Saunders Lewis, *Braslun*, t. 15.
182 Ibid.
183 Ibid., t. 115.
184 Ibid.
185 Ibid.
186 Ibid., t. 5.
187 *Idem*, 'Diwylliant yng Nghymru', *Ysgrifau Dydd Mercher*, t. 102.
188 Lewis Edwards, 'Barddoniaeth y Cymry', *Traethodau Llenyddol* (Wrexham), t. 154.
189 Gw. Saunders Lewis, 'Twm o'r Nant', *Meistri'r Canrifoedd*, t. 289: '[Y]r un sylfaen metaffusegol i'r athroniaeth honno, sy gan Shakespeare a Thwm o'r Nant'. Ac, 'Atodiad II', (adolygiad o Gomer Morgan Roberts (gol.), *Gweithiau William Williams Pantycelyn*), t. 412: 'Pan fo meddwl Williams ar ei gyflawn egni mi fyddaf i'n ei weld ef yn debyg yn ei ddull o drin iaith i Shakespeare yng nghyfnod olaf ei ddramâu.'
190 Ar '[D]rosiadau beirniadaeth Saunders Lewis', gw. Ifor ap Dafydd, 'Saunders Lewis a'r "Estheteg Gymreig"', pennod 3.
191 Ifor Williams, 'Braslun o hanes llenyddiaeth Gymraeg', t. 92.
192 Saunders Lewis, *Braslun*, t. 8.
193 Alasdair Macintyre, gw. n. 81.
194 W. J. Gruffydd (adolygiad o Saunders Lewis, *Braslun o Hanes Llenyddiaeth Gymraeg: I*), 249.
195 Saunders Lewis, 'Ann Griffiths: arolwg llenyddol', *Meistri'r Canrifoedd*, t. 306.
196 A. O. H. Jarman a Gwilym Rees Hughes (goln), *A Guide to Welsh Literature*.
197 Saunders Lewis, *Braslun*, t. 132.
198 Dafydd Johnston, *Llên yr Uchelwyr: Hanes Beirniadol Llenyddiaeth Gymraeg 1300–1525* (Caerdydd, 2005), tt. 79–80.
199 Ibid., t. 225.
200 Ibid., tt. 251, 404.

201 Ibid., t. 241.
202 Ibid., t. 242.
203 Ibid., tt. 227, 250, 319.
204 Ibid., t. 237.
205 Gw. ibid., tt. 247–50.
206 Ibid., t. 252.
207 R. Geraint Gruffydd, 'Rhagymadrodd', t. x. Cymh. *idem*, 'Portread', yn D. Ben Rees (gol.), *Ffydd a Gwreiddiau John Saunders Lewis*, t. 11.
208 Saunders Lewis, 'John Morgan', *Meistri'r Canrifoedd*, t. 225.
209 Cymh. *idem*, *Braslun*, t. 133 a 'Gutyn Owain', *Meistri a'u Crefft*, tt. 132–47.
210 *Idem*, 'Siôn Cent', *Meistri a'u Crefft*, t. 148.
211 Ibid.
212 Ibid., t. 160.
213 *Idem*, *Ceiriog*, t. 9.
214 Am grynhoad o'i yrfa feirniadol, gw. Ceri W. Lewis, 'Saunders Lewis (1893–1985)', 150–1.
215 T. Robin Chapman, *Un Bywyd o Blith Nifer*, t. 110.
216 J. Gwilym Jones, *William Williams Pantycelyn* (Caerdydd, 1969), t. 4. Cyfeirir hefyd at waith Gomer M. Roberts.
217 Gw. Derec Llwyd Morgan, *Williams Pantycelyn: Llên y Llenor* (Caernarfon, 1983), t. 4. Cyfeirir hefyd at Thomas Charles.
218 Saunders Lewis, *Williams Pantycelyn*, t. 30.
219 Heb os, ceir sawl enghraifft o ddiffyg dylanwad Saundersaidd amlwg, yn enwedig wrth i'r blynyddoedd fynd heibio. Darllenwyd yn ddiweddar, er enghraifft, Nia M. W. Powell, 'Dyfalu Dafydd Nanmor', *Llên Cymru*, 27 (2004), 86–112. Mwy dylanwadol yw gwaith Gilbert E. Ruddock erbyn hyn.
220 R. Geraint Gruffydd, 'Rhagymadrodd', t. x.
221 Saunders Lewis, *Braslun*, t. 132.
222 *Idem*, 'Siôn Cent', *Meistri a'u Crefft*, t. 148.
223 Gw. e.e. *idem*, 'Griffith John Williams', *Meistri a'u Crefft*, t. 45: 'Y mae lle a chyfle i lyfr sylweddol arno.'
224 Ceri W. Lewis, 'Saunders Lewis (1893–1935)', 151.
225 Nesta Lloyd (gol.), *Cerddi'r Ficer* (Cyhoeddiadau Barddas, 1994), t. xx.
226 Ibid., t. xxi.
227 Ibid., t. xxii.
228 Ibid., tt. xxiv–xxv.
229 Ibid., t. xxv.
230 Cymh. *idem*, 'Rhagymadrodd', *Blodeugerdd Barddas o'r Ail Ganrif ar Bymtheg: Cyfrol 1* (Cyhoeddiadau Barddas, 1993), tt. xiii–xxiv. Gwahanol yw'r agwedd yma. Cynhwysir cerddi am resymau anllenyddol.
231 *Idem*, *Cerddi'r Ficer*, t. xxv.
232 Edward Said, *Beginnings*, t. 191: 'For despite recent genuinely investigative tendencies in criticism (in, for example, the work of Roland Barthes), certain conventions, persisting as unexamined vestiges of the whole history of ideas, have a strong hold upon the critical imagination as it tries to grasp what a text exactly is.'

[233] Dafydd Elis Thomas, *Traddodiadau Fory*, t. 15.

[234] Sioned Puw Rowlands, 'Mihangel Morgan: rhwng realaeth a beirniadaeth', yn John Rowlands (gol.), *Y Sêr yn Eu Graddau: Golwg ar Ffurfafen y Nofel Gymraeg Ddiweddar* (Caerdydd, 2000), t. 213.

[235] J. E. Caerwyn Williams, 'Saunders Lewis: yr ysgolhaig a'r beirniad', yn D. Tecwyn Lloyd a Gwilym Rees Hughes (goln), t. 70. Gair Saunders Lewis ydyw 'canonau'.

[236] Saunders Lewis, 'Emrys ap Iwan', *Ysgrifau Dydd Mercher*, t. 79. F'italeiddio i. Cymh. *idem*, 'Ateb Mr J. M. Edwards', *Meistri a'u Crefft*, t. 201: '[T]reiddio i holl fywyd a meddwl llawer o'r clasuron Cymraeg a rhagor nag un cyfnod.'

[237] Cymh. Saunders Lewis, 'Sangiad, *Tropus* a chywydd', *Meistri'r Canrifoedd*, t. 37: 'Hyd y gwn i, nid oes neb wedi astudio datblygiad a hanes y dull hwn yn y canu caeth.' Cymh. *idem*, 'Thomas À Kempis yn Gymraeg', *Meistri'r Canrifoedd*, t. 183.

[238] Saunders Lewis, 'Dylanwadau', 13.

[239] Thomas Parry, *Hanes Llenyddiaeth Gymraeg hyd 1900*, t. vii.

[240] Dyf. Derec Llwyd Morgan, '*Nid Hwn Mo'r Llyfr Terfynol*', t. 9.

[241] Saunders Lewis, 'Trem ar lenyddiaeth y Dadeni Dysg', *Meistri a'u Crefft*, t. 172.

[242] *Idem*, 'Dafydd ab Edmwnd', *Meistri a'u Crefft*, t. 131. Cymh. 'Siôn Cent', *Meistri a'u Crefft*, t. 148.

[243] *Idem*, 'Dafydd ap Gwilym', *Meistri'r Canrifoedd*, tt. 41–55.

[244] *Idem*, 'Trem ar lenyddiaeth y Dadeni Dysg', *Meistri a'u Crefft*, t. 172.

[245] Simon Brooks, *O Dan Lygaid y Gestapo*, t. 77.

[246] Ceri W. Lewis, 'Saunders Lewis (1893–1985)', 150.

Saunders Lewis: Cyflwyno'r Canon Llenyddol Cymraeg

Canon i bawb o bobl Cymru

Yr amcan yn y bennod hon yw archwilio ffurf y canon llenyddol Cymraeg yng ngwaith beirniadol Saunders Lewis. Fodd bynnag, cyn manylu ynghylch y ffurf honno a sylwi ym mha fodd yr ymdebyga i ffurf canon y Testament Newydd, nodir nad y ffurf ei hun fel y cyfryw a wnaeth y canon llenyddol yn beth byw yng ngwaith Saunders Lewis, eithr y modd y cysylltodd y beirniad ef â charfan arbennig o bobl ac â rhaglen ddiwylliannol amgenach, a hynny ar yr union adeg pan oedd carfan sylweddol o'r bobl hynny'n colli ei ffydd yng nghanon y Testament Newydd.

O safbwynt agwedd Saunders Lewis at lenyddiaeth Gymraeg, felly, y mae tebygrwydd rhyngddi ac eiddo beirniaid llenyddol eraill sydd wedi hyrwyddo canonau llenyddol brodorol mewn ymgais i wrthweithio dylanwad rhai gormesol ar eu diwylliant. Perthnasol, er enghraifft, yw sylwadau Jan Gorak am waith Vine Deloria a hyrwyddodd ganon o weithiau brodorol yn America, gan fod Deloria yn synied am y canon nid yn unig yn nhermau casgliad o destunau addysgiadol, eithr yn fynegiant o fydolwg pobl leiafrifol y mae eu diwylliant dan fygythiad.[1] Y mae'r canon, felly, yn gymaint mwy na gweithgarwch academaidd i ddeallusion.

Mewn modd cymharus, canon i gynrychioli bydolwg y Cymry lleiafrifol a hyrwyddodd Saunders Lewis, ac nid ysgrifennu ar gyfer rhyw garfan ddeallusol o'r genedl yn unig. Yn hyn o beth, etifeddodd raglen waith ei ragflaenwyr academaidd, megis y cyhoeddodd T. Gwynn Jones *Llenyddiaeth y Cymry* (1915) gan obeithio y byddai 'yn weddol ddeall-adwy i bob darllenydd'.[2] Ac mewn modd cymharus, hyderai John Morris-Jones na fyddai'r *Beirniad* yn '[g]lyhoeddiad i'r Brifysgol yn unig', eithr yn 'gylchgrawn cenedlaethol'.[3]

I Saunders Lewis, rhan o raglen waith ddiwylliannol ehangach ydoedd yr ymgais i roi bri ar lenyddiaeth Gymraeg, sef rhan o'r ymgais i ddiffinio arwahanrwydd y Cymry, a'u hymreolaeth oddi wrth Loegr, a defnyddio term Emrys ap Iwan.[4] I'r perwyl hwn, ysgrifennai'r cenedlaetholwr ar gyfer pobl allddosbarth o ddiwylliant cyffredin, gan 'wrthsefyll totalitariaeth y Dde a'r Chwith', ys dywed J. Gwyn Griffiths.[5] Gwelai Saunders Lewis fod y Gymraeg 'yn gwneuthur y gweithiwr a'r ysgolhaig yn frodyr yng Nghymru, y tlawd a'r cyfoethog yn aelodau o'r un teulu'.[6] Dyma, fel y nododd Jonathan Brody Kramnick, sy'n nodweddu cenedlaetholdeb diwylliannol Lloegr – ymdeimlad o berthyn i gymuned o ddarllenwyr sy'n gyffredin 'not in their social status, but in their lack of particular traits (of class, region, gender, and so on)'.[7] Da y nododd Ifor ap Dafydd fod defnydd Saunders Lewis o'r ymadrodd 'neb Cymro' yn llwyddo i gyfleu'r agwedd allddosbarth hon sy'n '[rh]oi i bobun arbenigedd a phwysigrwydd llwyr am ennyd'.[8]

Ac eto, fel yr awgrymodd ymholiad Saunders Lewis yn 1921 – 'Pwy yw y "werin", a pha fodd y'i hadwaenir?'[9] – anodd yw peidio â gweld nad oedd rhyw gymaint o wahaniaeth hefyd rhwng yr ysgolhaig a'r gweithiwr.[10] Fel y dywedodd Dafydd Glyn Jones am '[dd]iferyn gwaed Ffrengig' Emrys ap Iwan, felly hefyd y gellir dweud am fagwraeth Saunders Lewis yn Lloegr, os nad hefyd am ei Gatholigiaeth: 'Rhoddai ryw annibyniaeth iddo, rhyw gryfder bach ychwanegol wrth iddo sefyll ar wahân i'w gyd-Gymry, gweld eu gwendidau a dweud ei farn yn ddifloesgni.'[11] Nododd D. Tecwyn Lloyd i Saunders Lewis gael ei fagu yn Lerpwl yng nghwmni'r 'dosbarth canol uchaf . . . yn ei ragdybiaethau a'i gategorïau moesol a chymdeithasol'.[12] Profi hynny, chwedl Dafydd Glyn Jones, y mae'r ffaith iddo, gydag eraill, ladd ar y dosbarth canol – 'as good an indication as any that they belonged to it'.[13] I'r gwrthwyneb, nododd Gareth Miles na wadodd Saunders Lewis erioed 'the class from which he came', a chododd ddyfyniad o ragair Saunders Lewis i'w gyfieithiad o *Le Médicin malgré lui* (1923) i brofi hynny: 'The middle class of society is a good nursery for an artist, for it can give him a good education, the luxuries of civilized life, and money.'[14] Ac eto, enghraifft gref o'r lladd hwnnw ar ei ddosbarth ei hun yw'r modd y beirniadodd Saunders Lewis Geiriog a'i gynulleidfa drefedigaethol am '[r]oi ceiniog at geiniog, yn "dyfod ymlaen yn y byd," gan ladd pob dyhead afreolus dan ei fron, gan lethu pob ysbonc nwyd, a dofi ei gnawd a'i ysbryd, dyna rinweddau'r *bourgeois* Cymreig'.[15] Ar y gorau, felly, gwelir mai cymysglyd ydoedd agwedd Saunders Lewis tuag at ei ddosbarth cymdeithasol ei hun.

Yn betrus, felly, yr awgrymir yma nad amcan Saunders Lewis ydoedd dileu'r bwlch rhwng y gweithiwr a'r ysgolhaig, eithr, yn ei eiriau ei hun, cadw'r 'Gymraeg yn iaith dosbarth bychan o Gymry a gâr geinder a llên a chelf, ac a fydd yn bendefigaeth Gymreig yng nghanol gweriniaeth anwar'.[16] Gan hynny, erys Saunders Lewis – er gwaetha'r ffaith i R. M. Jones gwestiynu 'barn pawb call amdano' a gosod arno'r label 'Sosialydd',[17] ac i D. Ben Rees bwysleisio yr ymfalchïai Saunders Lewis yn ifanc 'mai un o'r werin ydoedd'[18] – yn darged hawdd ar gyfer y sosialydd a'r rhydd-frydwr fel ei gilydd, gan iddo yn ôl Ieuan Parri gyfrannu at natur asgell dde'r Blaid Genedlaethol.[19] Ac o'r safbwynt llenyddol, '[é]lite diwyll-iannol a ddeisyfid' ganddo, fel y nododd John Rowlands.[20] Rhannai ag F. R. Leavis awydd i weld 'astudiaethau llenyddol yn fodd i hyfforddi *elite* diwylliannol', ys dywed Peter Hyland am Leavis.[21] Y gwahaniaeth, wrth gwrs, rhwng Leavis a Saunders Lewis ydoedd fod y Cymro am gyfnewid *elite* Saesneg am un Cymraeg. Mewn llythyr at Kate Roberts, a chan addef iddo gyflwyno ynddo 'fwy o'm cyffes nag a ddylwn ei roi mewn llythyr' – nododd nad ynganai air 'yn dragywydd dros genedlaetholdeb na Chymraeg pedfai modd cadw'n fyw rywsut arall gwmni bach aristocrataidd Cymreig a gadwai lên a chelf yn ddiogel heb falio botwm am y werin daeogion'.[22] Nododd Hazel Walford Davies y teimlai'n gartrefol yn y 'cwmni bach aristocrataidd hwnnw yng Ngarthewin . . . i bobl ddethol y Gymru Gymraeg'.[23]

Anodd yw dirymu'r feirniadaeth hon yn erbyn elitiaeth Saunders Lewis, a'r modd iddo, fel F. R. Leavis yn Lloegr, arddel gwerthoedd aristocrataidd er mwyn camddisgrifio llenyddiaeth gyfoes na chyfansoddwyd mohoni ar gyfer brenhinoedd, a hynny fel modd i sicrhau undeb gwleidyddol. Er mor gyffrous a heriol ydoedd ei weledigaeth ar gyfer Cymru, teg nodi bod ei agwedd at lenyddiaeth Gymraeg yn nes at agwedd feddwl llywodraethwr gofalus na chwyldroadwr poblogaidd. Testun ar gyfer *elite* ydoedd Llenyddiaeth Fawr iddo, er y gwelai fod angen i olygiadau safonol o weithiau'r meistri Cymraeg gael eu cyhoeddi'n gyffredinol. Yn hyn o beth, os priodol y gymhariaeth gan R. M. Jones rhwng Saunders Lewis a ffigwr y Pab,[24] siawns na ellir hefyd awgrymu'n lledchwareus debygrwydd rhwng pensaer y traddodiad beirniadol Cymraeg a'r brenin hwnnw a heriodd awdurdod y Pab yn Lloegr a Chymru. Er i Harri VIII ddeddfu y dylai Beibl Saesneg fod yn bresennol ym mhob eglwys blwyf, bedair blynedd yn ddiweddarach nododd y Ddeddf er Hyrwyddo Gwir Grefydd (1543) fod darllen yr Ysgrythurau yn weithgarwch y dylid ei gyfyngu ar gyfer y dosbarthiadau uwch a chanol.[25]

Nid cyfan gwbl ffug, fodd bynnag – yn enwedig yn achos y rheini fel Saunders Lewis a ymfalchïai yn eu tras werinol[26] – ydoedd yr undod allddosbarth hwn rhwng ysgolhaig a gweithiwr, tlawd a chyfoethog yng Nghymru. Yn *Pur fel y Dur*, cyfeiriodd Jane Aaron at awydd Gwenynen Gwent, Arglwyddes Llanofer, i amddiffyn 'yr enw o Gymraes o Gymru'. Gan nodi bod yr enw hwn yn cynrychioli 'dosbarth anrhydeddus', nododd mai '*anrhydeddus* y rhaid eu bod pa un bynag [*sic*] ai tlawd a'i cyfoethog, mewn rhagoroldeb moesol'.[27] Bid siŵr, yr arglwyddes a alwodd am yr undod yn yr enghraifft hon, ond gwelai beirniad mor sosialaidd ei ogwydd â Raymond Williams fod y cyfryw undod yn nodwedd ar y gymdeithas Gymreig – 'an idea of an equal-standing and participating democracy which was there in experience before it became theory'.[28]

Yn ei lyfr *Toward a Working-class Canon*, nododd Paul Thomas Murphy y ceid yn Lloegr yn hanner cyntaf y bedwaredd ganrif ar bymtheg 'gannoedd o gyfnodolion a ysgrifennwyd gan y dosbarth gweithiol ac ar ei gyfer', ac i'r diwylliant cyhoeddi hwn ddatblygu canon 'mor eang a datblygiedig ag unrhyw un arall ym Mhrydain yr adeg honno'.[29] Fodd bynnag, diwylliant cyhoeddi enwadol a geid yng Nghymru yn yr un cyfnod, gyda '[ch]ylchgronau'r ganrif a'r prysurdeb ynglŷn â hwy'n dystiolaeth i'r argyhoeddiad fod Duw wedi ordeinio dyn i fod yn weithiwr diwylliannol', ys dywed R. Tudur Jones.[30] Ac fel yr awgrymir isod, hyrwyddo undod diwylliannol a thrawsddosbarth a wnâi'r diwylliant anghydffurfiol. Nododd R. Tudur Jones fod yr Hen Ymneilltuwyr (1700–40) 'yn bobl weddol gyfforddus eu byd', ond 'bod y tlodion yn elfen digon [*sic*] amlwg ymhlith yr aelodau a gwneid casgliadau'n barhaus i leddfu eu cyni'.[31] Dyma'r cefndir sy'n rhannol esbonio pam y caed undod allddosbarth tebyg pan ddechreuodd dosbarth canol Cymraeg ddatblygu ymhlith yr Anghydffurfwyr yng Nghymru ac yn rhai o ddinasoedd Lloegr yn y bedwaredd ganrif ar bymtheg. Yn y naill achos a'r llall, tystiai Cristnogion Cymraeg i wirionedd geiriau'r Apostol Paul yn Galatiaid 3: 28: 'nid oes na chaeth na rhydd . . . chwi oll un ydych'.

Byddai Saunders Lewis ei hun wedi dod ar draws yr undod hwn ym meirniadaeth Moelwyn ar *Williams Pantycelyn*. Oherwydd rhan o ymdrech Moelwyn i awdurdodi ei feirniadaeth ydoedd cyfeirio at '[l]ïaws llythyrau' o gefnogaeth gan 'wŷr llên a lleyg, yn weinidogion a blaenoriaid, yn athrawon a prifathrawon colegau, yn olygyddion, yn fyfyrwyr ac yn llafurwyr'.[32] Yn erbyn y cefndir hwn, felly, y dadleuai Saunders Lewis 'nad oes gan artist hawl i fod yn werinwr',[33] er gwaetha'r ffaith yr apeliai'r artist dan sylw, sef R. Williams Parry, 'at y deallusion mwyaf ac at y gwerinwyr mwyaf diaddysg', fel y nododd Alan Llwyd.[34] Dan ddylanwad ei ragdybiau dosbarth canol Seisnig, fel y dadleuodd D. Tecwyn Lloyd, adweithiai Saunders Lewis yn erbyn y syniad o ddiwylliant gwerinol Cymraeg, rhag ofn i'r 'wlad Gymraeg' anghofio bod 'arweiniad llenyddiaeth Gymraeg' yn nwylo'r ysgolheigion.[35] Nododd Ieuan Parri mor effeithiol y diystyrodd Saunders Lewis gynnig y mudiad gwleidyddol Gwerin i briodi ynghyd genedlaetholdeb a sosialaeth yn 1938, ac i'r Blaid yn hytrach arddel '[p]wysigrwydd pendefigiaeth'.[36] Ond nid pawb a oedd yn ddilynwyr ffyddlon i bendefig y Blaid, nid o blith yr ysgolheigion na'r gweithwyr. Fel y nododd Ieuan Parri, ni fedrai Goronwy O. Roberts a D. Tecwyn Lloyd, 'er gwaethaf eu cenedlaetholdeb, gefnogi Saunders Lewis [yn etholiadau'r Brifysgol] oherwydd ei agwedd ef a, thrwyddo ef, y Blaid Genedlaethol, tuag at Sosialaeth'.[37] Nododd Gwenno Ffrancon hefyd i Saunders Lewis ddod o dan lach ambell werinwr hyddysg megis David Rees Griffiths (Amanwy) – 'un o'r enghreifftiau gorau o ddiwylliant gwerin', ys dywed D. Tegfan Davies yn ei gyflwyniad i'w waith[38] – a hynny am iddo beidio â chlywed '[c]uriadau calon fawr gwerin Cymru erioed'. Bernid ei fod yn byw 'ynghysgod y "Mans"', ac yn rhy bell oddi wrth fywyd pob dydd pobl'.[39]

Er iddo nodi'n ifanc ei fod yn llawenhau wrth gofio 'that I am a peasant',[40] digon problemus ydoedd perthynas Saunders Lewis â'r werin, felly. Ond fel yr awgrymir gan ei eiriau uchod at Kate Roberts, yr oedd cynnal undod allddosbarth y Gymraeg yn anghenraid ar gyfer y dasg o sefydlu canon llenyddol Cymraeg, rhag i'r gwaith hwnnw droi'n ymarferiad academaidd yn unig, heb na chynulleidfa na nod. Yn wir i'r perwyl hwn, awgrymodd Pyrs Gruffudd i Saunders Lewis a chen-edlaetholwyr eraill droi'r werin yn symbol o burdeb ac arwahanrwydd Cymru.[41] Yn hyn o beth, yr oeddynt megis eraill 'yn defnyddio'r werin i'w diben eu hunain', a dyfynnu Alan Llwyd.[42] Ond heb y werin hon i'w maethu, sylweddolai'r beirniad na allai'r canon fod yn beth byw. Da o beth, felly, i'r beirniad ydoedd mai hwyluso, os nad hyrwyddo'r dasg hon o sicrhau undod allddosbarth, oedd y modd y gallai'r ysgolhaig ar ddechrau'r ugeinfed ganrif fanteisio ar sefyllfa lle'r oedd gan y gweith-iwr Cymraeg ormeswr Saesneg. Fel y nododd D. Gareth Evans, datblygodd y Gymraeg yn y bedwaredd ganrif ar bymtheg yn fodd i wahaniaethu rhwng y gweithiwr Cymraeg a'r dosbarthiadau canol Seisnig.[43]

Sefyllfa sosioieithyddol yw hon a welir hefyd mewn gwledydd ôl-drefedigaethol ar draws y byd, gyda chenedlaetholwyr yn llwyddo i drosgynnu gwahaniaethau rhwng dosbarthiadau cymdeithasol, a chreu, fel y nododd Terry Eagleton, 'a spurious unity out of conflicting class interests'.[44] Bid siŵr, ceir gwahaniaethau rhwng y sefyllfa yng Nghymru a'r sefyllfa mewn gwledydd eraill, o ran hanes ac effaith y gwladychu. Un nodwedd bwysig ar gymdeithas yng Nghymru ydoedd dylanwad anghydffurfiaeth, a oedd yn tueddu i ddiffinio cymdeithas yn nhermau aelodaeth capel, ac nid ar lun dosbarthiadau cymdeithasol. Yn hyn o beth, yr oedd yn wahanol i undebaeth. Tuedd yr undebwr yn ôl Glyn Williams a Delyth Morris ydoedd edrych ar ddieithryn yn nhermau dosbarth cymdeithasol. Tuedd yr anghydffurfiwr, fel rheol, ydoedd ei ystyried 'yn nhermau gwahaniaethau diwylliannol, neu hyd yn oed genedlaethol'.[45] Am hynny, gellir awgrymu i anghydffurfiaeth y bedwaredd ganrif ar bymtheg baratoi cynulleidfa addas ar gyfer rhaglen waith cenedlaetholwyr yr ugeinfed ganrif mewn modd arbennig, a hyrwyddo'r symudiad gwrthdrefedigaethol a nodir gan Eagleton.[46] Os nododd R. M. Jones mai 'sylwebyddion ceidwadol diweddar fel Saunders Lewis a chwiliai am etifeddiaeth gorfforol neu gymdeithasol cyfun i'r werin a'r uchelwriaeth', da yr ychwanegodd nad cwbl ddi-sail canlyniadau'r chwilio hwnnw yn achos Cymru'r ddeunawfed a'r bedwaredd ganrif ar bymtheg. Oherwydd yr oedd y Methodistiaid yn eu hystyried eu hunain 'yn llinach real y Brenin Mawr ei hun . . . Democrateiddiwyd Mawl o'r herwydd'.[47]

Ymddengys, felly, fod y cefndir anghydffurfiol hwn yng Nghymru – nad oedd, ysywaeth, yn llwyr ddiddosbarth, fel nad oedd undebaeth Gymreig yn gyfan gwbl Saesneg – yn cadarnhau arwyddocâd yr egwyddor gyffredin a nodir gan Eagleton, sef bod presenoldeb grym gwladychol yn fodd i aelodau dosbarth canol y wlad drefedigaethol gyfeirio eu gwaith at garfan eang o bobl gyfiaith, frodorol o wahanol gefndiroedd. Ac yn erbyn y cefndir anghydffurfiol hwn a oedd mor gyfarwydd i Saunders Lewis, medrai'r beirniad llenyddol elwa ar sefyllfa lle'r oedd ymdeimlad o genedlaetholdeb newydd wedi'r Rhyfel Mawr yn hyrwyddo'r cysyniad o ganon llenyddol cenedlaethol a fyddai'n eiddo i bawb, er gwaetha'r ffaith mai carfan fechan o ysgolheigion breintiedig a fyddai'n pennu ei gynnwys – rhywbeth na fynnai Saunders Lewis mo'i newid.[48] Yn hyn o beth, dyma enghraifft o sefyllfa lle y mae'r dosbarth canol yn darparu arweiniad 'yn y meysydd hynny lle na allai'r dosbarth gwaith ei ddarparu ar ei gyfer ei hun', fel y nododd Ieuan Gwynedd Jones.[49] Sefyllfa ydyw lle y bydd ysgolheigion yn cyhoeddi yng Nghyfres y Brifysgol a'r Werin,[50] heb ofyn pa faint o'r werin sydd yn y brifysgol, eithr yn hytrach nodi mai sefydliad Saesneg a Seisnig yw hwnnw a elwir yn *University of Wales*.[51] Wrth gwrs, ni all yr un Gymraes na Chymro sy'n rhannu'r un rhagfarn yn erbyn coloneiddio eu gwlad ddiolch ddigon i Saunders Lewis am amlygu mai 'prifysgolion taleithiol

Seisnig' ydyw colegau'r Brifysgol.[52] Fel y nododd Peredur Lynch, yn ei feirniadaeth lem ar y Brifysgol yr oedd yn mynd yn groes i 'holl dueddiadau'r oes' a fynnai weld y Cymro yn '[c]ystadlu gyfysgwydd â'r Sais hirben a'r Sgotyn llygadog', a hynny drwy gyfrwng addysg brifysgol Saesneg.[53] Ac eto, 'swyddogaeth Prifysgol Cymru yn ei farn ef oedd dwyn ynghyd *élite* ysgolheigaidd'.[54]

Wrth i'r *elite* Cymraeg ac ysgolheigaidd hwnnw ymffurfio ar ddechrau'r ugeinfed ganrif, trawiadol yw'r modd yr aeth ambell ysgolhaig ati i fawrygu'r gwerinwr distadl. Ystyrier, er enghraifft, sylwadau rhamantus O. M. Edwards ar enaid y genedl. Meddai: 'Mager ef yn yr ysgolion, a cholegau amrywiol y Brifysgol. Ond ei grud yw'r aelwyd. Yn yr amaethdy mynyddig, yn y bwthyn ar fin y nant, yng nghartref y glowr [*sic*] – yno y ca ysbryd Cymru ei eni.'[55] Nid yn unig y mae'r ysgolhaig a'r gweithiwr yn gydradd yma, eithr awgrymir mai'r olaf o'r ddau yw'r pwysicaf o safbwynt y genedl, gan felly gadarnhau nad oes angen na phrotest na chwyldro dosbarth, nac angen i'r gwerinwr fynd i'r brifysgol, eithr parhau o bawb i gyd-dynnu'n gymdeithasol gall â'i gilydd yn ôl yr hen drefn.[56] Rhai o'r werin, wedi'r cyfan, ydoedd yr ysgolheigion. Gwnaent eu gorau trosti. Ys dywed Islwyn Ffowc Elis am O. M. Edwards a Saunders Lewis ei hun: 'O'r werin ddarllengar hon y cododd O. M. Edwards a haneswyr eraill ac ysgolheigion llên – gan gynnwys Mr. Lewis ei hun – i roi'n ôl iddi mewn cyfrol a chyfnodolyn ei hen ogoniant gynt.'[57]

Fel y gwelwyd yn achos canon y Testament Newydd, onid yw canon yn adnodd i grŵp o bobl sefydlu eu hunaniaeth, nid yw'n ddim. Pennaf angen unrhyw ganon ydyw pobl ar ei gyfer – pobl y mae angen canon arnynt. Daeth llenyddiaeth Gymraeg yn fyw i Saunders Lewis pan sylweddolodd hynny, a myfyrio ar y berthynas glwm rhwng gweithiwr ac ysgolhaig yng Nghymru. Dadleuodd T. J. Morgan mai'r 'cymhelliad llwythol, yn ddiau, yw'r pwysicaf yn llenyddiaeth Cymru'.[58] Estyniad ar y cymhelliad hwnnw sy'n nodweddu beirniadaeth lenyddol Gymraeg, wrth i'r ysgolhaig ysgrifennu ar gyfer lleiafrif Cymraeg y mae ef ei hun yn aelod ohono.

Yn achos y portread o Saunders yr elitydd, y mae'n bosib i feirniad orliwio'r gwahaniaeth rhwng magwraeth yr ysgolhaig dosbarth canol o Lerpwl a'r gweithiwr mwy distadl yng Nghymru, o ran modd a rhagfarn. Nododd ef ei hun fod yr ysgol breifat a fynychodd 'yn rhy ddrud i gyflog gweinidog',[59] ac aeth i brifysgol Lerpwl gyda chymorthdal gan Gyngor Bwrdeistref Wallasey. Ond o ystyried yr awgrym yn sylw Islwyn Ffowc Elis mai codi o'r gwaelod i fyny a wnâi'r berthynas rhwng yr ysgolhaig a'r werin, deellir hefyd pam na chredai Amanwy y gallai 'Mab y Mans' adnabod y gweithiwr yr ysgrifennai ar ei gyfer. Ni wyddai ddim, er enghraifft, am sefyllfa'r chwech o lowyr a gyhoeddodd gyfrol yn 1924 er mwyn codi arian at gostau addysg un ohonynt, sef Gomer M. Roberts.[60] (O ran hynny, edliwiai Gwynfor Evans iddo, flynyddoedd yn ddiweddarach, ei anallu i gydymdeimlo â ffawd y glöwr.[61]) Gŵr o gefndir gwahanol a mwy cyffordus ei fyd a gyhoeddodd 'Dafydd Nanmor' flwyddyn yn ddiweddarach. Gŵr a '[g]yrhaeddodd oedran gŵr heb ddim o'r synnwyr anghyfiawnder personol a daniai ei gyfoedion', ys dywed T. Robin Chapman.[62] Gŵr a fyddai maes o law yn abl i '[f]entro tlodi', gan y gwyddai nad ei dlodi a fyddai'n ei ddiffinio.[63] Gŵr oedd hwn, fel y nododd ei gofiannydd, a fedrai 'adnabod y disgybl a dderbyniai addysg breifat', hyd yn oed os costiodd yr addysg honno'n ddrud i'w rieni ef ei hun. Adwaenai'r 'plentyn heb atalnwyd y taeog, plentyn rhydd mewn cwmni, yn dweud ei ateb yn lân ac yn uchel, a digon o hyder yn ei ymddygiad a moesgarwch hefyd'.[64]

O haeddu 'lle ymysg y clasuron' i 'le yn ein bywyd'

Ar un olwg, yr oedd Saunders Lewis yn ganoneiddiwr cyn iddo ddechrau ysgrifennu ar lenyddiaeth Cymru yn Gymraeg. Dyma ydoedd nod y feirniadaeth lenyddol Saesneg yr addysgwyd ef ynddi, ac amlygiad ohoni yw'r modd y ceisiodd yn *An Introduction to Contemporary Welsh Literature* (1926) nodi pa awduron a oedd yn cyfrannu 'something significant to *the body of Welsh literature*'.[65]

Fel y nododd Peter Barry, llwyddodd Matthew Arnold i ddarbwyllo'r rhelyw o feirniaid Lloegr mai eu gwaith ydoedd cynorthwyo pobl i goleddu 'the canon of great works which had emerged through the collective wisdom of the ages'.[66] Ystyriai athro Saunders Lewis, Oliver Elton, fod beirniaid llenyddol Lloegr yn ysgrifennu'n well na'u cymheiriaid Americanaidd oherwydd 'though they have not been taught method, they have been reared on the classics'.[67] Heb anwybyddu method, pwysleisiodd Elton fod angen 'a knowledge of the classics as a foundation', os oedd neb am ysgrifennu hanes llenyddol.[68] At hyn, nododd yn egwyddor sylfaenol ar gyfer llenyddiaeth gyfoes, 'we may turn for renewal to the writings of our own far past'.[69] Nid syn, felly, y gwelir mewn llythyr cynnar at Margaret Gilcriest ddylanwad ei addysg Saesneg ar Saunders Lewis, ac mor bwysig iddo er yn gynnar iawn ydoedd y syniad o ganon llenyddol sefydlog. 'Read poetry slowly', meddai wrthi, 'and while you seek for new poets, go back again and again to the great writers, and among the sure poets have a small company of favourites to study and know through and through.'[70]

Nid annisgwyl chwaith yw gweld Saunders Lewis yn 1921 ar achlysur canmlwyddiant Keats yn disgrifio'r bardd megis 'a poet now among the saints . . . the saint of poets'.[71] Pwysleisia'r trosiad crefyddol mai canoneiddio'r mawrion – pennu seintiau – yw gwaith y beirniad llenyddol. Edrychodd hefyd ar Molière yn nhermau 'one of the saints of European drama'.[72] A phan droes ei sylw at lenyddiaeth Gymraeg, ac at John Morgan, ennill iddo 'le ym mysg clasuron y Gymraeg' ydoedd y dasg. Megis yr oedd Keats yn cyrraedd 'the level loveliness of the classics' drwy ei athrylith,[73] felly y dysgodd John Morgan drwy ei grefft efelychu '[t]awelwch prydferth y clasuron'.[74]

Yr hyn sydd ar goll yn yr ysgrif hon a gyhoeddwyd yn 1922, fodd bynnag, ynghyd â 'Goronwy Owen' flwyddyn yn ddiweddarach, yw'r gynneddf honno y cyfeiriodd R. Geraint Gruffydd ati; yr ymdeimlad hwnnw sydd mor amlwg yn 'Dafydd Nanmor' (1925) fod yng ngwaith yr hen awdur Cymraeg 'neges gyfamserol' ar ein cyfer 'ni'.[75] Fel y nodwyd, canoneiddio ydoedd y dasg; pennu'r clasuron. Ond canon heb bobl nac amcan gwleidyddol ydoedd yn 1922. Canon heb *telos*. Yn hyn o beth, y mae 'John Morgan' mor wahanol i 'Dafydd Nanmor' ag yw *A School of Welsh Augustans* i'r ysgrif ddylanwadol honno. Oherwydd gwelir yn y llyfr cynnar hwnnw mai gwaith y beirniad llenyddol yw amlygu ffynonellau a dylanwadau'r llenorion dan sylw.[76] Yn ôl D. Gwenallt Jones, dyma 'un o'r llyfrau gorau a gyhoeddodd Mr. Lewis'.[77] Ac eto, llyfr hollol ddigynnwrf ydyw, gwaith myfyriwr ymchwil, ac nid gwaith artist – y term y gwelsom John Rowlands yn ei ddefnyddio i ddisgrifio gwaith aeddfetaf y beirniad.[78]

Yn ei astudiaeth o fywyd a gwaith Saunders Lewis, neilltuodd D. Tecwyn Lloyd bennod gyfan ar gyfer 1923, lle y dadleuir i'r flwyddyn honno fod yn un ffurfiannol ym mywyd y gŵr.[79] Y mae'r ddadl honno'n un sy'n cydio.[80] Yn y flwyddyn honno, er enghraifft, daeth yn amlwg fod '[rh]agfarnau gwreiddiol' Saunders Lewis yn eu lle, a bod llenyddiaeth Gymraeg bellach yn rhan o raglen genedlatholgar amgenach. Amlygu hynny a wnaeth un ymateb o'i eiddo yn y *Western Mail*, lle y nododd fod yn rhaid credu 'in political Nationalism or else in the extinction of Welsh literature'.[81] O'r fan hon ymlaen y mae i lenyddiaeth amcan amgenach na'r llenyddol yn unig, a'r awydd Seisnig i ddefnyddio llenyddiaeth yn gyfrwng i hyfforddi'r dosbarthiadau cymdeithasol is yn troi'n awydd i addysgu cenedl Gymraeg. Fel y dywedodd Saunders Lewis am Lasynys, felly hefyd y cymhwysir yma'r sylw at ei ysgrifau beirniadol a gwleidyddol yntau wedi 1925: 'yn anuniongyrchol y mae ei waith llenyddol pur yn cyflawni o leiaf ran o uchelgais a bwriad y diwygiwr cymdeithasol ifanc. Yr un athroniaeth sy'n symbylu'r ddau fath o waith'.[82] Daethai i weld bod 'gan berygl gwareiddiad hawl' ar ysgolheigion hefyd, a'r 'dull y gallai'r dysgedigion a'r athrawon wneud eu rhan yn yr argyfwng' ydoedd 'esbonio gweithiau mawr y gorffennol mewn llên a charreg a lliw'.[83]

Nododd R. M. Jones na ddetholodd Saunders Lewis '[dd]im oll o'r pethau . . . a ddywedodd ef cyn 1923' i'w cynnwys yn *Meistri'r Canrifoedd* a *Meistri a'u Crefft*.[84] Barnai Saunders Lewis ei hun yn 1935 fod 'popeth a sgrifennais i cyn 1925 yn fynegiant o farn y bedwaredd ganrif ar bymtheg – barn a gollodd bob grym a gwerth erbyn heddiw'.[85] Yng nghyswllt ei waith ar y canon llenyddol Cymraeg, gellir nodi mai'r gwahaniaeth rhwng 'John Morgan' (1922) a 'Dafydd Nanmor' (1925) yw i'r cyntaf gael ei ysgrifennu gan ysgolhaig, a'r ail gan ysgolhaig na fynnai mwyach fod yn llyfrbryf yn unig, eithr yn arweinydd cymdeithasol.[86] Esbonnir hefyd, yn rhannol, y newid yn nhermau newid pwyslais academaidd o ramantiaeth i glasuriaeth, ond rhaid cofio mai ar sail ei grefft ac nid ei athrylith yr haeddai John Morgan le ymysg y clasuron. Yn hytrach y mae'r newid hwn yn adlewyrchu newid ym mywyd Saunders Lewis ei hun yn sgil ei genedlaetholdeb. Wrth iddo ef ei gysylltu ei hun â charfan o bobl yma yng Nghymru y dechreuodd weld mai '[c]readigaeth cymdeithas yw celfyddyd' ac mai'r gelfyddyd orau, felly, yw'r un sy'n 'gwasanaethu'r gymdeithas'.[87] Yn 1923, 'mewn unigedd y mae athrylith yn aeddfedu'.[88] Yn 1927, 'ni all dyn ar ei ben ei hun fyth mo'i adnabod ei hun. Rhaid iddo wrth gymdeithas, wrth fethod cymdeithasol a chymorth o'r tu allan er mwyn ei ddarganfod ei hun yn iawn.'[89] Am hynny, y mae ei farn ar Goronwy Owen yn 1935 yn llwyr wrthwyneb i'r hyn a ddywedodd amdano yn 1923. '[B]arddoniaeth y llyfrgell a'r ddesg a'r geiriadur' a gyfansoddodd Goronwy Owen, meddai.[90] Ni allai'r beirniad a fyddai ymhen dim yn llosgi'r Ysgol Fomio ym Mhenyberth ei oddef ddim mwy. Rhaid cofio mai '[s]ylweddoli'r cysylltiad hanfodol hwn rhwng llenyddiaeth a bywyd cymdeithas draddodiadol yng Nghymru a'[i] tynnodd [ef] gyntaf oddi wrth waith llenyddol yn unig i ymroi hefyd i waith cyhoeddus ac i sefydlu gydag eraill Blaid Genedlaethol Cymru'.[91]

Fel rheol, portreedir Saunders Lewis yn ŵr braidd yn bell, a chadarnhau'r portread hwnnw ar un olwg y mae'r cyfeiriadau uchod at ei awydd i sefydlu *elite* o lengarwyr Cymraeg. Ond teg nodi iddo bwysleisio mai 'peth dilettante ac ofer yw ceisio amddiffyn neu atgyfodi cenedl a chenedligrwydd oddieithr drwy foddion cymdeithasol, drwy drefniadaeth, drwy glymu dynion ynghyd mewn cydymdrech a chydweithio a'u llunio'n gymdeithas neu'n blaid'.[92] Er nad yn un o'r bobl, efallai – sylwer ar yr ymadrodd 'eu llunio' – rhoes, yn anghydffurfiol iawn, y pwys mwyaf ar gydymdrech pobl o gyffelyb fryd. A gwnaeth hynny mewn modd sy'n ymylu ar fod yn un allddosbarth, hyd yn oed os câi drafferth i 'feddwl y tu hwnt i feddylfryd dosbarthol, paradigmatig ei oes'.[93] Nododd T. Robin Chapman i Saunders Lewis, wedi iddo golli ei swydd ddarlithio, 'glosio at y dosbarth gweithio yr oedd wedi ffoi rhagddo'.[94] Ac os nododd y cofiannydd y gellir dyfynnu sylwadau Saunders Lewis ar ffasgaeth 'i'w gollfarnu a'i gyfiawnhau', siawns nad felly y mae hefyd mewn perthynas â'r werin: y werin na feddyliai ef 'amdanynt fel 'gwerin' yn yr ystyr o fod yn bobl isel . . . pendefigaidd yw tras mwyafrif mawr tlodion Cymru'.[95]

Pwysleisiodd Oliver Elton, ei athro ym mhrifysgol Lerpwl, bwysigrwydd 'co-operation of labour . . . schools of learning'.[96] A gwelai'r disgybl yr un modd mai cydeistedd a oedd yn sicrhau traddodiad.[97] Yn llenyddol, gwelai ei fod ef ei hun yn perthyn i garfan o lenorion. Yn 1926, yn ei '[L]ythyr at Gynan', er enghraifft, cysylltodd ei hun â'r 'llenorion hynny nad ydynt yn aelodau'r Orsedd, rhai fel Gwynn Jones, Kate Roberts, D. T. Davies, W. J. Gruffydd a Williams Parry a R. T. Jenkins';[98] ac wrth draethu ar '[G]yflwr ein llenyddiaeth' yn 1939, gwelai fod angen '[c]lymu ynghyd lenorion ifainc', a 'meithrin ysgol o sgrifenwyr'.[99] Oherwydd – gan ddyfynnu o ysgrif a gyhoeddodd fis yn ddiweddarach,

> Y mae beirniadaeth a gogan a dwrdio unrhyw awdur yn fwy tebyg o fod yn gywir, yn normal ac iach, ac yn fwy treiddgar a dwfn hefyd, pan lefaro'r dyn hwnnw nid drosto'i hun, fel unigolyn gwyrthiol ac arbennig neu weledydd unig, eithr pan lefaro dros draddodiad neu fel aelod o gymdeithas neu fudiad neu gylch eang a phur gyffredinol.[100]

Gwelir o'r dyfyniad, er gwaethaf ei barodrwydd i herio consensws y dydd, yr ystyriai Saunders Lewis mai yn ei gymdeithas ag eraill yr oedd grym ei feirniadaeth. Megis R. M. Jones ar ei ôl, deallai fod yna Dafod y tu ôl i Fynegiant pob unigolyn. Ac fel Eusebius gynt, gwelai fod y cyfryw gymdeithas yn rhan o'r broses o lunio canon llenyddol ac mai hanfod y fath gymdeithas ydoedd egwyddorion cyffredin ei haelodau, sef ei chanon ffydd llywodraethol. Yr hyn a all 'glymu ynghyd lenorion ifainc . . . yw egwyddorion y credant ynddynt a chenadwri i'w hoes'.[101] Efallai y gellir nodi mewn modd ansosialaidd iawn fod 'stiward y seiat', er gwaethaf ei stiwardiaeth, yn aelod o'r seiat hefyd.[102]

Nid y bwriad yma yw edrych yn fanwl ar y berthynas rhwng beirniadaeth lenyddol Saunders Lewis a'i fywyd cymdeithasol, nac olrhain ei datblygiad. Ond un ffordd o amlygu pwysigrwydd 1923 yn ei fywyd a'i waith yw drwy nodi yr haeddai John Morgan yn 1922 'le ym mysg clasuron y Gymraeg', tra haeddai Dafydd Nanmor dair blynedd yn ddiweddarach '[l]e yn ein bywyd'.[103] Canoneiddio y mae'r beirniad yn y naill erthygl a'r llall – cadarnhau a phennu clasur – eithr y mae i'r gweithgarwch hwnnw ddiben y tu hwnt i'r llyfrgell a'r ddesg a'r geiriadur yn 1925. A hynny am fod llenyddiaeth mwyach 'yn faeth i'r ysbryd', fel y gall y rhai sy'n caru 'llenyddiaeth Gymraeg . . . fyw arni'.[104] Mewn gair, wrth i Saunders Lewis gysylltu ei weledigaeth lenyddol â'r un wleidyddol ynghyd, cysylltodd hefyd lenyddiaeth Gymraeg gyda phobl a fyddai'n ei darllen yn eu hymgais anymwybodol i ddiffinio eu hunaniaeth; ac fel yr awgryma'r ieithwedd grefyddol, dechreuwyd edrych ar lenyddiaeth Gymraeg y pryd hwnnw yn nhermau canon ysbrydol o weithiau. Yn ôl D. Gwenallt Jones, 'Erthygl Mr. Saunders Lewis ar Ddafydd Nanmor yw'r darn gwychaf o feirniadaeth lenyddol a sgrifennwyd erioed yn y Gymraeg.'[105] Rhan fawr o'i hapêl, fe gredir, ydoedd y galw ar i'r darllenydd edrych ar lenyddiaeth Gymraeg ar lun canon bywydol nid annhebyg i'r Beibl, 'yn faeth i'r ysbryd'. Ac ar un olwg, yr oedd rheswm da gan y beirniad dros wneud hynny.

Amgylchfyd parod y canon llenyddol Cymraeg

Fel y dengys ymateb Gwenallt i 'Dafydd Nanmor', rhoddwyd croeso brwd i'r galw ar i ddarllenwyr Y Llenor weld yng ngwaith yr hen fardd 'neges gyfamserol'. A hynny am fod y galw hwnnw yn ateb angen cymdeithasol penodol.[106] Oherwydd cyd-destun y ffordd newydd hon o ddarllen llenyddiaeth Gymraeg ydoedd bod llawer o Gymry yn colli eu ffydd yng nghanon y Testament Newydd, ac yn peidio ag edrych ar y Beibl Cymraeg fel ffynhonnell iddynt seilio eu bywyd arni. Bid siŵr, ni ddigwyddodd hynny dros nos. Fel y nododd Kenneth O. Morgan, bu papurau'r anghydffurfwyr megis Y Goleuad a'r Tyst, ynghyd â'r chwarterolyn, Y Geninen, yn tynnu sylw at anallu'r capeli i wrthweithio effeithiau diwydiannaeth, seciwlareiddio, ynghyd â'r Uwchfeirniadaeth newydd – '[the] new scientific schools of biblical criticism' – o ganol yr 1880au ymlaen.[107] Nododd Willis B. Glover nad tan ar ôl 1890 y dylanwadodd Uwchfeirniadaeth o ddifrif ar grefydd yn Lloegr.[108] Ac awgrymodd Gwilym H. Jones ddyddiad cymharus ar gyfer Cymru, sef 1890–1914.[109]

Wrth drafod newid yn agwedd feddwl y lliaws at y Beibl, anodd yw pwyntio at un dyddiad penodol. Ond o gofio i Saunders Lewis gael ei eni yn 1893 yn fab i weinidog Methodist, nodir bod Uwchfeirniadaeth Feiblaidd a'r wrthfeirniadaeth a geisiodd ei hannilysu fel pe baent yn rhan o amgychfyd ei febyd, ac mai mewn perthynas â'r cyd-destun hwn yr awgrymir iddo gymhwyso'r ffordd yr arferid darllen canon y Beibl ar gyfer math newydd o ganon, sef llenyddiaeth Gymraeg.

Wrth sylwi ar y berthynas hon rhwng y llenyddol newydd a'r cefndir crefyddol yn achos Saunders Lewis, nodir yma i Lewis Edwards o'i flaen gyfeirio at 'ymdrechion . . . i gymodi crefydd a llenyddiaeth . . . i ymdrin â phynciau llenyddol mewn ysbryd cydweddol âg [sic] egwyddorion Cristnogaeth'. Gan gyfeirio at nifer o gyfnodolion Saesneg, nododd Lewis Edwards mai '[e]r mwyn gwneuthur rhywbeth yn y cyfeiriad hwn mewn cylch llai y sefydlwyd y *Traethodydd*'.[110]

Ar un olwg, ystyrir mai etifedd y rhaglen lenyddol hon ydoedd Saunders Lewis. Ac eto, cyn i mi droi at ei waith beirniadol aeddfed a nodi'r tebygrwydd rhwng ffurf y Traddodiad Llenyddol Cymraeg â chanon y Testament Newydd, gwell i mi nodi nad 'cymodi crefydd a llenyddiaeth' a âi â bryd y Saunders Lewis ifanc, eithr rhoi'r olaf yn lle'r cyntaf. Meddai'r athro Ysgol Sul ifanc:

> And so I dropped the Bible, all except the parables of Jesus, and I tried to hide the fact that these parables had lessons and morals in them, and I tried to talk about Pryderi and how a girl was created of the flowers of broom, and oak.[111]

Mae'n wir i Saunders Lewis newid ei agwedd yn fawr at y Beibl, ond gwelir yma hunanbortread trawiadol iawn sy'n llwyddo i gyfleu awgrym y bennod hon, sef bod llenyddiaeth yn y cyfnod hwn fel pe bai'n cymryd lle'r Beibl, hyd yn oed o fewn y diwylliant anghydffurfiol ei hun.[112]

Fodd bynnag, er mor drawiadol yw'r modd y mae llenyddiaeth fel pe bai'n cymryd lle'r Beibl yn y portread uchod, rhaid cofio nad oedd y cylchoedd llenyddol a'r crefyddol yn ddeubeth ar wahân yng ngwaith y beirniad Catholig hwn, ddim mwy nag yr oeddent yng nghapeli anghydffurfiol y cyfnod. Amlygu hynny, er enghraifft, y mae'r ffaith 'mai yn feirniad llenyddol y gwnaeth ef yr argraff fawr gyntaf ar fywyd llenyddol – a chrefyddol – Cymru', fel y nododd Pennar Davies.[113] Rhaid cofio mai testun llyfr beirniadol cyntaf Saunders Lewis yn Gymraeg ydoedd awdur yr emynau hynny a oedd yn dal yn cael eu canu yn y capeli. At hyn, nododd A. O. H. Jarman mai o bulpud capel Cymraeg y clywodd ef gyntaf am Saunders Lewis, wrth i'r Parchedig John Hughes gyfeirio at y 'Llythyr ynghylch Catholigiaeth' a gyhoeddodd yn *Y Llenor* yn yr un flwyddyn, 1927.[114] Llwydda'r naill sylw a'r llall i bwysleisio'r berthynas rhwng y llenyddol a'r crefyddol yn ei waith a'i gyd-destun. At hyn, rhaid nodi na fynnai ef, wedi iddo aeddfedu, weld llenyddiaeth yn disodli crefydd, eithr i'r gwrthwyneb yn llwyr. Fel yn achos R. M. Jones, gwelai Saunders Lewis fod 'cyflwr [diffygiol] crefydd a'r meddwl crefyddol yng Nghymru yn mennu ar ein holl ddiwylliant ni ac ar ein holl lenyddiaeth ni'.[115] Am hynny, dwy ochr i'r un geiniog ydoedd unrhyw ddadl grefyddol a llenyddol iddo.[116]

Gwelir yn *Y Beirniad* dan olygyddiaeth John Morris-Jones, sef rhag-flaenydd *Y Llenor*, y trafodid pynciau yn ymwneud â chanon y Testament Newydd yn rheolaidd ar ddechrau'r ugeinfed ganrif. Yng nghyfrol 6, er enghraifft, cyhoeddwyd dwy ysgrif ar y pwnc hwn, 'Y Testament Newydd yng ngoleuni'r wybodaeth ddiweddaraf' gan y Parch. Maurice Jones, ac 'Y Testament Newydd a darganfyddiadau diweddar' gan y Parch. David Adams. Yr un testun sydd i'r ddwy, sef sut i ddarllen y Testament Newydd, a Christnogaeth yn gyffredinol, yng ngoleuni'r Uwchfeirniadaeth. Ar y naill law, dadleuodd Maurice Jones fod angen ehangu'r canon. Er na chredai ei bod 'o'r un safon ysbrydol a'r gweddill o'r Ysgrythurau', nododd fod '[y] ffaith nad ydyw'r Apocryffa yn gynwysedig yn y Beiblau a ddefnyddir yn gyffredin yng Nghymru wedi bod yn anfantais inni fel cenedl grefyddol'.[117] Ar y llaw arall, dadleuodd David Adams fod angen hepgor rhai o adnodau'r Testament Newydd, am 'nad oes awdurdod digonol dros ystyried yr adnodau . . . fel rhannau gwreiddiol ohono'.[118] Wedi canrifoedd o ddarllen canon y Testament Newydd, felly, gan fedru cymryd ffurf a chynnwys y canon yn ganiataol, dyma awgrymu na allai'r Cymry ymddiried mewn testun a oedd wedi dechrau symud o'r newydd. Ar ddiwedd ysgrif Maurice Jones, awgrym-wyd ei bod yn 'rhy gynnar ar hyn o bryd i geisio ateb yn derfynol amryw o'r cwestiynau difrifol sydd yn deilliaw o'r ymchwiliad [sef Uwchfeirn-iadaeth]'.[119] Ond eisoes yr oedd yn amlwg i eraill pa ffordd yr oedd y gwynt yn chwythu, wrth i sawl diwinydd a gweinidog Cymraeg golli ei ffydd yng nghanon y Testament Newydd. Ys dywed Gwilym H. Jones: 'Yr oedd y llanw yn sicr yn troi i gyfeiriad croesawu Uwchfeirniadaeth a'i chasgliadau.'[120]

Ystyrier, er enghraifft, ysgrif arall o'r un cyfnod, 'Ysbrydoliaeth y Beibl' gan R. S. Thomas a ymddangosodd yn *Y Beirniad*, cyfrol 4. Gan gyfeirio at lyfr Maurice Jones, *The New Testament in the Twentieth Century*, meddai R. S. Thomas:

Blin gennyf ddatgan fy marn nad yw llyfr Mr. Jones yn foddion i ffurfio a meithrin y syniadau a'r teimladau uchaf o wrogaeth i awdurdod yr Ysgrythurau Santaidd . . . A gofid i mi yw gweled tuedd mewn rhai eraill, yn y blynyddoedd hyn, i dramwy yn yr un cyfeiriad, gan roddi i fyny'r hen ddamcaniaeth o ysbrydoliaeth anffaeledig y Beibl, yr hon a gydnabyddir gan ein hawdur fel yr un boblogaidd hyd yn oed yn bresennol. Diau mai dylanwad Uwchfeirniadaeth ddiweddar yw'r prif achos sydd yn cyfrif am y duedd i roddi i fyny'r hen derfynau y bu Cymru yn eu hamddiffyn yn ffyddlon am flynyddoedd.[121]

Cadarnheir yr un darlun yn yr ysgrif hon hefyd, sef bod Cristnogaeth Gymraeg ar groesffordd, ac yn benodol, felly, werth a defnyddioldeb y Testament Newydd, y canon o weithiau ysgrifenedig y bu 'Cymru yn eu hamddiffyn yn ffyddlon am flynyddoedd'. Yn ôl R. S. Thomas uchod, yn 1914 yr oedd llawer eto'n parhau i gredu yn ysbrydoliaeth anffaeledig y Beibl. Ond ar y gorwel wynebai crefyddwyr Cymru ryfel byd a fyddai'n cael effaith andwyol ar ffydd ac aelodaeth grefyddol yng Nghymru.[122] Pwysleisiodd John Davies fod 'pryderon crefyddwyr ar gynnydd ers degawdau', ond atgyfnerthodd y Rhyfel Byd Cyntaf yr amheuaeth a gododd ym meddwl ambell un yn sgil Uwchfeirniadaeth. 'Yn achos rhai', fel y nododd D. Densil Morgan, 'dwysaodd y drin eu ffydd yn Nuw, ond yn achos eraill cadarnhaodd yr ymladd yr amheuon dwfn a oedd ganddynt eisoes.'[123]

'Wedi degawd cynta'r ganrif hon', fel y nododd John Davies, 'byddai nifer mynychwyr yr addoldai a siaradwyr y Gymraeg yn crebachu'n barhaus.'[124] Flwyddyn wedi'r rhyfel, nododd y Parch. R. B. Jones y '[d]ysgir yn dra chyffredin heddyw bod y syniad traddodiadol am y Beibl bellach yn amhosibl. Ystyrir "ysbrydoliaeth eiriol" yn ffolineb, a'r goruwchnaturiol yn hanes ac yng nghynhyrchiad y Beibl yn wrthbrof-edig.' Yr oedd '[yr] agweddiad [newydd] at y Beibl . . . yn rheoli meddwl ysgol liosog [sic] o fyfyrwyr Beiblaidd i fesur bron anhygoel'.[125]

I ganol y sefyllfa hon o golli ffydd yng nghanon y Beibl y cyfeiriodd Saunders Lewis ei gyd-Gymry at gorff arall o lenyddiaeth ysbrydol yn Gymraeg, sef at eu Traddodiad Llenyddol. Ar un olwg, fel yr awgrym-wyd eisoes, er mai'r amcan ydoedd gwyrdroi'r modd y 'cyflyrwyd y Cymry yn eu miloedd i feddwl yn Brydeinig ac i dderbyn y gyfundrefn Brydeinig', ys dywed Rhys Tudur, cymhwyso rhaglen waith y beirniad llenyddol Saesneg yr oedd Saunders Lewis wrth ddwyn eu sylw at y canon llenyddol Cymraeg.[126] Yn Lloegr o ganol y bedwaredd ganrif ar bymtheg ymlaen, ystyriwyd llenyddiaeth Saesneg 'as a kind of substitute for religion', chwedl Barry.[127] Ystyriwyd bod modd i lenyddiaeth, megis crefydd gynt, ddysgu i haenau isaf y gymdeithas werthoedd moesol y dosbarth canol a fynegwyd yn y llenyddiaeth honno. Gyda chyn lleied o'r dosbarthiadau cymdeithasol is yn mynychu'r eglwysi yn nhridegau a deugeiniau'r bedwaredd ganrif ar bymtheg, edrychwyd ar lenyddiaeth yn gyfrwng i ddysgu iddynt werthoedd moesol a pharch tuag at y *status quo* gwleidyddol yn Lloegr. Fel y nododd Peter Barry, y gobaith oedd sicrhau trwy hyfforddiant llenyddol fod pobl yn teimlo eu bod yn perthyn i Loegr, 'that they had a country'.[128] A dyfynnu un sylwebydd o'r ddeunawfed ganrif: '[The] advocating of good Literature in the World is not only highly subservient to the Ends of Religion and Virtue, but likewise to those of Good Policy and Civil Government.'[129]

Rhaid peidio, fodd bynnag, â hawlio gormod i raglen waith ddieithr Saunders y Sais. Oherwydd yng Nghymru'r un modd, gellir nodi bod yr un awydd i barchu'r *status quo* a awgrymir gan eiriau John Clarke uchod yn nodwedd ar lawer o lenyddiaeth Gymraeg y ddeunawfed ganrif. 'Beth yw gwerth hanes?' holodd Saunders Lewis. 'Yr ateb sy'n gorwedd dan holl ddysgeidiaeth *Drych y Prif Oesoedd* yw, maethu a phorthi *pietas*, ffyddlondeb i grefydd a gwlad, i Dduw ac i'r tadau.'[130] Nododd Dafydd Glyn Jones mai ceidwadaeth yw pennaf nodwedd llenyddiaeth Gymraeg y ddeunawfed ganrif, o '[g]eidwadaeth giaidd' Ellis Wynne hyd at '[g]eidwadaeth daeogaidd' Thomas Jones, Dinbych.[131] At hyn, o edrych ar sefyllfa anghydffurfiaeth yng Nghymru ar droad yr ugeinfed ganrif, gwelir yn glir nad Saunders Lewis a ddysgodd i'r Cymry edrych ar lenyddiaeth yn rhith eu crefydd. A chan gofio ei fod ef ei hun yn fab i weinidog Methodistaidd Cymraeg, symleiddio fyddai dweud mai ei gyfoedion dosbarth canol a'i athrawon Saesneg yn Lerpwl a ddysgodd iddo yntau ddarllen llenyddiaeth yn gorff o destunau ysbrydol.

Wrth drafod *Y Diwygiad Mawr* yng Nghymru, nododd Derec Llwyd Morgan yr

> edrychai'r Methodistiaid ar lenyddiaeth hefyd fel peth a'u boddhâi, ac a ychwanegai at gyfoeth eu profiadau ysbrydol, yn wir fel peth a fedrai gyfrannu at ansawdd y profiad hwnnw. Nid unwaith na dwywaith, ond llawer tro, ceir tystio i'r ffaith fod barddoniaeth a rhyddiaith yn affeithio'r cyneddfau hynny yn yr enaid a oedd yn fwyaf effro i ddylanwadau'r Ysbryd.[132]

Dyna brofiad y Tadau Methodistaidd. Defnyddient lenyddiaeth, megis cerddoriaeth, yn adnodd ar gyfer addoli Duw. Y gwahaniaeth, fodd bynnag, erbyn troad yr ugeinfed ganrif, ydoedd bod y cyswllt uniongyrchol rhwng llenyddiaeth a phrofiadau ysbrydol wedi llacio. Nid cyfrwng yn unig ydoedd y naill ar gyfer y llall mwyach, eithr peth i'w fwynhau er ei fwyn ei hun ar lefel ddeallusol a theimladol. Yn wir, nododd Dafydd Johnston mewn perthynas â ffigurau amlycaf y dadeni llenyddol ar ddechrau'r ganrif – T. Gwynn Jones, W. J. Gruffydd, R. Williams Parry, T. H. Parry-Williams – mai rhan o'u cymhelliad creadigol ydoedd adweithio yn erbyn y crefyddol; '[an] impulse to reject the Nonconformist establishment' (er nad ymosodasant arno i'r un graddau â Caradoc Evans).[133] Ond nid mater o wrthryfel agnostig neu ddigrefydd yn unig a oedd yn gyfrifol am y pwys newydd a roddwyd ar lenyddiaeth. Datblygodd math newydd o agwedd at lenyddiaeth o'r tu mewn i'r sefydliad anghydffurfiol ei hun, sy'n esbonio'n rhannol sut y gallai'r capelwr ymateb yn wresog i'r llenorion hynny a oedd am wrthryfela yn ei erbyn.

Yn ei lyfr *Atgofion am Gaernarfon*, nododd yr Athro T. Hudson Williams fod 'pulpud Engedi [Caernarfon] yn foddion diwylliant yn ogystal ag yn foddion gras, yn ehangu ein gwybodaeth am lenyddiaeth a hanes Cymru a'r byd'.[134] Mwyach nid diwallu anghenion ysbrydol y bobl yn unig yr oedd y capel, eithr meithrin gwybodusrwydd, a'r awgrym yn sylw T. Hudson Williams yw mai dau beth cysylltiedig ond cymharol ar wahân ydoedd moddion diwylliant a moddion gras. Agwedd oedd hon ar yr ehangu mawr ar rôl ddiwylliannol y capel, ys dywed D. Gareth Evans, ac a arweiniodd at ddryswch mewn nod ac amcanion ysbrydol a deallusol.[135] Dyma a amlygir mor gampus yng ngwaith R. Tudur Jones ar grefydd yr oes, pan welwyd newid trawiadol ar ddiwedd y bedwaredd ganrif ar bymtheg yn yr arddull bregethu, gydag ambell un yn trafod moddion gras drwy gyfrwng moddion diwylliant: 'eu trafod . . . yn farddonol ond heb ddim cyfeiriadaeth Feiblaidd a chan ddyfynnu englyn a phennill ac ychwanegu ambell stori ddiddorol'.[136] Ar un adeg, swynwyd Saunders Lewis yntau gan y dull barddonol hwn o bregethu. Mewn llythyr cynnar at Margaret Gilcriest, gwelir iddo fwynhau pregeth R. J. Campbell: 'he revealed his dramatic insight into the Gospel narrative and Christian tradition by reconstructing in a wonderfully poetic manner the story of Mary of Bethany'.[137] Megis yr awgrymwyd gan y portread o Saunders Lewis yr athro Ysgol Sul ifanc, yr oedd y ffin rhwng yr ysgrythurol a'r llenyddol yn un amwys, a hynny, meddai R. Tudur Jones, yn arwyddo bod 'y briodas glòs rhwng Cristnogaeth a'r genedl Gymreig yn llacio'.[138]

Yn yr amgylchfyd hwn – pan oedd Cristnogaeth Gymraeg ar groesffordd ddiwylliannol a'r Cymry'n dechrau amau dilysrwydd y canon Beiblaidd a fu'n gymaint dylanwad ar eu hunaniaeth – y sylweddolodd Saunders Lewis â sêl sant mai 'llenyddiaeth sy'n rhoi amcan ac unoliaeth i'n bywyd ni'.[139] Ys dywed ef ei hun am Daniel Owen, felly yn ei achos yntau: 'daeth llenyddiaeth yn waredydd iddo'.[140] Ni ddadleuir iddo batrymu'n ymwybodol ffurf y canon llenyddol Cymraeg ar lun a delw'r un Beiblaidd, ond o ran arddull, nodir yn yr adrannau isod iddo fabwysiadu osgo'r diwygiwr crefyddol, a bod ei dechneg ddarllen yn deillio o'r traddodiad esboniadol efengylaidd yr oedd, ac yntau'n fab y mans, mor gyfarwydd ag ef. O ran ffurf, sylwir hefyd iddo bwysleisio bod gan lenyddiaeth Gymraeg ddechreubwynt hanesyddol, canolbwynt llywodraethol a *telos* pwrpasol, ynghyd ag unoliaeth ryngdestunol a glymai ynghyd y gweithiau oll.

Arddull ac arfer ddarllen y canoneiddiwr

Nododd D. Tecwyn Lloyd i Saunders Lewis lwyddo i ennyn 'mewn dilynwr . . . edmygedd anfeirniadol . . . yn ymylu ar addoliad'.[141] Yr oedd hynny'n rhannol am iddo fabwysiadu osgo a oedd eisoes yn gyfarwydd i'r Cymry, sef osgo'r proffwyd, fel y sylwodd W. J. Gruffydd yn 1924.[142] Ystyrier y dyfyniad isod. Nid portread o Saunders Lewis ydyw, er y gallai'n hawdd fod.

> Yr oedd yn ddadleugar, ac yn ŵr selog a grymus hefyd. Gellid ei ystyried yn debycach i athronydd huawdl . . . Hawdd iawn credu, hyd yn oed wrth ei ymddangosiad allanol, ei fod yn ddyn o bwerau rhyfedd: yn wir, trawyd llawer gan ei olwg awdurdodol a threiddgar . . . ac ymgolli mewn arswyd a pharchedig ofn tuag ato. Yn gyffredinol ymddangosai . . . megis athronydd, gan siarad â chryn awdurdod a chydag effaith fawr.[143]

Portread o'r diwygiwr John Elias a geir yma, un o gymeriadau *Merch Gwern Hywel*, wrth gwrs. Yr oedd yn fwy o gorff na Saunders Lewis, ac yn dywyllach o ran pryd a gwedd, ond y mae'n drawiadol sylwi i Saunders Lewis yn ei ymgais i hyrwyddo'r canon llenyddol Cymraeg fabwysiadu arddull rethregol nid annhebyg i'r cawr Methodistaidd hwn.[144] Yn ei *Ysgrifau ar y Nofel*, nododd John Rowlands y gwahaniaethau niferus rhwng Saunders Lewis a '[ch]naf' ei ail nofel. Un o'r rheini yw tuedd John Elias at unplygrwydd, 'am nad oes ganddo holl oesoedd Cred i daflu goleuni ar ei lwybr'. Hynny yw, yng ngolwg Saunders Lewis, yr oedd yn llai o ddyn am na feddai ar ganon digon catholig ac eang ei gynnwys. Ond 'er mai safbwynt John Elias yw'r un y sgrifennwyd y nofel i'w wrthwynebu', nododd John Rowlands '[nad] yw'r awdur yn ffiaidd tuag ato o gwbl'.[145] Ac y mae'n demtasiwn ystyried i'r awdur ymatal rhag ei gondemnio'n llwyr gan iddo weld yn John Elias arwein-ydd digon tebyg iddo ef ei hun, oherwydd problem y ddau, fel y nododd T. Robin Chapman, ydoedd eu hanallu i arwain mudiad 'trwy reolau sefydlog a phwyllgorau a grym personoliaeth'.[146]

Ar sail y grym personoliaeth hwnnw'n rhannol, disgrifiwyd y naill arweinydd fel 'pab Môn', a'r llall fel 'Pab ein llên'.[147] Oherwydd yn ei ysgrifau beirniadol, traethai Saunders Lewis hefyd ag awdurdod mawr. Sylwodd John Rowlands ei fod '[w]rth daflu enwau'n wybodus ar ddalennau'i erthyglau' yn rhoi '[rh]yw deimlad o awdurdod, weithiau fel petai am i'w ddarllenydd gywilyddio yn swildod ei anwybodaeth. Rhydd yr argraff ei fod yn hollwybodus.'[148] 'Yr oedd y sgiliau a ddat-blygwyd . . . yn y cylch crefyddol yn rhai y gellid eu cymhwyso yn rhwydd at waith y tu allan i'r cylch hwnnw', meddai R. Tudur Jones.[149] Enghraifft benodol o'r fath gymhwyso ydyw'r osgo awdurdodol a ddefnyddiodd Saunders Lewis yn ei feirniadaeth lenyddol. Nid Saunders y plentyn yn unig a fyddai'n chwarae pregethu.[150]

Yn aml, ystyrir mai ei fagwraeth ymysg dosbarth canol uwch Lerpwl a roes i Saunders Lewis ddelfrydiaeth pendefigaeth. Ond y mae'n deg cofio yr edrychid ar ambell un o hoelion wyth y Methodistiaid – John Elias, er enghraifft – yn '[b]endefig yn yr ystyr gymdeithasol – yn ŵr yr oedd miloedd yn cymryd eu tywys ganddo'.[151] Ac fel y nododd A. O. H. Jarman, yr oedd Saunders Lewis yn perthyn 'i deulu o hen weinidogion enwog, pendefigaeth yr Hen Gorff',[152] a hwy, gan gynnwys ei dad, wrth gwrs, ys dywedodd ef ei hun, ydoedd ei 'athrawon . . . yn y diwylliant Cymraeg'.[153] Fodd bynnag, nid yr arddull bregethwrol yn unig a fyddai'n gyfarwydd i gynulleidfa Saunders Lewis, ond hefyd ei arfer o ddarllen y testun yng ngoleuni ei gyd-destun hanesyddol, sef nodwedd arall ar y traddodiad pregethwrol Cymraeg. Nododd T. Robin Chapman yn gywir iawn i Saunders Lewis herio safonau beirniadol ei oes – safonau a fynnai mai 'ffrwyth profiad yw pob testun llenyddol, sy'n ymgorffori ei ystyr derfynol ynddo'i hun'.[154] Ond ar un olwg, yr hyn a wnaeth mewn gwirionedd ydoedd cymhwyso'r dull esboniadol o ddar-llen y Beibl at destunau o fath arall.

Yn 'Dafydd Nanmor', gwelir bod Saunders Lewis yn ymwybodol iawn o newydd-deb ei feirniadaeth lenyddol. Fel yr awgrymodd ef ei hun, cyn 'Dafydd Nanmor' edrychwyd ar y testun llenyddol naill ai'n ffynhonnell o enghreifftiau ieithyddol neu'n rhan o drafodaeth hanes-yddol.[155] Yr oedd hynny'n ddigon o reswm iddo annog rhai i beidio ag astudio Cymraeg yn Abertawe. 'It would be too much for him [Morgan]. For the literature is only part of the course, and the smaller part.'[156]

Dyma'r math o Gymraeg a nodweddai ysgrifau'r *Beirniad*, gyda John Morris-Jones wrth draethu ar 'Yr orgraff' ac yn ei 'Nodiadau ieithyddol' yn tynnu enghreifftiau ieithyddol o destunau'r gorffennol. A phan drafodid testun llenyddol ar ei ben ei hun, megis yn ysgrif Ifor Williams, 'Brwydr Catraeth', ceisid ateb dau gwestiwn: 'pa le yr oedd Catraeth a pha bryd y bu'r frwydr?'[157] Nid ymateb i'r testun ydoedd y dasg. A'r rheswm am hynny ydoedd am nad oedd beirniadaeth lenyddol wedi datblygu eto'n ddisgwrs arbenigol. Nododd John Morris-Jones mai amcan *Y Beirniad* ydoedd ymdrin â 'materion gwleidyddol a chymdeithasol, gwyddonol, moesol, a diwinyddol; ni chaeir allan ddim a'r a ddiddoro fryd y genedl'.[158] Ac i'r perwyl hwn, yr oedd *Y Beirniad*, ar un olwg, yn nes at gyfnodolion Saesneg y ddeunawfed ganrif nag at *Y Llenor* a'i holynodd. Nododd Terry Eagleton nad oedd beirniadaeth lenyddol wedi datblygu'n faes efrydiaeth arbenigol yn y *Spectator* a'r *Tatler*, dau gyfnodolyn Saesneg yn y ddeunawfed ganrif. Yr oedd yn hytrach yn elfen ymhlith 'a general ethical humanism, indissociable from moral, cultural and religious reflection'.[159] Wrth drafod gwaith Samuel Johnson, *A Dictionary of the English Language* (1755), nododd Jonathan Brody Kramnick yr un modd mai ystyr 'literature' ydoedd 'the catholic category of all good writing'.[160]

Rhaid cofio i John Morris-Jones fod yn fyfyriwr yn Rhydychen ar yr union adeg pan oedd y dadlau yno ynghylch statws academaidd Saesneg fel pwnc gradd ar ei fwyaf brwd. Sefydlwyd Cymdeithas Dafydd ap Gwilym yr oedd John Morris-Jones yn un o'i sylfaenwyr yn 1886, flwyddyn cyn y trechwyd yr ymgais gyntaf i sefydlu Cadair Saesneg yn Rhydychen. Ond ni pherthynai Saunders Lewis i'r traddodiad hwn o ddibrisio astudiaethau llenyddol. Ei gymheiriaid ef yn hytrach ydoedd y rheini a hyrwyddodd ddull newydd o astudio Saesneg yn Lloegr, sy'n dal mewn bri heddiw ar lawer cyfrif. Un o'i brif nodweddion ydoedd awydd y beirniad, a dyfynnu Oliver Elton: 'to keep closer to the work of art of study'.[161] Yr hyn a geid gan y beirniad felly ydoedd, ys dywed Saunders Lewis am un o ddarlithoedd Elton ei hun, 'a reading with a little interpretation'.[162] Er y gwelir yng ngwaith Elton barch at 'the affair of textual editing, of linguistics, and of [establishing] the Shakespeare canon', gwir nod 'beirniadaeth bur', meddai, ydoedd ystyried 'what we think of Shakespeare and find in him, and what, after all, he is to us'.[163] Fel y gwelir isod, allan o'r traddodiad newydd hwn yr ysgrifennai Saunders Lewis, ac nid bychan dylanwad y sylwadau hyn o eiddo Elton ar y rhaglen waith a osododd y beirniad Cymraeg ar ei gyfer ei hun ac eraill yn rhan gyntaf 'Dafydd Nanmor'.

Yn ôl Peter Barry, nodwedd amlycaf y dull newydd hwn o ddarllen llenyddiaeth yn Lloegr ydoedd 'a decisive break between language and literature',[164] megis y byddai I. A. Richards yn annog ei fyfyrwyr i astudio'r testun ar ei ben ei hun, yn rhydd o ystyriaethau cyd-destunol. Ac yn unol â sylwadau Elton uchod, gwelir Saunders Lewis yn 'Dafydd Nanmor' yn dibrisio arfer y beirniaid o 'setlo'r cwestiwn, pa bryd y bu'r bardd farw',[165] ac ni chwilir am unrhyw enghreifftiau ieithyddol at ddibenion gramadegol. Yn wir, y prif air y ceisir deall ei ystyr mewn gwirionedd yw 'tŷ'. Serch hynny, rhaid nodi nad ynysodd Saunders Lewis y testun i'r un graddau ag a wnaeth I. A. Richards yn *Practical Criticism*.[166] Awgrym y llyfr difyr hwnnw, fel y nododd David Murray, ydoedd fod gan gerdd ei hystyr ei hun nad yw'n ddibynnol ar ei chyd-destun.[167] Nid felly y gwelai Saunders Lewis hi. Oherwydd nodwedd ar ei feirniadaeth lenyddol ef yw fod yn rhaid i'r darllenydd heddiw gydymdeimlo â 'dieithrwch bywyd ac awyrgylch yr hen farddoniaeth'. '[T]raddodiad mewn meddwl a chelfyddyd, Cristnogaeth Gatholig, a chymdeithas aristocrataidd, a phethau eraill hefyd', rhaid yw '[d]wfn werthfawrogi'r pethau hyn', meddai.[168]

Yn hyn o beth, cysylltodd y dull newydd hwn o roi pwys ar y testun llenyddol ag un o nodweddion amlycaf esboniadaeth Feiblaidd efengyl-aidd, sef pwyslais ar gyd-destun hanesyddol y testun dan sylw. Fe'i gwelir yng ngweithiau'r apolegwyr cynnar. Nododd Roy Kearsley y beirniadai Tertulianus yr hereticiaid am dorri'r cyswllt rhwng testun a chyd-destun: 'dylai testunau ddwyn eu hystyr oddi wrth eu cyd-destun'.[169] Wrth gwrs, y mae'r bwlch amseryddol rhwng y darllenydd modern a'r testun Beiblaidd gymaint yn fwy heddiw nag yn oes Tertulianus. Cyd-nabyddir, felly, fod y darllenydd modern yn wynebu rhwystrau pellach, yn sgil y bwlch rhagfarnau rhyngddo ef a thestunau Beiblaidd sy'n gynnyrch 'bydolwg llwyr wahanol o safbwynt sefydliadau a gwerth-oedd'.[170] Ys dywed David Protheroe Davies yn achos awdur Efengyl Luc a'r Actau:

anodd iawn, hyd yn oed i'w gyfoeswyr, ddeall meddwl rhywun arall; mae'n anos byth deall amcanion gŵr a fu'n byw ryw 1800 neu 1900 o flynyddoedd yn ôl, ac yntau'n mynegi ei syniadau mewn iaith ddieithr, pan nad oes unrhyw wybodaeth sicr amdano ar gael ar wahân i'w waith ysgrifenedig.[171]

Mewn modd cymharus, gwelai Saunders Lewis fod darllenydd y canon llenyddol Cymraeg yn wynebu 'tramgwydd . . . dieithrwch bywyd ac awyrgylch yr hen farddoniaeth'. Meddai:

[Y]mddengys na all neb Cymro o'n hoes ni ddygymod o lwyrfryd calon â barddoniaeth draddodiadol. Catholig hefyd i'r gwraidd . . . oedd holl hen fywyd a diwylliant Cymru, a dyna fur uchel iawn rhyngom a hwy. At hynny, ffurf aristocrataidd a fu erioed ar gymdeithas yng Nghymru Gym-reig, ond fe gred y Cymry heddiw mai gormes ar werin a thlawd yw pendefigaeth, a'r ychydig uchelwyr yn byw yn fras, a dyna braw digonol mor anodd a fyddai i'r cyfryw gredinwyr ddeall ein hen wareiddiad.[172]

Fodd bynnag, nid yn annhebyg i'r modd y bydd ysgolheigion Beiblaidd o'r tu mewn i'r traddodiad uniongred yn gwrthod edrych ar y rhwystrau yn fodd i hyrwyddo anffyddiaeth, eithr yn ceisio eu goresgyn drwy gyfrwng 'gwybodaeth fanylach am yr ieithoedd a'r diwylliannau yr ysgrifennwyd y Beibl ynddynt',[173] credai Saunders Lewis fod modd 'iawnbrisio llenyddiaeth Gymraeg . . . mewn ysbryd o gydymdeimlad a chyda dychymyg hanesydd i dreiddio i brofiadau oes a fu'.[174] I'r sawl a chanddo ffydd bersonol yng Nghrist, rhydd y dechneg ddarllen hon gyfle iddo nesáu at wrthrych ei ffydd, wrth i ymadroddion y llyfr gael eu hesbonio mewn perthynas â chyd-destun hanesyddol cyfnod yr ysgrifennu. Dyma ydoedd arfer esboniadol y Calfinydd J. Cynddylan Jones, awdur y pedair cyfrol ddylanwadol, *Cysondeb y Ffydd* (1905–16).[175] Er enghraifft, esbonnir yr ymadrodd 'Yr hwn nid ydwyf fi deilwng i ddatod carai ei esgid' drwy nodi

> [nad] oedd sandal y Dwyrain ond gwadn yn unig, yn cael ei gylymu [*sic*] wrth y droed a [*sic*] charai; a pherthyn i'r gweision iselaf oedd datod carai sandal y teithiwr, fel y gallai olchi ei draed ar ol [*sic*] gwres a llwch y brif-ffordd.[176]

Drwy edrych ar y gair syml 'esgid' yn ei gyd-destun hanesyddol, felly, cynorthwyir y darllenydd i werthfawrogi arbenigrwydd Crist o'r newydd. Dyma hefyd yw diben astudio'r Testament Newydd yn y Groeg. Esbonnir 'Wele Oen Duw' drwy edrych yn y Groeg a nodi bod 'y fannod o flaen yr Oen, yr hyn a profa fod yr enw mewn rhyw gysylltiadau yn gyfarwydd i'r gwrandawyr yn gystal [*sic*] ag i'r siaradwr [Ioan Fedyddiwr]'.[177]
Dro ar ôl tro gwelir mai arfer feirniadol y diwinydd Cymraeg yw esbonio'r testun drwy ail-greu'r sefyllfa ynganu ac ysgrifennu wreiddiol. Yr hyn a wnaeth Saunders Lewis, felly, ydoedd trosglwyddo'r dechneg ddarllen esboniadol hon – a welir yn ddylanwad ar ei ysgrif 'Am Efengyl Marc' – ar gyfer darllen llenyddiaeth Gymraeg.[178] Deellir arwyddocâd y gair 'tŷ' – 'agored yw'r tŷ i gardoteion' – yng ngoleuni'r modd 'yr oedd "Tŷ" i Ddafydd Nanmor yn air cyfrin'.[179] Nododd Gwyn Thomas mai'r hyn a wnâi fel beirniad ydoedd 'lleoli . . . ar gefndir hanesyddol,

llenyddol a meddyliol eang'.[180] Drwy hynny, megis nofelydd, nid portread o'r awdur a roddai, eithr portread o'r awdur yn ei amgylchfyd cymdeithasol.

Nododd R. Tudur Jones fod modd astudio'r Beibl 'gan ddefnyddio pob gwybodaeth sydd o fewn ein cyrraedd am yr ieithoedd gwreiddiol, am arferion llenyddol yr hen fyd, am hanes cenhedloedd y Dwyrain agos a nodweddion eu bywyd cymdeithasol'.[181] Dyma sut y byddai'r diwygwyr Methodistaidd yn darllen y Beibl. Dywedwyd bod John Elias, er enghraifft, yn olrhain '[g]eiriau trwy wahanol ieithoedd . . . er mwyn dangos eu hystyron yn eu gwahanol berthynasau a'u cysylltiadau, ac yn y goleu [sic] yr oeddent i'w deall yn yr amrywiol ddefnydd a wneid ohonynt'.[182] Gan gymhwyso'r dull cyd-destunol hwn o ddarllen y Beibl ar gyfer canon newydd o lenyddiaeth Gymraeg, rhoes Saunders Lewis nid yn unig bwyslais ar y testun a'r cyd-destun, eithr hefyd ar yr angen i'r darllenydd ddod o hyd i neges gyfamserol. Yn hyn o beth, yr oedd galw ar ddarllenwyr i roi lle i weledigaeth Dafydd Nanmor yn eu bywyd yn golygu bod y feirniadaeth ymarferol a nodweddai addysg brifysgol Lloegr yn ymdebygu fwyfwy i raglen efengylu'r Methodistiaid cynnar. Oherwydd pwrpas y genadwri honno hefyd, yng ngeiriau John Elias, ydoedd 'gorchfygu Cymru'.[183] Gwelai Saunders Lewis hynny, fod 'hanes Methodistiaeth Galfinaidd Cymru . . . yn rhan o hanes politicaidd Cymru mewn modd hollol arbennig'.[184] Nid rhyfedd, felly, i'r beirniad hwn, nad oedd fel pe bai'n gwahaniaethu rhwng llenyddiaeth na gwleidyddiaeth na chrefydd, fabwysiadu arddull rethregol yr hen Fethodistiaid. Fel y dywedodd R. Tudur Jones am bregethu Beiblaidd John Elias, felly hefyd y gellir dweud i Saunders Lewis yn ei feirniadaeth lenyddol 'adfer ei swydd glasurol i rethreg; nid difyrru, na goglais, nac hyd yn oed addysgu, ond argyhoeddi'.[185]

Ond wrth ddiweddu'r adran hon, ystyrir hefyd mai diangen o bosib yw crwydro mor bell â John Elias am gymhariaeth addas ar gyfer y beirniad llenyddol, oherwydd nodwyd mewn teyrnged i dad Saunders Lewis '[nad] rhywbeth da a diddorol yn lle pregeth a geffid ganddo . . . [ac yntau] yn ffyndamentalydd o'r dosbarth manylaf'.[186] Er mor drawiadol ar un olwg yw darllen gweithiau beirniadol Oliver Elton a gweld ynddynt ôl ei ddylanwad ar Saunders Lewis, anodd credu mai ef yn bennaf a ddysgodd i'r beirniad llenyddol gadw'n agos at y testun a chwilio ynddo am arwyddocâd i'w fywyd. Nododd T. Robin Chapman na feddai Lodwig Lewis ar na ffraethineb na rhyfyg ei fab, ac eto, '[g]an ei dad y dysgodd Saunders Lewis rym y gair cyhoeddus, ysgrifenedig a llafar'.[187] Ac os gŵr y stydi oedd Lodwig Lewis, gwyddai'r mab yntau am apêl dawel y canon: 'gyda'm llyfrau y dymunaf fod mwyach,' meddai mewn llythyr yn 1944 at D. J. Williams, 'gyda Fyrsil ac À Kempis a'r hen lenorion Cymraeg hefyd'.[188]

Ffurf y canon llenyddol Cymraeg

Yn ei ymgais i argyhoeddi'r Cymry a'u cael i goleddu'r canon llenyddol Cymraeg fel y coleddai'r hen Gymry hwythau eu Beibl, sylwir yma fod ffurf y canon newydd a gyflwynodd Saunders Lewis yn cynnwys ynddo nodweddion tebyg i eiddo'r Testament Newydd, o ran bod iddo ddechreubwynt, canol a datguddiad, ynghyd â grym trosgynnol yn cydlynu ei unoliaeth.

(i) Dechreubwynt y canon

Gwelwyd yn achos y Testament Newydd fod y drafodaeth barhaus yn yr ail a'r drydedd ganrif ynghylch pa lyfrau y dylai'r Eglwys eu hystyried yn weithiau canonaidd yn cael ei chyfeirio gan ei dechreubwynt hanesyddol, sef Crist ei hun. Yn hynny o beth, y mae'n enghreifftio'n berffaith yr egwyddor a nododd Alasdair MacIntyre, sef y '[b]ydd traddodiadau byw, gan eu bod yn parhau naratif nad yw eto wedi ei gwblhau, yn wynebu dyfodol y mae ei natur benderfynedig a phenderfynadwy, cyhyd ag y mae'n meddu ar un, yn tarddu o'r gorffennol'.[189]

Yn Ioan, darllenir i'r Efengyl gael ei hysgrifennu 'fel y credoch chwi mai yr Iesu yw Crist, Mab Duw; a chan gredu, y caffoch fywyd yn ei enw ef'.[190] Dyna gymhelliad yr ysgrifenwyr.[191] Byddai Cristoleg y llyfrau, felly, yn ystyriaeth hollbwysig yn y broses ganoneiddio, ac awgrymodd Roger E. Olson y gallai'r egwyddor hon esbonio pam nad ystyriwyd Bugail Hermas yn rhan o ganon y Testament Newydd, gan fod portread y llyfr o Iesu Grist yn wahanol i eiddo'r llyfrau cynnar eraill.[192] Ym mhroses ganoneiddio'r Testament Newydd, diffinnid unffurfiaeth mewn perthynas ag un prif beth, sef y peth cyntaf, y Person hanesyddol a roes reswm i'r Apostolion ysgrifennu at eraill yn y lle cyntaf. 'Rhaid i bob rhywogaeth gael ei barnu yn ôl ei tharddle', meddai Tertulianus.[193]

Yn Braslun o Hanes Llenyddiaeth Gymraeg, ceisiodd Saunders Lewis 'ymdrin yn llawn â'r rheini a luniodd . . . gwrs datblygiad ein llên'.[194] Pwysleisiodd yn y bennod gyntaf mai 'amgyffred cyfanrwydd llenyddiaeth Gymraeg' ydoedd y dasg, nid gwerthfawrogi dawn unrhyw unigolyn o fardd neu lenor o'r Oesoedd Canol.[195] Ac eto, dyma'r union beth a wneir yn y bennod gyntaf, 'Taliesin', pan bwysleisir dro ar ôl tro i'r bardd 'greu'.

Creodd yn ei *Weith Gwen Ystrat* gymhariaeth na fedrodd cenhedlaeth ar ôl cenhedlaeth o feirdd ddim dianc oddi wrthi . . . *Creodd* ddarluniau clasurol o ryfel a marwolaeth . . . Camp fawr Taliesin oedd *creu* Urien . . . *Creodd* ohono ffigur delfrydol, y delfryd arbennig Gymreig o frenin . . . Felly y *creodd* Taliesin un o deipiau hynod llenyddiaeth.[196]

Ac eithrio'r sôn amdano'n rhoi '[p]wyslais ar foesau traddodiadol, hir-sefydlog y brenin a'i gartref', nid edrychir ar Daliesin yn etifedd tradd-odiad, megis y beirdd a ddaeth ar ei ôl.[197] Yn hytrach, saif ar wahân i'r Traddodiad y rhoes ef ei hun fod iddo.[198]

Fodd bynnag, mewn ymdriniaethau mwy hanesyddol ac ieithyddol eu gogwydd, lle nad cyflwyno hanes llenyddiaeth Gymraeg yw'r dasg, na rhoi ffurf arni, pwysleisiwyd bod canu Taliesin ei hun 'fel y canu cyffelyb yn Iwerddon [yn] adlais o allu a phwysigrwydd offeiriadol a diwylliannol y bardd ers canrifoedd cyn hynny',[199] a bod 'gan hynafiaid y Cymry ddiwylliant coeth, anghristnogol a chyngristnogol'.[200] Am hynny, da y nododd Gwyn Thomas nad oedd 'Aneirin a Thaliesin . . . ddim yn crafu eu pennau am ddelweddau gwreiddiol i roi ysgytwad ddarganfyddol i'r gwrandawr [sic]'.[201] Defnyddio geiriau a oedd wedi '[t]reiglo drwy brofiadau cenedlaethau' yr oedd Taliesin.[202] Am hynny, nodwyd bod ei bortread ef o'r brenin 'yn benconglfaen – *eithr nid yn ddechreuad* – y portreadau moliannus o arweinwyr cymdeithas a geir yn y traddodiad barddol Cymraeg'.[203] Ond dechreubwynt y canon ydoedd Taliesin i Saunders Lewis. A chan iddo gredu mai 'cyfresi o benillion marwnad a gyfansoddwyd mewn gwahanol gyfnodau gan ddisgyblion yn dysgu mesurau ac arddull a ddyfeisiesid gyntaf gan bencerdd enwog' ydoedd *Y Gododdin*, nid enwodd Aneirin hyd yn oed, eithr edrych yn y *Braslun* ar Daliesin yn unig gychwynnydd y dull hwn o ganu, megis un a swynwyd gan ei chwedl.[204] Meddai:

Felly y creodd Taliesin un o deipiau hynod llenyddiaeth, ac mor amserol a mawrfrydig oedd y portread, mor drwyadl farddonol ac mor arbennig Gymraeg, fel yr aeth darlun Urien yn batrwm ysgolion y beirdd ac yn sylfaen ein traddodiad llenyddol . . . [A] thro ar ôl tro ceir gan feirdd y ddeuddegfed ganrif a'r drydedd ganrif ar ddeg, nid delfryd Taliesin yn unig, eithr hefyd ei ansoddeiriau, ei ffigurau mawrion, ei eryr, ei lew, ei 'angor gwlad', ei 'ddinas pellenig', a'i gymhariaethau grymus. Chwedl Prydydd y Moch, 'dull Taliesin' yw sylfaen yr awdl Gymraeg, ac yn y bym-thegfed ganrif cydnabu Guto'r Glyn mai'r un ffynhonnell oedd i foliant yr uchelwyr.[205]

Nid y bwriad yma yw dadlau ynghylch amlygrwydd enw Taliesin yn y traddodiad barddol, nac amau yr ystyrid ef 'yn bwysicach bardd nag Aneirin ar un adeg', fel y nododd Gwyn Thomas, 'am fod gwybod ei gerddi'n werth cymaint fwy o farciau na gwybod cerddi Aneirin'.[206] Ac eto y mae ysgolheigion eraill wedi nodi ei bod yn '[a]nodd gwybod paham y maent yn coffáu Taliesin yn amlach o lawer nag Aneirin',[207] a bod y ddau destun o waith Aneirin o'r drydedd ganrif ar ddeg 'yn ogystal â'r mynych atseiniau ohono yng ngwaith y beirdd yn awgrymu mai dyma'r Hengerdd a oedd fwyaf hysbys i'r Gogynfeirdd'.[208] Gellir, wrth gwrs, ddadlau achos Taliesin ar sail ansawdd ei bortread ef o Urien,[209] neu drwy ystyried perthnasedd uwch ei ganu ef i ddibenion cymdeithasol Beirdd y Tywysogion a Beirdd yr Uchelwyr. Ond y mae'n demtasiwn hefyd ystyried nad oes a wnelo'r pwyslais a roes Saunders Lewis ar Daliesin rywbeth â'r egwyddor honno a nodwyd uchod mewn perthynas â'r Testament Newydd, sef mai mewn perthynas â'i ddechreubwynt hanesyddol y mae rhoi ffurf ar weddill canon, a bod dechrau sicr yn gyfeirbwynt clir i'r cyfan oll. Gellir nodi nad egwyddor lenyddol ydoedd hon fel y cyfryw iddo, eithr un a oedd yn gyffredinol wir am fywyd.[210] Teimlai angen mawr i 'astudio cychwyn ein diwylliant, a chysylltu bywyd â hynny'.[211] Nodwedd wleidyddol ar hynny ydoedd y polisi a fynnai weld 'amaethyddiaeth . . . yn brif ddiwydiant Cymru ac yn sylfaen ei gwareiddiad'.[212]

Cymhwyswyd yr egwyddor hon at lenyddiaeth Gymraeg mewn modd arbennig o unplyg. Ond trwy iddo lwyddo i greu Taliesin, fel y creodd Taliesin Urien, yr oedd modd i Saunders Lewis ymestyn ei arwyddocâd Taliesinaidd ar gyfer cyfeirio llenyddiaeth Gymraeg yn gyffredinol, a nodi bod beirdd gwlad yr ugeinfed ganrif yn ddisgynyddion i Daliesin ei hun, beirdd llys Llywelyn Fawr, a Beirdd yr Uchelwyr.[213] Yn ei ysgrif, 'Bardd trasiedi bywyd', dywedodd eto fod '[y] traddodiad Taliesinaidd hwn yn para hyd heddiw', gan ddadlau bod R. Williams Parry 'yn dewis y traddodiad Taliesinaidd' drwy ei fod 'yn cymryd dynion, y dynion o'i gwmpas yn brif destun ei farddoniaeth'.[214]

Digrif fyddai sôn am Daliesinoleg, ond yn sicr, gwnaeth Saunders Lewis ei orau i sicrhau bod gwaith Taliesin, nid yn unig yn cael ei ystyried yn ddechreubwynt i lenyddiaeth Gymraeg, ond hefyd yn faen praw ar gyfer ei chyfeirio yn y dyfodol wrth i feirniaid benderfynu pa weithiau llenyddol a oedd yn rhan ohoni. '[Y] frawddeg enwog', fel y nododd John Rowlands, ydyw honno a ddyfynnir isod o'i ysgrif 'The essence of Welsh literature', 1947:[215] 'It means that you cannot pluck a flower of song off a headland of Dyfed [sef canu Ioan Siencyn] . . . in the eighteenth century without stirring a great northern star of the sixth century.'[216]

Drwy hynny, gwelir mai effaith y dechreubwynt hanesyddol yw sicrhau undod y canon, wrth i'r beirniad llenyddol ddarllen gweithiau'r presennol mewn perthynas â gwaith 'y cyntaf a'r mwyaf o'r penceirddiaid'.[217] Megis y neidio o'r chweched ganrif i'r ddeunawfed yn y dyfyniad uchod, gwnaeth Saunders Lewis Daliesin yn ffigwr trawshanesyddol, un y gellir ei gludo 'ar draws ac o'r tu mewn i ffiniau cyfnodau confensiynol', chwedl Clara Tuite.[218] Nodwedd ar ei statws uchelganonaidd yw hyn, ac un o'i effeithiau yw camgynrychioli beirdd diweddarach nad ydynt yn canu i frenhinoedd fel y cyfryw.[219] Ond rhaid wrth y cyfryw gamgynrychioliad er mwyn sicrhau undod allddosbarth y canon a'i ddarllenwyr. Cofier '[nad] oes gan artist hawl i fod yn werinwr',[220] ac felly hawliwyd R. Williams Parry ac Alun Cilie i draddodiad brenhinol Taliesin. Nododd Clara Tuite i F. R. Leavis gyflwyno llenyddiaeth Saesneg fel peth 'diddosbarth, democratig, di-elitaidd ac organig'.[221] Ac er nodi uchod awydd Saunders Lewis i sefydlu *elite* Cymraeg, rhoes yntau bwyslais ar undod trawsddosbarth a natur organig y canon, gan bwysleisio tras aruchel llenyddiaeth boblogaidd Gymraeg. Ceisiodd ein gwneud ni oll yn bendefigion!

Y canon canol

Ond nid y dechreubwynt yw'r unig gyfeirbwynt chwaith yn fframwaith beirniadol Saunders Lewis. Gyda Thaliesin, rhoes i lenyddiaeth Gymraeg ei chanolbwynt hefyd; yr hyn a elwir weithiau, megis yn achos ysgrifeniadau'r Apostol Paul, yn ganon o'r tu mewn i ganon. Gwelai Saunders Lewis 'far too much eccentric thought in Wales, too much paradox, too much waywardness; we lack centrality'.[222] Oherwydd heb ganol, ni ellir wrth ffurf na thrafodaeth. Yn nhermau'r canon llenyddol, bydd y cyfryw ganolbwynt yn gweithredu hefyd fel cyfeirbwynt, wrth i weithiau eraill, ymylol gael eu derbyn a'u gwrthod mewn perthynas â'r gweithiau creiddiol a chanolog sydd, yn sgil eu statws canonganolog, fel pe baent yn diffinio hanfod yr holl ganon. Nid yn unig y mae'r canol yn rhoi ffurf ar weithiau'r dyfodol, ond hefyd y mae'n fodd i benderfynu pa weithiau o'r gorffennol sy'n rhan o'r canon. Er enghraifft, yn *The Great Tradition*, nododd F. R. Leavis fod Jane Austen yn 'creu traddodiad' nid yn unig ar gyfer y rhai sy'n dod ar ei hôl, eithr hefyd ar gyfer y rhai a'i blaenorodd, wrth inni weld yn ei gwaith hi arwyddocâd ei rhagflaenwyr.[223]

Enghraifft gymharus mewn perthynas â llenyddiaeth Gymraeg ydyw'r modd y mae gwaith Dafydd ap Gwilym yn rhoi inni olwg newydd ar ganu'r Gogynfeirdd, ac yn ein gorfodi i werthfawrogi nad canu mawl uniongyrchol yn unig a wnaent. Dyma bwysigrwydd y canol – y testun neu'r testunau anhepgorol sy'n cyfeirio'r canon ymlaen ac yn ôl yr un pryd. Mae'n demtasiwn holi, er enghraifft, ar wahân megis i ystyriaethau chwaeth bersonol, a fyddai Thomas Parry wedi cynnwys cynifer o gerddi'r Gogynfeirdd i ferched yn *The Oxford Book of Welsh Verse* pe na bai'r math hwnnw o ganu personol mor amlwg yng ngwaith Dafydd ap Gwilym.

Nododd Kurt Aland i epistolau Paul weithredu'n graidd ar gyfer ychwanegu atynt lythyrau apostolaidd eraill.[224] Dyna'r drefn yn achos canon unrhyw fardd canoloesol hefyd, megis Dafydd ap Gwilym. Ystyrir dilysrwydd cerddi mwy dadleuol ar sail craidd o gerddi y credir bod eu hawduraeth yn gyfan gwbl ddilys.[225] Ond yr un yw'r drefn ar gyfer canonau llenyddol cyfain. Rhaid wrth ganol. Er enghraifft, disgrifiodd Harold Bloom Shakespeare yn nhermau ffigwr canolog canon y Gorllewin. 'Without Shakespeare, no canon.'[226] Felly hefyd y cyfeiriodd R. M. Jones at 'gorff y traddodiad canol mewn llenyddiaeth Gymraeg', ynghyd ag 'anian canol y traddodiad uchelwrol'.[227]

Craidd y canon llenyddol Cymraeg i Saunders Lewis ydoedd canu Beirdd yr Uchelwyr rhwng 1435–1535, 'coron datblygiad cerdd dafod Gymraeg'.[228] A modd dyfeisgar o bwysleisio ei statws canonganolog ydoedd rhoi arno'r label 'Y Ganrif Fawr'. Yn y canu hwn y gwelodd ef gliriaf y math o bendefigaeth Gymreig yr oedd am ei gweld eto o'r newydd yng Nghymru. Am hynny, gweithredai'n gyfeirbwynt ar gyfer barnu gweddill llenyddiaeth Gymraeg. '[R]haid synio'n gywir am Ddafydd ab Edmwnt cyn y gellir o gwbl ddeall llenyddiaeth Gymraeg', meddai yn *Williams Pantycelyn*.[229] Ac wrth gloi'r gyfrol ar yr emynydd, nododd yr 'erys drychfeddwl y beirdd clasurol yn ddrychfeddwl i ninnau. Rhaid i ninnau ymdrechu am drefn a chyfanrwydd a synthesis mewn bywyd.'[230] Fel yr awgryma'r sylw hwn, daeth y Ganrif Fawr i weithredu'n ganolbwynt cyfeiriol ym meirniadaeth lenyddol Saunders Lewis. Hi'r Ganrif iddo, a benthyg ymadrodd gan F. R. Leavis, ydoedd 'y canol creadigol lle y gwelir twf tuag at ddyfodol y bywyd a'r ymwybyddiaeth orau o'r gorffennol'.[231] Rhoes Saunders Lewis gryn sylw, wrth gwrs, i gyfnodau eraill, gan ganmol Emrys ap Iwan yn arbennig am ganfod traddodiad rhyddiaith 'Y clasuron Cymraeg',[232] ond fel y nododd Pennar Davies, nid oes amheuaeth nad traddodiad barddol yr Oesoedd Canol ydoedd ei gartref syniadol.[233]

Telos neu nod y canon

Gyda'r canol, yr oedd hefyd drydydd cyfeirbwynt yn cyfarwyddo gwaith y canoneiddiwr, sef ei ddelwedd o effaith y canon yn y dyfodol. Nododd Alasdair MacIntyre ein bod 'yn byw ein bywydau yng ngolau syniadau penodol am ddyfodol cyffredin posib, dyfodol lle y mae rhai posibiliadau yn ein cymell ni ymlaen, ac eraill yn ein gyrru yn ôl'.[234] Deallai'r gwleidydd, Saunders Lewis, hynny'n iawn. Rhaid oedd yn gyson 'fwrw golwg yn ôl er mwyn deall yn well lle y saif ein traed, pa dir a enillwyd, pa gamp a fedrwyd; ac er mwyn gwybod wedyn sut i symud ymlaen, i ba gyfeiriad, gyda pha amcanion'.[235] Ond nid drwy edrych yn ôl yn unig yr oedd symud ymlaen.[236] Yr oedd prif amcan y Blaid yn glir o'r cychwyn cyntaf, wedi'r cyfan, cyn iddi ar wahanol gyfnodau edrych yn ôl ac ystyried pa dir a enillwyd. Fel y nododd MacIntyre, defnyddir yr hyn a ddysgir gan draddodiad y gorffennol er mwyn ymgyrraedd at amcan perffaith y dyfodol.[237] Er mwyn symud yn nes at ddelwedd o'r dyfodol sydd eisoes yn un ddylanwadol iawn yr edrychir yn ôl.

Os yw'r patrwm hwn yn amlwg yng ngyrfa wleidyddol Saunders Lewis, yr oedd *telos* neu nod perffaith yn cyfeirio ei waith beirniadol hefyd, a'r nod hwnnw ydoedd 'beirniadaeth lenyddol Gymraeg', sef beirniadaeth lenyddol wedi ei hysgrifennu gan Gymry dan ddylanwad gwerthoedd cynhenid y Traddodiad; 'yn codi o'n bywyd cenedlaethol ni'n hunain [ac] o gymundeb bywiol â'n traddodiad llenyddol ein hunain'.[238] Dim ond drwy hynny y gellid gwerthfawrogi ffurf lenyddol fel y cofiant Cymraeg,[239] ac y gallai 'beirniadaeth ar feirdd a llenorion y gorffennol . . . [d]aflu golau newydd ar eu gwaith hwy ac ar y sefyllfa gyfoes sy'n ein hwynebu ninnau'.[240] Yn *Williams Pantycelyn*, meddai:

> [F]y nghrêd [*sic*] i yw mai beirniadaeth ac egwyddorion athronyddol y traddodiad llenyddol Cymraeg yn yr Oesoedd Canol yw cyfraniad arbenicaf Cymru i feddwl Ewrop, a bod egluro'r feirniadaeth honno, a dangos ei *chyfeiriad* yn wyneb datblygiad athroniaeth ddiweddar a llenyddiaeth ein hoes ninnau, yn dasg y gelwir arnom ei chyflawni. Felly yn unig y ceir *yn y diwedd* feirniadaeth lenyddol Gymraeg.[241]

Dyma pam yr oedd pennu cynnwys y canon mor bwysig i Saunders Lewis, gan mai trwy gael ei gyd-Gymry i ddarllen ac astudio mynegiant y canon hwnnw y gellid wedyn ddiffinio cymeriad y genedl mewn perthynas â'i gynnwys: 'through the literature of Wales will flow the currents of the past and of the present'.[242] Ei nod ydoedd creu *métier* cenedlaethol, lle'r oedd '[c]orff o waith [yn] mynd yn rhan o gynhysgaeth

---

feddyliol' gwlad, ac ambell awdur canonaidd Cymraeg yn meddu ar statws anghyfwrdd tebyg i eiddo Shakespeare.[243]

Un ffordd o sicrhau y byddai'r canon yn parhau yn rym dylanwadol yn y Gymru gyfoes ydoedd drwy ddadlau bod yn rhaid i weithiau llenyddol cyfoes gystadlu â gweithiau'r gorffennol – syniad a hyrwyddodd T. S. Eliot yn ei ysgrif, 'Tradition and the individual talent'.[244] Cyfeirio ymhellach ddatblygiad y canon llenyddol Cymraeg yn y dyfodol yr oedd edrych ar lenyddiaeth Gymraeg fel un peth organig, hunangynhaliol. Yn 'Dafydd Nanmor', beirniadodd Saunders Lewis lenorion Cymraeg am '[f]lynd at lenorion Lloegr am athroniaeth a dysg am fywyd . . . Dyna anffawd llenyddiaeth a ddiwreiddiwyd.'[245] Tynnu'n hytrach ar y Trad-odiad Llenyddol Cymraeg a ddylent; gwneud llenyddiaeth Gymraeg gyfoes yn estyniad ar lenyddiaeth Gymraeg y gorffennol. Gwelir mai dyna'r nod yn ei gyfres o gyfweliadau yn y gyfrol, *Crefft y Stori Fer*. Dro ar ôl tro ceisiodd Saunders Lewis awgrymu 'gwreiddiau Cymreig' i'r straeon byr hyn,[246] er gwaetha'r ffaith i'r awduron eu hunain ddweud iddynt gael eu dylanwadu '[g]an lenorion o Saeson ac Americanwyr a throsiadau o Ffrangeg'.[247] Yn wir, gyda Kate Roberts, er enghraifft, yn gwrthod awgrym Saunders Lewis iddi gael ei dylanwadu gan Lasynys, y mae'r gwrthdaro'n drawiadol: ar y naill law, yr awdures o Rosgadfan a'i dylanwadau o du llenyddiaeth gyfoes Saesneg, ac ar y llaw arall, y beirn-iad o Lerpwl a fynn ailwreiddio'r straeon byrion Cymraeg yn llenyddiaeth Gymraeg y gorffennol. Hwyrach fod y gyfrol fechan hon yn amlygu'n well na dim mai dyfais i wrthweithio arferion llenyddol y Gymru ddwy-ieithog hon ydoedd y canon llenyddol Cymraeg i Saunders Lewis. Diben y canon ydoedd hyrwyddo Cymreigrwydd pur, organig. Dyna pam yr oedd gweithiau'r Oesoedd Canol mor bwysig iddo, gan iddynt gael eu cyfansoddi cyn y Deddfau Uno.[248] 'Wedi'r cyfnod hwnnw [1330–1640] ni bu feddwl Cymreig pur, ond meddwl ar ŵyr i gyfeiriadau Cymreig.'[249]

Traddodiad: grym trosgynnol y canon

Ffordd arall o sicrhau dylanwad parhaus y canon llenyddol, ac yn wir o gyfleu'r argraff ei fod yn gorff di-dor ac organig o weithiau, ydoedd cysylltu'r holl weithiau dan enw Traddodiad, 'a whole that is greater than its parts', a benthyg ymadrodd a ddefnyddiwyd hefyd i ddisgrifio canon barddoniaeth Saunders Lewis.[250]

Prif sylfaen awdurdod canon y Testament Newydd ydoedd ei ysbryd-oliaeth ddwyfol. Dyna pam yn rhannol y gwrthodwyd canon Marcion gan yr Eglwys, gan nad arddelai'r egwyddor lywodraethol hon.[251] Ac yn yr un modd, dechreuwyd dadelfennu canon y Testament Newydd yn y bedwaredd ganrif ar bymtheg pan heriwyd ei ysbrydoliaeth ddwyfol.[252] Nid rhyfedd, felly, i Gwilym H. Jones nodi y '[g]orfodwyd y Beibl i sefyll neu syrthio gydag athrawiaeth anffaeledigrwydd'.[253] Felly y mae o hyd. Y canlyniad yw fod y canon Beiblaidd, os gwedir ei ysbrydoliaeth ddwyfol, yn colli'r elfen honno a rydd unoliaeth i'r gwahanol lyfrau cynwysedig, ynghyd â'r rheswm dros gadw llyfrau eraill draw. Yn achos y canon llenyddol Cymraeg, priodolodd Saunders Lewis yr union ddwy swyddogaeth i draddodiad.

Meddai R. Gerallt Jones: 'Gwyddom fod Mr. Lewis, yn fwy nag un peth arall, yn ŵr sy'n rhoi pwys mawr ar draddodiad, ar berthynas yr artist – y llenor – â'i wreiddiau ac â'r traddodiad llenyddol a roes fod iddo, yng Nghymru ac yn Ewrop gyfan.'[254] Ac eto, er amlyced y pwys ar draddodiad yn y *Braslun*, ni ddiffinnir yn y llyfr hwnnw ystyr neu ystyron y gair. Ni chredir yma fod dim o'i le ar hynny, er i eraill gwyno ynghylch cyfeirio at gymdeithasau traddodiadol heb yn gyntaf nodi beth a olygir wrth draddodiad.[255] Ond amlyced y gair 'traddodiad' yn y *Braslun*, fel y byddai'r llyfr yn astudiaeth achos ddelfrydol ar gyfer y math o waith a wnaeth Dan Ben-Amos yn ei erthygl 'The seven strands of tradition', sy'n archwilio cyfystyron y gair *tradition*.[256] Oherwydd yn y *Braslun*, gall y traddodiadol gyfateb i'r hyn sy'n arferol neu'n hynafol, fel y gall traddodiad olygu arferiad neu gwstwm. Gall traddodiad hefyd olygu chwedl neu dystiolaeth storïol anysgrifenedig. A defnyddir traddodiad yn gyfystyr â hanes, ac i olygu diwylliant hefyd. Nodir isod un enghraifft yn unig o bob ystyr, yn ôl fel y'i deallwyd gennyf fi. Yn gyntaf, y traddodiadol hynafol:

> Trwy'r disgrifiad oll dyd Taliesin bwyslais ar foesau traddodiadol, hirsefydlog y brenin a'i gartref, ei foesgarwch tuag at ddieithriaid, gwyleiddddra a seremoni ei lys, cyfiawnder a llareidd-dra ei ddeddfau, haelioni ei fwrdd, cwrteisi ei wleddoedd, ei groeso i feirdd a cherddorion.[257]

Yn ail, traddodiad fel arfer neu gwstwm:

> Eu nifer a'u hannibyniaeth a'u gafael gyndyn yn y traddodiadau Cymreig a ddiogelai gynhaliaeth y beirdd a'r cerddorion.[258]

Yn drydydd, traddodiad y chwedl:

> Ffynnai [Urien], fe dybir, yn ail hanner y chweched ganrif, a thystia chwedl a thraddodiad ei fod yn llywydd nerthol i'r Brythoniaid yn eu rhyfeloedd cynnar yn erbyn y Saeson.[259]

Yn nesaf, traddodiad sy'n cyfateb i hanes:

Gŵyr y neb a fu mewn ysgol neu goleg a hen hanes a thraddodiad yn perthyn iddo, fel y bydd cof am athro o bersonoliaeth anghyffredin yn aros yno'n hir wedi ei farw, a hynny oblegid bod method a delfrydau'r athrawon a ddilynodd yn dwyn am byth nodau'r bersonoliaeth honno.[260]

A hefyd, traddodiad sy'n cynrychioli diwylliant:

Ond myn Einion gael yr uchelwr i'w gyfundrefn a rhydd ddisgrifiad manwl o'i briodoleddau ef a'r wreigdda, yn union oblegid mai hwynt-hwy yn ei ddydd ef a gynhaliai'r traddodiad Cymreig mewn llywodraeth, canolbwynt y canu Cymraeg.[261]

Ond y mae'r cyfystyron hyn oll yn gweithio ynghyd, fe gredir, i atgyfnerthu un ystyr arall, sef traddodiad fel bod trosgynnol sydd megis yn goruwchlywodraethu ar bob cyfnod, agwedd ac awdur unigol a berthyn i lenyddiaeth Gymraeg. Y Traddodiad hwnnw sy'n rhoi bod i bopeth, ac sydd megis yn sefyll ar wahân i'r gwahanol gyfnodau ac awduron sy'n gynwysedig ynddo. Meddai Saunders Lewis, er enghraifft, am feirdd y bymthegfed ganrif:

Nid yr un math o ysbryd sydd gan feirdd y ganrif hon ag a fuasai gan eu blaenoriaid yn y bedwaredd ganrif ar ddeg, ac ni pheidiodd y traddodiad llenyddol â thyfu a newid yn fawr er cadw ohono o hyd ei unoliaeth.[262]

Dyma draddodiad di-dor ac organig sy'n llwyddo i dyfu a thyfu er gwaethaf y bygythiadau dynol enbytaf. Hollalluog a hollbresennol yw.

Megis y tynnodd yr Apostolion a'r Tadau ynghyd gyfraniadau'r gwahanol awduron unigol drwy bwysleisio undod yr amryfal lyfrau yn sgil eu hawduraeth ddwyfol, gyffredin – megis yn I Tim. 3: 16 – ceisiodd Saunders Lewis greu canon a oedd yn gwerthfawrogi cyfraniad yr awdur unigol mewn perthynas â bod amgenach a fyddai'n rhoi i'w amrywiaeth undod. Traddodiad ydoedd y bod hwnnw. Wrth drafod 'Gwaith Argoed Llwyfain', er enghraifft, meddai: 'gwrthododd y traddodiad llenyddol yn ddiweddarach ganiatáu canu o'r math hwn am helyntion bywyd'.[263] Dyma Fod sy'n ewyllysio – sy'n caniatáu ac yn gwrthod caniatáu, yn derbyn a gwrthod gwahanol destunau llenyddol – ac yn goruwchlywodraethu ar yr awduron unigol dan sylw. Wrth drafod Dafydd ap Gwilym, personolir ymhellach yr haniaeth hon: 'wynebasai'r traddodiad llenyddol Cymraeg . . . her i'w egwyddorion.'[264]

Yn ei lyfr *Science, Faith and Society*, nododd Michael Polanyi fod 'rhag-osodiadau gwyddoniaeth . . . wedi eu corffori mewn traddodiad, sef traddodiad gwyddoniaeth'.[265] Yn ôl Polanyi y mae'r traddodiad hwn yn cwmpasu unrhyw weithgarwch unigol gan unrhyw wyddonydd unigol, hyd yn oed y sawl a ddaw o hyd i ddarganfyddiadau newydd. Fodd bynnag, er mwyn cadarnhau ei awdurdod, rhaid ei dderbyn yn gyfan gwbl ddiamod, os yw am fod yn effeithiol.[266] Oherwydd math o ysbryd hollbresennol yw sy'n hawlio teyrngarwch y gwyddonwyr.[267]

Cymharus yw'r sefyllfa mewn perthynas â'r Traddodiad Llenyddol. Math o realiti ysbrydol yw sy'n hawlio teyrngarwch gwahanol feirniaid. Ar ddechrau'r *Braslun* nododd Saunders Lewis mai ei fwriad ydoedd 'ymdrin yn llawn â'r rheini a luniodd . . . gwrs datblygiad ein llên'.[268] Dyna hefyd ydoedd amcan F. R. Leavis; gosod gerbron y darllenydd Saesneg 'the main lines of development in the English tradition . . . the essential structure'.[269] Fodd bynnag, er i Saunders Lewis awgrymu '[na] ellir yn gywir sôn am "draddodiad" yn llenyddiaeth Lloegr',[270] gan fod Leavis yn ysgrifennu mewn perthynas â thraddodiad o ymchwil i lenyddiaeth Saesneg – traddodiad â'i ddechreuadau yng ngwaith Joseph Addison a Samuel Johnson – ac yn cael ei herio gan feirniaid cyfoes i amlygu ei egwyddorion beirniadol,[271] archwiliodd ef y cysyniad o draddodiad i raddau llawer mwy uniongyrchol na Saunders Lewis, a gellir dweud yn fras iddo ddod i'r un casgliad â Polanyi ym maes y gwyddorau, sef mai math o realiti ysbrydol yw'r traddodiad llenyddol Saesneg.[272] Gorau oll felly i Saunders Lewis na fu'n rhaid iddo ef ddiffinio ystyr traddodiad, a bod gan ei gymheiriaid academaidd fwy o ddiddordeb yn nilysrwydd y testunau a ddyfynnai nag yn ei egwyddor-ion beirniadol. Oherwydd fel y nododd Polanyi, y mae unrhyw draddod-iad ar ei gryfaf pan gymerir ef yn ganiataol. Ac er mwyn i draddodiad weithio'n effeithiol y mae'n gofyn i'r beirniad goleddu rhagfarn bendant o blaid traddodiad. Dyma ydyw safbwynt Hans-Georg Gadamer. Cyd-nebydd, er enghraifft, nad oes unrhyw sail resymegol dros gredu bod ffurf unedig a pharhaus i'r traddodiad o ymchwil athronyddol sy'n cwmpasu rhesymoledd y Gorllewin, ddim mwy felly na'r Traddodiad Llenyddol Cymraeg. Yn hytrach, y mae'r parodrwydd i goleddu'r cyfryw draddodiadau yn deillio'n sylfaenol o du rhagfarn arbennig o blaid y cysyniad o draddodiad – y math o ragfarn, yn wir, sy'n ystyried mai traddodiad yw prif gynheilydd bywyd. 'Y mae'r holl fyd diwylliannol, yn ei holl agweddau, yn bodoli trwy draddodiad', meddai Husserl.[273]

Yn y bennod flaenorol, nodwyd nad ystyriai Saunders Lewis ei fod yn feirniad diragfarn. 'Yr wyf . . . yn rhoddi'r pwys mwyaf ar werth traddodiad mewn bywyd', meddai, 'oherwydd ni all llenyddiaeth na chelfyddyd ffynnu heb draddodiad . . . Dyma fy rhagfarnau gwreiddiol i ac y maent yn cyfyngu cylch fy nghydymdeimlad.'[274] O bosib, traddodiad ydoedd ei ragfarn bennaf. Y rhagfarn honno sy'n gwbl angenrheidiol os yw traddodiad i weithio o gwbl. Hi, ynghyd â'r dechreubwynt, y canolbwynt a'r *telos* a roes i'w ddehongliad o lenyddiaeth Gymraeg ei ffurf ganonaidd. Credai Cristnogion Cymru yn bur gyffredinol tan ddechrau'r ugeinfed ganrif mai 'ysgrifeniadau a roddwyd trwy ysbrydoliaeth Duw' ydoedd y Beibl, ys dywed Thomas Charles, ac y sicrhâi'r athrawiaeth hon undod 'yn yr holl amrywiaeth', gan mai'r 'Ysbryd Glân oedd yn dysgu pob un' o'r ysgrifenwyr.[275] Traddodiad ydoedd yr ysbrydoliaeth a ddefnyddiodd Saunders Lewis er mwyn ennill i'r canon llenyddol undod tebyg. Cadarnhau'r argraff honno y mae sylweddoli i feirniaid ddechrau cwestiynu cynnwys y Traddodiad Llenyddol Cymraeg pan ddechreuwyd herio'r cysyniad o draddodiad, a nodi 'nad peth sy'n bodoli heb reswm yw traddodiad ond ei fod wedi cael ei greu', a dyfynnu Menna Elfyn.[276] Ac mae'n ddiddorol sylwi i Dafydd Elis Thomas ddefnyddio trosiad crefyddol er mwyn disgrifio'r datblygiad hwn ym maes beirniadaeth lenyddol Gymraeg yn nhermau heresi.[277] O'r fan honno, pan ddechreuwyd peidio â chymryd bodolaeth y Traddodiad yn ganiataol – o leiaf yn ôl un diffiniad o draddodiad – y collodd ryw gymaint o'i rym.

Dadleuodd Jürgen Habermas, un o brif feirniaid Gadamer, na all strwythurau rhagfarnau, wedi iddynt gael eu dadansoddi'n dryloyw, weithredu mwyach fel y gwnaent gynt ar lefel rhagfarn.[278] Os gwir hynny, golyga na allai rhagfarn lywodraethol Saunders Lewis – sef cred ddigwestiwn fod y fath beth â'r Traddodiad Llenyddol Cymraeg yn bodoli, a hynny'n annibynnol ar ddeongliadau unrhyw feirniaid ohono – cyn gynted ag y dechreuwyd ei dadansoddi, neu hyd yn oed sylwi arni, weithredu mwyach yn yr un modd. Ys dywed Max Scheler yn 1927: 'Y mae "cofio" ymwybodol yn cynrychioli diddymiad, ac yn wir farwolaeth traddodiad byw.'[279] Un o'r beirniaid hynny a fu'n cwestiynu'r Traddodiad Llenyddol yng ngwaith Saunders Lewis ydoedd John Rowlands. Gan amlygu mai '[c]readigaethau ei ddychymyg byrlymus ef i raddau' ydoedd 'nid yn unig . . . y portreadau o lenorion unigol – ond hefyd . . . ei ddehongliad o'r traddodiad llenyddol', nododd yn 1990 mai '[g]lo amheus bellach yw'r syniad y gellir dod o hyd i hanfod y traddodiad heb ei lurgunio y tu hwnt i bob adnabyddiaeth'.[280] Am ddehongliad Saunders Lewis o draddodiad Cymru – ei freuddwyd – meddai John Rowlands: 'Gwyddai mai act o ffydd oedd credu yn y breuddwyd hwnnw, fel yr oedd credu yn Nuw, a chredu mewn rheswm yn actau o ffydd.'[281]

Fodd bynnag, erbyn hyn, ac yn rhannol oherwydd ymdriniaethau megis un John Rowlands, nid camu'n ddiarwybod a wneir dros riniog y breuddwyd Saundersaidd mwyach, eithr fel y dywedodd John Rowlands, '[r]hyw gilwenu y byddwn bellach'.[282] Cilwenu yn hytrach na chredu. Oherwydd hyd yn oed o fynd ati ac amddiffyn yr hyn oll a ddywedodd Saunders Lewis, y mae'r act honno ynddi'i hun yn amlygu ein diffyg ffydd yn y Traddodiad – amheuwyr fynychaf sy'n dynodi prif lythyren – a'r modd y gwnaethpwyd rhagfarnau'r gorffennol bellach yn dryloyw. Ys dywed Ernest Gellner, gan eto ddiffinio traddodiad mewn modd cyfyng a gwrthresymegol megis Habermas: 'Pe bai amddiffyniad o Ffydd yn bosibl ac yn llwyddiannus, nid Ffydd fyddai hi mwyach. Byddai'r rhesymau, os yn rhai argyhoeddiadol, yn ddigon.'[283] Os llwyddodd Saunders Lewis i gyflwyno'r canon llenyddol Cymraeg ar lun a delw canon y Testament Newydd, a hynny'n rhannol drwy glymu'r gweithiau ynghyd ar ffurf Traddodiad, cafodd Theori effaith debyg ar nifer o feirniaid llenyddol Cymraeg i'r hyn a gafodd Uwchfeirniadaeth Feiblaidd ar weinidogion Cymru ar ddechrau'r ugeinfed ganrif. Cymharus i effaith y ddadl yn erbyn ysbrydoliaeth y Beibl ydoedd honno'n erbyn bodolaeth y Traddodiad, pan awgrymwyd i Saunders Lewis baratoi 'o'i ben a'i bastwn ei hun draddodiad ar ei chyfer [hi, Cymru]'.[284]

Awgrymwyd i Saunders Lewis wrth iddo fawrygu llenyddiaeth Gymraeg fabwysiadu osgo'r diwygiwr crefyddol, a hynny pan oedd y cymeriad hwnnw ar ddiflannu o'r tir. Yn wir, wrth gyfeirio at brofiad o roi darlith o bulpud mewn capel Cymraeg, meddai ef ei hun yn chwareus mewn llythyr at Margaret Gilcriest: 'I really fancy myself as the next Revivalist.'[285] A mawr y diwygio a fu. Dyma chwyldro yn wir sy'n llwyddo i wir fychanu protest ddiweddar Theori. Cyflwynwyd strwythur ystyrlon ar gyfer maes newydd o astudiaethau diwylliannol sy'n parhau mewn grym, gyda beirniaid ac ysgolheigion hyd heddiw'n golygu a thrafod testunau gan geisio ennill 'lle' iddynt yn y Traddodiad Llenyddol. Hyd yn oed os aethpwyd ati i *Sglefrio ar Eiriau*, gosod *Y Sêr yn Eu Graddau* o hyd yw'r dasg feirniadol i'r beirniaid heddiw; pennu'r meistri (er na ddefnyddir y gair hwnnw), cyfarwyddo'r canon (na'r gair hwnnw chwaith), chwilio ymysg gwahanol destunau llenyddol am 'blethen naratif feirniadol', ys dywed Sioned Puw Rowlands.[286] Yn achos ein nofelwyr ôl-fodernaidd cyfoes, cydnabyddir bod 'yna lynu wrth wreiddiau a thraddodiad, ac weithiau mae'r arbrofi'n hynod wreiddiedig yn y traddodiadol'.[287] Ond os gwir hynny am y nofelwyr, felly hefyd yn achos y beirniaid hwythau. Nid dileu'r ysfa anorchfygol i ganoneiddio a wnaeth Theori, eithr yn hytrach ddwyn sylw at 'gynneddf greadigol beirniadaeth', a phwysleisio bod darlleniadau'r canoneiddwyr eu hunain yn agored i ddeongliadau pellach.[288]

Gan hynny, os trosiad y diwygiwr yw'r un sy'n gweddu orau i Saunders Lewis, perthnasol wrth ddod â'r drafodaeth hon i ben yw'r hyn a ddywedodd R. Tudur Jones am y newid a fu yn safle'r 'Pregethwr Mawr' yng Nghymru ar ddechrau'r ugeinfed ganrif. Oherwydd o gyfnewid 'y Tragwyddol' yn y dyfyniad isod am 'y Traddodiad', a chaniatáu i 'Gymru' gynnwys ynddo hefyd Gymry Lerpwl, llwydda'r dyfyniad i gynrychioli'r newid cymharus a fu yn safle'r diwygiwr llenyddol mawr, a'r modd yr edrychir arno'n awr mewn oes ôl-Theori yn destun o gyd-destunau cymhleth. 'Yn lle ei fod ef yn dal diwylliant Cymru yng ngoleuni'r Tragwyddol [/Traddodiad], aeth Cymru i'w ystyried fel un o gynhyrchion ei diwylliant.'[289]

Fel y gwelwyd yn achos ymdriniaethau D. Tecwyn Lloyd a John Rowlands, canlyniad y datblygiad hwn fu colli rhyw gymaint ar yr addoli anfeirniadol gynt, a throi'r athrylith o awdur yn awdur-destun. Ac eto, er ein bod heddiw'n cilwenu'n sgeptigol ar strancio'r diwygiwr ger ein bron, ac yn gweld ôl ei fysedd ar ddalennau ein Traddodiad, erys cysgod ei ddylanwad tros ei ddilynwyr ffyddlonaf yn y sêt fawr a'r llanciau a'r llancesi amharchus yn y rhes gefn fel ei gilydd. Yn wir, hyd yn oed wedi i ambell un gau drws y capel ar ei ôl, daw i raddol syl-weddoli na all wadu'r diwygio a fu, gan mor fyw ydoedd gair y diwygiwr a chryfed yr argraff ar ei ôl.[290]

Nodiadau

1 Jan Gorak, *The Making of the Modern Canon: Genesis and Crisis of a Literary Idea* (London, 1991), t. 230.

2 T. Gwynn Jones, *Llenyddiaeth y Cymry* (Dinbych, 1915), t. 3.

3 John Morris-Jones, 'Annerch', *Y Beirniad*, 1 (1911), 1. Ar un olwg, dyma effaith gyffredinol y wasg argraffu ar fyd dysg, sef ei ddemocrateiddio, megis y nododd Jonathan Brody Kramnick i rai beirniaid llenyddol yn Lloegr y ddeunawfed ganrif edrych ar y sefydliadau argraffu yn nhermau 'a form of sociability not limited by aristocratic entitlement'. Gw. Jonathan Brody Kramnick, *Making the English Canon: Print-Capitalism and the Cultural Past, 1700–1770* (Cambridge, 1998), t. 22.

4 Emrys ap Iwan, nid John Morris-Jones yw'r dylanwad Cymraeg 'ar ei argyhoeddiadau llenyddol yn ogystal ag ar ei ddaliadau gwleidyddol' yn hyn o beth. Gw. J. E. Caerwyn Williams, 'Saunders Lewis: yr ysgolhaig a'r beirn-iad', yn D. Tecwyn Lloyd a Gwilym Rees Hughes (goln), *Saunders Lewis* (Llandybïe, 1975), t. 42. Cymh. Dafydd Glyn Jones, 'Traddodiadau Emrys ap

Iwan', *Agoriad yr Oes: Erthyglau ar Lên, Hanes a Gwleidyddiaeth Cymru* (Talybont, 2001), tt. 46–66.

5   J. Gwyn Griffiths, 'Saunders Lewis fel gwleidydd', yn D. Tecwyn Lloyd a Gwilym Rees Hughes (goln), *Saunders Lewis*, t. 78.

6   Saunders Lewis, 'Tueddiadau Cymru rhwng 1919 a 1923', *Baner ac Amserau Cymru*, 6 Medi 1923, 5. Nodir bod tebygrwydd yn hyn o beth rhwng cenedlaetholdeb a Chatholigiaeth. Cymh. *idem*, 'Y deffroad mawr', yn Gwynn ap Gwilym (gol.), *Meistri a'u Crefft* (Caerdydd, 1981), t. 290: Catholigiaeth, crefydd 'y tlodion anllythrennog, yr uchelwyr o bob gradd, oedd crefydd Cymru'r Oesoedd Canol'.

7   Jonathan Brody Kramnick, *Making the English Canon*, tt. 208–9.

8   Ifor ap Dafydd, 'Saunders Lewis a'r "Estheteg Gymreig": agweddau ar ei feirniadaeth lenyddol' (traethawd M.Phil., Prifysgol Cymru, Aberystwyth, 2001), 92.

9   Gw. Saunders Lewis, 'Pwy yw'r werin?' (llythyr), *Y Darian*, 10 Chwefror 1921, 3.

10 Ar y mater hwn, gw. Alan Llwyd, 'Saunders Lewis a T. S. Eliot', *Y Grefft o Greu: Ysgrifau ar Feirdd a Barddoniaeth* (Cyhoeddiadau Barddas, 1997), tt. 156–7. Dyfynnir Saunders Lewis, 'Barddoniaeth Mr. R. Williams-Parry', *Y Llenor*, 1 (1922), 148: 'Nid oes gan artist hawl i fod yn werinwr.'

11 Dafydd Glyn Jones, 'Traddodiadau Emrys ap Iwan', t. 55.

12 D. Tecwyn Lloyd, *John Saunders Lewis: Y Gyfrol Gyntaf* (Dinbych, 1988), t. 94.

13 Dafydd Glyn Jones, 'His politics', yn Alun R. Jones and Gwyn Thomas (goln), *Presenting Saunders Lewis* (Cardiff, 1973), t. 47.

14 Gareth Miles, 'A personal view', yn Alun R. Jones a Gwyn Thomas (goln), *Presenting Saunders Lewis*, t. 17.

15 Saunders Lewis, *Ceiriog: Yr Artist yn Philistia – I* (Aberystwyth, 1929), t. 16. Cymh. *idem*, 'The literary man's life in Wales' (anerchiad gerbron y Gyngres Geltaidd yn Glasgow, Medi 1929), *The Welsh Outlook*, 16 (Hydref 1929), 296: '[S]ince Wales lost its aristocracy the Welsh writer has never had an audience that really desired excellent literature. The ideal we have . . . accepted is the quintessence of bourgeois mediocrity.'

16 *Idem*, 'Tueddiadau Cymru rhwng 1919 a 1923'.

17 R. M. Jones, *Ysbryd y Cwlwm* (Caerdydd, 1998), tt. 307–8.

18 D. Ben Rees, 'Gwreiddiau J. Saunders Lewis ar lannau Mersi', yn *idem* (gol.), *Ffydd a Gwreiddiau John Saunders Lewis* (Lerpwl, 2002), t. 22.

19 Gw. Ieuan Parri, 'Gwerin', yn Gwyn Thomas (gol.), *Ysgrifau Beirniadol XXVI* (Gwasg Gee, 2002), t. 99.

20 John Rowlands, *Saunders y Beirniad: Llên y Llenor* (Caernarfon, 1990), t. 77.

21 Peter Hyland (gol.), 'Introduction: discharging the Canon', *Discharging the Canon: Cross-Cultural Readings in Literature* (Singapore, 1986), t. 2: 'a vision of literary study as the means of training a cultural elite'. Cyfeirir at waith F. R. Leavis, *Education and the University* (Cambridge, 1943).

22 Dafydd Ifans (gol.), *Annwyl Kate, Annwyl Saunders* (Aberystwyth, 1992), t. 4.

23 Gw. Hazel Walford Davies, *Saunders Lewis a Theatr Garthewin* (Llandysul, 1995), t. 29. Dyfynnir y dyfyniad uchod o'r llythyr at Kate Roberts yma.

24 R. M. Jones, 'Pab ein llên', *Llenyddiaeth Gymraeg 1936–1972* (Llandybïe, 1975), tt. 328–34.

[25] Gw. Alison Weir, *Henry VIII: King and Court* (London, arg. 2002), tt. 418, 466.

[26] Gw. Saunders Lewis, yn Mair Saunders Jones, Ned Thomas a Harri Prichard Jones (goln), *Letters to Margaret Gilcriest*, (Cardiff, 1993), t. 186: 'I delight to remember that I am a peasant. I have never had the slightest connection with the commercial and English middle class.' Ceir hefyd, wrth gwrs, yr agwedd arall. Gw. t. 502: 'I sometimes curse myself for writing in Welsh. If I wrote in English I might make money and a name, both desirable things; and yet I simply cannot give my damnable language up, little pleasure though I get in most of the folk who use it. I live here in the middle of Philistine Nonconformity and it's a marvel I have a soul or a spirit left even to swear.'

[27] Dyf. Jane Aaron, *Pur fel y Dur: Y Gymraes yn Llên Menywod y Bedwaredd Ganrif ar Bymtheg* (Caerdydd, 1998), tt. 4–5.

[28] Raymond Williams, 'Who speaks for Wales?', yn Daniel Williams (gol.), *Who Speaks for Wales?: Nation, Culture, Identity* (Cardiff, 2003), t. 3.

[29] Paul Thomas Murphy, *Toward a Working-class Canon: Literary Criticism in British Working-class Periodicals 1816–1858* (Ohio, 1994), tt. 1, 61: 'hundreds of periodicals written both by and for the working class . . . as broad and sophisticated as any other in Britain at the time'.

[30] R. Tudur Jones, *Grym y Gair a Fflam y Ffydd*, gol. D. Densil Morgan (Bangor, 1998), t. 264.

[31] Ibid, t. 130.

[32] John Gruffydd Hughes (Moelwyn), *Mr. Saunders Lewis a Williams Pantycelyn* (Birkenhead, 2il arg., 1928), t. 85.

[33] Saunders Lewis, 'Barddoniaeth Mr. R. Williams-Parry', *Y Llenor*, 1 (1922), 148.

[34] Alan Llwyd (gol.), 'Rhagymadrodd', *Cerddi R. Williams Parry: Y Casgliad Cyflawn* (Dinbych, 1998), t. ix.

[35] Saunders Lewis, 'Cyflwr ein llenyddiaeth', *Meistri a'u Crefft*, t. 167: '[E]r bod weithiau ddannod iddynt eu dysg . . . fe ŵyr y wlad Gymraeg mai yn nwylo'r rhain [yr ysgolheigion] y mae arweiniad llenyddiaeth Gymraeg. Rhywbeth arbennig yn hanfod ym mywyd ac yn hanes Cymru yw hyn.'

[36] Ieuan Parri, 'Gwerin', tt. 98, 109–10.

[37] Ibid., t. 114.

[38] D. Tegfan Davies, 'Cyflwynair', *Caneuon Amanwy* (Llandysul, 1956), t. 12.

[39] Dyf. Gwenno Ffrancon, *Cyfaredd y Cysgodion: Delweddu Cymru a'i Phobl ar Ffilm, 1935–1951* (Caerdydd, 2003), t. 184. Gw. Y Cerddetwr, 'Colofn Cymry'r dyffryn', *The Amman Valley Chronicle*, 3 Tachwedd 1938, 2.

[40] Saunders Lewis, *Letters to Margaret Gilcriest*, t. 186.

[41] Pyrs Gruffudd, 'Prospects of Wales: contested geographical imaginations', yn Ralph Ferve ac Andrew Thompson (goln), *Nation, Identity and Social Theory* (Cardiff, 1999), tt. 159–67.

[42] Alan Llwyd, '"O Wynfa Goll!": cerddi eisteddfodol cynnar: 1921–1931', *Rhyfel a Gwrthryfel: Brwydr Moderniaeth a Beirdd Modern* (Cyhoeddiadau Barddas, 2003), t. 98: 'Gyda Sosialaeth a Chomiwnyddiaeth yn cryfhau'n aruthrol yn ystod y blynyddoedd ôl-ryfel, daethpwyd i gredu fod militarwyr a gwleidyddion, fel cyfalafwyr, yn defnyddio'r werin i'w diben eu hunain.'

[43] Gw. D. Gareth Evans, *A History of Wales: 1815–1906* (Cardiff, 1989), t. 301.

44 Terry Eagleton, *After Theory* (London, 2004), t. 10: 'The middle classes had rather more to gain from national independence than hard-pressed workers and peasants . . . Even so, this unity was not entirely bogus . . . In one sense, different groups and classes in the Third World indeed faced a common Western antagonist . . . [T]he nation was a way of rallying different social classes – peasants, workers, students, intellectuals – against the colonial powers which stood in the way of their independence.'

45 Glyn Williams a Delyth Morris, *Language Planning and Language Use: Wales in a Global Age* (Cardiff, 2000), tt. xxii–xxiii: 'in terms of cultural, or even national, differences'. Pwysleisir 'that the chapel deaconry and the trade union leadership overlapped, making the construction of an oppositional discourse involving the two institutions impossible'. Ond tuedd haneswyr yw cyfosod y ddau sefydliad, gan weld y naill yn Gymraeg a'r llall yn Saesneg. Cymh. John Davies, *Hanes Cymru* (London, 1990), t. 466: 'Yr oedd diffyg amynedd tuag at y Gymraeg a phriodoleddau Cymreig yn rhan o safbwynt carfanau helaeth o sosialwyr Cymru.' Hefyd Saunders Lewis, *Letters to Margaret Gilcriest*, t. 516: 'Labour is to my mind the devil himself, and in South Wales it is destroying language, nationality and traditions.'

46 O ystyried y sylw a roddir yn y bennod i'r traddodiad anghydffurfiol, ac o gofio gwreiddiau teuluol Saunders Lewis, cymh. D. Gareth Evans, *A History of Wales: 1815–1906*, t. 243: 'The new middle-class leaders of the denominations were quite insensitive to the social problems of the period and adhered to the old issues of rural Wales . . . Trade unions made great advances in the coalfields in the years after 1890, and mainly under English leadership.'

47 R. M. Jones, *Mawl a'i Gyfeillion* (Cyhoeddiadau Barddas, 2000), t. 219. Cyfeirir hefyd at awydd Marcsiaid i 'chwilio am ddyrchafiad economaidd materol i'r tlodion'.

48 Gw. Saunders Lewis, 'Diwylliant yng Nghymru', *Ysgrifau Dydd Mercher* (Cyhoeddiadau'r Clwb Llyfrau Cymraeg, 1945), t. 104: Dywedir na all ysgolheigion Cymru 'ymwybod â chyfrifoldeb eu swydd . . . i fod yn "élite" yng Nghymru. Canys y mae ysgolheictod fel pendefigaeth yn gyfrifoldeb.'

49 Ieuan Gwynedd Jones, *Explorations and Explanations* (Llandysul, 1981), t. 290: 'in those areas where the working class could not provide for themselves'. Nodir bod y ffin rhwng y dosbarth gwaith a'r dosbarth canol yn cael ei chroesi fwyfwy oddi ar ganol y bedwaredd ganrif ar bymtheg: '[T]he working class no longer attempted to organize itself as such and to operate independently, as in the past, but was prepared to co-operate closely with representatives of the middle-class . . . This did not mean that the working classes were thereby absorbed.'

50 Saunders Lewis, *Braslun o Hanes Llenyddiaeth Gymraeg: Y Gyfrol Gyntaf: Hyd at 1535* (Caerdydd, 1932).

51 *Idem*, 'Diwylliant yng Nghymru', *Ysgrifau Dydd Mercher*, t. 104.

52 Dyf. Peredur Lynch, *"Prifysgol Cymru": Saunders Lewis a Phrifysgol Cymru, Darlith Eisteddfodol y Brifysgol: Eisteddfod Genedlaethol Cymru Meirion a'r Cyffiniau 1997* (Cyhoeddiadau Prifysgol Cymru, 1997), t. 12.

53 Ibid., t. 4.

54 Ibid., t. 7.

55 O. M. Edwards, *Er Mwyn Iesu* (Wrecsam, 1922), t. 14. Cymh. sylw'r Parch J. Griffiths yn y 'Cyflwynair' i *O Lwch y Lofa: Cyfrol o Ganu gan Chwech o Lowyr Sir Gâr* (Ammanford, 1924): 'A oes gwerin hafal i werin Cymru am y math hwn ar ddiwylliant?'

56 Cymh. W. J. Gruffydd, *Llenyddiaeth Cymru: Rhyddiaith o 1540 hyd 1660* (Wrecsam, 1926), t. 23: 'O'r Brifysgol y daeth y goleu newydd, ac o ddiwylliant Beiblaidd y werin y daeth y Brifysgol, ac o waith William Salesbury yn y pen draw y daeth y diwylliant hwnnw.'

57 Gw. Islwyn Ffowc Elis, 'Dwy nofel', yn D. Tecwyn Lloyd a Gwilym Rees Hughes (goln), *Saunders Lewis*, t. 165: '[Hi] [Methodistiaeth] a ddysgodd i'n hen deidiau ni ddarllen, ac mae gwerin ddarllengar yn rym ffrwydrol. O'r werin ddarllengar hon y cododd O. M. Edwards a haneswyr eraill ac ysgol-heigion llên – gan gynnwys Mr. Lewis ei hun – i roi'n ôl iddi mewn cyfrol a chyfnodolyn ei hen ogoniant gynt.'

58 T. J. Morgan, 'Cymhellion llenyddol', *Ysgrifau Beirniadol* (Llundain, 1951), t. 38.

59 Saunders Lewis, *Annwyl Kate, Annwyl Saunders*, t. 137.

60 Gw. *O Lwch y Lofa*. Ar yrfa Gomer M. Roberts, gw. s.v.: 'Roberts, Gomer Morgan (1904–)', yn Meic Stephens (gol.), *Cydymaith i Lenyddiaeth Cymru* (Caerdydd, 1986), tt. 507–8. Gw. 'Y deffroad mawr', *Meistri a'u Crefft*, tt. 289–92, sef adolygiad Saunders Lewis o *Hanes Methodistiaeth Galfinaidd Cymru. Cyfrol 1, Y Deffroad Mawr*, Gomer M. Roberts (gol.).

61 Gw. T. Robin Chapman, *Un Bywyd o Blith Nifer: Cofiant Saunders Lewis* (Llandysul, 2006), t. 375.

62 Ibid., t. xx.

63 Dyf. ibid., t. 372. Saunders Lewis (Gwyn Thomas), 'Holi: Saunders Lewis', *Mabon*, 8 (1974–5), 7.

64 Dyf. ibid., t. 12. Saunders Lewis, 'Cwrs y byd', *Baner ac Amserau Cymru*, 23 Mehefin 1948.

65 Saunders Lewis, *An Introduction to Contemporary Welsh Literature* (Wrexham, 1926), t. 15. F'italeiddio i.

66 Peter Barry, *Beginning Theory: An Introduction to Literary and Cultural Theory* (Manchester, 1995), t. 26. Gwelir dylanwad Celtigiaeth Matthew Arnold yn glir yn y llythyrau cynnar at Margaret Gilcriest. Gw. e.e. *Culture and Anarchy* (1869), tt. 57, 59, 72. Arnold yw'r dylanwad hefyd, wrth gwrs, ar 'ffilistiaeth' Saunders Lewis.

67 Oliver Elton, *Modern Studies* (London, 1907), t. 137.

68 Ibid., t. 138.

69 Ibid., t. 128.

70 Saunders Lewis, *Letters to Margaret Gilcriest*, t. 60.

71 *Idem*, 'John Keats: secrets of his genius: centenary of poet's death', *Western Mail*, 23 Chwefror 1921, 7.

72 *Idem*, 'A great Frenchman: Molière tercentenary celebrations: Welsh tribute to a famous dramatist', *Western Mail*, 13 Ionawr 1922, 6.

73 *Idem*, 'John Keats: secrets of his genius: centenary of poet's death', *Western Mail*.

74 *Idem*, 'John Morgan', yn R. Geraint Gruffydd (gol.), *Meistri'r Canrifoedd* (Caerdydd, 1973), t. 229.

75 Idem, 'Dafydd Nanmor', Meistri'r Canrifoedd, t. 91.

76 Idem, A School of Welsh Augustans (Wrexham, 1924), t. 41: 'In order to expound Morris's literary criticism as clearly as possible, we may make an anthology of some of his ampler paragraphs, only adding whatever notes and quotations may seem useful to indicate his sources.'

77 D. Gwenallt Jones, 'Beirniadaeth lenyddol', yn Dyfnallt Morgan (gol.), Gwŷr Llên y Ddeunawfed Ganrif (Llandybïe, 1966), t. 193.

78 John Rowlands, Saunders y Beirniad, t. 26. Cymh. T. Robin Chapman, Un Bywyd o Blith Nifer, t. 69: 'Fel y disgwylid, mae'n waith gwyliadwrus, heb ddim o'r ymgais i synnu a dal sylw a nodweddai ei waith newyddiadurol ar y pryd ac a ddôi ymhen amser yn nod amgen ei gyhoeddiadau mwy academaidd.'

79 D. Tecwyn Lloyd, John Saunders Lewis, tt. 212–41.

80 Cymh. T. Robin Chapman, Un Bywyd o Blith Nifer, tt. 91–2.

81 Saunders Lewis, 'Welsh nationality', Western Mail, 17 Awst 1923, 9.

82 Idem, Straeon Glasynys (Dinbych, 1943), t. xxiv.

83 Idem, 'Diwylliant yng Nghymru', Ysgrifau Dydd Mercher, t. 103.

84 R. M. Jones, Llenyddiaeth Gymraeg: 1902–1936 (Cyhoeddiadau Barddas, 1987), t. 383.

85 Saunders Lewis, 'Baledi'r ddeunawfed ganrif: nodau'r feirniadaeth Gymraeg newydd,' Western Mail, 30 Tachwedd 1935, 11.

86 Cymh. Ned Thomas, The Welsh Extremist (London, 1971), t. 35: 'When we . . . remember that Saunders Lewis's politics are not based on a set of theoretical beliefs, but on the culture and quality of life of a whole nation which he sees himself as defending, then we realize that politics is here a much wider term and not to be kept separate from the kind of experience we find in literature.'

87 Saunders Lewis, 'Swyddogaeth celfyddyd', Canlyn Arthur (Llandysul, 1985), t. 151. Gw. t. 147. Yn yr ysgrif hon, beirniedir 'honni anffaeledigrwydd yr artist, megis y gwneir ar ran y bardd gan y pwysicaf o ddehonglwyr Cymraeg y gredo ramantaidd mor ddiweddar hyd yn oed â 1923', sydd eto'n awgrymu bod y flwyddyn honno'n drobwynt yn hanes beirniadaeth lenyddol i Saunders Lewis.

88 Idem, 'Goronwy Owen', Meistri'r Canrifoedd, t. 262.

89 Idem, Williams Pantycelyn (Llundain, 1927), t. 236.

90 Idem, 'Baledi'r ddeunawfed ganrif: nodau'r feirniadaeth Gymraeg newydd'.

91 Idem, Paham y Llosgasom yr Ysgol Fomio: gan Saunders Lewis a Lewis Valentine (pamffled) (Cyhoeddiadau'r Blaid Genedlaethol, Caernarfon, 1937), t. 5.

92 Idem, 'Emrys ap Iwan', Ysgrifau Dydd Mercher, tt. 75–6.

93 T. Robin Chapman, Un Bywyd o Blith Nifer, t. 263.

94 Ibid., t. 213.

95 Ibid., tt. 148, 198. Saunders Lewis, Y Cymro, 23 Ionawr 1937.

96 Oliver Elton, Modern Studies, t. 134: 'No one man's talent or pains can suffice, there must be the co-operation of labour. And this can only be achieved by schools of learning.'

97 Saunders Lewis, 'Yr Eisteddfod a beirniadaeth lenyddol', Meistri'r Canrifoedd, t. 338: '[Y]r oedd y cyfarfod – yr "Eistedd" – i ddarllen awdlau a gwrando barnu arnynt yn sicrhau'r traddodiad a etifeddwyd.'

98 Idem, 'Llythyr at Gynan', Y Ddraig Goch, 1.5, Hydref 1926, 7.

99 Idem, 'Cyflwr ein llenyddiaeth', Meistri a'u Crefft, t. 169.

100 Idem, 'W. J. Gruffydd' (adolygiad o Y Tro Olaf ac Ysgrifau Eraill), Baner ac Amserau Cymru, 21 Mehefin 1939, 10.

101 Idem, 'Cyflwr ein llenyddiaeth', Meistri a'u Crefft, t. 169.

102 Idem, Williams Pantycelyn, t. 236.

103 Idem, 'Dafydd Nanmor', Meistri'r Canrifoedd, t. 97.

104 Ibid., t. 81.

105 D. Gwenallt Jones, 'Beirniadu beirniad', Y Llenor, 12 (1933), 32.

106 Arthur R. Cohen, 'Need for cognition and order of communication as deter-minants of opinion change', yn Carl I. Hovland, et al. (goln), The Order of Presentation in Persuasion (New Haven, 1957), tt. 79–97. Dadleuodd y cym-deithasegydd Arthur R. Cohen fod dau beth yn digwydd pan fo cynulleidfa-oedd yn derbyn gwybodaeth sy'n ateb angen penodol. Yn gyntaf, maent yn dysgu mwy. Yn ail, bydd eu barn ar faterion yn newid yn gynt ac mewn modd mwy parhaol.

107 K. O. Morgan, Rebirth of a Nation: Wales 1880–1990 (Oxford, 1981), t. 15.

108 Willis B. Glover, Evangelical Nonconformists and Higher Criticism in the Nine-teenth Century (London, 1954), t. 36.

109 Gwilym H. Jones, 'Beirniadaeth yr Hen Destament yng Nghymru oddeutu tro'r ganrif 1890–1914', yn E. Stanley John (gol.), Y Gair a'r Genedl (Abertawe, 1986), tt. 63–78. Hefyd, '"Gwrth-feirniadaeth" a'r Hen Destament yng Nghymru oddeutu tro'r ganrif (1890–1914)', Y Traethodydd, 141 (1986), 242–52.

110 Lewis Edwards, 'Rhagymadrodd', Traethodau Llenyddol (Wrecsam), tt. 5–6.

111 Saunders Lewis, Letters to Margaret Gilcriest, t. 270. Cymh. t. 87: 'I remember reading the Mabinogion to my Sunday school class and they thought them too childish for boys.'

112 Nododd D. Ben Rees yn gywir iawn i D. Tecwyn Lloyd a sawl un arall anwybyddu magwraeth Fethodistaidd Saunders Lewis. Gw. D. Ben Rees, 'Gwreiddiau J. Saunders Lewis ar lannau Mersi', t. 24.

113 Pennar Davies, 'His criticism', yn Alun R. Jones and Gwyn Thomas (goln), t. 93: '[I]t was as a literary critic that he [Saunders Lewis] first made a decisive impact in Welsh literary – and religious – life.'

114 A. O. H. Jarman, 'Saunders Lewis', Y Traethodydd, 148, (1993), 192.

115 Saunders Lewis, 'Ac Onide', Meistri a'u Crefft, t. 62.

116 Gw. idem, 'Llenorion a lleygwyr', Meistri a'u Crefft, t. 164. Cymherir ysgol-heictod modern ag uwch-feirniadaeth. Cymh. John Emyr, Dadl Grefyddol Saunders Lewis a W. J. Gruffydd (Pen-y-bont ar Ogwr, 1986), t. 32: '[M]ae perthynas bendant rhwng ei gred fel Cristion a'i waith fel . . . beirniad.'

117 Maurice Jones, 'Y Testament Newydd yng ngoleuni'r wybodaeth ddiwedd-araf', Y Beirniad, 6 (1916), 80.

118 David Adams, 'Y Testament Newydd a darganfyddiadau diweddar', Y Beirniad, 6 (1916), 242.

119 Maurice Jones, 'Y Testament Newydd yng ngoleuni'r wybodaeth ddiwedd-araf', t. 87.

120 Gwilym H. Jones, 'Beirniadaeth yr Hen Destament yng Nghymru oddeutu tro'r ganrif 1890–1914', t. 77. Gw. t. 63: am 1890–1914, meddai: 'Dyma'r cyfnod a welodd gyhoeddi nifer o gyfrolau arwyddocaol i gyflwyno Beirniadaeth

Feiblaidd a'i chasgliadau; caed hefyd yn y cylchgronau Cymraeg drafodaeth helaeth ar y gwahanol bynciau a godai.'

121 R. S. Thomas, 'Ysbrydoliaeth y Beibl', *Y Beirniad*, 4 (1914), 247–8.

122 Gw. D. Densil Morgan, '"The Essence of Welshness"?: some aspects of Christian faith and national identity in Wales, c.1900–2000', yn Robert Pope (gol.), *Religion and National Identity: Wales and Scotland c.1700–2000* (Cardiff, 2001), t. 145.

123 *Idem*, 'Yr iaith Gymraeg a chrefydd', yn Geraint H. Jenkins a Mari A. Williams (goln), *'Eu Hiaith a Gadwant'?* (Caerdydd, 2000), t. 362. F'italeiddio i.

124 John Davies, *Hanes Cymru* (Llundain, 1990), tt. 481, 488.

125 R. B. Jones, *Yr Ail-Ddyfodiad yng ngoleuni'r Epistolau at y Thesaloniaid . . .* (Tonypandy, 1919), tt. xxx–xxxi.

126 Rhys Tudur, 'Y Cymro, Penyberth a'r Ail Ryfel Byd', yn Geraint H. Jenkins (gol.), *Cof Cenedl 17: Ysgrifau ar Hanes Cymru* (Llandysul, 2002), t. 139.

127 Peter Barry, *Beginning Theory*, t. 13.

128 Ibid.

129 John Clarke, dyf. Terry Eagleton, *The Function of Criticism* (London, 1984), t. 14.

130 Saunders Lewis, 'Drych y Prif Oesoedd', *Meistri'r Canrifoedd*, t. 243.

131 Dafydd Glyn Jones, 'Côr y ceidwadwyr', *Y Traethodydd*, 160 (2005), 156.

132 Derec Llwyd Morgan, *Y Diwygiad Mawr* (Llandysul, 1981), t. 136.

133 Dafydd Johnston, 'The Literary Revival', yn *idem* (gol.), *A Guide to Welsh Literature c.1900–1996* (Cardiff, 1998), t. 20.

134 Dyf. R. Tudur Jones, *Ffydd ac Argyfwng Cenedl* (Abertawe, 1981–2), t. 168.

135 D. Gareth Evans, *A History of Wales*, t. 242: '[the] enormous expansion in the cultural role of the chapel . . . a spiritual and intellectual confusion of aims and purposes'.

136 R. Tudur Jones, *Ffydd ac Argyfwng Cenedl*, t. 193.

137 Saunders Lewis, *Letters to Margaret Gilcriest*, t. 129. Cymh. t. 153. 'Most preachers seem so embarrassed when a beautiful idea catches them that they insist on bending it into conformity with their usual attempts.'

138 R. Tudur Jones, *Ffydd ac Argyfwng Cenedl*, t. 247.

139 Saunders Lewis, *Annwyl Kate, Annwyl Saunders*, t. 8. Cymh., tt. 3–4: 'Rhai go anwadal ac anwastad ym ninnau, wyr *Y Llenor*, ond mi gredaf rywsut fod *Y Llenor* yn lanach cwmni i bagan o'ch bath chi nag yw Undeb Cristnogol y byrfyfyrwyr, neu'r seiat *highbrow*.'

140 *Idem, Daniel Owen: Yr Artist yn Philistia – II* (Aberystwyth, 1936), t. 1.

141 D. Tecwyn Lloyd, *John Saunders Lewis*, t. 127.

142 W. J. Gruffydd, *The South Wales Daily News*, 1 Mawrth 1925, 5. Dyf. D. Tecwyn Lloyd, *John Saunders Lewis*, t. 127: 'He comes to us with something of a prophet's glamour.'

143 Edward Morgan, *John Elias: Life, Letters and Essays* (Edinburgh, 1973), tt. 95, 113: 'He was argumentative, as well as zealous and powerful. He might perhaps be considered more like a philosopher in eloquence . . . Anyone might perceive, even by his external appearance, that he was a man of amazing powers: indeed many were at once struck with his commanding and penetrating mien . . . and were prepossessed with great awe and reverence for him.'

He generally appeared . . . like some philosopher, speaking with great authority and effect.'

144 Cymh. John Rowlands, 'Yr ysgolhaig a'r beirniad', *Saunders Lewis: Agweddau ar ei Fywyd a'i Waith/Aspects of his Life and Works* (Ymddiriedolaeth Cronfa Goffa Saunders Lewis, 1991), t. 20: 'Er mor llegach a brau y gallasai Saunders Lewis ymddangos yn gorfforol, doedd dim angen ond gwrando arno'n llefaru am ychydig funudau cyn sylweddoli'i fod yn gadarn dŵr o ran ei adnoddau deallusol . . . Ac roedd gwrando arno'n darlithio'n gyhoeddus yn gadael argraff seriol ar ei gynulleidfa.'

145 John Rowlands, *Ysgrifau ar y Nofel* (Caerdydd, 1992), t. 101.

146 T. Robin Chapman, *Un Bywyd o Blith Nifer*, t. 129.

147 Bobi Jones, *Crwydro Môn* (Llandybïe, 1957), t. 101. R. M. Jones, 'Pab ein llên', tt. 328–34.

148 John Rowlands, *Saunders y Beirniad*, tt. 35–6.

149 R. Tudur Jones, *Ffydd ac Argyfwng Cenedl*, t. 249.

150 Saunders Lewis, 'Dylanwadau', *Taliesin*, 2 (1961), 8.

151 R. Tudur Jones, *John Elias: Pregethwr a Phendefig* (Cyhoeddiadau Mudiad Efengylaidd Cymru, 1975), t. 10.

152 A. O. H. Jarman, 'Llosgi'r ysgol fomio: y cefndir a'r canlyniadau', yn D. Tecwyn Lloyd a Gwilym Rees Hughes (goln), t. 96. Cymh. Saunders Lewis, 'Y deffroad mawr', *Meistri a'u Crefft*, t. 292: 'Fe fagodd y seiadau gymdeithas Gymraeg grefyddol, a magu felly o raid arweinwyr lleol, sefydliadau, sasiwn a chyfarfod misol, ac felly – o raid hefyd – bendefigaeth newydd Gymreig, pendefigaeth y pulpud, y Weinidogaeth.' Am y manylion teuluol, gw. T. Robin Chapman, *Un Bywyd o Blith Nifer*, t. 8.

153 Dyf. T. Robin Chapman, *Un Bywyd o Blith Nifer*, t. 8. Saunders Lewis, 'Lewis Edward Valentine: hanner canrif yn y weinidogaeth', *Seren Cymru*, 8 Hydref 1971, 6.

154 T. Robin Chapman, *Un Bywyd o Blith Nifer*, t. 107.

155 John Morris-Jones, 'Yr orgraff II', *Y Beirniad*, 1 (1911), 279. Wrth drafod y gair 'crud', er enghraifft, dyfynnir o *Lyfr yr Ancr*, marwnad Gruffudd ab yr Ynad Coch o *Lyfr Coch Hergest*, y *Flores Poetarum*, *Dictionarium Duplex* John Davies, *Helaeth Eir-lyfr* Thomas Jones a'r *Mabinogion*.

156 Saunders Lewis, *Letters to Margaret Gilcriest*, t. 497.

157 Ifor Williams, 'Brwydr Catraeth', *Y Beirniad*, 1 (1911), 73.

158 John Morris-Jones, 'Annerch', t. 2.

159 Terry Eagleton, *The Function of Criticism*, t. 18. Cymh. Jonathan Brody Kramnick, *Making the English Canon*, t. 199: 'By "English literature" Johnson does and does not mean a canon of high-cultural writing.'

160 Jonathan Brody Kramnick, *Making the English Canon*, t. 199.

161 Oliver Elton, *Modern Writing*, t. 137.

162 Saunders Lewis, *Letters to Margaret Gilcriest*, t. 50.

163 Oliver Elton, *Modern Writing*, t. 79.

164 Peter Barry, *Beginning Theory*, t. 15.

165 Saunders Lewis, 'Dafydd Nanmor', *Meistri'r Canrifoedd*, t. 82.

166 I. A. Richards, *Practical Criticism* (London, 1930).

167 David Murray, 'Unity and difference: poetry and criticism', yn *idem* (gol.), *Literary Theory and Poetry: Extending the Canon* (London, 1989), t. 7.

[168] Saunders Lewis, 'Dafydd Nanmor', t. 81.

[169] Roy Kearsley, 'Tertullian (*fl.*200)', yn Donald K. McKim (gol.), *Historical Handbook of Major Biblical Interpreters* (Leicester, 1998), t. 64: '[T]exts should take their meaning from the context.'

[170] Gw. e.e. K. C. Hanson a Douglas E. Oakman, *Palestine in the Time of Jesus: Social Structures and Social Conflicts* (Minneapolis, 1998), t. 4: 'a radically different world in terms of institutions and values'.

[171] David Protheroe Davies, *Yr Efengylau a'r Actau* (Caerdydd, 1978), tt. 96–7.

[172] Saunders Lewis, 'Dafydd Nanmor', t. 81.

[173] Wayne Grudem, *Bible Doctrine: Essential Teachings of the Christian Faith* (Leicester, 1999), t. 54: '[T]he interpretation of Scripture [is] more precise and its meaning more vivid with a greater knowledge of the languages and cultures in which the Bible was written.'

[174] Saunders Lewis, 'Nodyn ynghylch diwinyddiaeth', detholwyd gan Marged Dafydd, *Ati, Wŷr Ifainc* (Caerdydd, 1986), t. 31.

[175] Ar 'ragoriaeth cyfundrefn Calfin', gw. J. Cynddylan Jones, *Cysondeb y Ffydd: Cyfrol III* (Cardiff, 1912), t. 25.

[176] *Idem, Efengyl Ioan: Pennod I–VIII* (Cyhoeddiadau'r Gymanfa Gyffredinol, 2il arg., 1915), t. 42.

[177] Ibid., t. 43.

[178] Saunders Lewis, 'Am Efengyl Marc', *Meistri a'u Crefft*, tt. 247–58. Dwy nodwedd ar yr ysgrif yw'r sylw i waith nifer o esbonwyr Beiblaidd, ynghyd ag ymgais i leoli'r awdur yn ei gyd-destun hanesyddol.

[179] *Idem*, 'Dafydd Nanmor', *Meistri'r Canrifoedd*, t. 86. F'italeiddio i.

[180] Gwyn Thomas, 'Siôn Cent a noethni'r enaid', *Gair am Air: Ystyriaethau am Faterion Llenyddol* (Caerdydd, 2000), t. 40.

[181] R. Tudur Jones, *Yr Ysbryd Glân* (Caernarfon, 1972), tt. 45–6.

[182] David Owen, *Eliasa: Neu Rai Sylwadau ar Gymeriad Areithiol a Phregethwrol y Diweddar Barchedig John Elias* (Merthyr Tydfil, 1844), t. 34.

[183] Dyf. R. Tudur Jones, *John Elias: Pregethwr a Phendefig*, t. 10.

[184] Saunders Lewis, 'Y deffroad mawr', *Meistri a'u Crefft*, t. 290. Cymh. D. Densil Morgan, *Cedyrn Canrif* (Caerdydd, 2001), t. 232: 'Erbyn canol y bedwaredd ganrif ar bymtheg troes Cymru yn genedl o Ymneilltuwyr, yn y farn boblogaidd beth bynnag.'

[185] R. Tudur Jones, *John Elias: Pregethwr a Phendefig*, t. 22. Cymh. Pennar Davies, 'His criticism', t. 105: '[H]e has never thought of the critic's work as anything less than a creative proclamation of values.'

[186] Ar bregethu ei dad, gw. John Emyr, *Dadl Grefyddol Saunders Lewis a W. J. Gruffydd*, t. 6. Dyfynnir T. E. Davies, Treorci.

[187] Cymh. T. Robin Chapman, *Un Bywyd o Blith Nifer*, t. 7.

[188] Dyf., ibid., t. 265. LlGC, papurau D. J. Williams, Abergwaun, P2/30 blwch 11. SL at D. J. Williams, 18 Ebrill 1944.

[189] Alastair MacIntyre, *After Virtue: A Study in Moral Enquiry* (London, 2il arg., 1985), t. 6: 'Living traditions, just because they continue a not-yet-completed narrative, confront a future whose determinate and determinable character, so far as it possesses any, derives from the past.'

190 Ioan 20: 31.

191 Gw. Darrel L. Boch, *Studying the Historical Jesus* (Leicester, 2002), t. 13: 'Their goal was to witness to Jesus and strengthen the new communities formed around him.'

192 Gw. Roger E. Olson, *The Story of Christian Theology: Twenty Centuries of Tradition & Reform* (Leicester, 1999), t. 51.

193 Tertulianus, 'Yr olyniaeth', yn R. Tudur Jones (gol.), *Ffynonellau Hanes yr Eglwys: 1. Y Cyfnod Cynnar* (Caerdydd, 1979), tt. 70–1.

194 Saunders Lewis, *Braslun*, t. v.

195 Ibid., t. 5.

196 Ibid., tt. 10–12. F'italeiddio i.

197 Ibid., t. 11.

198 Cymh. *idem*, 'The tradition of Taliesin', yn Alun R. Jones a Gwyn Thomas (goln), *Presenting Saunders Lewis*, tt. 145–50. Awgrymir bod Taliesin yn adleisio'r *Aeneid* – 'it has that inheritance' – er nad yn uniongyrchol, ac nid o angenrheidrwydd oherwydd Gildas. Er hyn, mae'r pwyslais ar unigrywiaeth Taliesin, fel yr awrymir gan yr ymadrodd, 'It was . . . the Taliesinic poems of panegyric that Gildas took as the basis of his moral condemnation of Maglocunus . . . It was the basis of the poetic schools.'

199 Robert Owen Jones, *Hir Oes i'r Iaith: Agweddau ar Hanes y Gymraeg a'r Gymdeithas* (Llandysul, 1997), t . 92.

200 John Davies, *Hanes Cymru*, t. 481.

201 Gwyn Thomas, 'Barddoniaeth gwŷr y gogledd', yn Geraint Bowen (gol.), *Y Gwareiddiad Celtaidd* (Llandysul, 1987), t. 198.

202 Ibid.

203 Gwyn Thomas, *Y Traddodiad Barddol* (Caerdydd, 1976), tt. 40–1. F'italeiddio i.

204 Saunders Lewis, *Braslun*, t. 7. Cymh. 'Dyfodol llenyddiaeth', *Meistri a'u Crefft*, t. 197: 'Y ffaith sylfaenol am Waldo Williams yw mai o Daliesin ac Aneirin y mae o'n hanfod.'

205 Ibid., t. 12.

206 Gwyn Thomas, 'Barddoniaeth gwŷr y gogledd', t. 193. Cymh. R. M. Jones, *Mawl a'i Gyfeillion* (Cyhoeddiadau Barddas, 2000), t. 89.

207 Rachel Bromwich, 'Y Cynfeirdd a'r traddodiad Cymraeg', *The Bulletin of the Board of Celtic Studies*, 22 (Tachwedd 1966), 36.

208 Morfydd E. Owen, 'Chwedl a hanes: y Cynfeirdd yng ngwaith y Gogynfeirdd', yn J. E. Caerwyn Williams (gol.), *Ysgrifau Beirniadol XIX* (Dinbych, 1993), tt. 14–15.

209 R. M. Jones, *Mawl a'i Gyfeillion*, tt. 89, 142.

210 Cymh. Saunders Lewis, 'Dyfodol llenyddiaeth', *Meistri a'u Crefft*, t. 197: 'Da y cofiaf fy nhad yn dweud wrthyf unwaith yng nghyfnod fy ffolineb cynnar: "'Ddaw dim byd ohonoch chi, S., nes y dowch chi'n ôl lle mae'ch gwreiddiau." Gwers i lenor.' Adroddir yr hanesyn gan A. O. H. Jarman, 'Llosgi'r ysgol fomio: y cefndir a'r canlyniadau', t. 97, gan ychwanegu: 'Glynodd y frawddeg yn ei gof a bu'n ddylanwadol yng nghyflawnder yr amser.'

211 *Idem*, '"Lle pyncid cerddi Homer"', *Ysgrifau Dydd Mercher*, t. 23.

212 *Idem*, 'Deg pwynt polisi', *Canlyn Arthur*, t. 16.

213 *Idem*, 'A member of our older breed', *Western Mail: Literary Review*, 5 Rhagfyr 1964, 4: 'These are the heirs of Taliesin, of the court poets of Llywelyn the Great, of the county house poets of the 15th century gentry.'

214 *Idem*, 'Bardd trasiedi bywyd', *Meistri a'u Crefft*, tt. 77–8.

215 John Rowlands, *Saunders y Beirniad*, t. 8.

216 Saunders Lewis, 'The essence of Welsh literature', yn Alun R. Jones a Gwyn Thomas (goln), *Presenting Saunders Lewis*, t. 155. Cyhoeddwyd gyntaf yn *Wales*, 7, 27 Rhagfyr 1947, 337–41.

217 *Idem, Braslun*, t. 10.

218 Clara Tuite, *Romantic Austen: Sexual Politics and the Literary Canon* (Cambridge, 2002), t. 2: 'transportable across and within conventional period designations'.

219 Gw. ibid., tt. 5–6. Gan drafod gwaith Leavis ar lenyddiaeth aristocrataidd, cyfieirir at 'the collective social and symbolic practice which [Pierre] Bordieu has formulated as misrecognition'.

220 Saunders Lewis, 'Barddoniaeth Mr. R. Williams-Parry, *Y Llenor*, 1 (1922), 148.

221 Clara Tuite, t. 5: 'classless, democratic, non-elitist and organic'.

222 Saunders Lewis, 'The literary man's life in Wales', 295.

223 F. R. Leavis, *The Great Tradition* (London, 1962), t. 5: 'She not only makes tradition for those coming after, but her achievement has for us a retroactive effect: as we look back beyond her we see in what goes before, and see because of her, potentialities and significances brought out in such a way that, for us, she creates the tradition we see leading down to her. Her work, like the work of all great creative writers, gives a meaning to the past.'

224 Kurt Aland, *The Problem of the New Testament Canon* (London, 1962), t. 9: 'The Pauline Epistles constitute the core of these apostolic writings; to these, other early apostolic letters (and in the West the Apocalypse) attached themselves.'

225 Gw. Dafydd Johnston, 'Awduraeth', *www.dafyddapgwilym.net*

226 Harold Bloom, *The Western Canon* (New York, 1994; London, 1995), tt. 2, 40.

227 R. M. Jones, *Beirniadaeth Gyfansawdd: Fframwaith Cyflawn Beirniadaeth Lenyddol* (Cyhoeddiadau Barddas, 2003), t. 191. *Seiliau Beirniadaeth: Cyfrol 4: Cyfan-weithiau Llenyddol*, t. 586. Gw. hefyd *Beirniadaeth Gyfansawdd*, t. 210: '[Y] mae i'r cydlyniad . . . siâp sy'n canoli ar yr unigryw llenyddol.'

228 Saunders Lewis, *Braslun*, t. 115.

229 *Idem, Williams Pantycelyn*, t. 17.

230 Ibid., t. 236.

231 F. R. Leavis. 'Valuation in criticism', *Valuation in Criticism and Other Essays* (Cambridge, 1986), t. 283: 'the creative centre where we have the growth towards the future of the finest life and consciousness of the past'.

232 Gw. Saunders Lewis, 'Emrys ap Iwan', *Ysgrifau Dydd Mercher*, tt. 80–3.

233 Pennar Davies, 'His criticism', t. 100.

234 Alasdair MacIntyre, *After Virtue: A Study of Moral Enquiry* (London, 2il arg., 1985), t. 215: 'We live out our lives in the light of certain conceptions of a possible shared future, a future in which certain possibilities beckon us forward and others repel us.'

235 Saunders Lewis, 'Y Blaid Genedlaethol a'r dyfodol', *Y Ddraig Goch*, 6.4 (Medi 1930), 1.

236 Cymh. *idem*, 'Dyfodol llenyddiaeth', *Meistri a'u Crefft*, t. 197: '[S]wydd a llawenydd goruchaf, ie perlewyg hyfryd, beirniadaeth lenyddol ydyw dar-ganfod, adnabod, datguddio, amlygu mawredd a cheinder yn y presennol a'r gorffennol, ac felly symbylu eu twf yn y dyfodol hefyd.'

237 Alasdair MacIntyre, *Three Rival Versions of Moral Enquiry* (London, 1990), tt. 65–6: 'It is . . . most importantly a matter of knowing how to go further and especially how to direct others towards going further, using what can be learned from the tradition afforded by the past to move towards the telos of fully perfected work.'

238 Saunders Lewis, 'Ateb Mr J. M. Edwards', *Meistri a'u Crefft*, t. 200.

239 *Idem*, 'Y cofiant Cymraeg', *Meistri'r Canrifoedd*, t. 341: 'Ein tuedd ninnau yw barnu ein llenyddiaeth ni, a'i dosbarthu yn fathau a ffurfiau, yn ôl esiampl gwledydd eraill. Ni ellir hynny heb wneud cam â hanes ac â thraddodiadau llenyddol Cymru.'

240 *Idem*, 'Twm o'r Nant', *Meistri'r Canrifoedd*, t. 280.

241 *Idem*, *Williams Pantycelyn*, tt. ix–x. F'italeiddio i yn yr ail ymadrodd.

242 *Idem*, 'The literary man's life in Wales', 297.

243 *Idem*, 'Ffrainc cyn y cwymp', *Ysgrifau Dydd Mercher*, tt. 12–13.

244 T. S. Eliot, 'Tradition and the individual talent', yn David Lodge (gol.), *20th Century Literary Criticism* (London, 1995), t. 72: 'No poet, no artist of any art, has his complete meaning alone. His significance, his appreciation is the appreciation of his relation to the dead poets and artists. You cannot value him alone; you must set him, for contrast and comparison, among the dead.' Cymh. Saunders Lewis, 'Emrys ap Iwan', *Ysgrifau Dydd Mercher*, t. 79.

245 Saunders Lewis, 'Dafydd Nanmor', *Meistri'r Canrifoedd*, t. 80.

246 *Idem*, *Crefft y Stori Fer* (Cyhoeddiadau'r Clwb Llyfrau Cymraeg, 1949), t. 10.

247 John Gwilym Jones, *Crefft y Stori Fer*, t. 69.

248 Credir bod dehongliad Saunders Lewis o'r Deddfau Uno, fel y'i mynegid, er enghraifft, yn *Tynged yr Iaith* (Caerdydd, 1962), yn gorbwysleisio arwyddocâd y ddeddf, gan anwybyddu amrywiaeth o ffactorau cyd-destunol sy'n bwrw amheuaeth ar y cysyniad hwn o burdeb canoloesol Cymreig. Dylid nodi iddo rannu'r arwyddocâd â methiant gwrthryfel Glyndŵr. Gw. 'Gyrfa filwrol Guto'r Glyn', *Meistri a'u Crefft*, t. 111: 'Bellach rhan o deyrnas Lloegr oedd Cymru.'

249 Saunders Lewis, *Williams Pantycelyn*, t. 16. Cymh. 'Goronwy Owen', *Meistri'r Canrifoedd*, t. 259: 'Arbenigrwydd y ddeunawfed ganrif, a'i chymaru hi â chyf-nodau eraill yn hanes llenyddiaeth Gymraeg, yw'r ffaith mai yn y ganrif hon yn gyntaf oll y daeth ein llên yn gyfan gwbl dan ddylanwadau Seisnig.'

250 Joseph P. Clancy, 'Introduction', *Selected Poems: Saunders Lewis*, cyf. *idem* (Cardiff, 1993), t. ix. Cyd-destun y sylw yw cerddi Saunders Lewis.

251 Charles Kannengiesser, 'Biblical interpretation in the early Church', yn Donald K. McKim (gol.), *Historical Handbook of Major Biblical Interpreters*, t. 9: '[Tertullian] opposed the attempt made by Marcion to impose a scriptural canon of his own. He held divine inspiration in high esteem.'

252 Donald Guthrie, *New Testament Theology* (Leicester, 1991), t. 28. Dywedir am y diwinydd W. Wrede, awdur *The Task and Method of New Testament Theology*

(1897): 'With the rejection of an inspired text and the substitution of religion for theology, Wrede saw no reason to restrict himself to the NT canon.'

253 Gwilym H. Jones, 'Beirniadaeth yr Hen Destament yng Nghymru oddeutu tro'r ganrif 1890–1914', t. 74.

254 R. Gerallt Jones, *Siwan Saunders Lewis: Astudiaeth gan R. Gerallt Jones* (Llandybïe, 1966) t. 6.

255 Carl J. Friedrich, *Tradition and Authority* (London, 1972), t. 34. Beirniedir 'reference to "traditional" regimes or societies, without any careful analysis of what is to be understood by tradition'.

256 Dan Ben-Amos, 'The seven strands of tradition', *Journal of American Folklore*, 21 (1984), 97–131.

257 Saunders Lewis, *Braslun*, t. 11.

258 Ibid., t. 116.

259 Ibid., t. 11.

260 Ibid., t. 15.

261 Ibid., tt. 63–4.

262 Ibid., t. 122.

263 Ibid., t. 10.

264 Ibid., t. 86.

265 Michael Polanyi, *Science, Faith and Society* (Oxford, 1946), t. 38. Dyf. Edward Shils, *Tradition* (London, 1981), t. 116: 'The premises of science . . . are embodied in a tradition, the tradition of science.'

266 Ibid.: 'as an unconditional demand if it is to be upheld at all'.

267 Ibid.: 'It is a spiritual reality which stands over them [y gwahanol wyddonwyr unigol] and compels their allegiance.'

268 Saunders Lewis, *Braslun*, t. v.

269 F. R. Leavis, *Revaluation: Tradition & Development in English Poetry* (London, 1969), t. 2.

270 Saunders Lewis, *Braslun*, t. 2.

271 Yn fwyaf enwog heriwyd ef gan René Welleck i archwilio 'the principles on which he operated in a more explicit way'. Gw. Peter Barry, *Beginning Theory*, t. 16.

272 F. R. Leavis, *Revaluation: Tradition & Development in English Poetry*, t. 3: 'In dealing with individual poets the critic, whether explicitly or not, is dealing with tradition, for they live in it. And it is in them that tradition lives.' Mewn man arall, cyfeiriodd F. R. Leavis at lenyddiaeth Saesneg yn nhermau 'the most important of realities . . . it *is* a living and effective reality'. Gw. *English Literature in Our Time & The University* (London, 1969), t. 77.

273 Edmund Husserl, cyf. David Carr, *The Crisis of European Sciences and Transcendental Phenomenology* (Evanston, 1970), t. 354. Dyf. Christoph Nyíri, 'Preface', *Tradition: Proceedings of an International Workshop at IFK* (Wien, 1995), t. 9: 'Our human existence moves within innumerable traditions. The whole cultural world, in all its forms, exists through tradition.'

274 Saunders Lewis, 'Tueddiadau Cymru rhwng 1919 a 1923'.

275 Thomas Charles, *Geiriadur Ysgrythyrol* (Wrexham, arg. 1893), s.v. 'Ysgrythyr-au', t. 923.

276 Menna Elfyn, 'Trwy lygaid ffeministaidd', yn John Rowlands (gol.), *Sglefrio ar Eiriau* (Llandysul, 1992), t. 23.

277 Dafydd Elis Thomas, *Traddodiadau Fory: Darlith Lenyddol Eisteddfod Genedlaethol Cymru Ynys Môn, 1983* (Cyhoeddiadau Eisteddfod Genedlaethol Cymru, 1983), t. 15.

278 Jürgen Habermas, yn Karl-Otto Apel et al. (goln), *Hermeneutik und Ideologiekritik* (Suhrkamp, 1971), tt. 47–9. Dyf. Christoph Nyíri (gol.),'Preface', *Tradition: Proceedings of an International Workshop at IFK* (Wien, 1995), t. 9: 'The structure of prejudices, once made transparent, cannot any more function in the mode of prejudice . . . The reflected appropriation of traditions destroys the natural substance of the same.'

279 Max Scheler, *Die Stellung des Menschen im Kosmos* (8fed arg., Darmstadt, 1928), t. 29. Dyf. Christoph Nyíri, t. 8: 'Conscious "remembering" represents the dissolution, indeed really the extinction of a living tradition.' Gwelir yng ngwaith Nyíri fod Scheler yn adleisio Nietzsche, sydd, ar ryw olwg, yn cadarnhau bod yna draddodiad o lefaru yn erbyn traddodiad erbyn hyn – yn ôl diffiniad arall o draddodiad. Friedrich Nietzsche, cyf. R. J. Hollingdale, *Untimely Meditations* (Cambridge, 1983), t. 67. Dyf. Christoph Nyíri, t. 8: 'A historical phenomenon, known clearly and completely and resolved into a phenomenon of knowledge, is, for him who has perceived it, dead.'

280 John Rowlands, *Saunders y Beirniad*, tt. 6, 9.

281 Ibid., tt. 76–7.

282 Ibid., t. 10.

283 Ernest Gellner, *Reason and Culture: The Historic Role of Rationality and Rationalism* (Oxford, 3ydd arg., 1994), t. 59: 'If a defence of Faith were possible and successful, it would no longer be Faith. The reasons, if cogent, would suffice.'

284 Gerwyn Wiliams, 'Saunders Lewis: parodïwr ymrwymedig', *Taliesin*, 66 (Mawrth, 1989), 42.

285 Saunders Lewis, *Letters to Margaret Gilcriest*, t. 523.

286 Sioned Puw Rowlands, 'Mihangel Morgan: rhwng realaeth a beirniadaeth', yn John Rowlands (gol.), *Y Sêr yn eu Graddau: Golwg ar Ffurfafen y Nofel Gymraeg Ddiweddar* (Caerdydd, 2000), t. 223.

287 John Rowlands, 'Rhagair', *Y Sêr yn eu Graddau*. Cymh. *idem*, 'Robat Gruffudd a'r gweddill ffyddlon', t. 167: 'Mae traddodiad yn dyrchafu'i ben lliwgar yn eu gwaith . . . ar ffurf myth a hanes weithiau, neu trwy adleisiau cryfion rhyng-destunol dro arall. Er gwaetha'r carnifaleiddio brwysg, nid gemau hwyliog ond sylfaenol ddiystyr yw gweithiau Robin Llywelyn a Mihangel Morgan.'

288 Sioned Puw Rowlands, 'Mihangel Morgan', t. 233.

289 R. Tudur Jones, *Ffydd ac Argyfwng Cenedl*, t. 168.

290 Cymh. Saunders Lewis, 'Llythyr at Elsie', yn Mair Saunders (gol.), *Bro a Bywyd: Saunders Lewis* (Cyngor Celfyddydau Cymru, 1987), t. 97: '[M]ae'r nofel [*Merch Gwern Hywel*] yn gwbl glir oddi wrth athrod ar neb ac mi fydd y Methodistiaid yn meddwl fy mod i wedi dyfod yn ôl yn gyfangwbl atynt. Nid dyna'r gwir. Nes i'r gwir ydy nad ydwyf i erioed wedi eu gadael.'

R. M. Jones: Defnyddio Theori i Amddiffyn y Canon

Beirniad go unigryw

Wyneb yn wyneb â'r modd y mae Theori wedi herio'r Traddodiad – megis yn ysgrif Iwan Llwyd a Wiliam Owen Roberts, 'Myth y traddodiad dethol', darlith Dafydd Elis Thomas, *Traddodiadau Fory*, neu ysgrif Menna Elfyn, 'Trwy lygaid ffeministaidd' yn *Sglefrio ar Eiriau*, ac enwi ond rhai enghreifftiau amlwg – y mae gan y sawl a fyn amddiffyn y Traddodiad Llenyddol ddau ddewis.[1] Ar y naill law, gall ef ei hun ddefnyddio dadleuon theoretig er mwyn ei amddiffyn. Ar y llaw arall, gall anwybyddu Theori, a thrwy hynny ei dirymu. Yn hyn o beth, y mae'r dewis yn un tebyg i eiddo'r Cristion ar droad yr ugeinfed ganrif pan oedd Uwch-feirniadaeth yn herio sefydlogrwydd y canon Beiblaidd.

Dewis defnyddio dadleuon theoretig i amddiffyn y Traddodiad Llen-yddol a wnaeth R. M. Jones (Bobi Jones).[2] Ar un olwg, ef yw'r beirniad llenyddol Cymraeg a ymddiddorodd fwyaf mewn theori lenyddol, ac eto, nid yw ei berthynas â'r hyn y mae'r enw 'Theori' yn ei gynrychioli yn un gyfan gwbl esmwyth. Meddai ef ei hun yn *O'r Bedd i'r Crud*: '"Theori llenyddiaeth" oedd obsesiwn byd-eang beirniadaeth . . . Ond dilynwn innau lwybr go unigryw.'[3] Oherwydd yn groes i'r arfer gyffredin o edrych ar theori fel modd i herio deongliadau rhagflaenwyr a'u dryllio, gan hyrwyddo amrywiaeth o farnau, defnyddio theori i gadarnhau'r Traddodiad Llenyddol Cymraeg fel y'i diffinnid gan ei ragflaenydd Saunders Lewis a wnaeth R. M. Jones, a hynny, gan ei fod yn sylfaenol yn rhannu'r un rhagfarn ag ef o blaid y Traddodiad.[4]

Yn *Sioc o'r Gofod*, nododd Bobi Jones '[nad] anhawster ysgrythur yw'r hyn sy'n atal credu [yng Nghrist]. Nid anghysondebau. Nid mewn ysgolheictod fel y cyfryw y mae anghrediniaeth yn cael ei wreiddyn o gwbl', eithr 'mewn man arall'. Esboniodd mai rhagfarn yw'r fan honno; pan fo dyn yn 'cymryd ei ragdybiaeth gyntaf yn gwbl ganiataol – fod dyn a'i allu a'i beiriannau rywsut yn fath o dduw'. 'Ac ar yr ochr arall nid oherwydd fod dyn yn cydnabod dibynolrwydd ysgolheigaidd ei dystiolaeth y mae Gair Duw yn gafael mewn dyn marwol.' Yn hytrach, 'yr hyn sy'n rhagdybiaeth gychwynnol . . . sy'n bwysig . . . [N]id bod dyn yn gallu dod o hyd i'r gwirionedd drwy ei alluoedd ffaeledig a llygredig ei hun. Ond bod y gwirionedd wedi cael ei roi.'5

Gwelir wrth y sylwadau hyn pam y nododd Simon Brooks mai 'amodol yw . . . sylwadau [R. M. Jones] o blaid gwrthrychedd gwyddonol'.6 Er iddo arddel empeiriaeth, ac er nad dibris ganddo'r dasg o brofi'n wrthrychol gysylltiad penodol rhwng y naill destun llenyddol a'r llall, y mae'r Traddodiad Llenyddol yn gymaint mwy na hynny iddo. I'r empeirydd, rhywbeth y deuir o hyd iddo drwy ymchwil ddiragfarn ydyw'r Traddodiad; gweld y cyswllt uniongyrchol rhwng y naill awdur a'r llall, a rhwng gwahanol gyfnodau a mudiadau. Ond megis y nododd R. Tudur Jones '[nad] gweithgarwch deallusol yn unig yw astudio'r Beibl yn y duwioldeb Piwritanaidd', eithr ei fod yn 'amodi rheswm dyn',7 felly y mae'r Traddodiad yn gymaint mwy na ffrwyth astudio i R. M. Jones. Oherwydd cyn i'r beirniad hwn ddechrau darllen nac ysgrifennu'r un gair am unrhyw agwedd ar y Traddodiad, ei ragfarn ef yw fod y Traddodiad yn amgylchynu ei waith, a'i fod yn ysgrifennu o'r tu mewn iddo. 'Y traddodiad, dyna ŷm ni', meddai.8

Yng ngoleuni'r gymhariaeth hon rhwng credu yn y Beibl a chredu yn y Traddodiad, a hynny ar sail rhagdybiaeth ac nid rheswm yn unig, dadleuir yma fod tebygrwydd rhwng y modd yr ymatebodd R. M. Jones i ddadleuon Theori yn erbyn y Traddodiad Llenyddol Cymraeg, a'r modd yr amddiffynnodd rhai o'i ragflaenwyr efengylaidd ddilysrwydd y Beibl yng ngoleuni Uwchfeirniadaeth Feiblaidd. Os pwysleisiodd J. Cynddylan Jones, er enghraifft, fod yn rhaid wrth 'ffydd i ddeall gwirioneddau ysbrydol . . . "oblegid yn ysbrydol y bernir hwynt"',9 pwysleisiodd R. M. Jones fod elfen o gynneddf yn rheoli'r ymateb beirniadol priodol, a bod gofyn ar i'r darllenydd o Gymro feddu ar ryw ragolwg arbennig Gymreig ymlaen llaw os ydyw am wir ddeall llenyddiaeth Gymraeg. Nid digon yw rhesymeg pen. Gwelir isod fod y rhagolwg hwn yn cynnwys ynddo gynsail ysbrydol-Gristnogol Cymreig, a bod angen i'r beirniad wybod rhyw gymaint am yr 'anian hen, yr ansawdd yna sy'n hŷn na John Elias ac yn hŷn na'r ddeunawfed ganrif ac eto'n eu cynnwys hwy hefyd'.10 Dyma ysbryd y cwlwm, anian y Traddodiad, ac onid yw'n nodwedd ar gymeriad y beirniad, ysgrifennu am y Traddodiad, ac nid o'r tu mewn iddo y mae.

Am ffydd, meddai J. Cynddylan Jones: 'Hi yw y gynneddf sydd yn galluogi dyn i ddàl [sic] cymundeb â'r byd ysbrydol. Gall y dyn fod yn ddysgedig, yn athraw yn un o'n colegau; ond os heb gredu a'i ail-eni, iddo ef nid yw gwirioneddau ysbrydol yn bod.'[11] Nodwyd eisoes mai dyna'r union air, 'cynneddf', a ddefnyddiodd R. Geraint Gruffydd i ddisgrifio dawn arbennig Saunders Lewis fel beirniad llenyddol.[12] Amddiffyn y gynneddf honno, 'yr anian hen', a wnaeth R. M. Jones, gan ddefnyddio theori lenyddol i amddiffyn y Traddodiad. Megis y nododd J. Cynddylan Jones fod 'ffrwyth Dadguddiad [sic] uwchlaw rheswm, er nad croes i reswm', felly y mae Traddodiad uwchlaw Theori'r Marcsiaid, y ffeminyddion a'r dadadeiladwyr, er nad yn groes i theori (ymchwil am wirionedd) yng ngwaith R. M. Jones.[13] Oherwydd y safbwynt hwn sy'n cydnabod rhagfarn o blaid y Traddodiad, ffigwr pur unigryw yw'r theorïwr, R. M. Jones. Ar y naill law, y mae'n ddychryn i'r beirniad empeiraidd sy'n gwadu rhagfarn, sy'n amheus o unrhyw ddamcaniaeth neu theori lenyddol, ac nad yw'n gweld bod angen cyfeirio at waith estroniaid wrth drafod peth mor gartrefol â llenyddiaeth Gymraeg. Da y nododd Simon Brooks fod 'adolygiad damniol' Gwyn Thomas o *Tafod y Llenor* yn 1975 yn mynegi 'gwrthwynebiad llawer yn y Gymru Gymraeg' i natur theoretig gwaith R. M. Jones,[14] pan holwyd 'a oes pwrpas o'r fath i . . . [d]udaleneidiau o fwrllwch'.[15]

Ar y llaw arall, fodd bynnag, oherwydd ei ragfarn bendant o blaid y Traddodiad, nid yw'r theorïwr hwn yn eistedd yn gwbl esmwyth chwaith gyda'r beirniad llenyddol a fu'n barod i edrych ar y Traddodiad Llenyddol Cymraeg o du cyfeiriad Theori, gan naill ai gynnig deongliadau newydd ohono neu herio'r cysyniad o draddodiad yn ei grynswth. Tystio i hynny y mae adolygiad Angharad Price o *Beirniadaeth Gyfansawdd*, lle yr awgrymir bod gorsymleiddiadau'r llyfr o wahanol agweddau beirn-iadol 'yn chwerthinllyd os nad yn ddiwerth'.[16] Yn hyn o beth, adleisio y mae Angharad Price sylwadau John Rowlands yn ei ragymadrodd i *Sglefrio ar Eiriau* a edrychai ar Feirniadaeth Gyfansawdd R. M. Jones megis peth i adweithio yn ei erbyn, a hynny'n benodol gan nad yw'n cynnig gwrandawiad teg i fathau eraill o feirniadaeth.[17] Am hynny, cysylltwyd gwaith R. M. Jones â gwaith beirniaid llai theoretig amlwg eu diddordebau nag ef ei hun, megis J. E. Caerwyn Williams ac Alan Llwyd. Ac, o bosib, y mae'r modd na wahoddwyd nac R. M. Jones nac Alan Llwyd i 'awgrymu cyfeiriadau newydd i feirniadaeth Gymraeg'[18] yn cynnig rhan o'r ateb i'r cwestiwn a holodd Tony Bianchi yn 2003 wrth adolygu'r gyfrol deyrnged *Alan*, sef sut 'yr ieuwyd ym mhrosiect diwylliannol *Barddas* ddau ffigwr mor ymddangosiadol wahanol: Alan Llwyd, y dyn empeiraidd, ymarferol, ac amheus o theori . . . a Bobi Jones, damcaniaethwr praffaf ei oes yng Nghymru'.[19] Ond ar wahân i

wleidyddiaeth lenydda Gymreig, nodir y cysylltir y theorïwr a'r gwrth-
theorïwr ynghyd gan eu hagwedd gadarnhaol at y canon llenyddol
Cymraeg fel y'i diffinnid gan Saunders Lewis yn anad neb. Rhannant yr
un rhagfarn o'i blaid, er mai'r theorïwr yn unig a all gydnabod hynny. Ac
yn enghraifft hynod o raglen waith ddilechdidol, cais *thesis* y naill barchu
antithesis y llall 'mewn ymrafael adeiladol sy'n cynhyrchu'r *synthesis*' o
blaid y Traddodiad.[20]

Diffiniodd Richard Rorty feirniadaeth lenyddol fodern yn nhermau
'ffynhonnell i'r ifanc hunanddisgrifio'r gwahaniaeth rhyngddynt a'r gor-
ffennol'.[21] I raddau, dyna ydoedd adeileddeg i R. M. Jones yntau, sef
'adwaith . . . yn erbyn yr abswrd, y diystyr a'r diamcan a fu mor boblog-
aidd ym meddwl y gorllewin er y ganrif ddiwethaf', a llwyddodd yntau'n
ifanc, wrth gwrs, i bechu'n erbyn rhai o'r tadau beirniadol rhyddfrydol.[22]
Eithr er iddo ddefnyddio theori i wrthod rhyddfrydiaeth syniadol
T. Gwynn Jones, W. J. Gruffydd, R. Williams Parry a T. H. Parry-Williams,
a oedd mor amlwg yn ddylanwad ar ei oes ei hun, yn gyffredinol, modd
i goleddu gweithiau'r gorffennol yw theori i R. M. Jones, a chyfrwng i
amddiffyn y canon.

Nododd David Lodge mai un o effeithiau dadleuol Theori ar astud-
iaethau llenyddol ydoedd 'tanseilio awdurdod y canon traddodiadol a
rhoi yn ei le gasgliad o isganonau amgen'. Y mae'r isganonau hynny'n
cynnwys ynddynt ganon o destunau gan fenywod, testunau gan hoywon
a lesbiaid, testunau ôl-drefedigaethol, ynghyd â phrif destunau Theori ei
hun.[23] Fodd bynnag, nid dyma effaith theori yng ngwaith R. M. Jones o
gwbl. Yn wir, i'r gwrthwyneb.[24] Fel arfer, ystyrir bod Theori a chanon yn
dermau cyferbyniol sy'n cynrychioli safbwyntiau croes i'w gilydd.
Awgrymwyd hynny yn Lloegr, er enghraifft, yn achos diswyddiad Colin
MacCabe o Gaergrawnt yn 1980, a hynny, am ei fod yn dysgu strwythur-
aeth, pan oedd disgwyl i ddarlithwyr, yn ôl ei bennaeth, Christopher
Ricks, gynnal y canon.[25] Ond yn groes i sylwadau David Lodge, gwelir
bod theori yng ngwaith R. M. Jones yn cadarnhau'r cysyniad o un canon
llenyddol i bawb, a beirniedir yn ddirfawr ganddo'r ymgais, yn enwedig
ymhlith beirniaid ffeminyddol, i greu canonau llenyddol newydd ac ar
wahân.[26]

Canon – math o Dafod, ac Amryw yn Un

Gelwir R. M. Jones gan Tony Bianchi yn '[dd]amcaniaethwr praffaf ei oes
yng Nghymru', ond nododd R. M. Jones fod 'yna elfen o fwrw amcan

mewn damcaniaeth', ac mai'r 'hyn sy'n nodweddu theori yw ei bod yn ddull o nodi un egwyddor sefydlog sydd y tu ôl i amryw ffeithiau neu ffenomenau diriaethol', megis disgyrchiant neu dri pherson y rhagenw.[27] A math o egwyddor felly yw'r canon llenyddol iddo ef: theori, nid damcaniaeth, ffaith, gwirionedd, 'un egwyddor sefydlog sydd y tu ôl i amryw' destunau llenyddol. Yn hyn o beth, nid yw'r canon yn annhebyg iawn i'r hyn a eilw ef yn Dafod.

Yn ei astudiaeth *Tair Rhamant Arthuraidd*, crynhodd R. M. Jones brif fyrdwn y theori Tafod-Mynegiant a gyflwynodd gyntaf yn *Tafod y Llenor*. Meddai:

> Ym meddwl pob llenor cyn sgrifennu, mae yna eisoes bob amser ryw gynhysgaeth, rhywfaint o draddodiad, neu 'ddysg' sylfaenol a gafodd gan ei gymdeithas. Dyna a ddefnyddia ef hefyd wrth ei fynegi'i hun mewn iaith. Math o iaith yw llenyddiaeth. Fel y mae yna ramadeg (yn ogystal â geirfa) ym meddwl y sawl sydd am siarad ac ymddiddan, a hynny cyn sgyrsio'n ystyrlon mewn perthynas normal ddigelfyddyd, a'r gramadeg hwnnw'n sylfaen heb fod ar ffurf brawddegau parod gorffenedig (mewn drorau megis) eithr yn 'fecanwaith' potensial sydd ar gael yn yr ymennydd ar gyfer llunio Mynegiant, felly hefyd fe geir yng nghynhysgaeth y llenor yntau botensial cyffelyb. Dyma 'fecanwaith' y gallwn roi'r enw trosiadol TAFOD arno.[28]

Gwelir o'r dyfyniad nad yw R. M. Jones yn trafod y canon fel y cyfryw. Nid tan ei gyfrolau olaf y trafodir y canon llenyddol wrth ei enw, ac y gwelir 'canon' ym mynegai *Beirniadaeth Gyfansawdd*. (Nodwyd eisoes amlygrwydd diweddar y gair yn y cyd-destun seciwlar.) Ond yng ngoleuni'r hyn a ddywedir am y canon yn *Beirniadaeth Gyfansawdd*, gwelir mai rhan o'r Tafod y cyfeirir ato uchod yw, sef cynhysgaeth, traddodiad a dysg y llenor. Y gallu i ysgrifennu cyn yr hyn a ysgrifennir ydyw. Termau cymharus yw Tafod, traddodiad a chanon yn ei waith. '[Y] Traddodiad [llenyddol] yw'r gynhysgaeth briodol sydd y tu ôl, debyg i'r Tafod', meddai.[29] A phan ddywed, felly, yn ei gyfrol olaf ar theori mai'r 'canon hwn wedi'r cwbl yw'r hyn a ddysgodd yn uniongyrchol neu'n anuniongyrchol inni ddarllen' – y gallu i ddarllen cyn darllen unrhyw destun penodol – yng ngoleuni ei theori lywodraethol Tafod-Mynegiant y deellir y sylw hwnnw.[30] Rhan o'r anweledig y tu ôl i'r gweledig ydyw. Rhywbeth y gellir ei gymryd yn ganiataol heb sylwi arno yw'r canon. Ar lefel Tafod, golyga'r canon fod y sawl sy'n perthyn i'm cenhedlaeth i, yn sgil addysg a magwraeth o fath arbennig, yn reddfol am ddiweddu llinellau enwog o farddoniaeth a rhyddiaith Gymraeg, dim ond iddo glywed y ddau neu dri neu bedwar gair cyntaf. 'Enaid Owain ab Urien . . .', 'Ystafell Gynddylan . . .', 'Pwyll Pendefig Dyfed . . .', 'Oer calon . . .', 'Yr wylan deg . . .', 'Un mab oedd degan . . .', 'Gwynt ar fôr . . .', 'Ar ryw brynhawngwaith teg . . .', 'Pererin wyf . . .', 'Rhyfedd, rhyfedd . . .', 'Mab llwyn a pherth . . .', 'Y bardd trwm . . .', 'Nid y ni . . .', 'Dyna'r wisg arian . . .', 'O ba le'r ymroliai . . .', ac yn y blaen. Ond yn fwy na'r enghreifftiau hyn o Fynegiant wedi eu ffosileiddio ar gof, y mae'r canon ar lefel Tafod yn golygu bod un yn gwyro ei ben mewn ymateb i linell ddeuddegsill mewn soned, yn dylyfu gên pan nad yw agoriad nofel neu stori fer yn ei daro yn ei dalcen, yn edrych ddwywaith ar dwyll odl, ac yn codi ar ei draed pan fo'i gorff, ei feddwl a'i enaid yn cael eu boddhau gan ryw ddarn llenyddol. Cwbl reddfol yw'r ymatebion hyn, ond y tu ôl i bob un ohonynt saif y canon a luniodd chwaeth yr ymatebwr ar lefel Tafod. A benthyg ymadrodd o *System in Child Language*, y canon yw 'the general unquestioned presuppositions allowing us to think about things'.[31] Ni raid fod y darllenydd yn digwydd cofio'n union agoriad yr un o straeon byrion Kate Roberts wrth iddo droi at ryw stori fer gyfoes, ac eto bydd effaith rhyw 'Agorodd y wraig ei llygaid ar ôl cysgu'n dda trwy'r nos' yn rhannol lywio ei ymateb hefyd.[32] Nododd R. M. Jones yn *Seiliau Beirniadaeth* fod 'traddodiad yn anymwybodol hollol'.[33] Felly hefyd y canon. Byw yn yr anymwybod y mae. Cynneddf ydyw. Ar un olwg, dyma sut y mae'r corff o lenyddiaeth a feddwn yn llywio ymateb y corff i lenyddiaeth, chwedl Barthes.

Ar un olwg, felly, teg nodi nad yw R. M. Jones yn rhoi llawer o sylw uniongyrchol i'r cysyniad o ganon llenyddol. Ac eto, y mae thema fawr ei waith beirniadol i gyd – perthynas yr Amryw a'r Un, os nad â'r Un – yn gwbl berthnasol i'r cysyniad o ganon llenyddol. Mynegiant o fewn Tafod, gwrthryfel o fewn traddodiad, dychan o fewn Mawl, unigolion o fewn cenedl, rhyddid yng nghaethiwed y Ffydd, anhrefn dan derfynau trefn, ansefydlogrwydd dan lywodraeth y sefydlog, y Cwymp yn y greadigaeth, pechod yng nghyd-destun gras, y darllenydd a addysgwyd gan ei gymdeithas – amrywiadau yw'r rhain oll ar un egwyddor ganolog a welir yn ei waith, sef amrywiaeth dan amodau undod. Egwyddor feirniadol ydyw sy'n tynnu ar ddiddordeb y beirniad ym maes ieithyddiaeth a diwinyddiaeth Gristnogol.

Yn ieithydd o fri ym maes ieithyddiaeth plant, ymchwiliodd R. M. Jones i'r cyswllt rhwng technegau ailadrodd a chyferbynnu'r plentyn wrth iddo ddysgu iaith, gan weld bod y naill mor angenrheidiol â'r llall, gyda'r ailadrodd yn cynnig fframwaith o undod, ond y cyferbynnu yn caniatáu cyfle i amrywio a datblygu'n ieithyddol.[34] At hyn, da y nododd

Angharad Price fod dylanwad yr ieithydd Ferdinand de Saussure yn amlwg iawn ar theori Tafod-Mynegiant R. M. Jones, fel y cydnabyddir yn y rhagair i *System in Child Language*, gyda '[Th]afod yn cyfateb yn fras i *langue* a Mynegiant i *parole*'; y naill yn pwysleisio'r undod a'r llall yr amrywiaeth.[35]

Fodd bynnag, y mae i egwyddor yr Amryw a'r Un hefyd le llywodraethol yn ffydd Drindodaidd y beirniad hwn o Galfinydd. Yn ôl Thomas Charles: 'Y mae holl athrawiaethau sylfaenol y grefydd Gristnogol, sef ein holl iechydwriaeth, yn tarddu o, neu yn gorphwys [*sic*] ar, athrawiaeth y Drindod.'[36] Gwelir mor ganolog ydyw'r athrawiaeth hon ym meirniadaeth R. M. Jones wrth iddo yn *Cyfriniaeth Gymraeg* nodi mai '[h]en bwnc enwog mewn athroniaeth yw perthynas yr un a'r llawer, gyda rhai yn pledio'r eithafbwynt yn yr un, eraill yn y llawer', ond bod 'Cristnogaeth Gristnogol' yn arddel '[nad] yw'r undod yn Nuw yn fwy sylfaenol na'r amrywiaeth, na'r amrywiaeth yn fwy sylfaenol na'r undod'.[37]

Felly, er na thrafodir y cysyniad o ganon mewn modd mor uniongyrchol mewn gweithiau eraill ag a wneir yn *Beirniadaeth Gyfansawdd* ac yn y gyfres ddiweddar o ysgrifau ar waith Thomas Parry yn *Barddas* (2007), bu egwyddor yr Amryw a'r Un yn thema ganolog yn ei waith erioed, ac yn gymhelliad iddo. Yn wir, nid gormod dadlau mai diben ei raglen waith theoretig erioed fu cynorthwyo eraill i gyfarwyddo'r canon. Wrth holi'r cwestiwn 'i ble y mae Beirniadaeth Gyfansawdd ei hun yn arwain?', nododd R. M. Jones mai'r ateb yn syml yw 'At y rheswm dros y canon, y "dirmygedig" ganon. Hwnnw yw'r corff canolog sydd i'w farnu.'[38]

Pwyslais cyson R. M. Jones yw fod y naill elfen, amrywiaeth, mor angenrheidiol â'r llall, undod. 'Symleiddio yw pledio'r naill ochr neu'r llall.'[39] Oherwydd megis yr arddelai Sabelius yn y drydedd ganrif fod Duw yn un Person o dri enw, ac y pwysleisiai eraill fod yna dri Duw a'u bod felly'n amryw, neu fod yna o leiaf Drindod raddedig, sef yn groes i athrawiaeth y Tri yn Un,[40] gwelodd R. M. Jones mai'r un yw'r duedd heddiw ymhlith beirniaid llenyddol i naill ai orbwysleisio'n geidwadol yr undod diogel, neu ddathlu'n 'llancaidd' yr amrywiaeth pendifaddau. Ar y naill law, ymgedwir at ganon sefydlog, digyfnewid, sych. Ar y llaw arall – a dyma hwyrach y bwgan mawr – gwrthodir y cysyniad o ganon llenyddol yn ei gyfanrwydd, neu o leiaf, y syniad o un canon llenyddol Cymraeg, un Traddodiad. Ynghylch triduwiaeth – amrywiaeth duwiau heb undod rhyngddynt – nododd y diwinydd Wayne Grudem y 'byddai'r farn hon yn dinistrio unrhyw synnwyr o undod sylfaenol yn y bydysawd: hyd yn oed ym mod Duw ei hun, ceid lluosogrwydd ond heb undod'.[41]

Felly effaith yr agwedd ôl-fodernaidd ym myd beirniadaeth lenyddol, sef 'ymddiried mewn gwahanrwydd yn hytrach nag undod', chwedl Simon Brooks.[42] Dyma, fel y nododd R. M. Jones, yw'r lluosedd sy'n nodweddu ysbryd yr oes. 'Tyfodd dogma'r lleng' i fod yn '[dd]ull confensiynol bellach', meddai.[43] Cyfyd ei ben yn wir mewn efengylyddiaeth gyfoes. Fel y nododd Stuart Olyott, haws gan y rhelyw o Gristnogion yw synied am Dduw yn nhermau ei Dri-rwydd, megis Tri yn Un nag Un yn Dri.[44] Oherwydd fel y nododd Kate Bosse-Griffiths wrth iddi drafod stori fer Pennar Davies, 'Y Tri yn Un', 'ychydig bersonau sydd wedi derbyn y weledigaeth brin o'r "Drindod yn Undod"'.[45]

Ar un olwg, un o'r 'ychydig bersonau' hynny yw R. M. Jones. Go brin i'r un beirniad bwysleisio perthynas yr Amryw â'r Un i'r fath raddau ag ef. Meddai yn *Tafod y Llenor*, er enghraifft: 'Y mae Dynwared yn fath o orffennol; Creu yn ddyfodol. Dynwared yn undod, Creu yn amrywiaeth. Ar y trothwy rhyngddynt yr ydys yn llenydda.'[46] Felly hefyd yn ei derm diweddarach 'Gwahuniaeth', a fathwyd yn feirniadaeth ar *différance* Jacques Derrida. Mae'r naill elfen a'r llall yn cydweithio – gwahanu ac uno. 'Mae didoli, dethol a dewis, sef y gweithgareddau cadarnhaol mewn "gwahanu", yn gyfeiliant i'r gweithgaredd cyfredol o "uno".'[47] Dyna ei weledigaeth gyson dros y deng mlynedd ar hugain diwethaf. Am hynny, wrth ymateb i'w waith beirniadol a chanolbwyntio ar y naill elfen neu'r llall ynddo, y mae'n anochel y gellir cywiro'r gorbwyslais ar un elfen yn unig. Ond oherwydd y duedd ôl-fodernaidd i ddyrchafu 'lluosedd sebonllyd jelïaidd'[48] – 'dissonance, separation, disparity, plurality, distinction, change', ys dywed David Wood[49] – gwelir tuedd gynyddol yng ngwaith diweddaraf R. M. Jones i bwysleisio'r elfen o undod mewn ymgais i amddiffyn y canon. Oherwydd pwyslais ôl-foderniaeth ar 'wahaniaeth heb debyg-rwydd, y symudol heb y sefydlog, yr ansicr heb y sicr, dirnad heb amgyffred',[50] pwysleisiodd R. M. Jones yn ei waith diweddaraf 'y par-haoldeb, y ffaith fod yna sefydlogrwydd o fath yn y weithred o lenydda, yn Nhafod yr Iaith';[51] yr undod sy'n dal yr amrywiaeth, yr ailadrodd o gylch y cyferbynnu. 'Y cyfan sy'n diffinio'r rhan.'[52]

Y Tafod cyffredin

Fel yr awgryma'r cyfeiriad uchod at y 'sefydlogrwydd . . . yn Nhafod yr Iaith', un esboniad ar '[b]arhad y canon' yw'r Tafod cyffredin sy'n sicrhau dilyniant ystyrlon rhwng awdur a darllenydd – y ffaith ein bod ni heddiw yr un mor glwm wrth dri pherson y rhagenw ag yr oedd

Taliesin; a'r ffaith fod modd i ni heddiw ddarllen a deall Taliesin am ein bod yn parhau i ddefnyddio'r un fframwaith gramadegol a geirfaol wrth gyfathrebu yn Gymraeg. Oherwydd y sylweddoliad hwn, beirniadodd R. M. Jones y duedd ddiweddar mewn beirniadaeth lenyddol sy'n awgrymu y gall y darllenydd unigol briodoli ei ystyr ei hun i'r testun. 'Ond y gwir yw oni bai bod y Tafod sydd ym meddwl yr awdur yn cyfateb i'r Tafod (ac yn ailadrodd hwnnw) ym meddwl y darllenydd (ynghyd â'r holl amrywiaeth a gwahaniaeth) ni byddai cyfathrebu yn bosib.'[53]

Y Tafod cyffredin, er enghraifft, sy'n caniatáu i mi ysgrifennu'r bennod hon ar waith beirniadol R. M. Jones a disgwyl y bydd eraill sy'n medru'r Gymraeg yn ei deall yn ystyrlon wrth ei darllen, gan hoffi neu gasáu'r drafodaeth yn ôl eu gwerthoedd a'u rhagfarnau beirniadol, ynghyd â'u cynefindra neu anghynefindra â gwaith R. M. Jones a maes theori lenyddol yn gyffredinol. Dyna, er enghraifft, ergyd R. M. Jones ei hun yn *Beirniadaeth Gyfansawdd*. Meddai: '[C]yfrannwn ein dau, ddarllenydd, o'r un adeileddau ieithyddol cudd, fwy neu lai, yn ddigon inni allu amgyffred yr un brawddegau fel arfer, ac i ddeall ein gilydd yn weddol.'[54]

Ar sail y cysyniad hwn o Dafod cyffredin rhwng pobl sy'n defnyddio'r un iaith i gyfathrebu â'i gilydd, nododd R. M. Jones fod math o fecanwaith potensial cyffelyb yn rheoli ymateb y darllenydd pan fydd yn darllen cerdd neu nofel neu unrhyw destun llenyddol arall, sef Cerdd Dafod. Crëir y cyfryw Gerdd Dafod gan y ddysg lenyddol sylfaenol a gafodd yr awdur a'r darllenydd gan eu cymdeithas, ac sy'n cyflyru ymateb llenyddol pob un darllenydd Cymraeg.

Yn 1974, pan nad oedd pwyslais llywodraethol Theori ar amrywiaeth eto wedi dod i'r golwg, nododd R. M. Jones yn *Tafod y Llenor* y gall fod gan y darllenydd unigol 'Gerdd Dafod sydd efallai'n cael ei chyflyru a'i hadeiladu gan y llenor, ond sydd yr un pryd wedi tyfu drwy hanes sy'n wahanol i Gerdd Dafod y llenor'.[55] Am hynny, a chan ddatblygu'r egwyddor hon a gyflwynodd yn *System in Child Language*,[56] nododd na fydd y darllenydd a'r awdur yn deall gair mor syml â 'mam' yn yr union un ffordd, 'am ein bod yn byw bywydau gwahanol mewn cyd-destun neu amgylchfyd gwahanol'.[57] Ar sail y sylwadau hyn nodais yn ddiweddar mor flaengar ydoedd y rhyddid hwn a roes R. M. Jones i'r darllenydd yn 1974, ac yn fwy felly na gwaith un o feirniaid amlycaf Theori, Wolfgang Iser, hyrwyddwr mawr theori ymateb y darllenydd.[58] Lle'r awgrymodd Iser fod 'yn rhaid gwneud i'r darllenydd deimlo drosto ef ei hun ystyr newydd y nofel',[59] nododd R. M. Jones nad mater o'r awdur yn caniatáu i'r darllenydd deimlo fel pe bai'n creu'r ystyr ydyw'r profiad llenyddol, eithr meddai: 'Nid yr un yw'r arwydd a gynhyrcha'r Llenor ag a dderbynia'r Darllenydd gan fod eu clustiau mewnol mor wahanol bob dim â'u clustiau allanol.'[60] Am hynny – oherwydd y modd y gall y darllenydd ddeall testun llenyddol mewn modd gwahanol i'r awdur, a hynny yn sgil meddu ar Gerdd Dafod 'sy'n wahanol i Gerdd Dafod y llenor' – nodais fod y sylwadau hyn ar rôl weithredol y darllenydd yn 1974 yn rhagweld cryn dipyn o'r feirniadaeth ôl-strwythurol ar waith Iser yn yr wythdegau. Gwelai'r feirniadaeth honno fod y modd yr oedd ymateb y darllenydd yn cael ei strwythuro gan yr awdur yn golygu bod theori Iser yn y pen draw yn hyrwyddo pendantrwydd y testun ac awdurdod yr awdur.[61] Nid felly ddarllenydd R. M. Jones yn 1974.

Ond yn ei waith diweddaraf, ac mewn adwaith i bwyslais ôl-foderniaeth ar luosogrwydd ystyr, rhoes R. M. Jones bwyslais ar Gerdd Dafod gyffredin rhwng awdur a darllenydd. Yn fwyaf arbennig nododd fod angen i ddarllenwyr digrefydd heddiw ymystwytho os ydynt am ddeall sawl peth mewn llenyddiaeth Gymraeg. Er enghraifft, yn ei ragymadrodd i'w olygiad, *Blodeugerdd Barddas o'r Bedwaredd Ganrif ar Bymtheg*, meddai:

Diau y caiff ambell un bellach gryn anhawster i werthfawrogi dyfnder y profiadau hyn a chysondeb yr athroniaeth a gorfforir mewn cerddi sy'n cymryd y goruwchnaturiol o ddifri . . . Heb allu ymystwytho i ymateb i'r fath ffenomen od, ni cheid ymhlith darllenwyr namyn yr un diffyg amgyffrediad ohoni ag a geid ar ddechrau'r ugeinfed ganrif ymhlith prydyddion a ormesid gan ramantiaeth neu a ormesid yn ail hanner ein canrif gan newyddiaduraeth.[62]

Megis y cyfeiriodd Saunders Lewis yn 'Dafydd Nanmor' at '[dd]ieithrwch bywyd ac awyrgylch yr hen farddoniaeth', ac anallu darllenwyr cyfoes i 'ddwfn werthfawrogi . . . traddodiad mewn meddwl a chelfyddyd, Cristnogaeth Gatholig, a chymdeithas aristocrataidd . . . sy'n esbonio bychaned yw rhan llenyddiaeth Gymraeg yn natblygiad meddwl Cymru heddiw',[63] felly y pwysleisiodd R. M. Jones yng nghyswllt gwaith y bedwaredd ganrif ar bymtheg mai 'ymdeimlo ag amgylchfyd cwbl wahanol sydd raid'.[64] Y mae'r cyfnod dan sylw'n wahanol. Ond yr un yw'r ddadl yma ag a gyflwynwyd yn 'Dafydd Nanmor', sef bod yn rhaid i'r darllenydd cyfoes glosio at brofiadau a meddwl yr awdur a'i gyfnod 'er mwyn iawn ddirnad amrywiaeth y profiad cyfoethog [sef prawf eneidiol ac adnabyddiaeth real o Iesu Grist]'.[65] Rhaid i'r darllenydd a'r awdur rannu'r un Tafod â'i gilydd, fel y gall y darllenydd, er enghraifft, synied am 'y Ddeddf fel y syniai Ehedydd Iâl amdani'.[66] Yn 2003, nodir yn *Beirniadaeth Gyfansawdd* y dylai'r gerdd 'ei darllen ei hun',[67] a'r rheswm dros hynny, fel yr awgrymais yn 'R. M. Jones a'r "gelyn" parchus', yw am yr ofnir bod y rhyddid hwnnw a roddwyd i'r darllenydd yn 1974 bellach yn benrhyddid peryglus yn nwylo darllenwyr ôl-fodernaidd y Gymraeg. Am nad oes bellach fframwaith potensial o werthoedd cyff-redin i gysylltu darllenwyr cyfoes Cymru ynghyd, pwysleisir yn awr awdurdod y canon, gan i R. M. Jones ddyfod i gytuno ag Iser fod annog y darllenydd i gyfrannu at y testun yn arwain at 'erydu'r hyn y mae'r canon naill ai yn ei orchymyn neu yn ei gynnig'.[68]

O bwysleisio, felly, fod angen i'r darllenydd gydymdeimlo ag agwedd feddwl yr awdur, rhaid holi sut yn union y gall y darllenydd 'ymdeimlo ag amgylchfyd cwbl wahanol', ac osgoi ei '[dd]iffyg amgyffrediad' greddfol. Ac y mae disgwyl iddo wneud hyn er gwaetha'r ffaith fod ei Gerdd Dafod ei hun wedi 'tyfu drwy hanes sy'n wahanol i Gerdd Dafod y llenor'. Sut y gellir synied 'fel y syniai Ehedydd Iâl', pan fo Cymru heddiw mor wahanol i Gymru'r bedwaredd ganrif ar bymtheg?

Un canon i bawb

Gwerthfawrogir maint y broblem hon o ystyried egwyddor arall a nododd R. M. Jones, sef bod modd i Dafod – y '[m]ecanwaith sy'n bodoli yn y meddwl'[69] – ddatblygu a newid, a hynny yn sgil Mynegiant. A dyfynnu R. M. Jones:

> Er fy mod wedi sôn am ryw fath o fyth 'sefydlog' yn gysylltiedig â chyfun-drefn iaith a'r gyfundrefn o gyfundrefnau sy'n llunio Tafod a'r drefn sydd y tu ôl i lenyddiaeth, eto gwyddys fod y cwbl o'r drefn sefydlog honno yn fywydol. Mae'n datblygu ynddi'i hun. Trefn yw sy'n dawnsio. Mae hefyd yn troi'n Fynegiant personol. Mae'n newid – o hyd – y cyfnewidiol hwnnw. A Mynegiant sydd ar waith, hyd yn oed yn newid Tafod.[70]

O safbwynt y cysyniad o ganon llenyddol, dyma ddweud y mae angen pwyso a mesur ei oblygiadau ymhellach. Oherwydd os yw Mynegiant yn newid Tafod, y cwestiwn sy'n codi yn sgil hynny yw sut y gellir cynnal perthynas rhwng yr egwyddor hon – sef bod modd i Dafod, er gwaethaf ei 'gaeadrwydd', newid[71] – a'r egwyddor arall honno a nodwyd uchod, sef bod angen i'r darllenydd a'r awdur rannu'r un Tafod â'i gilydd. Oherwydd, yng ngolau'r awgrym yn *Tafod y Llenor* fod Cerdd

Dafod y darllenydd yn 'tyfu drwy hanes sy'n wahanol i Gerdd Dafod y llenor', cyfyd cwestiwn pellach, sef sut y gellir sicrhau bod yr awdur a'r darllenydd – nad ydynt o reidrwydd hyd yn oed yn gyfoeswyr i'w gilydd nac yn rhan o'r un gyfundrefn addysg – yn rhannu'r un Gerdd Dafod â'i gilydd. A hwythau'n byw mewn cymunedau os nad cyfnodau gwahanol, sut y gellir disgwyl iddynt rannu'r un gwerthoedd llenyddol, heb sôn am feddylfryd neu fydolwg cyffredinol?

Ateb R. M. Jones i'r cwestiwn hwn yw drwy i'r canon weithio ar lefel Tafod. Y mae'r canon yn fodd i batrymu Mynegiant newydd ar sail yr hen, wrth i genhedlaeth newydd o awduron ddysgu o law'r cenedlaethau blaenorol. Ond y mae hefyd yn fodd i sicrhau bod y Cymry eisoes yn cydfeddwl ac yn ymateb i lenyddiaeth Gymraeg mewn modd cymharus, a hynny am eu bod drwy ganon cyffredin yn rhannu'r un Gerdd Dafod â'i gilydd. Oherwydd y mae'r canon llenyddol iddo '[yn] rhan o ffurfiad pobl ac yn symbol o'u cadarnhad'.[72] Un canon ar gyfer un bobl yw, a modd o ddiffinio'r bobl hynny ydyw. Dyna pam y mae mor flin gyda rhai am '[ganiatáu] rhai pethau go wachul i'r "Canon"', gan fod perygl i Gerdd Fynegiant newydd effeithio ar y Gerdd Dafod.[73]

Ynghanol ei ieithwedd theoretig y mae perygl colli golwg ar y ffaith fod i'r canon llenyddol ddiben gwleidyddol i R. M. Jones, sef cynorthwyo'r Cymry i fyw a goroesi a moli. Nid amlwg bob amser mo'r cymhelliad cenedlaethol ym Meirniadaeth Gyfansawdd R. M. Jones, gan mai un wedd yn unig ar yr hyn a eilw ef yn Ddeunydd yw cyd-ddyn iddo.[74] Ac eto, diben y pwyslais ar undod – ar ddiogelu un canon cyfan yn un peth – yw pwysleisio gwahanrwydd a diffinio cymeriad y Cymry, pobl a chanddynt eu canon llenyddol eu hunain.[75] Pobl a chanddynt 'Aneirin a Chynddelw Brydydd Mawr, Tudur Aled a Williams Pantycelyn' yn eiddo iddynt.[76] Dyma'r canon a'r Gerdd Dafod a ddylai fod yn nodwedd ar fframwaith potensial y darllenydd Cymraeg i ddeall unrhyw destun llenyddol. Yr hyn sy'n ddychryn i R. M. Jones, fodd bynnag, yw sylweddoli cymaint o ddarllenwyr heddiw sy'n cael trafferth ymateb i'r gweithiau canonaidd hyn.

Yn absenoldeb y math hwn o Gerdd Dafod gyffredin ymhlith cynifer o ddarllenwyr Cymraeg heddiw, nododd Robert Rhys mai'r dull hawsaf a mwyaf uniongyrchol o'u haddysgu ydyw'r dull trochiad. Ystyrir bod yn rhaid 'trwytho'r darllenwyr yn y cefndir diwylliannol Cymreig, cyflwyno'r "ymadroddion iachus" iddynt a'u dysgu pryd i'w defnyddio, ceisio eu gwneud *nhw* yn debyg i *ni*'. Perygl y dull hwn o ddiwyllio, fodd bynnag, fel y nododd Robert Rhys, yw y gall y dull trochiad 'o'i gymhwyso at gyd-destun llenyddol . . . arwain at gyflyru diwylliannol o'r math mwyaf amrwd'.[77] Y mae hynny'n arbennig o wir o ystyried sefyllfa gymdeithasegol y Gymraeg heddiw mewn sawl ysgol ddwyieithog, pan fo nifer y plant o gartrefi di-Gymraeg yn uwch o lawer na nifer y plant o gartrefi Cymraeg.[78] Yn ei hunangofiant *Heyrn yn y Tân*, nododd Gwilym E. Humphreys, er enghraifft, iddo deimlo tua diwedd y chwedegau gydag un to o ddisgyblion 'fod ein pwyslais allgyrsiol yn or-eisteddfodol a chrefyddol ac yn rhy ymwthgar o safbwynt y Gymraeg'.[79]

Fodd bynnag, o gredu bod yna 'ni' cymharol sefydlog sy'n werth i eraill drochi ynddo, dehonglir yma bwyslais diweddar R. M. Jones ar awdurdod y canon yng ngoleuni'r modd y dysgodd ef ei hun y Gymraeg drwy gyfrwng math o drochiad hwyr, megis y symudodd o Lanidloes i Langefni 'er mwyn fy nhrwytho fy hun mewn amgylchfyd cymdeithasol uniaith am ychydig o flynyddoedd'.[80] Gwelodd drosto ef ei hun mor effeithiol y gall trwytho fod, megis y tystiodd Gwilym E. Humphreys i lwyddiannau'r system drwytho yn Rhydfelen. Gan gydnabod yr anawsterau, nododd y cyn-brifathro y byddai rhieni i ddisgyblion gwan eu Cymraeg '[b]ron yn ddieithriad' yn gwrthod awgrym i symud eu plant i ysgol Saesneg am 'eu bod yn teimlo bod mwy i'w ennill nag i'w golli o fod yn Rhydfelen'.[81]

Ar un olwg, canlyniad diffyg trwytho yw safon isel y Gymraeg sy'n nodwedd ar rai o'r disgyblion y cyfeiriodd Gwilym E. Humphreys atynt, wrth i 'ymadroddion y dysgwr . . . wahaniaethu oddi wrth ei iaith gyntaf ar un llaw, ac oddi wrth yr iaith darged ar y llall', fel y nododd Delyth Jones.[82] Nododd Larry Selinker mai o gylch 5 y cant yn unig o ddysgwyr sy'n llwyddo i ddatblygu'r un fframwaith gramadegol â siaradwyr brodorol.[83] Un o'r 5 y cant hwnnw, wrth gwrs, yw R. M. Jones ei hun. Y mae'r modd y dysgodd y Gymraeg yn enghraifft lwyddiannus o'r hyn a alwodd John Schumann yn 'ymddiwyllio', gyda'r dysgwr ail iaith yn ymroi'n llwyr i ddiwylliant y rhai y mae'r iaith yn famiaith iddynt, a'r cyswllt cymdeithasol rhyngddynt yn un dwys ac aml.[84] Mewn sefyllfa o'r fath, bydd y rhwydweithiau cymdeithasol dwys yn peri bod y sawl sy'n dysgu'r iaith megis yn ymdrochi yn yr iaith a ddysgir, yn enwedig os oes gan y dysgwr awydd seicolegol cryf i uniaethu'n llwyr â ffordd y gynulleidfa darged o fyw[85] – yr hyn sy'n aml ar goll mewn sefyllfa o goloneiddio ieithyddol.[86] Ar un olwg, y mae enghraifft o ymddiwyllio dwys yn fath o fedydd ieithyddol, ac nid rhyfedd felly mai'r term crefyddol 'gwrthgilio' a ddefnyddir er mwyn esbonio sut y bydd nifer o ddysgwyr yn troi yn ôl at fframwaith gramadegol eu hiaith gyntaf ac yn ailadrodd 'beiau', er nad gwir hynny yn achos yr ymddiwyllio mwyaf llwyddiannus.[87]

Hanes dyn dŵad: canfod ei bobl ei hun, a throi'n 'fwgan' iddynt

Ar adegau, dysgodd R. M. Jones y Gymraeg ac yntau 'yn lleiafrif o un'.[88] At hyn er iddo astudio'r iaith yn y brifysgol, dechreuodd siarad yr iaith am y tro cyntaf yng Nghwm Gwendraeth, nid gydag athrawon a chyd-fyfyrwyr ond gyda ffermwyr a ffermwragedd:

> Ymaflyd yr oeddwn bellach ym modolaeth lawn y diriogaeth a oedd yn eiddo i'm hisymwybod, ei pherthynas, ei serchiadau, ei hawl arnaf. Yr oeddwn yn gwneud mwy nag ymgodymu â geirfa a chystrawennau. Yr oeddwn yn ymgodymu *o'r tu mewn* â pherthynas â'r iaith.[89]

Daeth, meddai, wedi'r ymweliad â ffarm Bryn Gwyddyl, Bancffosfelen, a Thŷ Gwyn, Crwbin, Cwm Gwendraeth, 'adref maes o law yn Gymro Cymraeg o'r wlad hud honno, yn barod i ymgodymu â llenyddiaeth Gymraeg *o'r tu mewn*, yn un ohonyn "nhw" megis, yn blentyn di-chwys mwyach. Wedi fy nal mewn plentyndod newydd'.[90] Pan ddywed yr awdur amdano yn mynd allan i'r caeau gyda John Evans, Bryn Gwyddyl, 'a'r Gymraeg a barablai o wawr wen hyd fachlud coch . . . wedi ymglymu wrth ei gilydd ar fy nhafod yn dwt', gellir dweud bod y sgyrsiau Mynegiant hynny, nid yn unig yn glanio ar ei dafod, ond ar ei Dafod hefyd.[91] Yn unol â model ymddiwyllio John Schumann, wele'r dysgwr yn gwlwm o rwydweithiau cymdeithasol tynn ac yn defnyddio'i iaith newydd yn gyfrwng i'w fywyd. Cymaint felly nes iddo, ar ddych-welyd i Gaerdydd ac i gapel Minny Street, deimlo ei fod 'yn symud ymhlith fy mhobl fy hun'.[92] Nid mater o gaffael iaith, fel y cyfryw, yw'r dysgu mwyach, ond mater o gaffael pobl ac ymdoddi i'w diwylliant; symud o'r ymylon i'r canol; dod yn un ohonyn 'nhw', nes y bo'r 'nhw' hynny'n ymdroi'n 'ni', a'r gymdeithas yn Minny Street yn 'gymdeithas a oedd yn ddelfryd o Gymru'.[93] Y mae sylweddoli hyn yn berthnasol wrth ymdrin â'r canon llenyddol Cymraeg yng ngwaith R. M. Jones. Nid yn unig am mai yn y wlad y dysgodd y Gymraeg ac am mai mewn capel anghydffurfiol Cymraeg y daeth y cyn-ddinesydd Saesneg o hyd i'w bobl ei hun, ond am iddo drwy'r profiad ddod ar draws egwyddor bwysig i'w feirniadaeth lenyddol. Os nododd T. J. Morgan fod angen '[c]ynefindra llwyr a gwybodaeth "fewnol" [o'r iaith] i drafod cystrawennau iaith', felly y dadleuodd R. M. Jones fod yn rhaid darllen y Traddodiad Llen-yddol o'r tu mewn iddo.[94]

Yr hyn sy'n eironig am grefydda cynnar R. M. Jones, fodd bynnag, yw i'r gweithgarwch ymddiwyllio hwn droi'n fodd iddo bellhau oddi wrth y

Gymru Gymraeg honno yr oedd yn ei cheisio ond a oedd bellach wedi llyncu'r Uwchfeirniadaeth honno a wadai anffaeledigrwydd y Beibl. Oherwydd er ei fod ar un adeg yn '[m]ynd gyda'r lliaws call anghrediniol . . . a mynd gyda rhai ohonynt yn weddol reolaidd i gapel',[95] mewn oedfa hwyrol yng nghapel China Street, Llanidloes yn haf 1953 daeth tro ar fyd. 'Dyma f'ysbryd am y tro cyntaf yn dihuno', meddai'r awdur.[96] Cynt 'amheuaeth wedi'r cwbl oedd yr awyr a anadlwn felly – fel pawb arall',[97] ond bellach, 'rhaid yn awr oedd rywfodd ymwared â dyn fel penarglwydd, ymwared â'r grefydd syniadol a moesegol naturiolaidd, ymwared â phob cais i glytio at ei gilydd grefydd wneuthuredig, a gwacáu'r pothell.'[98]

Lle'r oedd gynt yn gydymffurfiol gymdeithasol amheugar 'fel pawb arall', yn sgil ei dröedigaeth Gristnogol, yr oedd ar un olwg 'wedi dod yn fwgan i rywrai'.[99] Wedi symud i Gaerfyrddin, nododd na allai ddod o hyd i gapel addas gan mai '[t]lawd oedd bywyd profiadol y Cymry bellach oherwydd y toriad yn eu hetifeddiaeth', ac iddo 'ddisgyrchu yn ôl i'r Eglwys Wladol a'r Llyfr Gweddi'.[100] Yn yr hen lyfr hwnnw y câi ei gymdeithas yn awr. Yn y gwaith hwnnw a gyfieithodd William Salesbury yn 1567 y daeth o hyd i'r Mynegiant a oedd yn tystio i'r un Tafod tân â'r eiddo ef ei hun. Roedd y 'gorffennol dyfnaf bellach yn bresennol', meddai.[101] Ac yn sgil ei dröedigaeth Gristnogol, daeth llenyddiaeth Gymraeg iddo yntau'n faeth, fel yr oedd i Saunders Lewis. Yr oedd 'wedi ymhél â'r traddodiad Cymraeg hwn ers tro', ond bellach yn sgil ei droi at Grist, ychwanegodd, 'Nid oeddwn wedi'i adnabod *o'r tu mewn* megis, wedi cytuno ag ef yn f'esgyrn, ymdeimlo â'i gorneli am f'ysgwyddau, a'i brofi'n faeth. Bellach daeth yn gyfoes graff ac yn fywyd i'm hysbryd ac yn berthnasol afaelgar.'[102] Mwyach yr oedd yn darllen cerddi a chwedlau'r canon Cymraeg – yr un enghreifftiau o Fynegiant llenyddol – mewn ffordd gyfan gwbl wahanol, a hynny, gan ei fod bellach yn rhannu'r Tafod Cristnogol Cymraeg a oedd yn gefndir iddynt. Ac yn rhannol, ystyr Tafod iddo yw hynny'n union, sef adnabod 'o'r tu mewn', megis y nododd J. R. Jones fod Gruffudd ab yr Ynad Coch yn '[e]drych ar gwymp Llywelyn, fel petai, *o'r tu mewn i'r traddodiad*'.[103] Yn wir, cyn bwysiced yr egwyddor nes iddi ddatblygu'n faen praw beirniadol yng ngwaith R. M. Jones.[104] Yn *Cyfriniaeth Gymraeg*, er enghraifft, beirniedir 'ysgolheigion cymharol seciwlar neu bobl weddol bell oddi wrth draddodiad uniongred rhywun tebyg i Ann Griffiths' am astudio '*o'r tu allan* waith rhai pobl ddawnus a go arbennig, llenorion neu emynwyr neu Gristnogion sy wedi ysgrifennu am eu profiad dilys o Dduw'.[105] Effaith hyn yw fod R. M. Jones yn gwarafun i'r rhai na chawsant yr un profiadau ysbrydol ag Ann Griffiths ei hun feddiannu'r canon llenyddol Cymraeg yn nhermau 'maeth'.

Nodwyd yn achos y Testament Newydd mai tyfu yn rhan o brofiad carfan o bobl a wnaeth y canon hwnnw. A dyna yw'r canon llenyddol Cymraeg i R. M. Jones hefyd: canon y Cymry Cristnogol ydyw. Yn hyn o beth, y mae'n adleisio'r modd nad oedd O. M. Edwards yn gwahaniaethu 'rhwng ER MWYN IESU ac ER MWYN CYMRU'.[106] Cofir i Saunders Lewis, ac yntau'n siarad ar ran y tri phrotestiwr yn 1936, nodi iddynt baratoi esboniad ar gyfer 'ein cyd-wladwyr a'n cyd-Gristnogion', ac apelio at '[f]arn Cymru Gristnogol'.[107] '[G]wareiddiad cynnes Cristnogol' ydoedd gwareiddiad Cymru i Lewis Valentine yntau.[108] Felly hefyd y gwêl R. M. Jones '[nad] dau beth gwahân yw Cristnogaeth a Chymru. Derbyniwyd y naill a'r llall gan yr un bobl'.[109]

Gwerthfawrogir, felly, faint yr her i'r traddodiad hwn o ddiffinio hanfod Cymru yn nhermau'r ffydd Gristnogol, yw sylweddoli na fyddai apêl Saunders Lewis at 'farn Cymru Gristnogol' yn un ystyrlon iawn gerbron rheithgor cyfoes, pan gredir bod 'pob barn gystal neu gynddrwg â'i gilydd', ys dywed R. M. Jones ei hun.[110] Yn *Mawl a Gelynion ei Elynion*, cyfeiriodd R. M. Jones at y newid sylfaenol a welwyd ym meddwl y gymdeithas yn hanner olaf yr ugeinfed ganrif, ac sydd mor bellgyrhaeddol nes y bo angen ei disgrifio ar lefel isymwybod a rhagdybiau. Meddai: 'ymsefydlodd rhai safonau "academaidd" amheus ac arddelid rhai safbwyntiau isymwybodol "newydd" gan y gymdeithas. Ymddangosai fel petaent yn ceisio tanseilio'r rhagdybiau cadarnhaol ac adeiladol sydd, i'm bryd i o leiaf, yn orfodol'.[111] Wyneb yn wyneb â'r newidiadau rhagdybiaethol hyn sydd ymhlith nodweddion eraill yn gyfrifol am geisio 'newid yr enw "Christmas" i "Winter Holiday" a dileu Gŵyl y Pasg yn gyfan gwbl',[112] rhaid holi pa ddyfodol sydd i'r canon llenyddol Cymraeg, felly, o gofio bod '[y] meddwl Cristnogol, beth bynnag fo'n barn ni heddiw amdano, wedi llunio cryn dipyn ar nod ac ar athrawiaeth ein llenyddiaeth ni erioed'.[113] A yw meistri'r canon bellach yn rhai gwironeddol anghyffwrdd a'r tu hwnt i'n cyrraedd?

Ni a'r canon, a'r canon ynom ni

Gwerthfawrogir mor fregus yw'r berthynas rhwng canon llenyddol Cymraeg Cristnogol a darllenwyr yr oes seciwlar hon o gytuno â Stanley Fish fod theori lenyddol gyfoes yn tueddu i edrych ar y canon a'i destunau llenyddol, nid yn nhermau 'endid sy'n annibynnol ar ddehongli ac (yn ddelfrydol) yn gyfrifol am ei yrfa', eithr yn nhermau rhywbeth sy'n 'ganlyniad i'n gweithredoedd dehongli ni'.[114] 'A chan fod y darllenydd yn gydweithredwr yng nghread "ystyr" y testun', meddai Gwenllïan Dafydd, 'mae'r testun o'r herwydd yn symudol drwy'r amser.'[115]

Yng nghyd-destun y canon, dadleuodd cefnogwyr Theori nad rhagoriaethau'r testunau eu hunain sy'n gyfrifol am eu statws anghyffwrdd, ond yn hytrach ddeongliadau'r darllenwyr a briodolodd iddynt y rhagoriaeth honno, ac sy'n dweud cymaint amdanyn nhw â'r testunau eu hunain. Nodir yn y bennod nesaf fod Alan Llwyd yn anghytuno â'r egwyddor hon. Ond cydnebydd R. M. Jones hi'n rhannol, gan nodi ein 'tuedd i glosio at Hywel ab Owain Gwynedd ac at Ruffudd ab yr Ynad Goch oherwydd yr elfen bersonol' yn hytrach na 'bardd megis Cynddelw Brydydd Mawr', gan felly 'fawrygu rhai llenorion y buasai cynulleidfaoedd ar y pryd heb eu cyfrif ar ganol llwyfan y prifeirdd'. Meddai: 'Ni'r Rhamantwyr sy'n gwneud hynny, a mentraf awgrymu – yn haerllug wrth gwrs, ac yn wyneb hawliau hunanlywodraethol chwaeth a ffasiwn – ein bod yn hyn o beth yn llygad ein lle.'[116] Hynny yw, deellir nad y testun ei hun yw man cychwyn ei werthfawrogiad, eithr 'y darllenydd', a'r modd y bydd yn dod at destun 'ar sail ei ddoniau etifeddol yn ogystal ag ar sail dylanwadau magwraeth ac amgylchfyd parod'.[117] Dyna pam y mae sicrhau bod y canon yn gweithio ar lefel Tafod o'r pwys mwyaf iddo, gan y bydd yr amgylchfyd parod cywir yn gymorth i sicrhau darllenydd cywir.

Yn ôl Saunders Lewis: 'Tuedd y meddwl rhamantus yw gwneud yr unigolyn a'i brofiad eithriadol yn unig awdurdod mewn bywyd ac yn unig sylfaen bywyd.'[118] Ond 'ni'r Rhamantwyr', meddai R. M. Jones uchod; ac y mae'r rhagenw lluosog hwn sy'n air unigol ac felly'n Amryw yn Un, y 'ni' nad yw'n ni-au, yn cyfleu'r wahuniaeth sy'n rhan greiddiol o feirniadaeth lenyddol R. M. Jones. Gan ddwyn sylw at wreiddioldeb ac unplygrwydd argyhoeddiad R. M. Jones, holodd Robert Rhys un tro pa fodd y gallai ef gyfeirio at unrhyw 'ni'.[119] Ond fel Saunders Lewis o'i flaen, pwysleisiodd R. M. Jones mai *ein* traddodiad yw'r Traddodiad Llenyddol bob amser, a bod angen inni felly drafod y 'chwyldro theoretig' a 'bod yn feirniadol, fel Cymry, o'r datblygiadau hyn a'u gweld drwy'n sbectol ein hun'.[120] Y broblem, fodd bynnag, yw nad yw pawb yn y garfan honno, y Cymry, yn rhannu'r un optegydd â'i gilydd mwyach, a bod trwch y lens yn newid o'r naill feirniad i'r llall. Wedi'r cyfan, cyflwynir y math hwn o ddadl o blaid Cymreictod beirniadol nid yn unig gan R. M. Jones, eithr gan feirniaid mor wahanol â Mihangel Morgan ac Alan Llwyd, gyda'r cyntaf yn nodi – wedi iddo gyfeirio at waith Roland Barthes – 'ei bod yn rhy hawdd (a diog) i dderbyn termau (a syniadau) estron a'u rhoi mewn sillafiad Cymraeg gan ein twyllo'n hunain ein bod ni'n feirniaid digon da, yn lle meddwl yn feirniadol yn Gymraeg yn y lle cyntaf'.[121] Arddelir y 'ni' hwn gan amrywiaeth o feirniaid, ond effaith hynny yw fod y 'ni' yn troi'n ni-au, ac R. M. Jones yn ein rhybuddio rhag y 'cysyniad Ôl-fodernaidd o luosedd chwil o Gymruau mân'.[122]

Sut y mae osgoi'r 'Cymruau' hyn yw'r cwestiwn, felly? Sut y gall y 'ni-au' ddod at ei gilydd yn gytûn, a pharhau yn un 'ni'? Rhan o ateb R. M. Jones i'r cwestiwn hwn yw mewn perthynas â'r canon llenyddol sydd eisoes, fe ddadleuir, yn rhan o'n gwneuthuriad.[123] Edrychir ar lenyddiaeth Gymraeg yn nodwedd ar gymeriad y Cymry, felly, a rhan o ddatblygiad pobl nad ydynt yn debyg i neb arall,[124] am nad oes neb arall yn rhannu'r un gorffennol â'r Cymry. Yn Ysbryd y Cwlwm, meddai'r beirniad: '[Y]ng Nghymru gwyddom mai'r gorffennol a'n gwnaeth, ac nid oes modd adnabod y gorffennol hwnnw ac felly'r presennol a'r dyfodol, yn deimladol nac yn ddeallol, yn eu harwyddocâd llawnaf heb ymgydnabod â llenyddiaeth Gymraeg.'[125]

Nodwyd eisoes mai'r 'traddodiad, dyna ŷm ni,' a bod y canon felly yn gweithio ar lefel Tafod, sef ar lefel ein rhagdybiau ieithyddol a meddyliol dyfnaf.[126] Oherwydd y 'canon hwn wedi'r cwbl yw'r hyn a ddysgodd yn uniongyrchol neu'n anuniongyrchol inni ddarllen'.[127] Er mai ni sy'n dewis y canon, y canon a ddysgodd inni sut i'w ddewis yn y lle cyntaf. (Ei Fynegiant a greodd ein Tafod sy'n dewis ei Fynegiant sy'n creu ein Tafod sydd . . .) Gwelir drwy hynny mai math o gylch caeedig yw'r cyfan: proses lle y mae'r canon yn ein dysgu i ddarllen y canon, a'i ben draw yw sefyllfa lle y gall beirniad llenyddol ragdybio y bydd ei ddarllenwyr yn rhannu ei farn ynghylch rhagoriaeth rhyw gerdd neu'i gilydd drwy ddyfynnu'r gerdd ar ei hyd, fel prawf o'i gwerth. Oherwydd yn sefyllfa'r cylch caeedig ymddengys mai codi o'r gerdd ei hun, ynghyd â cherddi tebyg iddi, y mae dehongliad ei darllenwyr ohoni, a hynny yn sgil eu ffordd gyffredin o ddarllen cerddi. Rhanna cymdeithas o ddarllenwyr, yn sgil eu haelodaeth gyffredin o'r un Traddodiad neu ganon llenyddol – oherwydd eu Tafod cyffredin – yr un adnoddau beirniadol i werth-fawrogi'r un math o Fynegiant llenyddol. Gwelir yr egwyddor hon ar waith yn y bennod nesaf, wrth sylwi ar sut y bydd Alan Llwyd yn dyfynnu cerdd er mwyn amlygu ei mawredd, gan ychwanegu'n gynnil, 'Barned y darllenydd', gan ragdybio y daw ef neu hi i'r un farn ag yntau, a'u bod felly yn 'ni'.[128] Nid beirniadaeth mo hyn ar waith y beirniad, oherwydd, i'r gwrthwyneb, dyma sut y mae traddodiad byw yn gweithio, fel treiglo heb sylwi.[129] Fel y nodwyd mewn man arall, ceir enghreifftiau o hyn hefyd yng ngwaith Saunders Lewis ac R. M. Jones ei hun wrth i'r naill feirniad a'r llall ddyfynnu gwaith eu hoff feirdd er mwyn i eraill gael eu mwynhau.[130] Wrth iddo gloi'r drafodaeth ar Bantycelyn, meddai R. M. Jones, er enghraifft: 'Clywch ei fawr ryfeddod lydan', a dyfynnir emyn chwe phennill yn gyfan ar ei hyd, cyn ychwanegu, 'O'r gorau denoriaid, gadewch inni eilio'r pennill olaf hwnnw unwaith eto.'[131]

Mewn achosion o ddyfynnu o'r fath bydd y beirniad naill ai'n rhag-dybio cyd-ddeall neu'n ceisio ei hyrwyddo ar sail cyd-destun o safonau cyffredin, anweledig, gan guddio goddrychedd barn y tu ôl iddo. Yn wir, yn y fath sefyllfa gaeedig, y mae'r dewis goddrychol fel pe bai'n diflannu, a safonau'r canon fel pe baent yn amlwg i bawb. Ymddengys fel pe bai'r canon yn ei foddhau a'i gynnal ei hun, megis duw. Yn y fath sefyllfa, fel y nododd Dafydd Elis Thomas yn ei ddarlith, *Traddodiadau Fory*, try darllenwyr yn addolwyr, gan arddel awdurdod y Traddodiad yn ddi-gwestiwn, wrth i ryw rym gwrthrychol o'r tu allan ddileu goddrychedd barn.[132] Y canon piau popeth, ac nid yw'r darllenydd yn ddim; y 'canon hwn wedi'r cwbl yw'r hyn a ddysgodd yn uniongyrchol neu'n anunion-gyrchol inni ddarllen'.[133] Y gwrthrychol hwn sydd fel pe bai'n rheoli ein dewisiadau goddrychol ni. Clai yn ei ddwylo ydym, a chymharus yw ei rym â grym Duw. Oherwydd ys dywed R. Tudur Jones: 'y mae'r gwrth-rych yn tynghedu agwedd meddwl y dysgwr'.[134]

Yn hyn o beth, y mae'r modd y gall y canon weithio ar lefel Tafod, a thrwy hynny reoli ein hymateb ni i destunau unigol, yn adleisio'r berthynas rhwng Duw a dyn fel y'i diffinnid gan John Calfin. Oherwydd pwysleisiodd Calfin nad oes gan ddyn ei hun ddim rhan o gwbl yn ei alwedigaeth ei hun. Gan ddyfynnu Paul yn Rhuf. 9: 16 – 'Felly gan hynny nid o'r hwn sydd yn ewyllysio y mae, nac o'r hwn sydd yn rhedeg chwaith; ond o Dduw, yr hwn sydd yn trugarhau' – pwysleisiodd mai mater o drugaredd Duw yn unig yw etholedigaeth, ac na ellir ei rhannu rhwng gras Duw ac ewyllys dyn.[135] Duw sy'n galw. Duw sy'n dewis. Ymateb yn unig y mae dyn. Y gwrthrychol, felly, sydd ben; y Tafod o gylch y Mynegiant.

Nodwedd, felly, ar Galfiniaeth R. M. Jones, lawn cymaint â dylanwad Gustave Guillaume neu Ferdinand de Saussure ar ei waith, yw'r pwyslais yn *Beirniadaeth Gyfansawdd* ar sut y mae'r canon yn llywio ein dewisiadau ni, yn hytrach na'n bod ni yn dewis gweithiau'r canon. Dyma'r delfryd, pan fo modd i'r beirniad ragdybio consensws, yn hytrach na chyflwyno ymgais i'w lywio. Nid cyflwyno'i farn bersonol ei hun am 'Hiroshima' y mae Alan Llwyd, er enghraifft, wrth ragdybio y bydd y darllenydd yn rhannu'r un farn ag ef ynghylch ei ragoriaeth, ond yn hytrach apelio at safon ddarllen werthfawrogol sydd fel pe bai'n bodoli yn yr awyr y mae ef a'i ddarllenwyr yn ei hanadlu. Fel y nododd F. R. Leavis, nid o du 'talaith lenyddol' y tu hwnt i bob dim arall y daw'r beirniad llenyddol o hyd i'w safonau. Y maent yn hytrach i'w canfod, meddai, 'in an educated public that can respond and is in a position to make its response felt'.[136] Yn iaith R. M. Jones, cyfieithir y syniad hwn o safonau cyffredin cymdeithas yn Dafod. Yn y Tafod cyffredin daw'r beirniad o hyd i'r safonau gwrthrychol hynny y mae ef yn rhoi Mynegiant iddynt. Rhyw ddarlun nid annhebyg i'r Meuryn yn y Babell Lên sydd yma, felly, yn holi'n rhethregol gerbron ei gynulleidfa ddysgedig, 'Onid yw'n haeddu deg?' heb ddisgwyl na dadl nac ateb cadarnhaol, dim ond sŵn rhywrai'n porthi. Dyna ydoedd yr 'Www' gynulleidfaol yr arferid ei chlywed yn y Babell Lên. Mynegiant ydoedd o'r Tafod cyffredin; addefiad bod rhyw gerdd neu'i gilydd, hyd yn oed os yn aneglur, yn haeddu deg am fod ynddi ryw safon anniffiniadwy, gyffredin, amlwg i bawb.

Ateb amgenach na nodiadau esboniadol

Beth, fodd bynnag, a wna'r beirniad pan fo'r safonau beirniadol gwrthrychol-gymdeithasol hynny'n newid? Beth a wna'r Meuryn pan na ddaw'r 'Www' mwyach o du'r gynulleidfa? Beth pan fydd rhywrai'n dechrau amau awdurdod y Traddodiad Llenyddol ac yn peidio â chymryd ei fodolaeth yn ganiataol? Oherwydd fel y nododd Leavis, pan nad yw'r safonau beirniadol hynny 'yno' mwyach i'r beirniad apelio atynt, y mae'r goblygiadau'n rhai cyffredinol.[137]

Ymateb i'r goblygiadau hynny, fe gredir, yw un o brif nodweddion gwaith beirniadol R. M. Jones. Oherwydd, er gwaetha'r enghraifft a nodwyd uchod yn achos dyfynnu Pantycelyn, at ei gilydd beirniad na all ddweud 'Barned y darllenydd' yw R. M. Jones. Cyfeiriwyd eisoes at ei ragymadrodd i'w olygiad, *Blodeugerdd Barddas o'r Bedwaredd Ganrif ar Bymtheg*, lle y nodir bod darllenwyr cyfoes yn profi '[c]ryn anhawster' wrth ddarllen 'cerddi sy'n cymryd y goruwchnaturiol o ddifri'.[138] Ac eto 'ymdeimlo ag amgylchfyd cwbl wahanol sydd raid'.

Er mwyn cynorthwyo'r darllenydd cyfoes i gyflawni hyn o orchwyl, cynnig y rhelyw o feirniaid ac ysgolheigion yw darparu nodiadau esboniadol. Meddylier, er enghraifft, am olygiad diweddar Ioan M. Williams o ddramâu Saunders Lewis, ynghyd â golygiad Christine James o farddoniaeth Gwenallt. Yn y naill achos a'r llall, darperir nodiadau esboniadol ar gyfer 'cynulleidfa ddarllen dra gwahanol' i'r un yr ysgrifennai Saunders Lewis a Gwenallt ar ei chyfer.[139] Dau awdur o'r ugeinfed ganrif yw'r rhain, ac eto, awgrymir bod iaith a delweddau eu cerddi mor ddieithr i ddarllenwyr heddiw ag iaith a delweddau Dafydd ap Gwilym, gydag Ioan M. Williams yn awgrymu 'mai mwy o nodiadau fydd eu hangen wrth i'r blynyddoedd fynd heibio, nid llai'.[140] Dyma hefyd gyfraniad arbennig Alan Llwyd fel beirniad llenyddol, sef dadlennu ffynonellau cyfeiriadaeth lenyddol. A dyma'n wir yw'r prif ateb y mae beirniaid llenyddol ac ysgolheigion yn ei gynnig fel rheol i broblem dieithrwch iaith. Ceir enghraifft feistraidd ohono yn llyfr Jason Walford Davies ar waith R. S. Thomas, lle y mae'r beirniad yn 'ehangu cwmpas y drafodaeth ar ddefnydd R. S. Thomas o ffynonellau llenyddol er amlygu'r cyfoeth cyfeiriadol rhyfeddol yn ei waith'.[141] Hynny yw, cynigir canllawiau Mynegiant i gynorthwyo'r darllenwyr amrywiol i ddeall iaith y testun, gan osod arwydd pendant ar gyfer pob arwyddedig yn y darn. Fodd bynnag, er na ellir ond diolch i olygyddion ysgolheigaidd am eu nodiadau gwerthfawr ac edmygu trylwyredd eu dysg, synhwyrir bod yr angen cynyddol am nodiadau esboniadol ar destunau Cristnogol eu bydolwg yn tystio i broblem ddyrys iawn o safbwynt dyfodol y canon llenyddol Cymraeg.

Meddai Alan Llwyd yn ei gyfweliad ag M. Wynn Thomas: "Rydw i'n teimlo'n aml iawn fy mod i'n ysgrifennu mewn iaith sy'n marw.'[142] Meddai R. M. Jones yntau mewn un man: 'Does dim dyfodol i'r Gymraeg fel iaith feddylgar, aeddfed, chwaethus.'[143] Ac yng nghyswllt y sylwadau hyn, anodd yw peidio â chymharu gwaith y golygydd hyddysg yn darparu nodiadau esboniadol ar eiriau'r testunau llenyddol – fel y gall y darllenydd cyfoes ddeall llenyddiaeth y gorffennol – i waith yr ieithydd cymdeithasol yn recordio geirfa'r iaith honno sydd ond yn iaith fyw i genhedlaeth hŷn y gymdeithas. Am y sefyllfa honno, meddai Delyth Jones: 'Yr unig obaith i'r iaith bellach yw y gellir defnyddio'r cofnodion gan genhedlaeth iau i atgyfodi'r iaith.'[144] Mewn gair, sefyllfa o ddifodiant ydyw, pan nad yw iaith yn faeth, eithr yn destun astudiaeth i academyddion.

Mewn ymgais i osgoi'r sefyllfa honno, ni ellir ond croesawu ymgais R. M. Jones yn *Llên Cymru a Chrefydd* i gynnig ateb amgenach na nodiadau esboniadol i broblem dieithrwch y canon. Heb os, y mae'n rhoi pwys ar astudio Mynegiant y Traddodiad, gan ddarparu beirniadaeth esboniadol. Cymerir hynny'n ganiataol: y dysgu trwy astudio empeiraidd; yr Ymoleuo. Ond y mae yn y llyfr hefyd ymgais i ddyrchafu math arbennig o ragfarn sy'n seiliedig nid ar ymchwil academaidd nac ar ddarllen nodiadau, eithr ar brofiad personol o Dduw yn Iesu Grist; yr Oleuedigaeth.[145] Cymaint felly fel y gwahaniaethir yn bendant iawn rhwng gallu'r beirniad seciwlar a'r darllenydd o Gristion i wir ddeall y Traddodiad Llenyddol Cymraeg yn ei gyfanrwydd. Ys dywed yr awdur:

Y mae'n bosib i feirniad o Gristion werthfawrogi'r cwbl sydd o fewn cwmpas amgyffred y beirniad seciwlar (*gras cyffredin*); eithr y mae math arall o lenyddiaeth sy'n ymwneud ag ystyr dimensiwn arall (*gras arbennig*) yn agored iddo ef hefyd, llenyddiaeth na fedr y beirniad seciwlar, oherwydd cyfyngder profiad a gwybodaeth, ymateb yn foddhaol effeithiol iddi.[146]

Fel enghraifft o'r ail fath hwn o lenyddiaeth sydd y tu hwnt i amgyffred y beirniad seciwlar, dyfynnir pennill o emyn o waith Pantycelyn. Dyma'r pennill:

> Dyma gyfarfod hyfryd iawn,
> Myfi yn llwm, a'r Iesu'n llawn;
> Myfi yn dlawd, heb feddu dim,
> Ac Yntau'n rhoddi popeth im.

A dyma'r sylw dilynol:

Fe fedr y beirniad seciwlar naïf amgyffred uniongyrchedd crisial bur yr iaith, ac adeiladwaith cadarn y pennill hwn o'r llinell osodiadol ragarweiniol i'r ddau bâr o gyferbyniadau cyflythrennol, y naill o fewn yr ail linell, a'r ail yn ymagor yn ddwy linell glo. Ond ni fedr ef ymateb, fel y gwnaeth Pantycelyn ei hun, ac fel y gwna pob Cristion sydd wedi profi Crist, i ysictod llethol y gair 'llwm' nac i orfoledd anhygoel y gair 'llawn': ni ŵyr ef – ac ni all ef wybod drwy ddychymyg seciwlar – beth yw grym arswydus y drydedd linell; a phe na bai'n deall onid y ganfed ran o ystyr y llinell olaf yna, fe fyddai eisoes yn peidio â bod yn feirniad seciwlar naïf ac wedi dod yn ddarllenydd o Gristion.[147]

Gwelir bod y ddadl a gyflwynir yma yn un syml a rhesymegol. Dim ond y sawl sydd wedi profi'r un ailenedigaeth ag awdur yr emyn a all ei lwyr ddeall, a hynny am 'nad oes dim tebygrwydd rhwng y cyflwr ail-anedig hwnnw a'r hyn a ddychmygir amdano gan y dibrofiad'.[148] Ni all y beirniad seciwlar yn ei gyflwr naturiol ddychmygu'r profiad goruwchnaturiol hwn. Effaith hynny yw ei fod, pan ddaw ar draws emyn fel yr un uchod, yn gorfod aros gyda'i hunan crai, heb fedru 'ei daflunio'i hun i mewn i'r hyn a ddarllenir', sef yr hyn a wna pob darllenydd fel rheol wrth ddarllen darn o lenyddiaeth.[149]

Gwelir yn *Llên Cymru a Chrefydd* mai'r delfryd yw bod y darllenydd yn medru mwynhau Pantycelyn gymaint â Phantycelyn ei hun. Dyna'r nod ar gyfer pawb. Ond nid yn annhebyg i'r modd y nododd Konstantin Stanislavsky fod gan actorion eu terfynau creadigol – 'limitations placed on them by nature'[150] – nododd R. M. Jones fod y llenyddiaeth honno a ysgrifennwyd gan y sawl a ddaeth o hyd i ail natur yng Nghrist y tu hwnt 'i ddealltwriaeth y sawl nas ganwyd ond unwaith'.[151] Fel y nodais yn 'R. M. Jones a'r "gelyn" parchus', y mae'n fath o *écriture Chrétienne*, ysgrifen na all ond Cristnogion profiadol o ras arbennig ei deall.

Yn adolygiad Angharad Price o *Beirniadaeth Gyfansawdd*, gwelir mai un feirniadaeth yn erbyn y llyfr olaf hwn ar theori lenyddol yw ei fod yn anwybyddu ystyriaethau goddrychol.

> Un peth yw diffinio a dyrchafu Beirniadaeth Lenyddol hollgynhwysol, peth arall yw gweld a yw'n dal dŵr wrth ei harfer. Tybed ai'r rheswm dros beidio â datgelu ei methodoleg a'i rhoi ar waith oedd y byddai Bobi Jones yn canfod bod rhaid i'r Beirniad Cyfansawdd – fel y Marcsydd a'r Ffemin-ydd a'r Dadadeiladydd (a phob beirniad llenyddol arall petai'n dod i hynny) – dynnu ffiniau a gwneud dewisiadau goddrychol wrth fynd i'r afael â'r dasg? A bod y 'cyfanrwydd' o ganlyniad yn mynd yn endid digon di-ddal?[152]

Ond o edrych ar ystod gweithiau cyfain R. M. Jones, awgrymir nad y modd y mae R. M. Jones yn mapio'i Feirniadaeth Gyfansawdd mewn modd gwyddonol, strwythurol yw nodwedd hynotaf ei waith.[153] Yn hytrach, yr hyn sy'n wir drawiadol am waith R. M. Jones yw i'r strwythurydd hwn roi cymaint o le i ystyriaethau goddrychol, gan ddadlau bod profiad a dealltwriaeth y Cristion o fywyd, ac oherwydd hynny, ei ymateb greddfol i lenyddiaeth, yn fwy cyflawn.[154] Nid amheuir nad yw'r dull strwythurol o ysgrifennu ynddo'i hun yn annog ymateb anffafriol oddi wrth eraill ac yn esbonio'n rhannol yr adwaith tawel, a beirniadol ar dro, yn erbyn gwaith R. M. Jones. Yn ei ddarlith agoriadol yn Aberystwyth, 'Tri mewn Llenyddiaeth', cysylltodd ef ei hun yn gynnil â'r 'sawl sy'n astudio ffurfiau llenyddiaeth o'r safbwynt adeileddol',[155] a hynny ar adeg pan oedd sawl un yn rhyngwladol yn amharod i goleddu'r term 'adeiledydd' neu 'strwythurydd', gan mai'r hyn y mae'r dull strwythurol yn ei gynnig i'w ddefnyddwyr yw 'positions of dominance', chwedl John Sturrock, y gellir eu defnyddio i feirniadu eraill.[156] I'r rhyddfrydwr a'r ôl-strwythurydd fel ei gilydd, safle i'w osgoi yw hwnnw, ac yn ôl Julia Kristeva un na all ymateb i ddatblygiadau'r byd cyfoes.[157] Ond i Galfin-ydd o feirniad rhydd strwythuraeth gyfle iddo – nid yn annhebyg i bregethwr ymneilltuol Cymraeg yn ei bulpud dyrchafedig gynt – bwyso a mesur, fel y nododd Daniel Chandler, 'anything and everything'.[158]

Ac eto, wyneb yn wyneb â'r dasg o ddarllen testun llenyddol, 'i'r gwellt â phob "patrwm"', meddai'r strwythurydd hwn yn *Beirniadaeth Gyfansawdd*, gan nodi mai gwaith y gwerthfawrogwr yw 'ymateb ar y pryd' – a hynny 'yn isymwybodol gyflym'.[159] Mater o feddu ar Dafod cywir yw beirniadaeth lenyddol. Fel yn achos Saunders Lewis, mater o gynneddf yw.[160]

Er nodi, felly, nad yw'r dull strwythurol yn un arbennig o ffodus ar gyfer ennyn ymateb ffafriol gan eraill, a thrwy hynny adeiladu consensws, dadleuir, o safbwynt y canon llenyddol Cymraeg, mai'r anhawster pennaf i eraill yw'r pwyslais a rydd R. M. Jones, yn enwedig yn *Llên Cymru a Chrefydd*, ar brofiad goddrychol y darllenydd o Gristion. Ei effaith yw awgrymu mai dim ond y sawl sydd wedi ei aileni'n Gristion a all goleddu'r Traddodiad Llenyddol Cymraeg mewn gwirionedd, gan mai un o nodweddion amlycaf y traddodiad hwnnw yw ei feddwl Cristnogol. A mwy felly heddiw eto fyth, o sylweddoli gyda Christine James fod '[y] dreftadaeth ddiwylliannol a chrefyddol Gymreig a Chymraeg gyfoethog a etifeddodd Gwenallt a chynifer o'i gyfoedion [wedi] graddol golli ei thir, a'i disodli gan ddiwylliant arall, cwbl wahanol'.[161]

'Darfod 'wna tafod pob truan'

A awgrymir, felly, fod y ddadl a gyflwynodd R. M. Jones yn *Llên Cymru a Chrefydd* yn anghywir, sef na all y darllenydd seciwlar heddiw goleddu'n llawn Fynegiant y Traddodiad Llenyddol Cymraeg, a hwnnw'n draddodiad Cristnogol, heb rannu'n gyntaf Dafod ei awduron?

Wrth geisio ateb y cwestiwn hwn, nodir yn gyntaf fod y ddadl hon sydd megis yn ffafrio'r ymateb greddfol ac emosiynol, yn un dra rhesymegol ac yn un a ategir gan athroniaeth Alasdair MacIntyre y cyfeiriwyd ato eisoes. Oherwydd pwysleisiodd MacIntyre na ellir gwahaniaethu rhwng gweithiau traddodiad a'r ffordd honno o feddwl sydd, nid yn unig yn gefndir iddynt, ond wedi datblygu law yn llaw â'r traddodiad ei hun. Angen y naill yw'r llall.[162] Dwy ochr i'r un geiniog yw gweithiau'r traddodiad a'i fframwaith meddyliol, a dim ond y sawl sy'n rhannu'r un agwedd feddwl honno a ddatblygodd yn rhan o'r traddodiad a all ei goleddu. Awgrymu hynny, er enghraifft, y mae R. M. Jones yn y dyfyniad isod. Gan ystyried perthynas haneswyr heddiw â rhai'r gorffennol, meddai:

> Y mae'r rhagdybiaeth grefyddol seciwlar hon [sef, bod perthynoldeb yn orfodol] wedi suddo mor ddwfn ac mor drwchus i ymwybyddiaeth, ac yn fwy byth i anymwybod, haneswyr heddiw nes iddi fynd yn adeileddol; ac y mae hyn yn wir rwystr pan geisir gwerthfawrogi haneswyr Cymreig megis Charles Edwards a Theophilus Evans a Thomas Jones Dinbych sydd bron yr un mor anymwybodol o ragdybiaeth ac o adeiledd crefyddol gwahanol.[163]

Y canlyniad anorfod yw'r pellter eithaf rhwng darllenydd y presennol a thestun y gorffennol, gyda'r darllenydd, maes o law, yn ystyried y testun yn gwbl amherthnasol i'w fywyd, hyd yn oed os bydd yr ysgolhaig a feistrolodd iaith y gorffennol yn darparu nodiadau esboniadol ar ei gyfer.

Awgrymodd Derec Llwyd Morgan na 'all fod yn y Gymraeg ddychymyg seciwlar pur, fyth', cymaint dylanwad y Beibl a'r diwylliant Cristnogol ar lenyddiaeth Gymraeg.[164] Ond awgrymodd R. M. Jones na all y beirniad seciwlar fyth wir ddeall llenyddiaeth Gymraeg, a hynny gan ei fod yn edrych ar weithiau'r Traddodiad o du fframwaith meddwl nas datblygwyd ganddo. Meddylir yn arbennig, er enghraifft, am sylwadau R. M. Jones ar waith Ann Griffiths yn *Cyfriniaeth Gymraeg*. Gan ymateb yn benodol i sylwadau Derec Llwyd Morgan ar waith yr emynydd, meddai:

> Fe all y darllenydd seciwlar o Gymro gael rhyw flas pell ar wefr Ann, ar *panache* ei defnydd trawiadol o iaith, ar dân cafalîr ei dychymyg. Ond y Cristion yn unig sy'n medru ymateb i lawnder arwyddocâd ei geiriau. Felly hefyd gyda llawer iawn iawn o'n treftadaeth ddiwylliannol Gymraeg erbyn hyn.[165]

Y mae'r broblem yn amlwg. Seiliwyd gweithiau'r canon llenyddol Cymraeg ar ragdybiau gwahanol i eiddo'i ddarllenwyr heddiw. Er enghraifft, nododd D. Densil Morgan mai 'rhagdybiau seciwlar oedd eiddo'r sefydliadau Cymraeg' erbyn degawd olaf yr ugeinfed ganrif, nid rhai crefyddol.[166] Ac yn wyneb sylwadau golygyddol Ioan M. Williams a Christine James, y mae'r rhwystr hwnnw y cyfeiriodd R. M. Jones ato gyntaf yn *Llên Cymru a Chrefydd* bellach yn wal ddiadlam, a nifer o ddarlithwyr Cymraeg y prifysgolion yn bwrw eu pen yn ei herbyn. Oherwydd fel y nododd MacIntyre, wrth geisio rhoi mynegiant i werthoedd un traddodiad o ymchwil yn yr unig iaith y gellir ei defnyddio wrth siarad â rhai sy'n perthyn i draddodiad arall, daw un i weld bod yr iaith honno yn brin o gysyniadau, idiomau a ffyrdd o ddadlau.[167] Am hynny, er y bydd un yn llwyddo i ennill y ddadl yn ôl safonau ei draddodiad ymchwil ei hun, bydd yn rhwym o fethu yn ôl safonau mewnol traddodiad ei wrthwynebwyr.[168] Dyna pam nad yw'n bosib i nifer o ddarllenwyr cenhedlaeth 1975–2005 nad yw Duw na Gair Duw yn rhan o'u bywyd beunyddiol goleddu'r canon llenyddol Cymraeg fel y'i diffinnid gan R. M. Jones a Saunders Lewis o'i flaen.[169] Ys dywed Saunders Lewis: 'Llifodd darn o fôr rhwng dwy genhedlaeth ac ni fedrwn siarad gyda'n gilydd ar draws yr agendor.'[170] Amlygu hynny – mawredd y môr – y mae sylw Alan Llwyd isod. Meddai:

Roeddwn i'n darllen cywydd gan Gerallt Lloyd Owen o flaen dosbarth o fyfyrwyr a 'doedden nhw ddim yn deall y cywydd. Mi wnaeth hynny fy nharo i. Ac mi ddarllenais gerddi symlach na'r cywydd hwnnw. 'Doedd y cywydd yna ddim yn astrus ond 'roedd o'n gyfoethog. 'Doedden nhw ddim yn deall y cywydd ac 'roedden nhw'n cyfaddef hynny.[171]

Yr un, fe ymddengys, yw'r 'agendor rhwng y bardd a'i gynulleidfa gyfoes', boed y bardd hwnnw yn un canoloesol neu'n un cyfoes.[172]

Flwyddyn cyn iddo sôn am y darn o fôr yn llifo rhwng dwy genhedlaeth, nododd Saunders Lewis yn 1953 fod 'ffyniant ac ailflodeuo'r iaith a'r diwylliant Cymraeg er gwaethaf cyfri'r bobl a holl fygwth diwydiannaeth yn dibynnu yn yr ugeinfed ganrif hon ar un peth syml ond argyfyngus ansicr: fod ymneilltuwyr ac eglwyswyr Cymraeg yn ailddarganfod eu Ffydd ac yn rhoi iddi yr unig le, ysywaeth, y gellir ei roi i Ffydd, sef y lle blaenaf a llywodraethol'.[173] Cymhwysiad llenyddol o'r egwyddor honno a welir yn *Llên Cymru a Chrefydd* a gyhoeddwyd yn 1977: credu bod llewyrch llenyddiaeth Gymraeg yn dibynnu ar ymrwymiad Cristnogol y Cymry, ac na ellir coleddu'r canon llenyddol Cymraeg heb rannu'n gyntaf fath o ganon ffydd Cristnogol.

Y mae ymron chwarter canrif rhwng ysgrif 'Y Beibl' gan Saunders Lewis yn 1954, a *Llên Cymru a Chrefydd*. Ond gallai'r ieuengaf o'r ddau feirniad arddel yr un safbwynt, fe gredir, oherwydd yr oedd o hyd yn y saithdegau ryw gymaint o fywyd ar ôl yn y traddodiad capelyddol Cymraeg y gallai apelio ato. Yn 1970, er enghraifft, nododd fod y 'Cymro' '[h]yd yn gymharol ddiweddar . . . yn rhy gyfarwydd ag emynau . . . fel na ellid eu beirniadu fwy nag y gellid beirniadu plwm pwdin mam'. Gryfed y traddodiad anghydffurfiol, nes yr oedd emynau'r Cymro 'yn gymaint rhan o'i gyfansoddiad bob dim â thablau rhifyddeg'.[174] Felly hyd yn oed os mai rhyddfrydol ac nid uniongred ydoedd llawer peth ym mywyd crefyddol Cymraeg y saithdegau, gwyddai'r bobl 'y geiriau heb adnabod y Gair', chwedl Gwenallt, a gellid, felly, ymresymu â nhw. Gwaddol traddodiad ydoedd, ond nid gwaddol diystyr chwaith. Ym mhrofiad R. M. Jones, 'Daliai'r capel o hyd yn y dyddiau araf hynny yn sefydliad cymdeithasol o gryn bwys. Caed o hyd yno am ryw reswm bethau cyntefig fel gwerthoedd a chredoau.'[175] Sôn am ddyddiau ei fagwraeth y mae'r beirniad yma, ond yr oedd canlyniad refferendwm 1961 ar fater cadw'r Sul yn sych, ac yn enwedig felly yn 'y fro Gymraeg', yn dyst i ddylanwad parhaol anghydffurfiaeth Gymraeg wedi'r Ail Ryfel Byd.[176] Fel y nododd John Aitchinson a Harold Carter, nid tan ddegawdau olaf yr ugeinfed ganrif y gwelwyd dylanwad anghydffurfiaeth yn dirywio'n gyflym.[177]

Fodd bynnag, mewn amgylchfyd gwahanol iawn y cyhoeddwyd y drioleg *Mawl a'i Gyfeillion, Mawl a Gelynion ei Elynion* a *Beirniadaeth Gyfan-sawdd* wedi troad y mileniwm, sef mewn cyfnod pan nad yw pobl hyd yn oed yn gwybod y geiriau; pan fo'r 'eirfa fwyaf elfennol dechnegol hefyd, wrth gwrs, megis "Cyfiawnhad" a "Sancteiddhad" eu hun . . . yn ddigon estron'.[178] Yn *Llenyddiaeth Gymraeg 1936–1972*, awgrymodd R. M. Jones ar ganol y saithdegau fod y degawd yn cynrychioli 'cyd-gyfarfyddiad o ddiwedd un ffordd o fyw â dechrau dull arall'.[179] Cyd-destun gwleidyddol ydoedd i'r gosodiad hwnnw ar y pryd, ond gellir ei gymhwyso hefyd at y modd y peidiodd y traddodiad capelyddol Cymraeg â bod hyd yn oed yn waddol ystyriol yn chwarter olaf yr ugeinfed ganrif; yn bennaf oherwydd treulio 'y dystiolaeth Gristnogol o'r tu mewn i'r eglwysi', hynny yw, yn sgil diwinyddiaeth ryddfrydol, eithr hefyd oherwydd am na lwyddodd Cristnogion 'yn feddyliol i fod yn berthnasol yn gyffredinol. Ymdeimlai cenhedlaeth newydd mai ystyr hynny oedd nad oedd croeso iddi hi.'[180]

Wyneb yn wyneb â'r genhedlaeth newydd honno, gwelwyd newid pwyslais yng ngwaith beirniadol R. M. Jones, ac yntau'n pwysleisio fwyfwy awdurdod y canon yn *Beirniadaeth Gyfansawdd*. Awgrymodd Wyn Griffith mor gynnar â 1968 fod dirywiad Cristnogaeth wedi crebachu'r gynulleidfa barod a oedd yn deall ei gwerthoedd ac yn medru ymateb yn ystyrlon i'w dadleuon: 'ni dderbynnir yn gyffredinol ei safonau na'u perthnasedd i bethau pob dydd'.[181]

Yn achos R. M. Jones, symleiddio fyddai dweud iddo yn wyneb diffyg cynulleidfa roi heibio'r math o ddadl a gyflwynodd yn *Llên Cymru a Chrefydd* ac yn *Cyfriniaeth Gymraeg*. Yn hytrach, oherwydd ei ffydd yng ngallu pobl i resymu, parhaodd i arddel y dehongliad Cristnogol o fywyd, er iddo gydnabod '[b]od y dehongliad Cristnogol o fywyd bellach yn fwy o dramgwydd na'r un arall'.[182] Ac eto gwelwyd newid hefyd yn nadl y beirniad gerbron ei gynulleidfa. Oherwydd yn ei lyfr olaf ar theori, *Beirniadaeth Gyfansawdd*, pwysleisiodd nid yn gymaint ddawn ddarllen well 'y darllenydd o Gristion', eithr y modd y mae oes o ddarllen eang yng nghwmni'r canon yn meithrin chwaeth lenyddol safonol, ac F. R. Leavis ydyw'r esiampl o feirniad da. Ac ar sail y math o feirniadaeth glòs a hyrwyddodd ef, cyflwynir patrwm o ddarllen addas ar gyfer 'pob darllenydd diwyd'.[183]

Cyfeiriodd D. Densil Morgan at duedd rhai crefyddwyr ar ddechrau'r ugeinfed ganrif i 'glymu tynged y Gymraeg . . . wrth dynged y ffydd'.[184] Fe'i gwelir hefyd ar ddiwedd yr ugeinfed ganrif. Ystyrier, er enghraifft, y gerdd, 'Daeth i Ben', gan Gwyn Thomas yn *Darllen y Meini*, lle yr agorir drysau caeedig y capel am ychydig oriau i gladdu un Ifan Cadwaladr yng ngŵydd 'yr wyrion/Saesneg'. Anodd yw peidio â synhwyro bod claddu'r un hynafgwr hwn yn y capel caeedig yn symbol o farwolaeth iaith.

> Cymro oedd yr ymadawedig,
> Cymro Cymraeg, Cymro gwledig
> A oedd, bellach, yn fyddar, yn fudan: –
> Darfod 'wna tafod pob truan . . .
>
> Ac yno, yna, yn nhŷ gwag yr Arglwydd,
> Ymledodd arswyd mud distawrwydd.[185]

Cleddir hynafgwr Cymraeg mewn capel caeedig, mewn iaith sy'n annealladwy i'w deulu ei hun. Ac yn nhrafodaeth y bennod hon, y mae i'r gair 'tafod' yn y gerdd, felly, arwyddocâd arbennig. Oherwydd o ddiffinio unigrywiaeth y Tafod Cymraeg mewn perthynas â Christnogaeth yn bennaf oll, y mae'n anodd iawn gweld wedyn ym mha fodd y gall darllenydd ôl-Gristnogol nad oes ganddo'r eirfa grefyddol briodol goleddu Mynegiant y gorffennol.[186] Tystio i hynny'n wir y mae'r sylw isod o *Beirniadaeth Gyfansawdd*. Meddai R. M. Jones:

> Bu un o'r gwrywgydwyr Cymraeg yn hawlio'n ddiweddar nad oedd gan y gynhysgaeth lenyddol Gymraeg ddim i'w ddweud wrth ei genhedlaeth ef mwyach gan ei bod braidd yn brin o wrywgydwyr tan ein hoes oleuedig ni. Nid yw'n ystyrlon iddynt hwy bellach: na'r Mabinogi na Dafydd ap Gwilym na Kate Roberts. Sylwais ar un beirniad ffeminyddol adnabyddus yn honni nad oedd llenyddiaeth wrywaidd yn ddealladwy nac yn dderbyniol i fenywod, mwy nag yr oedd llenyddiaeth fenywaidd i wrywod. Yr ydym yn byw mewn bydoedd gwahanol anghatholig, bawb. Darllenais feirniad Marcsaidd Cymraeg a gredai fod Idris Davies yn well bardd na Saunders Lewis am resymau gwleidyddol. Nid oedd fel pe bai'n medru ymateb yn gytbwys o gwbl i Saunders Lewis oherwydd diffygion tybiedig crefyddol a chymdeithasol Saunders cyn belled ag y deallai ef hwy. Chwalwyd y gallu cynhenid i werthuso'n weddol gall gan chwerwder culni.[187]

Gwêl y beirniad fod 'ysbryd y cwlwm' yn datgymalu, a Chymru luosol yn 'Gymruau mân', a phob llais yn hawlio ei ganon ei hun.[188] Yr ydym 'ni'r Rhamantwyr' yn ymdroi'n ni-au. A newid ar lefel 'gallu cynhenid' yw hyn, sef ar lefel Dafodol. Arwyddo hynny y mae'r anghydweld ynghylch Mynegiant y canon. Fel arall, o feddu ar Gerdd Dafod gyffredin ni fyddai fawr o ddadleuon ynghylch mawredd Dafydd ap Gwilym, Kate Roberts a Saunders Lewis. Clywid yr 'Www' o hyd. Yn ei absenoldeb, ac yn wahanol i'r gerdd 'Daeth i Ben', fodd bynnag, ymroes R. M. Jones i amddiffyn o'r newydd y Traddodiad Mawl Cymraeg, a dadlau y 'cawn ddathlu drwyddo . . . fod dyfodol wedi dod yn ôl'.[189] Er mwyn i hynny ddigwydd, fodd bynnag, bu'n rhaid iddo dorri'r cyswllt rhwng y canon llenyddol Cymraeg ac ymateb y darllenwyr hynny a gollodd y gallu cynhenid i'w fwynhau. Tawel os nad angof mwyach yw'r ddadl a gyflwynwyd yn *Tafod y Llenor* ynghylch Cerdd Dafod y darllenydd, a'r modd y bydd yn ymateb i eiriau mewn perthynas â'i brofiadau a'i amgylchfyd ei hun.

Ateb newydd: ymdrochwch yn y canon, blant

Un o egwyddorion sylfaenol theori Tafod-Mynegiant yw mai 'cym-deithas yw'r unigolyn ei hun bob amser'.[190] Dyna pam y gellir apelio at farn synhwyrol gall y darllenydd a dyfynnu cerdd ar ei hyd er mwyn amlygu ei gwerth, oherwydd nid ei farn ef ei hun yw barn y darllenydd fyth, eithr barn ei gymdeithas. Ond cymaint y bwlch rhagfarnau mwyach rhwng gweithiau'r canon llenyddol Cymraeg a'r gymdeithas ôl-Gristnogol gyfoes, fel na all y beirniad o Gristion ymddiried yn y darllenydd hwnnw a fagwyd ynddi. Yn hytrach, 'Darllener y canon' yw'r arwyddair yn awr, nid 'Barned y darllenydd'. Ac yn unol â'r egwyddor o drochiad llen-yddol, gobeithir y daw'r darllenydd hwnnw o hyd i Dafod y gorffennol wrth iddo ddarllen Mynegiant y gorffennol. Mewn cymdeithas draddod-iadol, dynn ei gwead lle y ceir dilyniant clòs rhwng awduron y gorffennol a darllenwyr y presennol, gweithio ar lefel Tafod y bydd y canon llenyddol – y cyd-ddeall cyn darllen – gyda'r canon yn fodd i gadw unigrywiaeth pobl: 'fe'i trysorir yn ddwfn yn y gynhysgaeth ragdybiol lenyddol drwy'r cenedlaethau'.[191] Ond pan dorrir y cysylltiad clòs yn sgil cyflwyno Mynegiant newydd neu Fynegiant Tafod estron i'r gymdeithas – hynny yw, yn sgil bwlch mewn etifeddiaeth – ni ellir ond gobeithio cyflwyno'r Tafod gwreiddiol ar lefel Mynegiant, gan obeithio bod rhyw gymaint ohono'n dal i fodoli ymysg y bobl fel y gellir, trwy Fynegiant y canon llenyddol, ailafael ynddo ar ffurf math o drochiad llenyddol. Fel yr awgrymais yn 'R. M. Jones a'r "gelyn" parchus', dyma'n rhannol pam y mae R. M. Jones yn *Meddwl y Gynghanedd* yn 'troi a cheisio cymorth y "gelyn"', Wolfgang Iser. Oherwydd fel y nododd John Paul Riquelme y mae darllen i Iser yn fodd inni sylweddoli nad ydym yr hyn a dybiasom ein bod, ac y gallwn, drwy ddarllen, ddatblygu i fod 'yn rhyw-beth nas dychmygasom erioed yn bosib'.[192] Y mae o hyd obaith, felly, inni sylweddoli drwy weithiau'r canon llenyddol Cymraeg mai Cymry o werthoedd Cristnogol ydym, er mor annhebygol yw hynny yng ngolwg nifer o ddarllenwyr heddiw.

Nodwyd ar ddechrau'r bennod hon mai gweithio ar lefel Tafod y mae'r canon. Ond oherwydd y modd y'n trochwyd oll yn Nhafod y Saesneg, sylweddolodd R. M. Jones fod yn rhaid i'r canon yn y Gymru gyfoes weithio o'r newydd ar lefel Mynegiant, megis cyfrwng i eraill ymdafodi drwyddo, fel y gwnaeth ef ei hun. '[Y] peth pwysicaf . . . yw *cynefino* plant â llenyddiaeth dda', meddai T. J. Morgan; nid gadael iddynt ymateb iddi, a dweud beth y tybiant sy'n dda amdani.[193] Dyma pam y mae addysg feithrin, gynradd ac uwchradd Gymraeg, ynghyd â'r Urdd, wrth gwrs, mor bwysig, a'r rheswm pam yr esgeuluswyd y sector addysg uwch gan fudiadau adfer y Gymraeg tan yn gymharol ddiweddar. Yr oedd René Descartes yn llygad ei le pan nododd fod ein plentyndod yn ein trwytho mewn llu o ragfarnau.[194] Oherwydd nid dysgu na iaith na Thafod na chanon na thraddodiad mewn modd ymwybodol y mae plant, eithr fel y nododd Dewi Hughes, proses o amsugno yw dysgu iaith i blant.[195] Trochiad yw. Am y rheswm hwnnw, sylweddolodd O. M. Edwards y buasai 'un Hans Anderson yn werth, a mwy na gwerth, y cyfan i gyd' o waith 'beirdd goreu Cymru'. '[R]haid i rywrai ymdáflu i waith dros y plant.'[196]

Yn wahanol i O. M. Edwards, ymroi i addysgu oedolion a wnaeth R. M. Jones, wrth gwrs. Ond rhan o'r rheswm pam yr awgrymir yma mai'r dull trochiad sy'n nodweddu ei agwedd at y canon llenyddol Cymraeg yw am iddo bwysleisio bod y rhelyw o oedolion heddiw yn ymddwyn fel plant, gan gynnwys y sawl a heriodd y Traddodiad o du Theori.[197] 'Maldod yw'r gwrthryfel', meddai, 'a phlentynnaidd mwyach yw'r adwaith yn erbyn traddodiad fel ffaith, er bod traddodiadaeth ei hun yn flinderus wrth gwrs'.[198] Megis y cyfeiriodd Saunders Lewis yntau at 'ddarllenwyr ysgafn-fryd',[199] beirniadodd R. M. Jones y sefydliadau nawdd sy'n 'darparu'r babïaidd iddynt' a chondemnio 'llenyddiaeth Gymraeg o'r herwydd i fodloni'n hapus ar beidio â thyfu'n oedolyn'.[200] Gwelir mai'r poblogaidd ac nid y canonaidd sy'n mynd â'n bryd, os nad yn wir lenyddiaeth blant,[201] ac am hynny, wedi iddo edrych ar y Gymru hon a gweld ym mha fath o gynefin y mae'r darllenydd anghyfrifol ac anaeddfed yn byw heddiw, teimlir mai'r angen yw ei gael i gynefino â rhestr barod o weithiau canonaidd ar gyfer oedolion y gall ef eu darllen, ac ymgynefino â nhw.[202] Megis y nododd R. Tudur Jones y credai'r Meth-odistiaid Calfinaidd 'fod a wnelo addysg rywbeth â magu Cristnogion', felly y gwêl y beirniad Calfinaidd hwn fod angen addysgu a magu darllenwyr Cymraeg.[203]

Yn *Tafod y Llenor*, pwysleisiodd R. M. Jones fod y darllenydd yn 'ailgreu'r arwyddiant a ddarllenir: nid derbyn goddefol a wneir . . . Nid yr un yw'r arwydd a gynhyrcha'r Llenor ag a dderbynia'r Darllenydd.'[204] Ond lle y medrai yn y saithdegau ymddiried yn ymateb y darllenydd Cymraeg, a hynny'n rhannol gan fod Cristnogaeth eto'n ddylanwad ar ei amgylchfyd ef, a'r chwyldro ym maes Mynegiant y cyfryngau digidol heb ddigwydd eto, mwyach rhaid yw cyfeirio'r darllenydd at y canon, gan ddadlau mai'r cwestiwn o bwys wrth ddarllen testun llenyddol yw 'Sut y mae'n cymharu . . . â'r "canon" cyflawn a ymffurfiodd yn ffaith (drwy chwynnu llawer ffasiwn) ar hyd y canrifoedd – a, bellach hefyd, ar draws y gwledydd?'[205] Yn hyn o beth, nid yw'r symud oddi wrth y darllenydd a thuag at awdurdod y canon yng ngwaith R. M. Jones yn annhebyg i'r modd yr ysgrifennodd Saunders Lewis *Merch Gwern Hywel* yn 1964, mewn adwaith i foderniaeth *Monica* (1930), a hynny, fel y nododd Dafydd Johnston, am 'iddo weld fod pobl yn fwyfwy ynysig mewn byd diystyr'.[206]

Yn *Seiliau Beirniadaeth*, nododd R. M. Jones nad

> . . . cynhysgaeth 'rewedig' yw traddodiad llenyddol . . . Nid cadwyn o bethau sydd wedi cael eu 'gosod' mewn lle ac yn ôl pwysigrwydd erioed, heb eu hatrefnu na'i [*sic*] hailystyried byth; ond adeiladwaith gweithredol, cynrychiolad [*sic*] cyfnewidiol, a phatrwm aflonydd o berthnasoedd rhwng testunau a ystyrir o'r newydd gan bob cenhedlaeth.[207]

Ond yn y gwaith diweddaraf, er na wedir hawl y genhedlaeth bresennol i ddilyn y 'patrwm' hwn, cyfyngir arni'n ddirfawr, a hynny gan iddi fynd 'yn norm mwyach i fabwysiadu gwerth personol plentyndod ac adolesens anaeddfed'. Anodd gan y beirniad dderbyn barn 'cenhedlaeth a gâi'i geni a'i magu a phreswylio yn y byd a marw bellach heb erioed brofi amlochredd a llawnder mewn oed unplygrwydd goludog cariad'.[208] Am hynny, nodir yn *Beirniadaeth Gyfansawdd* y 'ceir cyfuniadau o werthoedd cadarnhaol sy'n amrywio o gyfnod i gyfnod, o berson i berson. Ond yr un mor sicr, tueddir i ganfod peth cysondeb ym mharhad y canon . . . [Y] mae rhai gweithiau canonaidd yn ymsefydlu'n gyson'.[209]

Yn 1957, nododd R. M. Jones iddo, wrth grwydro Môn, 'ei dal hi mewn pryd, yn y dydd, cyn i'r hud lwyr-ddiflannu'.[210] Y mae hynny bron hanner canrif yn ôl. Mwyach rhaid ein haddysgu 'ni'r Rhamantwyr' o'r newydd ynghylch yr hud hwnnw, 'yr anian hen'.[211] Oherwydd amheuir mwyach allu'r darllenydd Cymraeg i 'ddarllen yn ddethol'.[212]

Ac fel y nododd R. M. Jones yn gywir iawn, 'Ystyr llunio Canon bob amser yw didoli yn ôl safon'.[213] Dyna pam y rhydd enghraifft i ni yn *Beirniadaeth Gyfansawdd* o gynnwys canon rhyngwladol o weithiau sy'n cynnwys ynddo '[f]arwnad Llywelyn ap Gruffudd gan Gruffudd ab yr Ynad Coch . . . "Rhyfedd, rhyfedd gan angylion", Ann Griffiths; y Brenin Llŷr . . . [a] "Mair Fadlen", cerdd Saunders Lewis'.[214] Yn yr un modd brithir ei waith diweddar gan gyfeiriadau tebyg i'r un hwn at 'Taliesin, a Gruffudd ab yr Ynad Coch, Dafydd ap Gwilym, Wiliam Llŷn, awduron y Penillion Telyn, a Phantycelyn a Saunders Lewis'.[215] Ar un olwg, effaith y cyfeirio hwn at y canon Cymraeg a'i le yn y canon rhyngwladol yw cadarnhau awdurdod y beirniad ei hun i farnu ynghylch safon ddi-amheuol llenyddiaeth Gymraeg – thema a archwilir yn y bennod nesaf. Ond yn bennaf, ei amcan ymarferol yw 'cynefino plant â llenyddiaeth dda'. Credir yng ngwerth addysg, ac wrth restru, meddai'r beirniad: 'Os yw hyn yn swnio fel Rhethreg, bydded felly.'[216] Fel y nododd J. Cynddylan Jones fod yn '[r]haid i dduwinyddiaeth [*sic*] gadarn, iach, fod yn seiliedig ar y Beibl', felly y nododd R. M. Jones lawn cymaint â Saunders Lewis fod yn rhaid i greadigrwydd llenyddol a beirniadol cyfoes gael ei seilio ar weithiau'r canon llenyddol Cymraeg.[217]

Ni all y beirniad, felly, ond pwysleisio mawredd Mynegiant y gweith-iau canonaidd, eu dathlu, eu cyflwyno i eraill, a gobeithio y daw eraill wrth iddynt ymdrochi ynddynt o hyd i Gerdd Dafod aeddfetach a llawnach na'r un sy'n rheoli eu hymateb llenyddol presennol. Credir bod modd ysgwyd Tafod y Gymraeg o'i gysgadrwydd drwy gyfrwng Mynegiant y canon.[218] Ar un olwg, cymhwyso'r hyn a ddigwydd i'r unigolyn o awdur ar gyfer y cyhoedd yn gyffredinol y mae R. M. Jones. Nododd ef fod y bardd yn dysgu'r 'gorffennol . . . yn ei gyhyrau, a daw yn rhan o'i rythm oherwydd ei drwytho'i hun ynddo wrth ddysgu lled ei grefft'.[219] Try Mynegaint yn Dafod, yn sgil trwytho ac ymdrochi, megis y trodd emynau'r Cymro gynt, gan iddo eu canu mor aml, yn 'rhan o'i gyfansoddiad'.[220] Ac ar lun y patrwm hwn o Fynegiant yn troi'n Dafod, rhan o batrwm diwylliannol amgenach o adfer cenedligrwydd drwy addysg ydyw'r canon; sef ymdrech i geisio '*meithrin* y gwahanrwydd cenedligol yn gwbl fwriadus'. Nododd J. R. Jones 'mai egwan hyd at drengi yn ein mysg yw . . . "[c]enedligrwydd rhagdybiedig" – y gwahanrwydd cenedligol a gymer cenedl normal yn gwbl ganiataol amdani ei hun'.[221] Y rhagfarn honno nad yw'n sylwi arni hi ei hun. Rhan o'r Tafod ydyw'r math hwn o genedligrwydd rhagdybiedig; ymgais i'w feithrin yw hyrwyddo math arbennig o Fynegiant llenyddol Cymraeg, gan obeithio 'y corfforir elfen o Fynegiant mewn Tafod'.[222] Nid ystyr hynny yw hyrwyddo llenyddiaeth

genedlaetholgar, eithr yn hytrach lenyddiaeth orau'r genedl. At hyn yr
anelai Saunders Lewis yntau wrth nodi y bydd awduron yn Ffrainc yn
cynhyrchu '[c]orff o waith sy'n mynd yn rhan o gynhysgaeth feddyliol
eu cyfnod'.[223] Try Mynegiant yr awdur unigol yn rhan o gynhysgaeth
Tafod y diwylliant.[224]

Y prif rwystr i'r rhaglen waith hon, fodd bynnag, yw mor anamlwg
yw Mynegiant y canon heddiw, a llenyddiaeth yn gyffredinol, yn y
gymdeithas Gymraeg. Yn *Traddodiadau Fory*, holodd Dafydd Elis Thomas,
er enghraifft:

> [F]aint ohonom ni sy'n dal i ymwneud â llenyddiaeth . . . y tu allan i addysg
> ffurfiol . . . Faint o oriau . . . o'u cymharu â'r oriau . . . yn gwneud pethau
> eraill megis bod yn [ein] gwelyau, yfed cwrw cartref, ymarfer corfforol,
> gwylio rhaglenni Saesneg hwyr y nos S4C, neu beth bynnag arall y bydd y
> stereoteip o'r Gymraes a'r Cymro diwylliedig yn ei wneud mewn wyth-
> nos?[225]

At hyn, fel yr holodd Alan Llwyd; 'Os nad yw'r cefndir llenyddol ac
ieithyddol angenrheidiol gan rywun, pam trafferthu i ddarllen barddon-
iaeth o gwbl?'[226] Hynny yw, onid yw rhywun eisoes yn meddu ar fath o
Gerdd Dafod a fyddai'n ei alluogi i ymateb i Fynegiant y canon, y mae'n
rhaid holi sut y gall ef heb gymhelliad ymateb iddi'n foddhaol yn y lle
cyntaf.

Am hynny, os yw'r dehongliad a gynigir gan R. M. Jones yn wir, sef
mai nodwedd amlycaf Cerdd Dafod y Gymraeg, unigrywiaeth y Traddod-
iad Llenyddol, yw ei '[ch]efndir ysbrydol', a'i bod yn 'gwbl annichon
gwir ddeall llenyddiaeth Gymraeg' heb gofio hynny, ni ddylai anallu
darllenwyr ôl-Gristnogol heddiw i brofi'r llenyddiaeth honno'n faeth
synnu neb.[227] Yn wir, y mae anallu cynifer o ddarllenwyr heddiw i
ymateb yn ddeallusol-deimladol i lawer peth yn llenyddiaeth Gymraeg y
gorffennol, a chael honno'n faeth, fel pe bai'n cadarnhau dehongliad
Cristnogol R. M. Jones ohoni, ac o natur anghristnogol ein cymdeithas
gyfoes. Nododd Dafydd Glyn Jones fod diflaniad un o ymadroddion
mwyaf poblogaidd Saunders Lewis a'i gymheiriaid, 'enaid y genedl', yn
tystio 'bod y syniad crefyddol y tu ôl iddo, a alluogai ei ddeall fel trosiad,
yn cilio o amgyffred pobl'.[228] Pa syndod, felly, fod darllenwyr cyfoes yn
cael trafferth i goleddu'r canon llenyddol Cymraeg, a'r 'syniad crefyddol
y tu ôl iddo'? Nid yn unig ei bod yn anodd i ddarllenwyr heddiw
werthfawrogi ambell destun llenyddol unigol a ysgrifennwyd gan awdur
a feddai ar 'fframwaith potensial' Cristnogol, ond problemus hefyd yw
cysyniad yr Amryw yn Un, sef sylfaen y cysyniad o ganon llenyddol.

Nododd R. Tudur Jones mai 'mêr Cristnogaeth yw adfer gwir undod y cread a gwir undod bywyd dyn', ond 'fel yr oedd gwareiddiad Ewrob yn cymhlethu, yn trefoli ac yn ymddiwydiannu, fe'i gwelwyd hefyd yn ymwrthod fwyfwy â safonau a rhagdybiau Cristionogol'.[229] Ymateb i ben draw'r ymwrthod hwnnw a ddechreuodd yng Nghymru yn y bedwaredd ganrif ar bymtheg a wnaeth R. M. Jones. Ac y mae'r pwyslais ar awdurdod y canon yn ei waith diweddaraf yn ymateb ystyrlon gan Gristion i ymwrthod pellach y gymdeithas Gymraeg 'â safonau a rhagdybiau Cristionogol' ers y saithdegau.[230] Dyma ddegawd cyhoeddi *Tafod y Llenor* a *Llên Cymru a Chrefydd*, pan oedd y beirniad yn fwy parod i ymddiried yn ymateb greddfol y darllenydd Cymraeg, a'i allu i ymateb i ddadl gall ynghylch natur Gristnogol llenyddiaeth Gymraeg.

Cyfeiriwyd fwy nag unwaith yn yr astudiaeth hon at waith yr athronydd Alasdair MacIntyre, a hynny gan iddo bwysleisio'r berthynas rhwng rheswm a thraddodiad, darllenydd ac amgylchfyd. Yn *After MacIntyre*, sef cyfrol deyrnged o ysgrifau beirniadol ar ei waith, ymatebodd yr athronydd i sylwadau ei feirniaid drwy nodi bod y modd y mae rhai ohonynt yn gwrthod ei ddadleuon fel pe bai'n llwyddo i'w cadarnhau.[231] Oherwydd fel y gwelwyd uchod, pwysleisiodd MacIntyre mai dim ond y rhai sy'n llefaru o'r tu mewn i'r un traddodiad â'i gilydd a all gydsynied â'i gilydd. Dyna sy'n rhoi bod i'r 'Www' rhyngddynt, a'r rheswm pam y mae eu rhagoriaethau bob amser 'yn amlwg' iddynt. Mewn modd cymharus, dywedwn i fod anallu darllenwyr heddiw i ymateb yn ystyrlon i weithiau'r canon llenyddol Cymraeg yn cadarnhau dadleuon R. M. Jones ynghylch dylanwad Cristnogaeth ar lenyddiaeth Gymraeg, yr angen am Gerdd Dafod gyffredin rhwng llenor a darllenydd, a'r modd y cynhelir canon gan bobl sy'n ei astudio megis o'r tu mewn iddo. Dyma, wrth gwrs, sy'n dristwch y tu hwnt i eironi am waith beirniadol R. M. Jones. Oherwydd pa gysur i ddyn yw gwybod bod anallu eraill i ymateb yn ystyrlon i'r canon llenyddol Cymraeg yn profi bod ei ddehongliad ohono yn iawn? Y tu hwnt i bob rheswm, ni all ond rhoi ei ffydd yn ysbryd y cwlwm, ac wrth iddo barhau i gredu ynddo a'i hyrwyddo, hyderu bod yr hyn a nododd Oliver Elton am y berthynas rhwng Tafod a gweithiau'r gorffennol yn wir: 'The more the tongue has altered, the more foreign they seem; but, until the sense of race and history is dead, they still seem ours.'[232]

Nodiadau

1 Iwan Llwyd Williams a Wiliam Owen Roberts, 'Myth y traddodiad dethol', *Llais Llyfrau* (Hydref 1982), 10–11; Dafydd Elis Thomas, *Traddodiadau Fory: Darlith Lenyddol Eisteddfod Genedlaethol Cymru Ynys Môn, 1983* (Cyhoeddiadau Eisteddfod Genedlaethol Cymru, 1983); Menna Elfyn, 'Trwy lygaid ffeminist-aidd', yn John Rowlands (gol.), *Sglefrio ar Eiriau* (Llandysul, 1992), tt. 22–41.

2 Yn benodol ar draddodiad, gw. R. M. Jones, 'Gwrthryfel yn erbyn traddodiad', *Y Traethodydd*, 138 (1983), 116–25; wedi ei addasu yn 'Traddodiad', *Seiliau Beirniadaeth: Cyfrol 4: Cyfanweithiau Llenyddol* (Aberystwyth, 1988), tt. 583–93; 'Chwyldro yw traddodiad hefyd', *Tu Chwith*, 10 (Gaeaf, 1998), 116–126; 'Gwahun-iaeth a'r traddodiad', *Barddas*, 245 (Mawrth/Ebrill, 1998), 36–7; 'Y traddodiad yn arbrofi', *Barddas*, 267 (Ebrill/Mehefin, 2002), 26–8.

3 Bobi Jones, *O'r Bedd i'r Crud: Hunangofiant Tafod gan Bobi Jones* (Llandysul, 2000), t. 166. Cymh. *idem*, *System in Child Language* (Cardiff, 1974), t. x. Y mae'r awdur yn ymwybodol fod ei ymlyniad wrth egwyddorion Tafod-Mynegiant yn rhai a ystyrir yn nhermau '"mentalism" to be feared, suspected, and positistically ignored'.

4 Gw. R. M. Jones, 'Traddodiad', *Seiliau Beirniadaeth: Cyfrol 4: Cyfanweithiau Llenyddol*, t. 585. Sylwir mai 'gormes y blynyddoedd crablyd' yw'r rheswm a rydd R. M. Jones dros 'lithro'n ôl lawer tro i'r rhigol o gyfeirio drachefn at y dreftadaeth uchelwrol fel pe na bai ond hi yn haeddu'r fannod yn yr ym-adrodd "y Traddodiad"'. Mater o gynneddf aeddfed, ac nid rheswm yma. Nodir yma ei fod hefyd yn fater o etifeddu fframwaith beirniadol gan genhedlaeth flaenorol o feirniaid, fel yr awgryma'r gair 'rhigol'. Cymh. J. E. Caerwyn Williams, 'Hanes cychwyn *Y Traethodydd*', *Llên Cymru*, 14 (1982–4), 121: '[M]ae'n bur debyg iddo [Lewis Edwards], fel y rhelyw ohonom, fynd yn llai rhyddfrydol ac yn fwy ceidwadol fel yr âi'n hŷn.'

5 Bobi Jones, *Sioc o'r Gofod* (Dinbych, 1971), tt. 66–8.

6 Simon Brooks, *O Dan Lygaid y Gestapo: Yr Oleuedigaeth Gymraeg a Theori Lenyddol yng Nghymru* (Caerdydd, 2004), t. 101.

7 R. Tudur Jones, *Grym y Gair a Fflam y Ffydd*, yn D. Densil Morgan (gol.), (Bangor, 1998), t. 32.

8 R. M. Jones, *Seiliau Beirniadaeth: Cyfrol 4: Cyfanweithiau Llenyddol*, t. 584.

9 J. Cynddylan Jones, *Cysondeb y Ffydd: Cyfrol III* (Cardiff, 1912), tt. 9–10.

10 Bobi Jones, *Crwydro Môn* (Llandybïe, 1957), t. 11.

11 J. Cynddylan Jones, *Cysondeb y Ffydd*, t. 10.

12 Gw. rhagymadrodd 3, t. 107.

13 J. Cynddylan Jones, *Cysondeb y Ffydd*, t. 24.

14 Simon Brooks, *O Dan Lygaid y Gestapo*, t. 96.

15 Gw. Gwyn Thomas, 'Iaith o fewn iaith' (adolygiad o R. M. Jones, *Tafod y Llenor*), *Baner ac Amserau Cymru*, 21 Chwefror 1975, 3.

16 Angharad Price, 'Tyst i gyfraniad rhyfeddol . . .', (adolygiad o R. M. Jones, *Beirniadaeth Gyfansawdd*), *Barddas*, 275 (Rhagfyr/Ionawr, 2003), 56.

17 John Rowlands (gol.), 'Rhagymadrodd', *Sglefrio ar Eiriau* (Llandysul, 1991), t. xi.

18 Ibid.

[19] Tony Bianchi, 'Teyrnged i'r "Brenin Llwyd"' (adolygiad o Huw Meirion Edwards (gol.), *Alan*), *Taliesin*, 120 (Gaeaf, 2003), 149–50.

[20] Gw. Jerry Hunter, 'Y dychymyg dilechdidol: ffuglen Gareth Miles', yn John Rowlands (gol.), *Y Sêr yn Eu Graddau* (Caerdydd, 2000), t. 100.

[21] Richard Rorty, *Philosophy and the Mirror of Nature* (Oxford, 1980), t. 168: 'a source for youth's self-description of its own difference from the past'.

[22] R. M. Jones, 'Tri mewn llenyddiaeth', *Llên Cymru*, 14 (Caerdydd, 1982–4), 108.

[23] David Lodge, 'Goodbye to all that' (adolygiad o Terry Eagleton, *After Theory*), *The New York Review of Books*, LI.9 (27 Mai 2004), 39: 'One very controversial effect of Theory on the academic study of literature was to undermine the authority of the traditional canon and to install in its place a set of alternative subcanons such as women's writing, gay and lesbian writing, postcolonial writing, and the founding texts of Theory itself.'

[24] Cymh. Simon Brooks, *O Dan Lygaid y Gestapo*, t. 99: 'Nid yw'n gosod ei fryd ar luosogi hanes yn "hanesion", gan ymwared â'r prosiect goleuedig er mwyn dadlau dros lu o wirioneddau.'

[25] Gw. Colin MacCabe, *Theoretical Essays* (Manchester, 1985).

[26] Gw. R. M. Jones, *Mawl a'i Gyfeillion* (Cyhoeddiadau Barddas, 2000), t. 207.

[27] R. M. Jones, *Beirniadaeth Gyfansawdd: Fframwaith Cyflawn Beirniadaeth Lenyddol* (Cyhoeddiadau Barddas, 2003), t. 37.

[28] *Idem*, *Tair Rhamant Arthuraidd: Llên y Llenor* (Caernarfon, 1998), t. 15.

[29] *Idem*, *Beirniadaeth Gyfansawdd*, t. 217.

[30] Ibid., t. 241.

[31] *Idem*, *System in Child Language*, t. xvi.

[32] Kate Roberts, 'Y Cwilt', *Ffair Gaeaf a Storïau Eraill* (Dinbych, 1949), t. 21.

[33] R. M. Jones, *Seiliau Beirniadaeth: Cyfrol 4: Cyfanweithiau Llenyddol*, t. 566.

[34] Gw. e.e. *idem*, *Beirniadaeth Gyfansawdd*, tt. 50–3. Am drafodaeth fanwl ar ail-adrodd a chyferbynnu gw. y rhannau perthnasol yn *System in Child Language*.

[35] Angharad Price, 'Tyst i gyfraniad rhyfeddol . . .' (adolygiad o R. M. Jones, *Beirniadaeth Gyfansawdd*), *Barddas*, 275 (Rhagfyr/Ionawr, 2003), 55.

[36] Thomas Charles, *Geiriadur Charles* (Wrexham, 7fed arg., 1893), s.v. 'Tri', t. 868.

[37] R. M. Jones, *Cyfriniaeth Gymraeg* (Caerdydd, 1994), tt. 291–2. Yn achos canon y Beibl, cymh. H. H. Rowley, *The Unity of the Bible* (London, 1953), t. 3: 'It is unnecessary to close our eyes to the diversity in order to insist on the unity, or to close our eyes to the unity on order to insist on the diversity.'

[38] R. M. Jones, *Beirniadaeth Gyfansawdd*, t. 210.

[39] Ibid., t. 209.

[40] Gw. Thomas Charles, *Geiriadur Charles*, t. 867. Cymh. Origen, 'Y Drindod sanctaidd', yn R. Tudur Jones (gol.), *Ffynonellau Hanes yr Eglwys* (Caerdydd, 1979), t. 103.

[41] Wayne Grudem, *Systematic Theology: An Introduction to Biblical Doctrine* (Leicester, 1994), t. 248: '[T]his view would destroy any sense of ultimate unity in the universe: even in the very being of God there would be plurality but no unity.'

[42] Simon Brooks, 'Holi Simon Brooks' (cyfweliad gyda John Rowlands), *Taliesin*, 92 (Gaeaf, 1995), 36.

[43] R. M. Jones, *Cyfriniaeth Gymraeg*, t. 291.

44 Stuart Olyott, *The Three are One* (Welwyn, 1979), t. 87: '[M]any Christians, in their heart of hearts, tend to think of God more in terms of His three-ness than His one-ness. They think of Him more easily as Three than as One-in-Three and Three-in-One.'

45 Kate Bosse-Griffiths, 'Dwy santes: dau draddodiad', *Teithiau'r Meddwl* (Talybont, 2004), t. 44.

46 R. M. Jones, *Tafod y Llenor: Gwersi ar Theori Llenyddiaeth* (Caerdydd, 1974), t. 285.

47 *Idem, Beirniadaeth Gyfansawdd*, t. 160.

48 *Idem, Mawl a'i Gyfeillion* (Cyhoeddiadau Barddas, 2000), t. 32.

49 David Wood, 'Introduction', yn *idem* a Robert Bernasconi (goln), *Derrida and Différance* (Evanston IL, 1988) t. ix.

50 R. M. Jones, *Mawl a Gelynion ei Elynion* (Cyhoeddiadau Barddas, 2002), t. 17.

51 *Idem, Beirniadaeth Gyfansawdd*, t. 157.

52 Ibid., t. 214.

53 Ibid., t. 209.

54 Ibid., t. 61.

55 *Idem, Tafod y Llenor*, t. 283.

56 *Idem, System in Child Language*, t. 63: 'I may utter a discourse which you hear and analyse through tongue: the resultant individual discourse you recognise is never exactly identical with what I produced, although we may hope that it is an approximation.'

57 *Idem, Tafod y Llenor*, t. 282.

58 Tudur Hallam, 'R. M. Jones a'r "gelyn" parchus', *Llên Cymru*, 29 (2006), 137–64.

59 Wolfgang Iser, *The Implied Reader* (London, 1974), t. 31: 'The reader must be made to feel for himself the new meaning of the novel.'

60 R. M. Jones, *Tafod y Llenor*, t. 283.

61 Potrocinio P. Shweichart, 'Reading ourselves: toward a feminist theory of reading', yn Andrew Bennett (gol.), *Readers and Reading* (Longman, 1995), t. 68: 'Iser's theory ultimately implies the determinacy of the text and the authority of the author.'

62 R. M. Jones, *Blodeugerdd Barddas o'r Bedwaredd Ganrif ar Bymtheg* (Cyhoeddiadau Barddas, 1988), t. 15.

63 Saunders Lewis, 'Dafydd Nanmor', yn R. Geraint Gruffydd (gol.), *Meistri'r Canrifoedd* (Caerdydd, 1973), t. 81.

64 R. M. Jones, *Blodeugerdd Barddas o'r Bedwaredd Ganrif ar Bymtheg*, t. 15.

65 Ibid.

66 Ibid., t. 17.

67 *Idem, Beirniadaeth Gyfansawdd*, t. 152.

68 Wolfgang Iser, *The Range of Interpretation* (Chichesterm, 2000), t. 40: '[P]articipation leads to an erosion of what the canon either commands or has to offer.'

69 R. M. Jones, *Beirniadaeth Gyfansawdd*, t. 152.

70 Ibid., t. 89.

71 *Idem, Tair Rhamant Arthuraidd*, t. 81.

72 *Idem, Ysbryd y Cwlwm* (Caerdydd, 1998), t. 3.

73 *Idem, Beirniadaeth Gyfansawdd*, t. 156.

74 Ibid., t. 11.

75 Cymh. T. S. Eliot, 'Tradition and the individual talent', yn David Lodge (gol.), *20th Century Literary Criticism* (London, 1995), t. 71: 'Every nation, every race, has not only its own creative, but its own criticial turn of mind.'

76 R. M. Jones, *Beirniadaeth Gyfansawdd*, t. 190. Cymh. ibid., t. 199: 'Taliesin, Tudur Aled, Williams Pantycelyn, fel Alan Llwyd heddiw . . . [y] traddodiad Mawl'.

77 Robert Rhys, 'Dysgu darllen', yn John Rowlands (gol.), *Sglefrio ar Eiriau* (Llandysul, 1992), t. 151.

78 Gw. Gwilym E. Humphreys, *Heyrn yn y Tân* (Caernarfon, 2000), t. 71: '[Yn 1962] 'roedd 58 y cant o'r disgyblion o gartrefi lle'r oedd y tad a'r fam yn *medru* siarad Cymraeg ond roedd y ganran hon i ddisgyn i 23 y cant erbyn 1972, i 5 y cant yn 1982, ac mae'r ffigur yn is eto (tua 1 y cant neu lai) erbyn hyn.'

79 Ibid., t. 107.

80 Bobi Jones, *O'r Bedd i'r Crud*, t. 112.

81 Gwilym E. Humphreys, *Heyrn yn y Tân*, t. 107.

82 Delyth Jones, *Cyflwyniad i Ddwyieithrwydd* (Aberystwyth, 1997), tt. 46–7.

83 Larry Selinker, *International Review of Applied Linguistics*, 10 (1972), 209–31.

84 Gw. John Schumann, 'The acculturation model for second language acqui-sition', yn Rosario C. Gingras (gol.), *Second Language Acquisition and Foreign Language Teaching* (Arlington, VA., 1978), t. 34: '[T]he degree to which a learner acculturates to the target-language group will control the degree to which he acquires the second language.'

85 Gw. *idem*, 'Research on the acculturation model for second language acqui-sition', *Journal of Multilingual and Multicultural Development*, 7 (1986), 379–92.

86 Susan M. Gass a Larry Selinker, *Second Language Acquisition: An Introductory Course* (Mahwah, NJ., 2001), t. 332.

87 Am grynodeb byr o 'ryngiaith' ac 'ymddiwyllio', gw. Rod Ellis, *Second Language Acquisition* (Oxford, 1999), t. 34. Am grynodeb ar ddadansoddi gwallau ym maes rhyngiaith, gw. Elsa González Álvarez, *Interlanguage Lexical Innovation* (Muenchen, 2004), tt. 17–18.

88 R. M. Jones, *O'r Bedd i'r Crud*, t. 77.

89 Ibid., t. 87. F'italeiddio i.

90 Ibid., t. 87. F'italeiddio i.

91 Ibid., t. 86.

92 Ibid., t. 88.

93 Ibid., t. 88. Cymh. Saunders Lewis, yn Mair Saunders Lewis, Ned Thomas a Harri Pritchard Jones (goln), *Saunders Lewis: Letters to Margaret Gilcriest* (Cardiff, 1993), t. 191: 'I long to be back among them [the Welsh people] and home again – and home for me means then the other side of Offa's Dyke.'

94 T. J. Morgan, 'Rhagair', *Y Treigladau a'u Cystrawen* (Caerdydd, 1952), t. viii.

95 R. M. Jones, *O'r Bedd i'r Crud*, t. 104.

96 Ibid., t. 114.

97 Ibid., t. 107.

98 Ibid., t. 116.

99 Ibid., t. 115.

100 Ibid., t. 128.

101 Ibid., t. 138.
102 Ibid., t. 138. F'italieddio i.
103 J. R. Jones, *Ac Onide* (Llandybïe, 1970), t. 145. Ei italeiddio ef.
104 Cymh. Bobi Jones, *Sioc o'r Gofod*, t. 22: 'Os ydym ni'n tybied, *cyn mynd at Gristnogaeth*, mai mater i'w ddadansoddi sy gynnon ni gerbron ac y gallwn ni edrych ar hyn o'r tu allan, ddeallwn ni fyth mo Gristnogaeth.' Ei italeiddio ef. Credir y gellir cyfnewid y gair 'Cristnogaeth' am 'lenyddiaeth Gymraeg' i egluro ei safbwynt beirniadol. Gw. hefyd y drafodaeth ar Gwenallt yn R. M. Jones, *Mawl a Gelynion Ei Elynion*, t. 190.
105 R. M. Jones, *Cyfriniaeth Gymraeg*, t. x. F'italeiddio i.
106 Anhysbys, 'Rhagair', *Er Mwyn Cymru* (Wrecsam, 1922), t. ii.
107 Saunders Lewis, *Paham y Llosgasom yr Ysgol Fomio: gan Saunders Lewis a Lewis Valentine* (pamffled), (Cyhoeddiadau'r Blaid Genedlaethol, Caernarfon, 1937), tt. 16–17.
108 Lewis Valentine, ibid., t. 23.
109 R. M. Jones, *Ysbryd y Cwlwm*, t. 433. Cymh. Saunders Lewis, 'Y teulu', *Canlyn Arthur* (Llandysul, 1985), t. 52: 'Mentrwn ddweud bod mwy o ôl Cristnogaeth . . . ar fywyd Cymru nag ar fywyd Lloegr. Y mae Cristnogaeth yn hŷn gennym ni; ffurfiodd ein bywyd yn ddyfnach.' O safbwynt y syniad o Dafod, cymh. Saunders Lewis, 'Cenedlaetholdeb a chyfalaf', *Canlyn Arthur*, t. 20: 'Pan ffurfiwyd Cymru, pan luniwyd yr enw a llunio'r iaith, yr oeddym eisoes yn Gristnogion. Delfrydau Cristnogaeth a bennodd ein meddwl.'
110 Gw. Bobi Jones, *Crist a Chenedlaetholdeb* (Cyhoeddiadau Gwasg Efengylaidd Cymru, 1994).
111 R. M. Jones, *Mawl a Gelynion ei Elynion*, t. 41.
112 Ibid., t. 392.
113 *Idem, Llên Cymru a Chrefydd* (Abertawe, 1977), t. 13.
114 Stanley Fish, *Is There a Text in This Class? The Authority of Interpretive Communities* (London, 1980), t. 13. Nid 'an entity independent of interpretation and (ideally) responsible for its career' yw'r canon ond 'the consequence of our interpretive activities'.
115 Gwenllïan Dafydd, 'Un peth 'di adrodd stori, peth arall 'di adrodd stori wir: nofelau Dafydd Huws', yn John Rowlands (gol.), *Y Sêr yn Eu Graddau: Golwg ar Ffurfafen y Nofel Gymraeg Ddiweddar* (Caerdydd, 2000), t. 87. Cymh. Kevin J. Vanhoozer, *Is There a Meaning in This Text? The Bible, the Reader and the Morality of Literary Knowledge* (Leicester, 1998), t. 149. Crynhoir y sefyllfa ym maes theori gyfoes ar ddiwedd yr ugeinfed ganrif drwy nodi '[that] [i]nterpretation in our time is less a matter of what a text says than of what the reader does with it, or rather, of who the reader is'.
116 R. M. Jones, *Beirniadaeth Gyfansawdd*, t. 218. Cymh. Saunders Lewis, *Braslun o Hanes Llenyddiaeth Gymraeg* (Caerdydd, 1932), tt. 14–15. Ymddengys fod S.L. fel pe bai'n dadlau fel arall.
117 Ibid., t. 232.
118 Saunders Lewis, *Williams Pantycelyn* (Llundain, 1927), t. 236.
119 Cymh. Robert Rhys, 'Menter feirniadol o bwys' (adolygiad o R. M. Jones, *Mawl a Gelynion ei Elynion*), *Barddas*, 271 (Chwefror/Mawrth, 2003), 45: 'Pwy

yw'r "ni" yma? A berthyn bardd mor eithriadol o wreiddiol ac unplyg ei argyhoeddiad a'i weledigaeth â Bobi Jones i unrhyw garfan?'

120 R. M. Jones, *Beirniadaeth Gyfansawdd*, t. 186. Cymh. clawr y gyfrol hon.
121 Mihangel Morgan, *Jane Edwards: Llên y Llenor* (Caernarfon, 1996), t. 10. Cymh. Alan Llwyd, 'Hopkins a'r gynghanedd', *Y Grefft o Greu: Ysgrifau ar Feirdd a Barddoniaeth* (Cyhoeddiadau Barddas, 1997), t. 153. Rhaid beirniadu 'o'r safbwynt Cymreig'.
122 R. M. Jones, *Beirnadaeth Gyfansawdd*, t. 108.
123 Cymh. Saunders Lewis, 'Llenorion a lleygwyr', yn Gwynn ap Gwilym (gol.), *Meistri a'u Crefft* (Caerdydd, 1981), t. 164: 'yn rhywbeth sydd wedi ffurfio'i meddwl hi am ganrifoedd a phennu cymeriad ei llenyddiaeth yn ei chyfnodau disgleiriaf'.
124 Cymh. Tony Conran, 'Introduction', *Welsh Verse* (Bridgend, 1986), t. 23: 'I think it is wiser to treat Welsh poetry as something *sui generis*, a product of a civilization alien to our own.' Cymh. Geraint Talfan Davies, *Not by Bread Alone: Information, Media and the National Assembly* (Cardiff, 1999), t. 43: 'It's just Wales: individual, different, its own place, *sui generis* and, because of that, worthy of attention.'
125 R. M. Jones, *Ysbryd y Cwlwm*, t. 15.
126 *Idem, Seiliau Beirniadaeth: Cyfrol 4: Cyfanweithiau Llenyddol*, t. 584.
127 *Idem, Beirniadaeth Gyfansawdd*, t. 241.
128 Gw. Tudur Hallam. 'Camfarnu neu garfarnu beirniad llenyddol?', *Taliesin*, 114 (Gwanwyn, 2002), 19–20.
129 R. M. Jones, *O'r Bedd i'r Crud*, t. 87. Cymh. R. M. Jones, *Mawl a'i Gyfeillion*, t. 39: '[D]erbynnir [Tafod y Llenor] er eu gwaethaf ac weithiau'n ddiarwybod gan bob to newydd o lenorion, fel y derbynnir gweddau ar y gramadeg yn ôl yr angen gan y plentyn diniwed a ddysg iaith.'
130 Tudur Hallam, 'R. M. Jones a'r "gelyn" parchus', 163–4.
131 R. M. Jones, *Mawl a'i Gyfeillion*, t. 249.
132 Dafydd Elis Thomas, *Traddodiadau Fory: Darlith Lenyddol Eisteddfod Genedlaethol Cymru Ynys Môn, 1983* (Cyhoeddiadau Eisteddfod Genedlaethol Cymru, 1983), t. 13.
133 R. M. Jones, *Beirniadaeth Gyfansawdd*, t. 241.
134 R. Tudur Jones, *Grym y Gair a Fflam y Ffydd*, t. 272: 'Y mae'r Gwrthrych hwn yn gwbl unigryw a rhaid i'r dysgwr gymhwyso ei feddwl a'i dalentau yn y ffordd sy'n gweddu i wybodaeth o Dduw.'
135 Gw. John Calvin, cyf. Henry Beveridge, *Institutes of the Christian Religion by John Calvin* (London, arg. 1962), t. 241: 'When we come to election, mercy alone everywhere appears; and, accordingly, in this the saying of Paul is truly realised, "So then, it is not of him that willeth, nor of him that runneth, but of God that showeth mercy" (Rom. ix. 16); and that not as is commonly understood by those who share the result between the grace of God and the will and agency of man . . . [L]et us have no doubt that the apostle attributes all to the mercy of the Lord, and leaves nothing to our wills and exertions.'
136 F. R. Leavis, 'Valuation in criticism', *Valuation in Criticism and Other Essays* (Cambridge, 1986), t. 248.

137 Ibid.: '[W]hen they [safonau beirniadol] are no longer "there" for the critic to appeal to with effect, there are general consequences.'
138 R. M. Jones, *Blodeugerdd Barddas o'r Bedwaredd Ganrif ar Bymtheg*, t. 15.
139 Christine James (gol.), *Cerddi Gwenallt: Y Casgliad Cyflawn* (Llandysul, 2001), t. xlix.
140 Ioan Williams (gol.), *Dramâu Saunders Lewis: Y Casgliad Cyflawn, Cyfrol 1* (Caerdydd, 1996), t. x.
141 Jason Walford Davies, *Gororau'r Iaith: R. S. Thomas a'r Traddodiad Llenyddol Cymraeg* (Caerdydd, 2003), t. 5.
142 Alan Llwyd, 'Ynghylch llenydda a beirniadaeth: M. Wynn Thomas yn holi Alan Llwyd, Hydref 2002', yn Huw Meirion Edwards (gol.), *Alan* (Cyhoeddiadau Barddas, 2003), t. 135.
143 R. M. Jones, *Beirniadaeth Gyfansawdd*, t. 162.
144 Delyth Jones, *Cyflwyniad i Ddwyieithrwydd*, t. 144.
145 Gw. R. M. Jones, *Mawl a'i Gyfeillion*, t. 179. Gw. ymhellach t. 216: 'Nid *ymoleuo* eithr goleuedigaeth wrthrychol.'
146 *Idem, Llên Cymru a Chrefydd*, tt. 15–16.
147 Ibid., t. 60.
148 Ibid., t. 62.
149 Ibid., t. 61.
150 Konstantin Stanislavsky, cyf. Elizabeth Reynolds Hapgood, *An Actor Prepares* (London, 1948), t. 295.
151 R. M. Jones, *Llên Cymru a Chrefydd*, t. 62.
152 Angharad Price, 'Tyst i gyfraniad rhyfeddol . . .', t. 57.
153 Ymatebodd R. M. Jones i'r feirniadaeth hon a leisiodd Simon Brooks hefyd yn erbyn ei ddiddordebau strwythurol yn *Beirniadaeth Gyfansawdd* ei hun. Gw. t. 71: 'Ni roddais yr un math o sylw uniongyrchol a chryno ganoledig i Ddeunydd ag a rois i Ffurf, yn TyLl nac yn SB. Ond ceisiaf ddangos . . . fod cryn sylw i Ddeunydd mewn gweithiau eraill (megis LlCACh, CG, YYC, MAG a MAGEE).' A gellir ychwanegu'r ddwy gyfrol ar lenyddiaeth Gymraeg 1902–1936 a 1936–1972 at y rhestr hon.
154 Gw. R. M. Jones, *Mawl a Gelynion ei Elynion*, t. 54. Ar elfen oddrychol cyffes ffydd y Calfiniaid, gw. R. Tudur Jones, *Grym y Gair a Fflam y Ffydd*, tt. 133, 270–1: '[U]n o effeithiau amlycaf y chwyldro hwnnw [y Diwygiad Methodistaidd] oedd dwysáu ac angerddoli'r elfennau goddrychol mewn Cristnogaeth.'
155 *Idem*, 'Tri mewn llenyddiaeth', t. 108.
156 John Sturrock (gol.), *Structuralism and Since: From Lévi Strauss to Derrida* (Oxford, 1979), t. 4.
157 Julia Kristeva, 'The ethics of linguistics', yn David Lodge with Nigel Wood (goln), *Modern Criticism and Theory: A Reader: Second Edition* (Harlow, 2il arg., 2000) tt. 207–8.
158 Daniel Chandler, *Semiotics: The Basics* (London, 2002), t. 208.
159 R. M. Jones, *Beirniadaeth Gyfansawdd*, t. 239.
160 Cymh. R. Tudur Jones, *Grym y Gair a Fflam y Ffydd*, t. 261. 'Nid oedd dim yn fwy atgas gan Calfin ei hun na damcaniaethu athronyddol hy.'
161 Christine James, *Cerddi Gwenallt*, t. xlix.

[162] Alasdair MacIntyre, *Three Rival Versions of Moral Enquiry* (London, 1990), t. 65: '[A]t any particular moment the rationality of a craft is justified by its history so far, which has made it what it is in that specific time, place, and set of historical circumstances, such rationality is inseparable from the tradition through which it was achieved.'

[163] R. M. Jones, *Llên Cymru a Chrefydd*, t. 348.

[164] Derec Llwyd Morgan, *Y Beibl a Llenyddiaeth Gymraeg* (Llandysul, 1998), t. 44.

[165] R. M. Jones, *Cyfriniaeth Gymraeg*, t. 169.

[166] D. Densil Morgan, 'Yr iaith Gymraeg a chrefydd', yn Geraint H. Jenkins a Mari A. Williams (goln), *'Eu Hiaith a Gadwant'?* (Caerdydd, 2000), t. 379.

[167] Alasdair MacIntyre, 'A partial response to my critics', yn John Horton a Susan Mendus (goln), *After MacIntyre: Critical Perspectives on the Work of Alasdair MacIntyre* (Oxford, 2il arg., 1996) t. 296: '[A]ttempting to articulate claims made within one tradition of enquiry in the only language presently available to the adherents of some rival tradition, one discovers that the language lacks concepts, idioms or modes of argument necessary for the statement of those claims.'

[168] Ibid., t. 294: 'Each party . . . succeeds by the standards internal to its own tradition of moral inquiry, but fails by the standards internal to the traditions of its opponents.'

[169] Cymh. Angharad Price, 'Tyst i gyfraniad rhyfeddol . . .', t. 57: 'I'r sawl sy'n rhannu'r un safbwyntiau crefyddol absoliwtaidd â Bobi Jones, diau y bydd *Beirniadaeth Gyfansawdd* yn destament gwerthfawr. Ond bydd eraill yn teimlo siom.'

[170] Saunders Lewis, 'Y Beibl', detholwyd gan Marged Dafydd, *Ati, Wŷr Ifainc* (Caerdydd, 1986), t. 26.

[171] Alan Llwyd, 'Ynghylch llenydda a beirniadaeth . . .', t. 136.

[172] *Idem*, 'Rhagair', *50 o Gywyddau Dafydd ap Gwilym* (Abertawe, 1980), t. 9.

[173] Saunders Lewis, 'Ysgol a Chrefydd', *Ati Wŷr Ifainc*, t. 24.

[174] Bobi Jones, *Pedwar Emynydd* (Llandybïe, 1970), t. 7.

[175] *Idem*, *O'r Bedd i'r Crud*, t. 26.

[176] Gw. R. Merfyn Jones, *Cymru 2000* (Caerdydd, 1999), tt. 83–4.

[177] Gw. John Aitchison a Harold Carter, *Spreading the Word: The Welsh Language 2001* (Talybont, 2004), t. 24. Fy italeiddio i. Cymh. D. Densil Morgan, 'Yr iaith Gymraeg a chrefydd', t. 379: 'Pan gyhoeddwyd ym 1983 ganlyniadau arolwg a wnaed ar gyflwr eglwysi Cymru, yr oedd yn bur amlwg fod crefydd gyfundrefnol yn prysur golli ei grym a'i dylanwad.'

[178] R. M. Jones, *Mawl a Gelynion ei Elynion*, t. 56.

[179] *Idem*, *Llenyddiaeth Gymraeg 1936–1972* (Llandybïe, 1975), t. 3.

[180] R. M. Jones, *Mawl a Gelynion ei Elynion*, t. 55. Cymh. Dafydd Glyn Jones, 'Traddodiad Emrys ap Iwan', *Agoriad yr Oes: Erthyglau ar Lên, Hanes a Gwleidyddiaeth Cymru* (Talybont, 2001), t. 62. Edrychir ar y saithdegau fel cyfnod o seciwlareiddio carlamus.

[181] Wyn Griffith, *The Welsh* (Cardiff, 1968), t. 182: 'The puritan has never found it difficult to criticize his neighbours, or himself, according to settled convictions based upon his interpretation of the Word. But the decline of Puritanism has diminished the audience: there is no common acceptance of its standards and their relevance to mundane matters.'

182 R. M. Jones, *Mawl a Gelynion ei Elynion*, tt. 38, 396. Os nodwyd mai amodol yw empeiriaeth R. M. Jones, rhaid nodi hefyd iddo mewn adwaith i luosedd ôl-foderniaeth ar un olwg ddatblygu'n fwyfwy empeiraidd, megis yn ei ymateb i drafodaeth Simon Brooks ar ei waith. Gw. *idem*, 'Rhwng Seimon a Thimotheus', *Taliesin*, 125 (2005), tt. 128–31.

183 *Idem, Beirniadaeth Gyfansawdd*, tt. 233–9.

184 D. Densil Morgan, 'Yr iaith Gymraeg a chrefydd', t. 357.

185 Gwyn Thomas, *Darllen y Meini* (Dinbych, 1998), t. 65. Cymh. Robert Alter, *Canon and Creativity: Modern Writing and the Authority of Scripture* (London, 2000), t. 48. Edrychir ar y Beibl mewn termau tebyg iawn i Dafod R. M. Jones. Iaith ydyw. 'By *language*, I mean . . . the words and idioms through which it becomes possible to say anything at all.'

186 Cymh. Gwilym E. Humphreys, *Heyrn yn y Tân*, t. 107: 'Cofiaf i mi deimlo tua diwedd y chwe degau gydag un to o ddisgyblion, bechgyn yn bennaf, fod ein pwyslais allgyrsiol yn or-eisteddfodol a chrefyddol ac yn rhy ymwthgar o safbwynt y Gymraeg; bu iddynt fynegi eu hanniddigrwydd drwy ymddygiad anghymdeithasol a oedd "yn erbyn y sefydliad". Ond fe ddigwydd hyn o bryd i'w gilydd ym mhob ysgol.'

187 R. M. Jones, *Beirniadaeth Gyfansawdd*, t. 110.

188 Ibid., t. 108.

189 *Idem, Mawl a Gelynion ei Elynion*, t. 399.

190 Ibid., t. 209.

191 R. M. Jones, *Mawl a'i Gyfeillion*, t. 39.

192 John Paul Riquelme, 'Introduction: Wolfgang Iser's aesthetic politics: reading as fieldwork', *New Literary History*, 31, 1, 7: 'For Iser the act of reading involves our realizing that we are not what we mistakenly think ourselves to be and that, as a consequence, we may become something we never imagined possible.'

193 T. J. Morgan, *Ysgrifau Llenyddol* (Llundain, 1951), t. 2.

194 René Descartes, *The Philosophical Works of Descartes I*, cyf. Elizabeth S. Haldane a G. R. T. Ross (Cambridge, 1967), t. 250: '[W]e have . . . been imbued with a thousand prejudices from infancy.'

195 Dewi Hughes, *Castrating Culture: A Christian Perspective on Ethnic Identity from the Margins* (Carlisle, 2001), t. 20: 'Small children don't learn, they absorb. Learning is a conscious activity. To learn, one needs to perceive a body of knowledge that one doesn't yet possess, and then engage in a conscious and often tedious process of learning. I didn't learn Welsh; I absorbed it.'

196 O. M. Edwards, 'Angen mwyaf Cymru', *Er Mwyn Cymru*, t. 30.

197 Gw. Tudur Hallam, 'Plentyn a phlentyneiddiwch yng ngwaith diweddar R. M. Jones', *Tu Chwith*, 20 (Gwanwyn, 2004), 67–96.

198 R. M. Jones, *Beirniadaeth Gyfansawdd*, t. 151. Cymh. *idem, Mawl a Gelynion ei Elynion*, t. 18: '[M]ath o wrthryfel llencynnaidd oedd Ôl-foderniaeth a geisiai fod yn ddrygionus drwy anwybyddu hanner y ffeithiau.'

199 Saunders Lewis, *Williams Pantycelyn* (Llundain, 1927), tt. 20–1.

200 R. M. Jones, *Beirniadaeth Gyfansawdd*, t. 162.

201 *Idem, Mawl a Gelynion Ei Elynion*, t. 275.

202 Cymh. Ifor ap Dafydd, 'Saunders Lewis a'r "Estheteg Gymreig": agweddau ar ei feirniadaeth lenyddol' (traethawd M.Phil., Prifysgol Cymru, Aberystwyth, 2001), t. 95: 'Magu darllenwyr cymwys yw ei nod [Saunders Lewis], darllenwyr sydd yn meddu ar safonau llenyddol, a safonau meddyliol yng nghyddestun Ewrop, ond yn bwysicach fyth, ddarllenwyr sydd â chynhysgaeth ddiwylliannol neilltuol.'

203 R. Tudur Jones, *Grym y Gair a Fflam y Ffydd*, t. 272.

204 R. M. Jones, *Tafod y Llenor*, t. 282.

205 *Idem, Beirniadaeth Gyfansawdd*, t. 241.

206 Dafydd Johnston, 'Moderniaeth a thraddodiad', *Taliesin*, 80 (Ionawr/Chwefror, 1993), 18.

207 R. M. Jones, *Seiliau Beirniadaeth: Cyfrol 4: Cyfanweithiau*, t. 587.

208 *Idem, Beirniadaeth Gyfansawdd*, t. 249.

209 Ibid., t. 213.

210 Bobi Jones, *Crwydro Môn*, t. 128.

211 Cymh. Saunders Lewis, 'Cyfnod y Tuduriaid', *Ysgrifau Dydd Mercher* (Cyhoeddiadau'r Clwb Llyfrau Cymraeg, 1945), t. 34: '[C]enedlaetholwr Cymreig yn olrhain twf cenedl a gâr . . . yw Syr John . . . Hanesydd o'r un anian yw Mr. Bebb.'

212 R. M. Jones, *Beirniadaeth Gyfansawdd*, t. 241.

213 Ibid., t. 156.

214 Ibid., t. 156.

215 *Idem, Mawl a Gelynion ei Elynion*, t. 46.

216 Ibid. Gw. ymhellach t. 56. Nid yw'r ffaith fod y gynulleidfa heddiw yn anghyfarwydd â thermau crefydd yn 'rheswm . . . dros ollwng addysg'.

217 J. Cynddylan Jones, *Cysondeb y Ffydd*, t. 25.

218 Gall dylanwad y gorffennol ar y presennol fod yn un anuniongyrchol a hudol ar adegau, megis y cyplysir ynghyd adfywiad cyfoes y Gymraeg yng Ngwent a gwaith Sieffre o Fynwy (1090?–1155), 'yr ysgolhaig a roddodd i'r Cymry y llyfr hanes yr oedd ei angen arnynt'. Gw. R. M. Jones, *Ysbryd y Cwlwm*, t. 38.

219 *Idem*, 'Chwyldro yw traddodiad hefyd', t. 122. Cymh. G. J. Williams, 'Adolygu llyfrau', *Y Llenor*, 2 (1923), 92: 'Dylai'r beirniad drwytho ei feddwl yng ngweithiau'r awduron y mae cenedlaethau aneirif wedi eu galw yn glasuron. Yno y purir ei chwaeth. Yno y caiff ei safonau.'

220 Bobi Jones, *Pedwar Emynydd*, t. 7.

221 J. R. Jones, *Ac Onide* (Llandybïe, 1970), t. 142.

222 R. M. Jones, *Beirniadaeth Gyfansawdd*, t. 222.

223 Saunders Lewis, 'Ffrainc cyn y cwymp', *Ysgrifau Dydd Mercher*, t. 13. Awgrym yr ysgrif hon yw nad oes gennym yng Nghymru ganon. Gw. t. 12: 'Onid oes rhywbeth hanfodol ddi-olyniaeth a di-drefn yn ein holl feddwl a'n holl dwf ni fel llenorion? Nid oes gennym syniad beth yw na hanes nac olyniaeth na pharhad; nid oes gennym "metier".'

224 Gw. *idem*, 'Henry James', *Meistri a'u Crefft*, t. 218: 'Holl gelfyddyd y canrifoedd, y dinasoedd hen, y strydoedd brenhinol, creiriau hanes, afonydd a chamlesydd a choed a pherllannau a gwinllannoedd wedi eu trin gan ddynion er cyn cof a'u dofi i fod yn rhan o ddodrefn cymdeithas . . . dyna fwynder Ewrop.'

225 Dafydd Elis Thomas, *Traddodiadau Fory*, t. 5.

226 Alan Llwyd, 'Cynulleidfa'r bardd', *Y Grefft o Greu* (Cyhoeddiadau Barddas, 1997), t. 106.
227 R. M. Jones, *Llên Cymru a Chrefydd*, t. 63.
228 Dafydd Glyn Jones, 'Traddodiadau Emrys ap Iwan', t. 62.
229 R. Tudur Jones, *Grym y Gair a Fflam y Ffydd*, t. 256.
230 R. M. Jones, *Mawl a Gelynion ei Elynion*, t. 29: '[Ar ddechrau'r trydydd mileniwm] nid yw'r rhagdygbiau goruwchnaturiol, sy'n sylfaenol i Gristnogaeth uniongred, yn dod o fewn amgyffrediad y byd "modern". Ac o ganlyniad hefyd, dechreuwyd colli parch at "Reswm" mawr hunanlywodraethol ei hun.'
231 Alasdair MacIntyre, 'A partial response to my critics', t. 283: '[I]f the central theses in favour of which I have been arguing for nearly twenty years are true, then we should expect them to be rejected.' Cymh. R. M. Jones, *Beirniadaeth Gyfansawdd*, t. 162: 'Mae'r protestwyr yn fwy niferus na'r adeiladwyr. Yr unig fodd y bydd pobl yn darllen yw darparu'r babïaidd iddynt. Does dim dyfodol i'r Gymraeg fel iaith feddylgar, aeddfed, chwaethus.'
232 Oliver Elton, *Modern Studies* (London, 1907), t. 129. Ar ystyr y gair 'hil' gw. Simon Brooks, ' "Yr Hil": ydy'r canu caeth diweddar yn hiliol?', yn Owen Thomas (gol.), *Llenyddiaeth mewn Theori* (Caerdydd, 2006), t. 15: '[M]ae ystyr y gair Cymraeg "hil", yn arbennig fel y'i defnyddir gan feirdd caeth, yn llawer ehangach ei gynodiadau na "race". Yn y canu caeth cenedlaetholgar diweddar . . . golyga "hil" rywbeth tebyg i genedl, pobl, ach, llinach; efallai mai'r gair cyfystyr mwyaf hwylus fyddai "nyni".'

Alan Llwyd: Anwybyddu Theori i Amddiffyn y Canon

Beirniad sy'n dal i gredu

Yn fath o fframwaith ar gyfer yr astudiaeth hon, awgrymwyd bod tebyg-
rwydd rhwng y modd y bu'n rhaid i Feiblgarwyr 1890–1914 ymateb i'r
'datblygiadau newydd yn ysgolheictod Beiblaidd yr Almaen a gysylltid
ag enw Julius Wellhausen',[1] a'r modd y bu'n rhaid i feirniaid llenyddol
Cymraeg ymateb i her Theori. Os daethpwyd o hyd i unrhyw fath o
ddarganfyddiad, y gymhariaeth honno ydyw. Nodwyd, er enghraifft, i'r
ddadl ynghylch cynnwys y canon llenyddol Cymraeg ddatblygu law yn
llaw â'r modd y dechreuwyd herio'r cysyniad o draddodiad, megis y
dechreuwyd datgymalu'r canon Beiblaidd yn sgil amau ei ysbrydoliaeth
ddwyfol. At hyn, yn y naill achos a'r llall, gellir nodi i nifer o Gymry
edrych ar y feirniadaeth newydd fel un elyniaethus i ffordd gyfarwydd,
Gymreig o fyw, a hynny'n rhannol am na ddatblygodd y feirniadaeth
honno ar dir Cymru ei hun, eithr ei mewnforio gan leiafrif gorddeallusol,
megis y cyfeiriai R. M. Jones yn *Tafod y Llenor* at Ferdinand de Saussure a
Gustave Guillaume, dau ŵr na chawsant eu magu yn sŵn y Pethe. Fel y
nododd Robert Rhys, ac yntau am fynd ymlaen i amodi'r sylw: 'Mae 'na
ragfarn (un digon iach yn aml) yn ein plith yn erbyn damcaniaethau
beirniadol estron.'[2] Er enghraifft, yn ei hunangofiant *What's Welsh for
Zen?* nododd John Cale y rhybuddiwyd ef ac yntau'n llanc o Ddyffryn
Aman i beidio â darllen gwaith Marx, gan y gallai ei yrru'n wallgof.[3]

Yn achos R. M. Jones, gwelwyd yn y bennod ddiwethaf mai ei ddewis
lwybr ef ydoedd defnyddio dadleuon theoretig er mwyn amddiffyn y
canon llenyddol Cymraeg; amlygu diffygion Theori, ac annog eraill i'w
trafod o safbwynt Cymreig. Fodd bynnag, y mae gan y beirniad llen-
yddol Cymraeg ddewis arall hefyd. A hwnnw yw anwybyddu Theori
mewn ymgais i'w dirymu ac amddiffyn y canon llenyddol Cymraeg.
Dyma ddewis Alan Llwyd. Ac y mae'n ddewis dichonadwy y mae angen
nodi ei gryfderau.

Gwelwyd yn y bennod flaenorol i R. M. Jones bwysleisio mai dim ond y sawl sy'n edrych ar y Traddodiad o'r tu mewn iddo sy'n medru ei wir ddeall. Os felly, y mae'n ddealladwy pam y mae nifer o feirniaid llenyddol Cymraeg yn amheus o unrhyw theori lenyddol estron na fu ers y dechrau'n deg yn rhan o'r traddodiad brodorol ei hun. Dyma'n wir esbonio pam mai llugoer iawn tan yn gymharol ddiweddar fu'r ymateb i waith beirniadol R. M. Jones ei hun. At hyn, o ystyried y casgliad y daethpwyd iddo ar ddiwedd y bennod ddiwethaf, sef nad oes disgwyl i genedlaethau'r dyfodol goleddu'r canon llenyddol Cymraeg y bu R. M. Jones drwy gyfrwng theori lenyddol yn ei amddiffyn – o leiaf yn nhermau maeth – ni ellir, ar un olwg, ond croesawu'r ymdrech i'w amddiffyn drwy anwybyddu pob theori estron.

Ar ddiwedd y bennod gyntaf, nodwyd mai '[r]hyw gilwenu y byddwn bellach' wrth edrych ar y Traddodiad Llenyddol Cymraeg.[4] Dyma effaith gyffredinol Theori ar feirniadaeth lenyddol Gymraeg: cilwenu eironig (a llefaru mewn cromfachau). Synhwyrir na all y sawl a welodd mai dyfais Saundersaidd yw'r Traddodiad Llenyddol Cymraeg gredu ynddo i'r un graddau â'i ragflaenwyr di-Theori. Yn hytrach, mewn modd eironig mwyach y cyfeirir at y Traddodiad, gan sylweddoli mai dyfais greadigol ydoedd a oedd yn rhan o agenda foesol-wleidyddol arbennig, sy'n esbonio'n rhannol pam y defnyddir y gair 'canon' fwyfwy gan feirniaid y Traddodiad.

Yn ei ddarlith ar *Hanes* Thomas Parry, awgrymodd Derec Llwyd Morgan 'na ellir cyflawni tasg fel hyn [sef ysgrifennu'r *Hanes*] o gwbl yn hinsawdd feirniadol yr ôl-foderniaid, gyda'u hamheuon diddiwedd am natur llên ac anhawstra dehongli'r gorffennol', gan ychwanegu bod yn '[r]haid cydnabod yr amheuon'.[5] Yn anfodlon megis yr ychwanegir y sylw olaf, gan nodi na ddylid addoli'r amheuon hyn. Ond un amlygiad o effaith Theori ar feirniadaeth lenyddol Gymraeg yw'r modd y cais ambell feirniad lwybr canol rhwng esboniadaeth draddodiadol a dadadeiladaeth. Y canlyniad, fodd bynnag, yw bod y beirniad wrth iddo gydnabod yr amheuon fel pe bai'n llwyddo i'w cadarnhau hefyd, ac na ellir mwyach drafod llenyddiaeth Gymraeg fel y gwneid gynt, onid mewn cywair eironig.

I'r perwyl hwn y mae'r gymhariaeth rhwng effaith Uwchfeirniadaeth a Theori yn parhau'n fuddiol, fe gredir. Oherwydd, fel yr awgrymodd Douglas Coupland, eironi yw'r hyn sy'n nodweddu agwedd feddwl y genhedlaeth ôl-Gristnogol honno sydd yng ngolwg R. M. Jones wedi colli'r 'gallu cynhenid' i werthfawrogi llenyddiaeth dda. Yn ei lyfr, *Life After God*, cyflwynodd Coupland bortread o fywyd pleserus a di-dduw'r genhedlaeth seciwlar hon. Bywyd heb na gwleidyddiaeth na chrefydd ydyw. '[B]ywyd plant yr arloeswyr – bywyd ar ôl Duw – bywyd o iach-awdwriaeth ar y ddaear, yn ymyl y nefoedd.' Ond pris 'y bywyd euraid' hwn ydoedd 'anallu i gredu'n llwyr mewn cariad; yn hytrach enillasom eironi sy'n llosgi pob dim y mae'n ei gyffwrdd. A holaf ai'r eironi hwn yw'r pris a dalwyd gennym er mwyn colli Duw.'[6]

Er mor gyfan gwbl wych yw bywyd di-dduw'r cymeriadau yn stori Coupland, y maent hefyd ar eu colled, a theimlir bod yna ryw ddiniweidrwydd melys wedi ei golli am byth. Cyfeiriodd John Rowlands yntau at y sefyllfa hon yn ei ragymadrodd i *Sglefrio ar Eiriau*. 'Oherwydd collwyd diniweidrwydd . . . 'rydym bellach yn llefaru'n barodïol, ac yn methu dweud pethau'n blaen heb wenu'n eironig o hyd (oherwydd mae'n ddoethach gwenu na chrio).'[7] Am hynny, ystyrir mai term eironig yw 'llenyddiaeth Gymraeg' heddiw, a hynny gan nad yw'n golygu'r un peth mwyach i ni ag a wnâi i Saunders Lewis, er na ŵyr ef hynny pan ddarllenwn ei waith. Iddo ef yr oedd yn rhoi 'amcan ac unoliaeth' i fywyd. Nid felly mwyach.

Wrth gwrs, y mae yna ryddhad wrth sylweddoli nad oes raid inni gredu yng ngrym y gair 'llenyddiaeth' â'r un angerdd â'n cyndeidiau. Ac eto, y mae yna ryw dristwch hefyd, fel Nadolig heb gredu mwy yn Siôn Corn, neu Gristnogaeth heb Grist. Nid amheuir nad oedd angen i Theori ddod ac amlygu twyll y Traddodiad. Yr oedd angen dinoethi'r 'berthynas rhwng iaith, gwybodaeth a grym mewn cymdeithas' inni gael 'gweld trwy a thu hwnt i draddodiadau penodol'.[8] Ond fel yr awgrymodd Habermas, ar ôl i rywun sylweddoli mai dyfais ddynol yw'r Traddodiad, anodd wedyn yw iddo ei goleddu â'r un afiaith â'i ragflaenwyr. Nid bod modd ei anghofio'n llwyr chwaith. Er gwaethaf pob un gangen o Theori, parha'r beirniad Cymraeg heddiw i drafod llenyddiaeth ar lun patrwm beirniadol y Traddodiad a etifeddodd. Yn hyn o beth, y mae'n debyg i un o wrthgilwyr crefyddol Zadie Smith yn ei nofel *White Teeth* sy'n parhau i goleddu rhyw weddillion ffydd, wedi i'r ffydd honno ddiflannu, fel rhyw Saunders Lewis bach, heb na'i sêl na'i weledigaeth na'i allu.[9]

Dyma pam y mae Alan Llwyd yn feirniad llenyddol mor bwysig: oherwydd beirniad sy'n parhau i fedru gwenu'n ddieironi yw ef. Deil i gredu yn y Traddodiad, heb wawd na pharodi. Ac am hynny ni all y theorïwr, dan straen ei gilwenu ei hun, ar un olwg, ond cenfigennu wrtho. Wrth nodi'r nodwedd hon ar ei waith, cydnabyddir bod y bwlch rhagfarnau rhyngof fi ac ef yn fwy nag yn achos fy rhagfarnau gwreidd-iol i ac eiddo'r ddau feirniad arall. O gofio'r modd y pwysleisiwyd yn y rhagymadrodd cyntaf mai eu hagwedd at yr awdur sy'n gwahaniaethu'n bennaf rhwng gwahanol feirniaid, nodir i Alan Llwyd bwysleisio ei bod hi'n 'ddyletswydd arnom i geisio darganfod yr ystyr y bwriadodd yr awdur ei hun ei rhoi i'r hyn a grewyd [sic] ganddo',[10] ond y tueddaf finnau i ffafrio pwyslais Saunders Lewis, ac R. M. Jones cyn Beirniadaeth Gyfansawdd, ar berthynas y darllenydd â'r testun. Anodd ganddo ef dderbyn mai '[y] gwaith sy'n bwysig, nid y sawl a'i creodd';[11] ond '[y] peth a wnaeth y bardd, ac nid y bardd a wnaeth y peth, sy'n ddiddorol gennyf', a dyfynnu Saunders Lewis drachefn.[12] Am y rheswm hwnnw yr awgrymais wrth olygydd y gyfrol deyrnged Alan, Huw Meirion Edwards, nad fi ydoedd y beirniad mwyaf cymwys i werthfawrogi ei waith beirniadol mewn cyfrol deyrnged y byddai Barddas yn ei chyhoeddi.[13] Lle y bydd ef yn ymdrin ag ambell 'safbwynt o fewn maes beirniadaeth lenyddol . . . fel rhywun sy'n ymarfer y grefft o farddoni yn gyson, [ac oherwydd hynny] yn llwyr wrthwynebus' i'r pwyslais ar y darllenydd, tueddaf finnau i edrych ar farddoni o safbwynt beirniadaeth lenyddol.[14] Ac eto oherwydd yr hyn a gyflawnodd drwy gydlynu a chyfrannu at Gyfres y Canrifoedd a blodeugerddi eraill, heb sôn am gychwyn Cyfres y Meistri, byddai'r astudiaeth hon yn dlotach o lawer o beidio ag ystyried ei gyfraniad enfawr a pharhaol at y canon llenyddol Cymraeg.

Gwireddu amcan Saunders Lewis

Wrth drafod ymateb yr wrthfeirniadaeth yng Nghymru i gasgliadau'r Uwchfeirniadaeth Feiblaidd, nododd Gwilym H. Jones fod y bwlch syniadol rhwng y ddwy garfan mor fawr fel nad oedd modd 'osgoi gwrthdrawiad caled a ffyrnig'.[15] Cafwyd rhyw gymaint o hynny hefyd yn achos cynheiliaid y dull traddodiadol o drafod llenyddiaeth Gymraeg, a'r rhai a ymddiddorai mewn theori lenyddol gyfoes. Hen stori, fel y sylwodd Alan Llwyd ei hun, yw bod beirdd a beirniaid yn 'ymrannu'n ddwy garfan ddigyfaddawd'.[16] Sylwyd rhyw gymaint ar y gwrthdrawiad rhwng John Morris-Jones a'r modernwyr yn y trydydd rhagymadrodd, ac ar un olwg, estyniad ar y ddadl honno yw'r un bresennol rhwng theorïwyr a gwrth-theorïwyr, gyda'r naill garfan yn amau goleuedigaeth John Morris-Jones, a'r llall yn ei choleddu'n anymwybodol. Ar adegau rhoddwyd mynegiant llafar ac ysgrifenedig i'r gwrthdrawiad hwn. Ond rhaid nodi mai trawiadol yw'r diffyg trafodaeth hefyd, megis yn y diffyg trafod cyffredinol ar waith y theorïwr R. M. Jones. Y mae hynny'n rhannol wir oherwydd credu o rai na ellir cymodi '[d]wy garfan ddigyfaddawd', ac yn rhannol wir am fod y cyfaddawdu hwnnw eisoes wedi digwydd, fel y nodwyd mewn perthynas â Derec Llwyd Morgan a'i 'ymarferiad mewn dadadeiladu'. Canlyniad naturiol cyd-drafod yw'r cyfaddawdu hwnnw, megis y bydd yr un bobl yn cyfrannu at y cyfnodolyn sefydlog, *Llên Cymru* a'r cyfnodolyn newydd, *Llenyddiaeth Mewn Theori*.

Ni ddylai'r tawelwch beirniadol hwn, fodd bynnag, ein synnu, gan fod iddo gynsail, os nad gwraidd, mewn cyfnod a chyd-destun arall. Yn ei erthygl ar wrthfeirniadaeth 1890–1914, nododd Gwilym H. Jones mai '[d]ewis nifer o awduron y cyfnod oedd anwybyddu Beirniadaeth Feiblaidd yn llwyr'.[17] Mor amlwg y bwlch syniadol rhwng yr hen ddull traddodiadol o drafod y Beibl a'r feirniadaeth newydd fel na theimlid bod angen ymateb iddi o gwbl.

Er iddo 'yn groes i'r graen' ac ar gais eraill roi sylw teilwng i sawl agwedd ar theori lenyddol gyfoes, gwelir yr un agwedd sylfaenol wrth-theoretig yng ngwaith Alan Llwyd. Yn dilyn cyhoeddi *Sglefrio ar Eiriau* yn 1992, meddai: 'nid oes gennyf ddigon o ddiddordeb yn y maes hwn bellach – maes beirniadaeth lenyddol a barddoniaeth – i deimlo'n arbennig o gryf ynghylch dim a ddywedir'.[18]

Fodd bynnag, y mae'n deg nodi y bu gan Alan Llwyd ar un adeg ddiddordeb mewn beirniadaeth lenyddol, a gwelir hynny mewn ysgrif a gyhoeddodd ddeng mlynedd ynghynt, sef '"Cwmwl Haf" Waldo Williams (o safbwynt barddoniaeth a beirniadaeth fodern)', lle yr amlygir cynefindra Alan Llwyd â'r Traddodiad Llenyddol Cymraeg a barddoniaeth Saesneg fodern.[19] Nodir yn '"Cwmwl Haf" Waldo Williams' 'beryglon beirniadaeth lenyddol gyfoes', a'r modd y mae beirniaid llenyddol eraill wedi ymgolli 'yn labrinth eu beirniadaeth gymhleth'.[20] Nodir mewn ysgrif arall mai un o'r peryglon hynny yw bod 'y darllenydd cyn bwysiced â'r llenor'.[21] Dyma'r bwgan mawr i'r bardd-feirniad, sef y modd y mae 'rhai damcaniaethwyr modern wedi ceisio dadlau o blaid "rhyddhau" darn o waith llenyddol o afael ei awdur'; a chan aros gyda marwolaeth yr awdur, yn hytrach na'r modd y dadleuodd Barthes y gall yr awdur ddychwelyd yn awdur-destun, nodir bod hon yn 'athroniaeth beryglus, gyfeiliornus'.[22]

Dyma efallai'r brif agwedd ar Theori a barodd i Alan Llwyd golli diddordeb ym maes beirniadaeth lenyddol. Yn y bennod hon, ceisir gwerthfawrogi'r safbwynt gwrth-theoretig hwn drwy ei gymharu â safbwynt y gwrthfeirniaid crefyddol ar ddechrau'r ugeinfed ganrif. Nododd Gwilym H. Jones nad 'anwybodaeth oedd yn cyfrif am eu diffyg sylw i bynciau beirniadol'.[23] Y mae hynny'n wir hefyd am Alan Llwyd a sawl beirniad llenyddol arall nad yw am roi sylw i feirniadaeth lenyddol gyfoes.[24] Ystyrir yn hytrach fod yr hyn a ddywedodd Gwilym H. Jones am y gwrthfeirniaid crefyddol hefyd yn wir am y gwrth-theorïwr llen-yddol. Meddai, gan godi dyfyniad o waith Rhosynog, 1893:

> Efallai i'r ddisgyblaeth newydd gael ystyriaeth ganddynt, ac iddynt ddod i'r casgliad mai
>
>> 'Swyddogaeth amlwg y feirniadaeth . . . ydyw tynnu i lawr. Nid ydym yn gallu gweled fod yn perthyn iddi fel ei defnyddir heddyw y gorchwyl o adeiladu.'
>
> Eu hanwybyddu o ddewis a wnaed felly.[25]

Fel y gwelir o'r dyfyniad uchod, daethpwyd i'r casgliad nad oedd yr Uwchfeirniadaeth yn cyfrannu at grefydd mewn modd cadarnhaol. Ac yn hyn o beth, cymharus yw agwedd Alan Llwyd at Theori.[26] Yn 'Ar drothwy mileniwm', meddai: 'Mae'r damcaniaethwyr wedi israddoli swyddogaeth a rhan llenyddiaeth yn ein bywydau: cais gan feirniaid i roi beirniaid yn uwch o ran statws na'r person creadigol . . . Melltith, at ei gilydd, ydi mudiadau llenyddol.'[27]

Nododd Gwilym H. Jones mai'r rheswm dros agwedd geidwadol y beirniaid ar ddechrau'r ugeinfed ganrif ydoedd grym dylanwad y gorffennol. 'Methu torri'n rhydd oddi wrth eu hetifeddiaeth yr oedd yr awduron hyn.'[28] Y mae hynny hefyd yn wir am Alan Llwyd yn rhannol am ei fod yn perthyn i'r genhedlaeth honno yr oedd Saunders Lewis a'r meistri beirniadol eraill yn ddylanwad mawr arni, ac a addysgwyd yn rhan o gyfundrefn addysgol a oedd bellach wedi datblygu'n norm y Traddodiad Llenyddol Cymraeg. Dyma'r genhedlaeth a addysgwyd cyn gwawr Theori, ac nad oedd, felly, fel y nododd Alan Llwyd mewn cyd-destun arall, 'yn ymwybodol ei bod yn gweithio yng nghysgod mawredd y gorffennol agos'.[29]

Amlygir parch Alan Llwyd at Saunders Lewis yn ei ysgrif, 'Saunders Lewis a T. S. Eliot', lle y rhoddir sylw penodol i syniadau Saunders Lewis ar le métier, sef '[c]ynhyrchu gweithiau cyflawn, corff o waith'. Yn gywir iawn, nododd Alan Llwyd mai 'athrawiaeth ddieithr oedd hon' ar y pryd.[30] Ceisiwyd pwysleisio hynny yn y bennod gyntaf. Awgrymwyd i Saunders Lewis, wrth iddo edrych ar waith llenorion unigol a chen-hedloedd cyfain yn nhermau corff o waith, gyflwyno dull ei addysg Seisnig o ddarllen llenyddiaeth Gymraeg. Ond er mor ddieithr ydoedd yr athrawiaeth hon – os na ellir hefyd ei galw yn ddamcaniaeth neu'n theori – fe'i harddelir yn frwd bellach gan Alan Llwyd, ac yntau'n gynheilydd cenhedlaeth ddiweddarach i'r traddodiad beirniadol hwn o drafod llenyddiaeth Gymraeg yn nhermau corff o waith.

Y mae athrawiaeth y corff o waith, wrth gwrs, yn un sy'n rhoi cyfeir-
iad i'w waith creadigol ef ei hun. Eisoes cyhoeddwyd *Y Casgliad Cyflawn
Cyntaf* o'i farddoniaeth, ynghyd â dau gasgliad o'i ysgrifau beirniadol.
Yn hyn o beth, nodir bod yr athrawiaeth hon yn un gyffredin i'w fardd-
oniaeth a'i feirniadaeth fel ei gilydd, a bod y naill gyfrwng o ysgrifennu
fel pe bai'n cadarnhau'r llall. Y mae hyn, wrth gwrs, yn wir am y tri
beirniad llenyddol dan sylw yn y gyfrol hon. Dyma, ymhlith cyfraniadau
eraill, ddramodydd a dau fardd mwyaf cynhyrchiol yr ugeinfed ganrif,
a'r ddau fardd yn parhau'n gynhyrchiol yn yr unfed ganrif ar hugain.
Cynhyrchodd pob un ohonynt gorff o waith. Am hynny, y mae'n
demtasiwn dyfynnu yma sylw o eiddo bardd-feirniad arall, sef W. J.
Gruffydd: 'po fwyaf o ddawn y prydydd a fo gan y beirniad, mwyaf
goddrychol fydd ei farn, a mwyaf anghymwys fydd ef oherwydd hynny
i ddewis yn gywir'.[31] Wrth gwrs, o gredu mai gweithgarwch creadigol
yw beirniadaeth lenyddol, ni raid cytuno â rhan olaf yr awgrym hwn. Yn
wir, ar un olwg, y gwrthwyneb sy'n wir, sef mai'r sawl a gynhyrchodd
gorff personol o waith yw'r rhai mwyaf cymwys ar gyfer llunio canon llen-
yddol. Ac eto, erys y sylw ynghylch goddrychedd barn yn un perthnasol.

Nid mater personol iddo ef ei hun yw athrawiaeth y corff o waith i
Alan Llwyd, eithr y mae'n egwyddor gymdeithasol ar gyfer 'cenedl'.
Gan ddilyn Saunders Lewis, nododd fod yn rhaid 'mynd yn ôl at y
gwreiddiau'. 'Dyma un o'r pethau pwysicaf iddo ei drosglwyddo inni.
Ac i feddiannu'r gorffennol rhaid oedd meddiannu'r iaith, a'i meistroli
hefyd yn ei holl foddau, a darllen ei chlasuron o'r gorffennol i feddiannu
cyfoeth geirfa a chystrawen.'[32] Dyma, felly, ar un olwg, wireddu *telos*
Saunders Lewis, sef 'beirniadaeth lenyddol Gymraeg': beirniadaeth wedi
ei seilio ar oes o ddarllen diwyd yn y canon llenyddol Cymraeg. Gwelir
hyn dro ar ôl tro ym meirniadaeth lenyddol Alan Llwyd. Nid nad yw
hefyd yn cyfeirio at lenyddiaethau eraill, yn enwedig barddoniaeth
Saesneg. Megis Saunders Lewis o'i flaen, a hefyd R. M. Jones, meistr-
feirniad sy'n edrych ar gyfraniad y canon llenyddol Cymraeg i lenydd-
iaeth Ewrop yw ef. Ond ei bwyslais yntau yw fod angen beirniadu'r
llenyddiaethau hynny '*o'r safbwynt Cymreig*',[33] ac ystyr hynny yw trafod
llenyddiaeth yng ngoleuni'r canon llenyddol Cymraeg. Dyna un o brif
nodweddion beirniadaeth lenyddol Alan Llwyd. Yn sgil ei wybodaeth
eang o ganon cerddorion y canrifoedd, darllenir y testun unigol drwy
olrhain ei berthynas â thestunau eraill, gan nodi ffynonellau o ddylan-
wad a chymariaethau posib. Yn *Barddoniaeth Euros Bowen*, cyflwynodd
Alan Llwyd egwyddor y mae wedi cadw ati'n ffyddlon ym mhob un o'i
gyfrolau beirniadol, er gwaetha'r modd yr awgrymodd Euros Bowen i'r

beirniad drwyddi '[g]amarwain darllenwyr'.[34] 'I ddeall y darn, rhaid deall y gyfeiriadaeth.'[35] Yn y gyfrol gyntaf honno, er enghraifft, er mwyn deall arwyddocâd y llinell, 'Angof cêl ddihangfa cwsg', codir dyfyniadau o waith Keats, John Morris-Jones, Alafon, W. J. Gruffydd, ac un bardd anadnabyddus. A'r un modd, wrth drafod cerdd Gwyn Thomas 'Cymry', nodir a '[c]eir nifer o gyfeiriadau yn y gerdd, cyfeiriadau at yr Hengerdd a barddoniaeth y Gogynfeirdd, cyfeiriad at ddarn o ryddiaith gan Ruffydd Robert Milan, cyfeiriadaeth at gerdd J. J. Williams, "Clychau Cantre'r Gwaelod", a chyfeiriadaeth Feiblaidd'.[36]

Y dasg a osododd y beirniad ar ei gyfer ei hun yw amlygu'r gyfeiriadaeth honno, ac os digwydd i'r bardd Cymraeg gael ei ddylanwadu gan feirdd Saesneg, golyga hynny fod angen darllen ei waith yng ngoleuni'r 'hyn a oedd yn digwydd yn y byd llenyddol Saesneg ar yr un pryd'.[37] Ac yn hyn o beth, y mae Alan Llwyd yn feistr. Os awgrymodd y '[g]allai rhywun lunio cyfrol ar ddylanwad Hardy ar feirdd a llenorion Cymraeg, yn null Donald Davie, yn hawdd', rhaid cytuno mai ef ei hun yw'r beirniad ar gyfer y dasg honno,[38] y gwyddoniadur o feirniad a luniodd y clasur hwnnw, *Y Flodeugerdd o Ddyfyniadau Cymraeg*, sy'n fath ar feicrocosom o ganon ynddo'i hun. Ac eto, nododd ef ei hun mewn un man '[nad] beirniadaeth lenyddol mo'r tynnu sylw hwn at ddylanwadau posibl ac at debygiaethau, wrth reswm, ond fe all fod yn ddiddorol i rywrai'.[39] Rhyfedd ar un olwg yw'r dibrisio gwylaidd hwn ar ei waith ef ei hun, gan yr awgrymir isod mai balchder hyderus sy'n nodweddu gwaith y rhelyw o wrth-theorïwyr fel rheol. Yn wir, y mae'r sylw fel petai'n cadarnhau awgrym John Rowlands yn ei ragymadrodd i *Sglefrio ar Eiriau*, sef bod rhywbeth ar goll yn y feirniadaeth, er gwaethaf 'egni eithriadol Alan Llwyd gyda'r cylchgrawn *Barddas* a Chyhoeddiadau Barddas'.[40] Ond o gofio ei barch mawr at Saunders Lewis, efallai y gellir awgrymu mai dylanwad pellach un o'r meini praw a sefydlodd ef ar gyfer beirniadaeth lenyddol Gymraeg sy'n gyfrifol am y sylw uchod. Fel y nodwyd yn y trydydd rhagymadrodd, hawliodd Saunders Lewis mai 'gwaith beirniad llenyddol yw cyfansoddi llenyddiaeth',[41] ac anodd yw cyfleu'r creadigrwydd hwnnw drwy restru dylanwadau a thebygiaethau, fel y gwnaeth Saunders Lewis ei hun, wrth gwrs, yn *A School of Welsh Augustans*, ac fel y gwnaf finnau yma. Oherwydd fel y nododd ei athro, Oliver Elton, nid diben beirniadaeth yw barnu 'by pre-formed canons of artistic, and still less of ethical, excellence', na chwaith amlygu 'the mere study of outward conditions, sources, and influences', eithr ymdrechu i ddal yr hyn nad yw byth yn ildio i wyddoniaeth.[42] Ond yn groes i'r pwyslais hwn ar greadigrwydd beirniadaeth ymarferol, ac a roes yr un nod a statws iddi â llenyddiaeth ei hun, credodd Alan Llwyd mai '[ll]awforwyn sy'n gweini ar y brenin ydi beirniadaeth lenyddol,' a bod rhywbeth o'i le, felly, pan fo'r 'llawforwyn yn ceisio disodli'r brenin'.[43] Dyna yw'r gwahaniaeth rhagfarn sylfaenol rhyngddo ef a'r ddau feirniad arall, ac amlygiad ohono yw'r modd y cais ef ddod o hyd i'r gwir awdur, yn hytrach na chyflwyno inni awdur-destun.

Yn y rhagymadrodd cyntaf cyfeiriwyd at barodrwydd Mihangel Morgan i wrthod esboniad gan Caradog Prichard ar ei nofel *Un Nos Ola Leuad*. Ond wrth i Alan Llwyd drafod barddoniaeth yr un awdur, edrychir ar hunangofiant y bardd, *Afal Drwg Adda*, fel ffynhonnell ddibynadwy ar gyfer esbonio gwaith y bardd. Wrth drafod y bryddest 'Terfysgoedd Daear', er enghraifft, derbynnir yn ddigwestiwn y stori amdano'n 'gorwedd yn y trac' mewn ymgais 'i ymado â'r fuchedd hon'.[44] Hon yw'r stori a oedd i Mihangel Morgan yn enghraifft o'r 'bardd yn chwilio am farddoniaeth yn ei fywyd, y newyddiadurwr yn chwilio am sgŵp, y nofelydd yn chwilio am naratif yn y ffeithiau'.[45] Ond y mae'r ffin rhwng ffuglen a ffaith yn un ddiamwys i Alan Llwyd, ac am hynny seilir y darlleniad o'r bryddest ar sail y dystiolaeth fywgraffyddol, gan y credir bod natur y naill destun yn llwyr wahanol i'r llall, er gwaetha'r ffaith y pwysleisir bod elfen fywgraffyddol yn perthyn i'r cerddi lawn cymaint â'r nofel. Ond rhaid diogelu'r didoliad hwn rhwng y naill destun a'r llall er mwyn cyfiawnhau'r ymdrech i ddarllen y gerdd yng ngoleuni bywyd y bardd. Ceisir dod o hyd i'r wir ystyr, gan y credir bod modd dod o hyd i'r gwir awdur, megis y nododd Alan Llwyd y gellir '[d]od o hyd i'r *gwir* Hedd Wyn'.[46]

Nid cynnig darlleniad o'r gerdd yw tasg y beirniad iddo, eithr nodi 'beth yw ei gwir ystyr', neu sawl ystyr sydd iddi.[47] Dyna pam mai '[d]iddorol ac anhepgor . . . yw'r hyn a ddywed y bardd ei hun' am ei waith a'i syniadau, gan mai ef yw creawdwr y testun.[48] Y maen praw ar gyfer y math hwn o feirniadaeth, felly, yw 'chwilota'n drylwyrach na neb . . . a chasglu mwy o ddeunydd na neb o'r blaen'.[49] Gair amlwg yn ei waith, felly, yw 'tystiolaeth', ynghyd â'r awydd i briodi 'tystiolaeth y farddoniaeth a thystiolaeth y rhyddiaith [megis llythyrau personol]' ynghyd.[50] Yr hyn sy'n broblemus yw'r modd y defnyddir y math hwn o feirniadaeth sy'n ymddangos yn ddigon gweddus ar gyfer pennu 'pa bryd yn union y lluniwyd . . . [c]ywydd' – sef y feirniadaeth ddyddio a ddilornodd Saunders Lewis yn 'Dafydd Nanmor' – ar gyfer dod o hyd i'r ymateb llenyddol cywir.[51]

Er i Alan Llwyd nodi ei hoffter o *James Kitchener Davies*,[52] sef yr enghraifft o egwyddor yr awdur-destun ar waith yn y rhagymadrodd cyntaf, ei duedd ef yw peidio â gwyrdroi'r llif perthynas rhwng yr awdur a'i waith, eithr credu'n hytrach fod 'cerddi wedi eu gwreiddio yn y bywyd, cyn i'r dychymyg barddonol eu ffurfio a'u mowldio', a bod modd, felly, eu hesbonio yn nhermau'r bywyd hwnnw; 'cychwyn â'r bywgraffyddol fel petai'.[53] Nid cynnig darlleniad yw diben beirniadaeth lenyddol iddo, felly, eithr dod o hyd i'r gwirionedd. Fy nghyfeiliorniad i, felly, yw tueddu i gytuno â John M. Ellis mai diben beirniadaeth ymarferol yw cyffroi yn hytrach na dod o hyd i wir ystyr y testun, megis gwyddonydd.[54] Felly y dadleuodd athro Saunders Lewis yntau, Oliver Elton. Ystyriai fod beirniadaeth dda yn gelfyddyd gain ac yn debyg i gyfeillgarwch, wedi ei nodweddu gan liw a phersonoliaeth y beirniad ei hun. Gorau oll, meddai, 'that the scientific training intimidates a little, and teaches self-suppression in the wrong as well as the right way'.[55]

Mynegiant byw o theori R. M. Jones

Daeth Alan Llwyd mor gyfarwydd â'r canon cerddorion, a llwyddo 'i feddiannu'r gorffennol' i'r fath raddau fel yr awgrymir yma fod ei feirniadaeth lenyddol ef yn fynegiant byw ac ymarferol o theori R. M. Jones ynghylch y canon llenyddol Cymraeg. Nododd R. M. Jones mai'r 'canon hwn wedi'r cwbl yw'r hyn a ddysgodd yn uniongyrchol neu'n anuniongyrchol inni ddarllen'.[56] Drwy hynny, gwelwyd mai math o rym gwrthrychol yw'r canon sy'n rheoli ein dewisiadau goddrychol ni, megis nad oes gan ddyn ddim dewis ym mater ei alwedigaeth ei hun, eithr yn derbyn y cyfan o ras Duw. Gan gymhwyso'r egwyddor Galfinaidd hon at y canon llenyddol, nodwyd yn y bennod flaenorol mai'r 'canon piau popeth, ac nid yw'r darllenydd yn ddim'.

Gwelir hyn yn glir ym meirniadaeth Alan Llwyd; nid yn gymaint am iddo fynegi ei anfodlonrwydd ei hun â'r 'gangen honno o fewn theorïaeth fodern sy'n rhoi cymaint o bwyslais ar ymateb darllenydd',[57] ond gan fod cynifer o'r cyfeiriadaethau y mae ef yn tynnu sylw atynt yn rhai sydd, 'wrth gwrs', 'yn amlwg'. Hynny yw, ymdrwythodd y beirniad yng ngweithiau'r canon llenyddol Cymraeg i'r fath raddau fel y mae'r canon fel pe bai'n cyfarwyddo ei feirniadaeth ei hun. Drwy hynny, nid ymddengys i'r darllenydd fod ganddo ef ei hun unrhyw ran yn y broses o greu ystyr y gerdd. Er enghraifft, wrth drafod gwaith Gwyn Thomas, nododd Alan Llwyd fod '[y] defnydd a wna o gyfeiriadaeth *yn bur amlwg*, at ei gilydd'.[58] Yn achos y gerdd 'Ail eni', felly, meddai: 'Mae'r ddelwedd o ddrych yn ein tywys, *yn fwriadol felly*, at yr adnod hon (II Corinthiaid 3: 18).'[59]

Ymddengys fod hyn oll yn bosib am fod y canon llenyddol yn gweithio ar lefel Tafod yng ngwaith Alan Llwyd, ac yn perthyn i gymuned benodol o bobl a ddiffinnir yn rhannol yn sgil eu perchnogaeth gyffredin o'r canon. Wrth ddarllen ysgrifau beirniadol Alan Llwyd, er gwaetha'r ffaith iddo bwysleisio mai bod cymharol unig yw'r bardd Cymraeg,[60] ymdeimlir ei fod fel beirniad – ac i raddau mwy o lawer nag yn achos y 'damcaniaethwyr' Saunders Lewis ac R. M. Jones – yn ysgrifennu ar gyfer cymdeithas lenyddol sydd ar y cyfan yn rhannu'r un math o safonau llenyddol ag ef ei hun; cymdeithas debyg i honno y cyfeiriwyd ati yn y bennod flaenorol wrth sôn am 'Www' y Babell Lên, ac sy'n cydymateb i lenyddiaeth Gymraeg yn yr un ffordd. Hyrwyddo'r nodwedd hon ar ei feirniadaeth y mae'r ffaith na phenodwyd ef yn aelod o unrhyw adran brifysgol, eithr iddo ddatblygu gyrfa ym maes ehangach cyhoeddi llyfrau Cymraeg. Hynny yw, y mae'n un o'r awduron hynny sydd wedi 'achub Cymru', ys dywed Mihangel Morgan, rhag sefyllfa 'lle bo pob llenor yn gysylltiedig â'r brifysgol'.[61] Nododd Alan Llwyd ei hun mai '[o] du'r Brifysgol y daeth llawer o'r damcaniaethau hyn ynghylch ymateb darllenwyr',[62] a gwelir yn ei ragair i *50 o Gywyddau Dafydd ap Gwilym* mai cymhelliad y gwaith hwnnw ydoedd 'ennyn mwy o ddiddordeb cyffredinol, y tu allan i'r ysgol a'r adrannau Cymraeg yn ein colegau, yng ngwaith y bardd'.[63] A benthyg ymadrodd gan T. Robin Chapman, nodir i Alan Llwyd geisio nid yn gymaint '[d]ringo'r wal ddiadlam rhwng y poblogaidd a'r canonaidd', eithr ymdrechu i wneud y canonaidd yn boblogaidd.[64] At hyn, rhaid cofio bod Alan Llwyd yn olygydd ar gylchgrawn sy'n diwallu anghenion cymdeithas farddol, a'i fod, felly, yn ysgrifennu gyda math arbennig o gynulleidfa mewn golwg. Yn ei brofiad ef y mae'r 'Gymru Gymraeg yn gymdeithas fechan, glòs, yn gymuned a gais ddatrys yr un problemau'.[65] Dyna pam y mae'r gyfeiriadaeth fynychaf 'yn amlwg', sef am y darllenir y Mynegiant (y geiriau ar bapur neu o enau'r bardd) mewn perthynas â Thafod cymunedol, cyffredin, clòs. Dyma hefyd pam y bydd y beirniad yn rhagdybio gwybodaeth gyffredin ar ran ei ddarllenwyr, megis y nododd wrth drafod 'Y ddôr yn y mur', Gwyn Thomas, mai 'Chwedl Branwen yn y Pedair Cainc ydi'r cefndir, *wrth gwrs*'.[66] Pan fo'r canon yn gweithio ar lefel Tafod, sef ar lefel fframwaith darllen cyffredin, y '[m]ae'n anodd peidio â meddwl am' ambell ddelwedd gyfarwydd.[67] Y canon, fel petai, sy'n meddwl trosom. Er enghraifft, wrth drafod un o gerddi Robert Frost, 'Stopping by Wood on a Snowy Evening', nododd y beirniad, gan feddwl am y canon llenyddol Saesneg y tro hwn, fod '"easy wind" . . . yn dod â llinell Keats yn "Ode to a Nightingale" i'r meddwl: "I have been half in love with easeful death". A dyna sydd yma: gwynt marwolaeth ydi hwn, a symbol o farwolaeth ydi'r coed.'[68]

Pwysleisiodd Saunders Lewis ac R. M. Jones, y naill a'r llall, mai uchelgais y beirniad yw llefaru 'dros draddodiad neu fel aelod o gymdeithas neu fudiad neu gylch eang a phur gyffredinol'.[69] Ond llwyddodd Alan Llwyd, sylfaenydd Barddas, Cymdeithas Cerdd Dafod, i wneud hynny i raddau mwy o lawer na'r ddau feirniad arall. Amlygu hynny y mae'r ffaith fod ystyron y cerddi y mae'n eu trafod yn amlwg iddo ef a'i ddarllenwyr rhagdybiedig. Fel y nododd Stanley Fish, dyma pam y mae'n anodd i rywun sy'n gymaint rhan o ryw sefydliad – nid sefydliad o frics, fel y cyfryw, ond unrhyw garfan sy'n rhannu'r un rhagdybiau – i esbonio i eraill 'arferiad neu ystyr na wêl ef fod angen eu hesbonio'.[70] A dyma, fe gredir, yw un o ragoriaethau Alan Llwyd fel beirniad, sef natur gymdeithasol gyfyng ei feirniadaeth. Golyga y gall amlygu mawredd cerdd drwy ei dyfynnu ar ei hyd, megis pan nododd yn *Gwyn Thomas* 'mai "Hiroshima" yw ei gerdd ryfel rymusaf, ac mai hi hefyd yw un o'i gerddi mawr. Barned y darllenydd.'[71]

Yn stori fer ledhunangofiannol Bobi Jones (R. M. Jones) 'Crio chwerthin', nodir mai uchelgais y dysgwr yw '[b]odoli o fewn yr iaith'. Sôn am fod yn Gymro y mae Bobi Jones, ond cymhwysir y sylw yma at fod yn rhan o lenyddiaeth Gymraeg. Meddai: 'Rwyf wedi ewyllysio'n gryf ddigon ers tro gael bod yn Gymro . . . Ond bod yn Gymro: na, peth diewyllys, naturiol, anymwybodol yn y diwedd yw hyn, fel yr awyr yr wyf yn ei hanadlu.'[72]

Ar un olwg, un a aned i lenyddiaeth Gymraeg, fel y'i diffinnid gan Saunders Lewis ac R. M. Jones, ydoedd Alan Llwyd; ac yn wahanol i'r ddau feirniad arall, un nad oedd angen arno'r un ailenedigaeth lenyddol.[73] Am hynny 'peth diewyllys, naturiol, anymwybodol' fu'r canon llenyddol Cymraeg iddo erioed, fel yr awyr y mae'n ei hanadlu. Daw hyn i'r amlwg o'r dechrau'n deg yn yr hunangofiant, *Glaw ar Rosyn Awst*. Fel y nododd ef ei hun: "Roedd chwedloniaeth Hedd Wyn yn rhan o'm plentyndod . . . Ac mi wn i beth oedd yr englyn cyntaf i mi ei ddysgu erioed, heb wybod mai englyn ydoedd . . . Dechreuais gynganeddu fy hun pan oeddwn yn bedair ar ddeg oed.'[74]

Cyd-destun cymdeithasol y feirniadaeth, felly, sy'n esbonio pam yr edrychir ar theori lenyddol gyfoes, megis yr edrychai'r gwrthfeirniaid ar Uwchfeirniadaeth Feiblaidd, yn nhermau 'rhywbeth eithriadol o beryglus' a allai amharu ar gymundeb y gymdeithas honno. Ceir cipolwg ar natur gyfeillgar y gymdeithas hyfryd honno yn yr hunangofiant, wrth gwrs. Mewn ambell frawddeg, er enghraifft, deuir ar draws bron i hanner dwsin o feirdd a llenorion Cymraeg sy'n cyfathrebu'n gyson â'i gilydd yn ôl yr un bwriad ac amcan, mewn modd nid annhebyg i'r 'ymrysonau cynnar hynny gynt yn Llŷn'.[75] Unwaith yn rhagor y mae damcaniaethau sosiolenyddol Saunders Lewis ac R. M. Jones yma ar waith mewn ffordd real iawn. Beth yw'r Tafod y sonia R. M. Jones amdano? Wele ef isod ar waith:

> Bydd Gwilym Herber yn galw yma . . . a . . . Tal ac Iris . . . A Rhydwen ddewr ar y ffôn ryw ben bob wythnos, ac Elwyn, a Donald, a John Talfryn ac eraill bob hyn a hyn yn gofyn fy marn ar eu henglyn diweddaraf. Bob pythefnos bydd Dewi Stephen Jones . . . yn fy ffonio.[76]

'Balchder hyderus'

Nododd Gwilym H. Jones mai ' "heretic beiddgar" oedd Uwchfeirniadaeth a phob un a feiddiai gyffwrdd ynddi'.[77] Nid mewn modd annhebyg, tueddir i ddieithrio theorïwyr Cymraeg a'u portreadu yn bobl anghymreig a Seisnig, gan fynnu, fel y nododd Dafydd Elis Thomas, mai 'heresi' ydoedd 'gwadu'r traddodiad', a hwnnw'n gyfystyr â 'gwadu'r cenedlaetholdeb diwylliannol y mae traddodiad yn llo aur ideolegol ohono'.[78]

Yr hyn sy'n eironig i'r theorïwr Cymraeg, wrth gwrs, fel yr amlygodd M. Wynn Thomas – ynghyd â Dafydd Elis Thomas yn *Traddodiadau Fory* a Simon Brooks yn fwy diweddar yn *O Dan Lygaid y Gestapo* – yw fod y ffyrdd derbyniol o drafod llenyddiaeth sy'n cael eu hystyried yn rhai 'traddodiadol Gymreig' wedi eu gwreiddio 'in the "English" common sense/empirical tradition'.[79] Tynnodd Alan Llwyd ei hun sylw at hyn o beth yn ei ysgrif 'Saunders Lewis a T. S. Eliot'. Ond mor dynn yw rhwydweithiau'r gymuned lenyddol Gymraeg sy'n amheus o Theori, fodd bynnag, fel na sylwir ar yr eironi hwn. Parheir yn hytrach i goleddu'n anymwybodol yr *episteme* a sefydlwyd gan y dadeni beirniadol ar ddechrau'r ugeinfed ganrif, 'a hynny heb gysgod gwên', ys dywed John Rowlands.[80]

Y canlyniad, felly, yw y ceir, yn hytrach nag eironi, ymdeimlad o sicrwydd a balchder hyderus, fel y sy'n weddus pan na welir nad oes dim o'i le ar yr hen ffordd gyfarwydd o edrych ar bethau, a phan fo profiad byw'r myfyriwr yn cyfateb i ddelfrydau llenyddol a gwleidyddol ei athrawon beirniadol. Yn achos gwrthfeirniaid 1890–1914, nododd Gwilym H. Jones y '[c]eir awgrym yma ac acw fod ymhlith selogion yr ysgol draddodiadol ryw falchder hyderus a wnâi iddynt gredu nad oedd angen iddynt ymateb o gwbl i'r datblygiadau newydd; gan mai hwy oedd yn iawn, pa ddiben dadlau?'[81] Yn yr un modd, gan ymfalchïo yn rhagoriaethau'r canon llenyddol Cymraeg, nodwedd ar waith Alan Llwyd yw ei allu i wfftio unrhyw theorïaeth estron o'r neilltu. Tynnodd Angharad Price sylw at arfer R. M. Jones yntau yn hyn o beth, yn annilysu agweddau ar Theori drwy gyfrwng parodi a gwawd. 'Drwodd a thro fe'i cawn yn rhoi dadleuon babïaidd o orsyml yng ngenau ei elynion, cyn eu trechu â'i wrthddadleuon ei hun, a'r rheiny o ganlyniad yn ymddangos yr un mor orsyml a sloganaidd.'[82] Tuedda'r beirniad hefyd i ymosod ar ôl-foderniaeth, neu'r ôl-fodernwyr heb gyfeirio at waith yr un beirniad ôl-fodernaidd yn benodol, ac eithrio Derrida, efallai, fel math o gynrychiolydd. Ac yn achos y ffeminyddion, nid yr arfer yw trafod gweithiau unigol ac ymateb i'r cyfraniadau hynny fesul pwynt drwy eu dyfynnu a cheisio gwrthbrofi'r ddadl; yn hytrach, bwrir pawb o'r ffordd gyda'i gilydd. Fodd bynnag, yn wahanol i barodïo chwareus R. M. Jones, tuedd Alan Llwyd yw ymateb i'r gwrthddadleuon ar ffurf gosodiad, gan nodi'n syml fod y theorïaeth yn anghywir. Er enghraifft: 'Ceisiodd rhai damcaniaethwyr ein harwain i gredu fod pob ymateb yn ddilys ac yn werthfawr, ond ni all hynny fod . . . Mae'n rhaid parchu cywirdeb a safbwynt gwaelodol y gerdd wreiddiol.'[83]

Yn hyn o beth y mae sylwadau Gwilym H. Jones ar ymateb y gwrth-feirniaid i'r Uwchfeirniadaeth Feiblaidd eto'n berthnasol. Oherwydd nododd ef mai '[d]ull y gwrth-feirniaid gan amlaf oedd gwneud gosodiadau yn hytrach nag ymgyfarfod mewn dadl'.[84] Meddai:

Y duedd felly oedd tynnu'r Beibl allan yn llwyr o faes y ddadl, ei godi uchlaw beirniadaeth a pheidio â gwneud unrhyw ymgais i'w amddiffyn . . . Yn lle cynnig gwrth-ddadleuon, yr hyn a wneid yn rhy fynych o lawer oedd cystwyo'r beirniaid, a gwrthod eu dadleuon gyda sylwadau cwta, pigog ac annigonol, megis haeru bod eu rhesymau 'yn dra eiddil, ac yn ymylu ar fod yn wrthun', a'u dadleuon 'yn blentynnaidd' [sic].[85]

Cyfeiriais i fy hun at arfer R. M. Jones o fychanu gwrthwynebwyr beirniadol drwy eu galw yn 'blentynnaidd'.[86] Y mae'n drosiad cyson yn ei waith diweddar sy'n tystio i'r anhawster a gaiff i gynnal unrhyw fath o ddeialog ag oedolion sy'n meddu ar safbwynt cyfan gwbl wrthgyfer-byniol i'r eiddo ef ei hun. Haws, felly, yw esgusodi'r cyfryw rai drwy eu galw yn blant, ac i'r gwrthwyneb, fawrygu gwaith ambell '"feirniad ifanc" . . . sydd hefyd yn Llyffant-Cors-fochnoaidd o hen'.[87] Trwy hynny cadarnheir mai'r hyn sydd ei angen ar y plantos, sydd fel rheol yn rhai anghyfreithlon o ôl-fodernaidd, yw cyfarwyddyd y meistr-feirniaid aedd-fed. Dyna ydoedd awgrym Moelwyn yntau wrth iddo drafod *Williams*

Pantycelyn y Saunders Lewis ifanc, gan nodi mai '[p]eryg *llanc*' yw mynd i ormodiaith.[88]

Yn fwy diweddar, defnyddiwyd y dechneg hon gan Walford Gealy wrth iddo ymateb yn feirniadol i erthygl ar gyfieithu gan Angharad Price yn 1998, gan gyfeirio at 'yr awdures (ifanc, fel y deallaf)'.[89] Meddai:

> Da o beth fyddai i'n hawdures ifanc ddarllen eto a myfyrio'n hir uwchben un o areithiau mwyaf y Cymro o athronydd hwnnw, y diweddar Athro J. R. Jones, a ddaeth yn drwm dan ddylanwad Wittgenstein yn ei flynyddoedd olaf, sef ei araith 'I ti y perthyn ei ollwng' (*Ac Onide*, tt. 166–78).[90]

Yr awgrym amlwg yn yr erthygl yw nad oedd Angharad Price yn gymwys i drafod gwaith Wittgenstein. I'r perwyl hwn, modd o ymosod ar ei statws beirniadol ydoedd cyfeirio at ei hoed, gan awgrymu cysylltiad rhwng hynny a lefel ei deallusrwydd. Wrth ymateb i feirniadaeth Walford Gealy, nododd Angharad Price mai 'dianghenraid' ydoedd y pwyslais arni 'fel awdures ifanc'.[91] Ac eto, mewn cymhariaeth ag ymateb y gwrthfeirniaid i'r Uwchfeirniadaeth Feiblaidd, nodir hefyd mai cwbl angenrheidiol ydyw'r arfer hon o annilysu safbwynt croestynnol drwy awgrymu ei fod yn un anaeddfed. Sylwyd yn ddiweddar, er enghraifft, fod Derec Llwyd Morgan wrth iddo adolygu'n feirniadol waith David Ceri Jones yn tynnu sylw at y ffaith ei fod yn 'un o'r ifancaf o haneswyr abl Aberystwyth', er na ellir gwadu nad yw'r adolygydd yn nodi'n fanwl ddiffygion y gwaith yn ei olwg ef.[92]

Gwelwyd enghraifft arall o'r arfer ddibrisiol hon o gyfeirio at oed yr awdur ifanc yn ymateb Alan Llwyd i ysgrif Tudur Hallam ar ei waith yn *Taliesin*, wrth iddo yn *Alan* nodi i'r erthygl gael ei hysgrifennu gan '[f]achgen'.[93] Ond yn wahanol i adolygiad manwl Derec Llwyd Morgan o waith David Ceri Jones, beirniadwyd yr ysgrif hefyd ar ffurf gosodiad drwy nodi'n syml ei bod yn 'ysgrif glyfar ac arwynebol', yn hytrach nag amlygu'r gwendidau niferus sydd ynddi, a nodi ym mha fodd yr oedd yn anghywir. Ac eto, hwyrach mai'r ymateb dilynol i'r ysgrif drwy gyfrwng y rhaglen deledu *Nid Myfi yw Myfi fy Hun* sy'n amlygu'r gymhariaeth rhwng agwedd gwrth-theorïwyr cyfoes ac agwedd y gwrthfeirniaid crefyddol ar ddechrau'r ugeinfed ganrif orau.[94] Oherwydd gan y beirniadwyd rhywun ar deledu cyhoeddus heb roi cyfle iddo ymateb i'r feirniadaeth honno gerbron yr un gynulleidfa, torrodd cynhyrchwyr y rhaglen ddwy o egwyddorion adran degwch y Comisiwn Safonau Darlledu, a bu'n rhaid i S4C ddarlledu ymddiheuriad cyhoeddus am gynnwys ffeithiau anghywir y rhaglen a'i natur unochrog. Hynny yw, sicrhawyd na ellid 'ymgyfarfod mewn dadl', ac na ellid yn wir ymateb i'r gosodiadau a wnaed. Ond o edrych ar nodweddion tebyg rhwng yr adwaith i Uwchfeirniadaeth Feiblaidd a'r adwaith diwedd-arach i Theori, gwelir bod ymateb drwy naill ai anwybyddu'n llwyr neu drwy anwybyddu ar ffurf gosodiadau a pheidio â chynnal trafodaeth yn ffordd rymus o annilysu safbwyntiau newydd.

I'r perwyl hwn, da yw medru nodi i Alan Llwyd ei hun sylwi ar y modd y beirniadwyd eraill drwy gyfrwng cyffredinoli. Yn *Barddoniaeth y Chwedegau*, nododd y ceid 'llawer o gyffredinoli penagored' ynghylch 'cystrawen astrus y beirdd', 'heb ymdrafferthu i fynd i'r afael â cherdd unigol, a thrafod y broblem yn ofalus drwy enghreifftio'.[95] Ac yn sgil ei feirniadaeth ar waith R. Williams Parry sylwodd ef ei hun ar sut yr ym-atebir yn chwyrn geidwadol i feirniadaeth newydd yn y Gymru Gymraeg. Gan ymateb i statws anghyffwrdd R. Williams Parry, meddai:

> Yn ôl rhai, 'doedd dim hawl gan neb i feirniadu Williams Parry; 'doedd dim angen dehongli ei gerddi na'i dynnu fel bardd drwy'r felin feirniadol. 'Roedd yn ddealladwy i bawb, a dyna un o'i gryfderau mawr. 'Roedd ei gerddi [ac felly'r bardd ei hun] yn anghyffwrdd, yn batrymau o berffeith-rwydd.[96]

Canlyniad credoau o'r fath ynghylch statws anghyffwrdd y bardd neu'r beirniad neu'r Traddodiad yw diffyg trafodaeth agored, a chyhuddo'r sawl sy'n ddigon gonest neu hy neu dwp – yn dibynnu ar safbwynt y barnwr – i fynegi safbwynt newydd o 'heresi'.[97] Rhaid o hyd, fe ym-ddengys, werthfawrogi cefndir ymneilltuol llenyddiaeth Gymraeg, a chofio, ys dywed R. Tudur Jones, mai '[u]n o nodweddion amlycaf sect yw diogelu arbenigrwydd ei chred a'i disgyblaeth trwy godi mur rhyngddi a'r byd gelyniaethus o'i chwmpas'.[98]

Osgoi dadl ar sail awdurdod y meistr-feirniad

Un rheswm dros beidio ag ymgyfarfod mewn dadl yw am y byddai hynny'n gorfodi'r gwrthfeirniad neu'r gwrth-theorïwr, nid yn unig i ystyried dulliau a dadleuon y feirniadaeth yn ei erbyn, ond hefyd i gyf-lwyno dulliau a dadleuon ei safbwynt ef ei hun – yn groes i ragdyb yr Oleuedigaeth yn erbyn barn ddiragfarn. Dyna pam, fe gredir, yr osgoir dadl. Fel y nododd Gwilym H. Jones, nid o anwybodaeth yr oedd y gwrthfeirniaid yn anwybyddu'r Uwchfeirniadaeth Feiblaidd. Felly'r gwrth-theorïwyr yr un modd. Yn hytrach, ceisio osgoi tynnu sylw at eu rhagfarnau eu hunain y maent, lawn cymaint felly â rhagfarnau eu gwrthwynebwyr. Oherwydd fel y nododd Adena Rosmarin, bydd rhag-farnau – *interpretive grounds* – yn parhau'n rymus cyhyd ag y bônt yn rhai hunanamlwg, ac yn cael eu cyflwyno felly, heb i neb dynnu sylw atynt. Awgrymodd Rosmarin – sy'n disgrifio erthygl Steven Knapp a Walter Benn Michaels, 'Against theory' yn nhermau 'theori yn erbyn theori' – fod yn rhaid i feirniaid yn ymarferol gyfiawnhau eu rhagdybiaethau beirniadol, a'u hamddiffyn yn erbyn hawliau beirniaid eraill.[99] Fodd bynnag, fel yr awgrymodd Habermas, a sylw Rosmarin ei hun, o fynd ati i amddiffyn unrhyw ddull o ddehongli, fe amlygir wedyn mai *dull* o ddehongli ydyw, a chyll ei rym: ei naturioldeb ymddangosiadol. Dyna reswm da, felly, dros beidio ag ymroi i ddadl o gwbl, eithr nodi'n hytrach fod ystyron 'yn amlwg'. Ys dywed William E. Cain am sylwadau gol-ygyddol *New Criterion*, sef cylchgrawn sy'n mynegi safbwynt ceidwadol at lenyddiaeth – ac yn erbyn theori – yn yr Unol Daleithiau: 'ni all awdur y golygyddol fentro â chynnig diffiniadau o werth a rhagoriaeth lenyddol, oherwydd cyn gynted ag y gwna hynny bydd yn cydnabod nad yw ystyr y termau hyn yn gyfan gwbl amlwg'.[100]

At hyn, nodir y byddai ymroi i ddadl gan drafod safbwyntiau a damcaniaethau rhyw theorïwr penodol, er enghraifft, yn amlygu bod gan y gwrth-theorïwr ei hun ei safbwynt a'i ddamcaniaethau personol yntau, sef yr union beth y mae ef am ei wadu. Doethach felly yw anwybyddu'r safbwynt newydd yn llwyr. I'r perwyl hwn, gwelir bod gwrthfeirniaid crefyddol a llenyddol yn arddel diffiniad cyfyng yr Oleuedigaeth o draddodiad, megis Habermas, ac yn ofni y bydd dadansoddi eu rhag-farnau'n golygu na allant mwyach weithredu megis rhagfarnau.[101]

Dull arall o gyfiawnhau'r penderfyniad i beidio ag ymgyfarfod mewn dadl yw drwy bwysleisio awdurdod y meistr-feirniad ei hun, gan ei godi ef, ynghyd â'r Traddodiad y mae'n ei gynrychioli, 'uwchlaw beirniadaeth' – ys dywed un o'r gwrthfeirniaid Beiblaidd, Silas Morris.[102] Yn y cyswllt llenyddol, gwneir hynny fynychaf drwy ddwyn sylw at y ffaith fod y meistr-feirniad wedi meddiannu'r canon llenyddol Cymraeg cyfan, ynghyd â dogn dda o'r canon llenyddol rhyngwladol. Ar sail rhychwant eang ei ddarllen, felly, y cadarnheir ei ddysg a'i awdurdod. Yn hyn o beth, o gofio mai'r 'peth pwysicaf . . . yw cynefino plant â llenyddiaeth dda', nodir mai estyniad ar y feirniadaeth yn erbyn ieuenctid ydyw'r ddyfais hon, gan na ellir disgwyl bod beirniad yn ei ugeiniau wedi darllen cymaint â beirniad dros ei hanner cant.[103] Amlygwyd hyn yn ymateb Walford Gealy i erthygl Angharad Price, ac yn benodol i'w sylwadau ar y *Tractatus* a'r *Philosophical Investigations*, lle'r awgrymwyd nad oedd 'yr awdures [ifanc] wedi darllen y naill lyfr na'r llall' – awgrym annheg a wrthodwyd yn llwyr gan Angharad Price.[104]

Dull o herio awdurdod yr awdures, wrth gwrs, ydoedd dwyn sylw at ei hoed, cyn bwrw ymlaen i gwestiynu'n empeiraidd a oedd hi wedi darllen y llyfrau a drafodwyd ganddi. Yn wyneb yr ymosodiad hwn, da y nododd yr 'awdures ifanc' (yng nghornel uchaf y papur) iddi ysgrifennu ei llythyr ymateb at Walford Gealey o Goleg Iesu, Rhydychen, ac iddi ddarllen y llyfrau pan oedd 'yn fyfyriwr ym Mhrifysgol Fienna', gan fabwysiadu awdurdod yr hen sefydliadau prifysgol hyn er mwyn dilysu ei gwaith. Oherwydd y mae awdurdod y beirniad o'r pwys mwyaf mewn beirniadaeth lenyddol Gymraeg.

Nododd John Rowlands fod Saunders Lewis yn ei drafodaeth ar waith Charles Edwards am inni 'gredu ei fod wedi darllen pob peth o bwys yn holl ieithoedd Ewrop yn yr ail ganrif ar bymtheg (a thrwy awgrym, yn yr holl ganrifoedd)'.[105] Gwelir hefyd ym meirniadaeth Moelwyn ar *Williams Pantycelyn* fod cyswllt rhwng awdurdod y beirniad ac ehangder ei ddarllen. Ni allai Moelwyn wadu nad oedd Saunders Lewis yn 'weddol gyfarwydd â'i destun ac â llenyddiaeth y pwnc'.[106] I'r perwyl hwn, y mae R. M. Jones hefyd yn cyfiawnhau ei awdurdod ei hun drwy ddwyn sylw at ei weithgarwch darllen diflino, gan nodi y bydd 'pob darllenydd diwyd, wedi llawer o ddarllen diffaith, yn llawenhau wrth droi'n ôl at' weithiau'r canon llenyddol rhyngwladol, sy'n cynnwys ynddo '[g]erddi ail gyfnod Tw Ffw', bardd nad yw'r rhelyw o ddarllenwyr, wrth gwrs, wedi clywed sôn amdano, heb sôn am wybod pam bod ei ail gyfnod o ganu yn well na'r un cyntaf.[107] Estyniad ar yr egwyddor hon yw bod meistr fel R. M. Jones yn addef y gall beirniad ifanc lefaru y tu hwnt i synnwyr ei oed drwy fod yn 'un o'r cnewyllyn bach o Gymry diwylliedig sy'n medru meddwl am lenyddiaeth ar sail gwybodaeth doreithiog ynghylch y traddodiad Cymraeg ar ei hyd, yn ogystal â meddu ar wreiddiau llenyddiaeth Saesneg ac Ewropeaidd'.[108]

Y mae'r dechneg awdurdodi hon yn nodwedd hefyd ar bersona'r beirniad yng ngwaith Alan Llwyd, er ei fod ef, nid yn unig yn rhestru'r llyfrau a ddarllenodd, eithr hefyd pa mor aml. Er enghraifft, ac yntau'n trafod gwaith y bardd 'sy'n ennill ras y beirdd toreithiog', Bobi Jones, meddai:

> Ond 'does neb, meddech, wedi darllen holl gerddi Bobi Jones. Anghywir eto. Mae awdur y gyfrol hon, i ddechrau, wedi darllen pob cerdd ganddo, petai ond yn rhinwedd ei swydd fel cyhoeddwr holl farddoniaeth ddiweddar Bobi Jones, o *Hunllef Arthur* ymlaen. A'u darllen nhw hefyd dro ar ôl tro, gan gynnwys o leiaf ugain darlleniad o *Hunllef Arthur*.[109]

Dan straen cilwenu, ni all y sawl a ddarllenodd *Hunllef Arthur* ryw deir-
gwaith yn unig lai na theimlo'n israddol a gweld mai gwrando ar y
meistr-feirniad a ddylai. Oherwydd trwy amlygu maint y profiad darllen,
cyfiawnheir y penderfyniad i feirniadu unrhyw safbwyntiau newydd ar
ffurf gosodiadau gan awdurdod y meistr-feirniad ei hun, sydd 'uwchlaw
beirniadaeth'.[110]

Ar un olwg, y mae'r pwyslais hwn ar oed a phrofiad darllen yn ffordd
dda o ddiogelu'r canon llenyddol Cymraeg, gan y llwyddir i'w warchod
rhag unrhyw feirniadaeth newydd o du rhai o'r genhedlaeth iau nes iddynt
hwythau ddyfod i ddarllen yn eang, aeddfedu, datblygu blas am geid-
wadaeth, a cholli pob rhyw awydd am ormodiaith. Drwy olyniaeth o
feistri-feirniaid Cymraeg, gyda'r naill yn cymeradwyo a theyrngedu'n
gydymffurfiol y llall, sefydlir *ethos* o awdurdod sy'n llwyddo i gau
allan ddarlleniadau newydd o'r canon llenyddol Cymraeg. Daw'r meistr-
feirniad, felly, i gynrychioli'r diwylliant cyfan, a'i farn ef ar y canon
llenyddol Cymraeg yw'r un derfynol.

Yn absenoldeb traddodiad beirniadol grymus a thrafod bywiog
ymysg y cyhoedd yn gyffredinol, nododd R. M. Jones yn gywir iawn fod
yn rhaid seilio cynnwys blodeugerddi ar 'chwaeth a gonestrwydd [un]
golygydd'.[111] Y mae'n bwysig, felly, fod y farn honno, yn absenoldeb
trafodaeth a chonsenws, yn un ddigon awdurdodol iddi fedru cyflawni
swyddogaeth un gynrychioliadol. Wrth feirniadu *Williams Pantycelyn*,
gan iddo gydnabod yn rhannol hawliau Saunders Lewis i lefaru'n
awdurdodol ar sail darllen eang, pwysleisiodd Moelwyn iddo dderbyn
'llïaws llythyrau . . . yn cymeradwyo'r ysgrifau . . . oddiwrth bob gradd a
math ar ddynion – yn wŷr llên a lleyg, yn weinidogion a blaenoriaid, yn
athrawon a prifathrawon [*sic*] colegau, yn olygyddion, yn fyfyrwyr ac yn
llafurwyr'.[112] Yn absenoldeb y math hwn o gonsenws trawsddosbarth a
phoblogaidd heddiw, y mae'n rhaid cyfleu'r un awdurdod drwy ddull-
iau amgen. I'r perwyl hwn, nododd Alan Llwyd fod Bobi Jones wedi dod
'i wybod mwy am hanes a llenyddiaeth ei wlad nag odid neb. Dyma
ddyn sy'n genedl.'[113]

Oherwydd i feirniadaeth lenyddol Gymraeg droi'n ddisgwrs i gylch
cyfyng o wrywod proffesiynol, a benywod maes o law, y mae dilys-
rwydd cynnwys y canon llenyddol Cymraeg hyd yma wedi ei seilio ar
farn nifer fechan o arbenigwyr. Gan hynny, pwysleisiwyd bod modd i'r
cyfryw arbenigwyr buro eu chwaeth drwy fath o drochiad llenyddol, a
hynny i'r fath raddau nes rhoi'r argraff ei bod yn farn wrthrychol. Ys
dywed Donald Evans yn ei ragair i'r *Flodeugerdd o Gywyddau*:

Mae gan bob Golygydd sydd yn llunio cyfrol fel hon ei egwyddor ei hun, mae'n debyg, ar y ffordd y mae'n penderfynu ar ddull a sylwedd y gwaith. Fy egwyddor i yn y mater hwn oedd dibynnu ar chwaeth bersonol a ddiwylliwyd, gobeithio, â thipyn o wrthrychedd beirniadol drwy ddarllen llenyddiaeth, cyn ehanged ag y medrwn, dros y blynyddoedd.[114]

Unwaith eto, cysylltir ynghyd brofiadau darllen eang ac oed. Dyma'n rhannol sy'n creu awdurdod y meistr-feirniad. Drwy hynny gall ef hefyd lefaru'n 'wrthrychol' a bod yn 'awdurdod' ar lenyddiaeth Gymraeg, nes y bydd eraill yn cyfeirio ato ef fel 'awdurdod arall'.[115] Y rhagdyb, wrth gwrs, yw fod y chwaeth a ddiwylliwyd wedi ei diwyllio gan y math cywir o ddiwylliant, a hwnnw'n un gwrthrychol – fel pe na bai'r darllen-ydd eisoes yn rhan ohono nac wedi dethol a dewis yr hyn a ddarllenodd yn ôl rhyw fath o safon y mae eisoes yn meddu arni yn sgil ei fagwraeth a'i addysg. Ond ni thynnir sylw at hynny, nac at y posibilrwydd mai peth creedig yw'r diwylliant a ddarllenir iddo, ac nad yw'r testunau llenyddol a ddarllenir yn cynrychioli hanes pawb. Drwy beidio â holi'r cwestiynau hyn, a phwysleisio'n hytrach burdeb dysg, cadarnheir awdurdod chwaeth y meistr-feirniad, ac yntau, fel y nododd Alan Llwyd, wedi ymdrechu 'i'w [m]eithrin dros gyfnod maith o ymroddiad'.[116]

Ac eto, y mae i ddiwylliant y meistr-feirniad hefyd oblygiadau negyddol sydd fel pe baent yn dinistrio'r union ganon llenyddol Cymraeg y mae ef yn ceisio ei ddiogelu. Er enghraifft, yn ei drafodaeth fanwl a dadlennol ar farddoniaeth Bobi Jones, tynnodd Alan Llwyd sylw at y ffaith mai ychydig iawn o drafod a fu ar waith y bardd. 'Mae'n un o'n beirdd mwyaf oll, yn ddi-ddadl', meddai, 'ac mae'n syndod cyn lleied o drafod a fu ar ei waith hyd yn hyn.'[117] Y mae sawl rheswm dros hyn. Yr amlycaf yw amhoblog-rwydd barddoniaeth yn gyffredinol heddiw, heb sôn am feirniadaeth lenyddol. Un arall yw'r diffyg sylw y mae Bobi Jones wedi ei dderbyn ar gyrsiau addysg uwchradd a phrifysgol, a hynny, efallai, am ei fod 'yn fardd sy'n . . . maglu', ys dywed Alan Llwyd.[118] Ond gan ystyried bod yr hyn a ddywed Alan Llwyd am farddoniaeth Bobi Jones yn wir hefyd am y rhelyw o feirdd a llenorion Cymraeg, nodir hefyd mai annog sefyllfa o ddiffyg trafod gweithiau'r canon llenyddol Cymraeg y mae diwylliant y meistr-feirniad, pan bwysleisir dibynadwyedd ei chwaeth ef ei hun a phan fo'n rhaid trafod gweithiau llenyddol unigol mewn perthynas â'r canon llenyddol Cymraeg cyfan.

Yn achos barddoniaeth Bobi Jones, nododd Alan Llwyd mai'r anhawster yw sut i 'ymdopi â'r cynnyrch enfawr hwn'.[119] Y mae hwnnw'n gwestiwn perthnasol hefyd ar gyfer y syniad o ganon llenyddol sy'n rhychwantu bron mil a hanner o flynyddoedd. Yr ateb yn achos y bardd toreithiog yw 'drwy fwrw golwg banoramig ar ei holl waith, drwy astudio'i gynnyrch *yn ei grynswth'*.[120] A'r un ateb yn fras a gynigir yn achos y canon llen-yddol Cymraeg. Ymdrechu 'i feddiannu'r gorffennol'.[121]

Ond o arddel yr egwyddor hon, nid yw'n rhyfedd y cafwyd 'cyn lleied o drafod' ar waith Bobi Jones, ac agweddau gwahanol ar y canon llenyddol Cymraeg. Oherwydd dyna'r union effaith y mae'r egwyddor hon yn ei sicrhau: 'mudandod llwyr', fel y nododd John Rowlands.[122] Rhaid wrth amser ac addysg ac arian i feddiannu'r gorffennol. Troes, felly, yn waith i garfan fechan o ddarllenwyr proffesiynol. At hyn, os yw mawredd bardd 'yn ddi-ddadl', y mae'n dilyn nad oes modd dadlau yn ei gylch. Y mae'n deg nodi mai dull o ymadroddi yn unig yw hyn, ond y mae perygl hefyd fod darllenwyr y meistr-feirniaid yn dechrau ei gredu.

O gredu mai'r ymateb priodol yw hwnnw sy'n seiliedig ar ddarllen popeth, nid yw'n syndod na cheir ond 'trafodaeth ar gerdd neu gerddi yn awr ac yn y man'.[123] Dyma hefyd, fe gredir, yw effaith y ddadl honno sy'n ystyried mai *'un esboniad yn unig* a ddylai fod ar gerdd, sef meddylfryd ac amcan y bardd ei hun'.[124] Nid yw'r safbwynt hwn sy'n priodoli hawlfraint ystyr y gwaith i'r awdur yn un sy'n annog darllen-wyr i ymateb i waith beirdd a llenorion, o wybod y bydd y meistr-feirniad maes o law yn nodi eu bod 'yn gwbl anghywir', chwedl Alan Llwyd.[125]

Nodwedd arall ar waith y meistr-feirniad sy'n hyrwyddo mudandod beirniadol yw pwysleisio statws cwbl sefydlog rhai testunau canonaidd, ac yn anffodus, ildiaf finnau i'r temtasiwn hwnnw yn rhannol yn fy mhennod glo. Awgrymodd John Rowlands mai ystyr 'bod' i Saunders Lewis ydoedd 'parhau heb newid, parhau yn ddiamser . . . troi mewn cylch'.[126] Gellir amodi'r sylw hwnnw'n ddigon hawdd drwy gyfrwng dyfyniadau eraill, nid yn unig o waith Saunders Lewis ei hun, eithr o ystyried sylwadau eraill o eiddo John Rowlands ar ei waith. Mewn man arall, nododd y beirniad '[nad] traddodiad rhewedig sy'n apelio ato [Saunders Lewis], ond traddodiad ar gerdded. Mae'r elfen adnewyddol yn hanfodol.'[127] Nodais innau ei hoffter o ddulliau beirniadol newydd yn y llyfr hwn. Ac eto, rhaid nodi mai diddordeb mawr Saunders Lewis yn y *Braslun* ydoedd sefydlu'r egwyddor o ganon llenyddol Cymraeg, ac edrychai ymlaen at gyfnod lle y byddai'r canon wedi ei sefydlu. Yn sgil y ffaith fod llawer o waith y beirdd heb eu golygu na'u cyhoeddi, beirniad yn aros 'datguddiad' ydoedd Saunders Lewis, ac am y rheswm hwnnw yr oedd yn barod i gydnabod nad oedd modd i feirniad yn 1932 benderfynu a oedd nifer o'r beirdd 'ymhlith y meistri'.[128] Meddai: 'Rhaid aros i'r ysgolheigion gasglu a golygu a chyhoeddi gweithiau'r beirdd hyn cyn y gellir eu gwerthfawrogi'n iawn.'[129] Ond credai hefyd fod modd 'datguddio'n llawn', ac mai corff sefydlog fyddai 'Clasuron yr iaith Gymraeg', megis 'yn ddi-ddadl'.[130] Hynny yw, dymunai ennill statws anghyffwrdd i'r meistri Cymraeg, cymharus ag eiddo Shakespeare yn y canon llenyddol Saesneg.

Yn hyn o beth, edrychir ar raglen waith Cyfres y Canrifoedd yn ymgais gaboledig i wireddu cynllun 'casglu a golygu' Saunders Lewis, drwy i Gyhoeddiadau Barddas roi ffurf safonol ar farddoniaeth Gymraeg y gorffennol. Dyma'r datguddiad a chwenychai Saunders Lewis. A thrawiadol yw sylweddoli, felly, fod cymhelliad tebyg i un wrth-Shakespeareaidd Saunders Lewis y tu ôl i raglen waith uchelgeisiol Alan Llwyd.[131] Meddai yn *Glaw ar Rosyn Awst*:

> Awn i siopau llyfrau yn ddisgybl ysgol, yn fyfyriwr, a gwelwn y Saeson yn gorfoleddu yn eu hanes a'u llwyddiant, ac yn cyflwyno'u gorffennol a'u presennol mewn blodeugerddi coeth eu diwyg a thrwyadl eu hysgolheictod. Âi ton o eiddigedd drwof, ond 'roedd edmygedd yn gymysg â'r eiddigedd hwnnw . . . Penderfynais, yn siop lyfrau fwyaf Bangor un diwrnod, a minnau ar fy ail flwyddyn ymchwil ar y pryd, y byddwn yn cyflwyno traddodiad barddol y Cymry i'r Cymry mewn blodeugerdd ar ôl blodeugerdd.[132]

Codir y dyfyniad hwn oherwydd y cyfeiriad at lenyddiaeth Saesneg. Nid yn unig y mae'n arwyddocáu'r cysylltiad rhwng llenyddiaeth Gymraeg a chenedligrwydd, ond y mae'n pwysleisio mai copi Cymreig o raglen waith Seisnig yw'r broses o greu canon llenyddol Cymraeg. Cymharus o ran hynny yw'r sylwadau yn y rhagair i'r gyfrol *Y Flodeugerdd o Ddyfyniadau Cymraeg*. Edmygir 'y Saeson' am '[b]archu eu gorffennol a'u hetifeddiaeth lenyddol yn llawer mwy brwd na'r Cymry'.[133] Dehonglir, felly, yr awydd i wneud peth tebyg yn y Gymraeg yn nhermau'r modd y nododd Simon Brooks fod yr Oleuedigaeth Gymraeg yn 'gwrthsefyll yr Oleuedigaeth hegemonaidd, wladwriaethol Brydeinig'.[134]

Nid amheuir gwerthfawredd y gweithgarwch hwn o sefydlu canon y canrifoedd. Yn wir, rhyfeddir at yr hyn a gyflawnwyd, o ran ei swmp a'i sylwedd a'i safon. Ac o safbwynt moesol, fel y nododd Simon Brooks, 'gorwedd y tir uchel moesol gyda'r Oleuedigaeth Gymraeg . . . oherwydd bod ganddi lai o rym, a'i bod yn frwydr yn ei ffordd ei hun yn erbyn tueddfryd Goleuedigaeth Brydeinig i "lanhau" gwahaniaethau diwylliant, iaith a chenedl oddi mewn i Brydain'.[135] Fodd bynnag, y mae'n dilyn hefyd fod nodweddion y cyfryw lanhau i'w gweld yn ogystal yn y gwaith gwreiddiol a'r copi fel ei gilydd, gydag ambell olygydd, megis R. M. Jones, yn ceisio 'ystyried bob amser pa mor llwyddiannus yw'r cerddi yn eu mynegiant prydyddol'.[136] Detholwyd hefyd *Blodeugerdd o Farddoniaeth Gymraeg yr Ugeinfed Ganrif* gan Alan Llwyd a Gwynn ap Gwilym ar sail '[g]werth y cerddi fel cerddi'.[137] Yn rhagymadrodd Nesta Lloyd i'r flodeugerdd ar ganu'r ail ganrif ar bymtheg, nodwyd i'r cerddi gael eu dethol 'am resymau a fyddai'n ymddangos yn gwbl annigonol ac anllenyddol i buryddwyr o feirniad [*sic*] llenyddol'.[138] Megis R. M. Jones, puryddwr o'r fath yw Alan Llwyd. Yn y flodeugerdd *Gwaedd y Bechgyn*, er enghraifft, nododd fod ambell gerdd o 'werth hanesyddol', ond 'cerddi dibwys ydynt o safbwynt ystyriaeth lenyddol'.[139] A'r un modd yn *Y Flodeugerdd Englynion*, meddai: 'Yr oeddwn wedi bwriadu cynnwys llawer iawn mwy nag a geir yma yn wreiddiol, ond bu raid cwtogi a bod yn ofalus, rhag cynnwys pethau nad oeddent o'r safon orau.'[140] Cadarnhau y mae'r ymadrodd 'bod yn ofalus' fod i ganon llenyddol swyddogaeth buryddol a gwarcheidiol o safbwynt yr iaith. Er nad yw'r cyswllt rhwng yr ansafonol ac unrhyw ddosbarth penodol o bobl yn amlwg, yr un yw'r safbwynt llywodraethol ag un Matthew Arnold yn *Culture and Anarchy* (1869), sef edrych ar ddiwylliant fel ateb i broblemau'r oes: 'culture being the pursuit of our total perfection'.[141] Fel y nododd David Johnson, yr oedd diwylliant i Arnold yn wrthglawdd yn erbyn anarchiaeth y werin bobl.[142] Nid gwarchod rhag diffyg moesau'r dosbarth gwaith fel y cyfryw yw'r cyd-destun yn achos y blodeugerddi – er y nodwyd eisoes y berthynas rhwng yr ysgolhaig a'r werin i Saunders Lewis – eithr edrychir hefyd ar gynnal safonau llenyddol yn fodd i ddiogelu gwareiddiad y gymdeithas Gymraeg, megis y nododd Morgan D. Jones i John Morris-Jones 'gywiro a phuro'r iaith, a . . . diogelu safonau llenyddiaeth'.[143]

Yr ateb a gynigir i broblem fawr llenyddiaeth Gymraeg, sef diffyg darllenwyr, yw ceidwadaeth ddiwylliannol.[144] Ar un olwg, cadarnhau y mae'r 'stad o *statis*' y soniodd John Rowlands amdani mewn perthynas â syniadau Saunders Lewis am natur ddigyfnewid llenyddiaeth Gymraeg,[145] megis yr anwybyddai John Morris-Jones '[l]awer o gyfnewidiadau cwbl gyfreithlon oedd wedi digwydd yn yr iaith ers canrifoedd'.[146] Derbynnir mai peth ar gyfer carfan fechan iawn o ddarllenwyr ydyw'r canon llenyddol Cymraeg, wrth i'r garfan honno grebachu ymhellach 'mewn iaith sy'n marw'.[147] Fodd bynnag, yr hyn sy'n achub Alan Llwyd rhag y feirniadaeth hon a leisiodd John Rowlands yn erbyn Saunders Lewis, ac sy'n nodwedd ar f'ymateb innau i waith R. M. Jones,[148] yw ei bwyslais ar yr angen i lenyddiaeth fod 'yn rhan o'r chwyldro technolegol cyfredol' rhag iddi ei 'ffosileiddio ei hun'. Rhaid iddi symud 'o fyd y gair print-iedig i fyd y sgrin', meddai, a thrwy hynny, herio'r modd y diffinnid llenyddiaeth yn gyffredinol mewn perthynas â'r gair ysgrifenedig.[149] Dyma, felly, ddweud digon tebyg i'r hyn a gafwyd gan Dafydd Elis Thomas yn *Traddodiadau Fory* ac sy'n herio'r cysyniad o ganon llenyddol Cymraeg yn fwy na'r un ddadl theoretig ynghylch perthynas yr awdur, y testun llenyddol a'r darllenydd, gan y symudir o faes diogel astudiaethau llenyddol i faes astudiaethau diwylliannol, gyda'r gair ysgrifenedig yn ildio ei statws i ddiwylliant llafar, delweddol a cherddorol newydd. Pen draw'r ddadl, mewn gwirionedd, yw ailddiffinio beth yw llenyddiaeth, neu beth a ddylai fod yn rhan o gwricwlwm ysgol ein plant. Ond er gwaethaf y pwyslais hwn ar natur newidiol llenyddiaeth, a'r modd y mae'n rhaid i'r llenor ymateb i newidiadau technolegol ei gymdeithas, pwysleisiodd Alan Llwyd yn yr un ysgrif fod 'rhaid i ni ddychwelyd, rywsut neu'i gilydd, at y gweiddiau, at lenyddiaeth sy'n llenyddiaeth o'i herwydd hi ei hun ac ynddi hi ei hun'.[150] Un esboniad posib ar y gwrthddywediad, efallai, yw fod modd i'r sawl sy'n ysgrifennu ar gyfer y teledu heddiw brofi'r agosrwydd hwnnw a fodolai gynt rhwng awdur a chynulleidfa lengar Gymraeg ar ddechrau'r ugeinfed ganrif; a dod o hyd i 'gynulleidfa [ymddangosiadol] ddiragfarn, eang ei chydymdeim-lad a hyfforddedig ei chwaeth' nad yw bellach yn achos llenyddiaeth ysgrifenedig 'yn bod'.[151] Nodwyd yn y bennod flaenorol i Leavis ddiffinio safonau yn nhermau 'an educated public that can respond and is in a position to make its response felt'.[152] Gellir deall awydd y gwrth-theorïwr o sgwennwr i arddel cysylltiad rhwng llenyddiaeth a theledu oherwydd bodolaeth y cyfryw gynulleidfa sy'n sicrhau na raid i'r awdur gyfiawnhau ei egwyddorion beirniadol ei hun, eithr synied yn hytrach fod safonau llenyddol yn trosgynnu amgylchiadau penodol.

Ar wahân i hyrwyddo'r berthynas hon rhwng llenyddiaeth a'r cyfryngau modern, nodwedd arall sy'n herio'r cysyniad o ganon dethol yng ngwaith Alan Llwyd yw natur gynrychioliadol Cyfres y Canrifoedd, a'r modd y mae'n 'cynrychioli'n deg y gwahanol draddodiadau' y tu fewn i'r Traddodiad Llenyddol.[153] Yn wir, ar un olwg, mor gynhwysfawr ydyw'r gyfres fel yr ymddengys ei bod yn herio'r cysyniad o ganon llenyddol o feistri dethol, gyda'r canrifoedd yn herio'r cysyniad Saundersaidd o 'Ganrif Fawr'. Megis y dadleuwyd bod yn rhaid astudio gwaith R. M. Jones 'yn ei grynswth', ac y cyflwynir 'y casgliad cyflawn' o waith

R. Williams Parry, felly y ceir yr argraff nad cau allan yw diben y gyfres, eithr cynnwys y cyfan.[154] Yn ei rhagymadrodd i'r gyfrol *Blodeugerdd Barddas o'r Ail Ganrif ar Bymtheg,* cyfeiriodd Nesta Lloyd at *The Oxford Book of Welsh Verse* megis '[B]lodeugerdd ganonaidd'.[155] Ynghyd â statws awdurdodol y golygydd a'r wasg, arddull resymegol y rhagymadrodd, a'r defnydd helaeth a wnaed ohoni gan sefydliadau addysgol, nodwedd ar y flodeugerdd honno ydoedd nifer cyfyngedig y cerddi dethol. Ar un olwg, cyflwyno'r hyn nas detholwyd ar gyfer y 'Flodeugerdd ganonaidd' a wnaeth Cyfres y Canrifoedd.

Ac eto, yn achos unrhyw flodeugerdd arbenigol neu flodeugerdd gyfoes na all gynnwys gwaith pob un bardd cyhoeddedig, tuedda'r drafodaeth ddilynol heddiw i gwestiynu'r cysyniad o werth llenyddol fel modd o gau allan leisiau nad ydynt yn digwydd cyd-fynd â rhagfarnau'r golygydd. Oherwydd yr hyn sy'n ymddangos yn annheg, wrth gwrs, yw na chaed y drafodaeth honno cyn y gyfrol, ac na all ei ffurf wasgaredig hi – ambell bwt fan hyn a fan draw mewn cyfnodolion – gystadlu â phwysau'r gyfrol safonol ar silffoedd llyfrgelloedd a chartrefi Cymru. Dyma rym y Gair argraffedig. Y mae'n creu argraff. Dyma pam y bydd y rhai a adawyd allan yn anfodlon. Tystio y mae eu hanfodlonrwydd i'r berthynas rhwng cyhoeddi blodeugerddi safonol a chanoneiddio. Er enghraifft, gan ymateb i natur anghynrychioliadol *Blodeugerdd o Farddoniaeth Gymraeg yr Ugeinfed Ganrif,* a thynnu sylw at y ffaith nad oes 'dim sôn am T. E. Nicholas, Dilys Cadwaladr, Eluned Phillips, Menna Elfyn, Elin ap Hywel, Steve Eaves, Siôn Aled . . . yr un ohonynt rhwng y cloriau', nid yw'n syndod mai prif ofid Gerwyn Wiliams ydoedd y byddai 'disgyblion ysgol . . . yn gorfod ei hastudio'.[156]

Gan drafod yn benodol sefyllfa'r canon yn yr Unol Daleithiau, nododd E. Dean Kolbas fod beirniaid sy'n trafod y cysyniad o ganon llenyddol yn tueddu i orbwysleisio rôl addysg ffurfiol a 'statws ideolegol y canon llenyddol – hynny yw, i ba raddau y mae'n cyfreithloni'r *status quo*'.[157] Dyma'r math o bwyslais a welir yn llyfr John Guillory, *Cultural Capital.* Haerir bod dylanwad yr ysgol mor ddylanwadol nes y diffinnir awduron yn nhermau 'the subjects it produces'.[158]

O ystyried deneued y drafodaeth Gymraeg ar y canon, anodd yw sôn am unrhyw orbwyslais. Ond gwelir mai synied am statws ideolegol y canon a'i berthynas ag addysg yr oedd Gerwyn Wiliams yn ei feirniadaeth ar flodeugerdd Alan Llwyd a Gwynn ap Gwilym; felly hefyd R. M. Jones wrth gwyno 'fod y Cyd-bwyllgor Addysg yn gosod Cyfres y Fodrwy ymhlith ei lyfrau gosod'.[159] Deellir sut y mae'r hyn a astudir mewn ysgolion a phrifysgolion yn dylanwadu ar werthoedd llenyddol cenedlaethau'r dyfodol; sut y mae cyflwyno Mynegiant o fath arbennig yn medru cynnal neu newid Tafod o fath arbennig yn y gymdeithas; sut y mae'r canon llenyddol Cymraeg ym mhrofiad y lliaws yn cael ei ddiffinio gan gwricwlwm ysgol a choleg. Bid siŵr, ni ellir gwadu pwysigrwydd rhaglenni sy'n trafod y celfyddydau, a phortreadau o awduron ar radio a theledu, nac anghofio am y gynulleidfa ehangach nag un y system addysg. Dylanwad byw hefyd yw'r diwylliant eisteddfodol, barddoniaeth berfformiadol gyfoes, ynghyd â gweithgareddau'r Academi. Ond y mae perthynas y canon â'r system addysg yn un sy'n rhwym o gyffroi dadl i raddau mwy, gan fod amddifadrwydd y disgyblion a'r myfyrwyr yn amlycach, ynghyd â'r syniad o bawb yn darllen yr un cerddi a ddewiswyd gan rywun arall.

Wedi nodi'r cyswllt hwn rhwng blodeugerddi, addysg a'r broses ganoneiddio, da oedd gweld Alan Llwyd yn efelychu'r feirniadaeth yn erbyn *Blodeugerdd o Farddoniaeth Gymraeg yr Ugeinfed Ganrif* wrth iddo yntau adolygu'r gyfrol *The Bloodaxe Book of Modern Welsh Poetry*, gan ddadlau i'w flodeugerdd ef a Gwynn ap Gwilym fwrw 'golwg ehangach ar farddoniaeth Gymraeg yr ugeinfed ganrif. Rhoddwyd sylw haeddiannol i'r traddodiad englynol, yn un peth.'[160] Wrth sylwi ar nodweddion tebyg a gwahanol y ddwy flodeugerdd, meddai'n gywir iawn: 'Ond mae gan y golygyddion bob hawl i'w dewis personol nhw, ac ni all dwy flodeugerdd wahanol fyth gyfateb i'w gilydd o safbwynt y beirdd a gynhwysir ynddyn nhw.'[161] Ar un olwg, dyma sylw sy'n cydnabod bod amrywiaeth o farnau yn bosib, ac yn norm. Rhaid nodi yr amodir pwyslais llywodraethol Alan Llwyd ar ddeall 'ystyr gysefin y gerdd',[162] gan ei barodrwydd o bryd i'w gilydd i gyflwyno'r 'modd yr ydw i yn ymateb iddi',[163] a '[m]entro i fyd damcaniaeth fy hun'.[164] Ac eto, y pwyslais canolog yw'r un gwrthddamcaniaethol sy'n '[t]aflu pob ffansi a ffuglen i'r bin sbwriel', a chyda hwynt amrywiaeth eu deongliadau;[165] a hynny gan yr awgrymir yn gyson mai'r testun ei hun sy'n gyfrifol am ei statws canonaidd, ac nid y modd y priodolir y statws hwnnw iddo. Er enghraifft, mewn perthynas â'r dasg o 'wir brisio'r hyn a oedd yn werthfawr ac yn arhosol ym marddoniaeth Gymraeg yr ugeinfed ganrif', awgrymodd Alan Llwyd y deuir o hyd i'r canon hwnnw 'ar ôl codi uwchlaw rhagfarnau a phleidgarwch mudiadau, ac ar ôl i fethiannau beirniadol niferus ail hanner yr ugeinfed ganrif, a dechrau'r unfed ganrif ar hugain, hyd yn oed, ddiflannu i ebargofiant'.[166]

Fodd bynnag, ni chredir yma mai'n annibynnol ar y traddodiad ymchwil i'r Traddodiad Llenyddol Cymraeg y sefydlir cynnwys yr olaf. Ymdeimla'r beirniad llenyddol yn hytrach awydd i ddadlau ynghylch statws canonaidd ei ddewis feirdd a llenorion, oherwydd gwirionedd yr egwyddor hon o gydberthynas y ddau draddodiad. Fel arall ni fyddai angen i Alan Llwyd ddadlau bod Gwyn Thomas, er enghraifft, yn 'un o feirdd mwyaf yr ugeinfed ganrif'.[167] Y gwir a ddywedodd J. Gwilym Jones am Saunders Lewis, pan nododd fod 'digon, diolch am hynny, o Gymry, wedi gweld golud eu gorffennol *trwyddo ef*'.[168]

Yn rhannol oherwydd y cyfle i'r beirniad amlygu ei ddawn a'i wybodaeth, ceir yr argraff fod Alan Llwyd yn hoff iawn o'r testunau hynny sy'n gofyn am 'ddarllenydd dyfal i geisio datrys gwe gyfrodedd y llinellau'.[169] Am y rheswm hwnnw, awgrymais mewn man arall nad yw rhethreg Alan Llwyd yn erbyn y darllenydd yn cyd-fynd â'r modd y mae ef ei hun yn ddarllenydd dyfal.[170] Yn yr un modd, cadarnhau y mae ei arferion beirniadol ef ei hun yr hyn a nododd Simon Brooks, sef bod 'pob defnydd o iaith yn rhethregol yn ei hanfod, yn chwarae cast â'r darllenydd, a bod hyn yn anochel er mwyn dwyn perswâd'.[171] O ran geirfa, cyfeiriwyd eisoes yn y rhagair at ei ddefnydd o'r gair 'ffitio', a gwelir uchod yn y gair 'ffansi' enghraifft arall ohono'n defnyddio geiriau a Gymreigiwyd o'r Saesneg er mwyn cadarnhau natur estron Theori, neu'n hytrach 'theorïaeth' – gyda'r 'aeth' yn awgrymu anymarferoldeb haniaethol.[172] At hyn y mae'r feirniadaeth yn fynych yn eithafol, megis y mae'r pwyslais ar y darllenydd 'yn mynd i'n harwain ni ar gyfeiliorn *yn llwyr*, a datod *pob* cywirdeb ac ysgolheictod'.[173] Nid rhyfedd ei bod yn 'athroniaeth beryglus, gyfeiliornus', ac yn haeddu'r cyfryw ansoddeiriau lliwgar i'w disgrifio.[174] Nid yn annhebyg i'r modd y dyfeisiai Saunders Lewis gonsensws academaidd er mwyn ei herio, llwyddir drwy'r ieithwedd i felltithio math o anghenfil theoretig nad oedd cyn hynny'n bod, nid yn annhebyg i'r modd y llwyddodd cymdeithas i sicrhau 'bod y gair "ffeminydd" yn dynodi rhyw eithafiaeth fwy peryglus na'r syniadau a geir mewn gwleidyddiaeth ffeminyddol', a dyfynnu Jane Aaron.[175] Ceisio annog ymateb emosiynol negyddol i'r gair 'theorïaeth' y mae Alan Llwyd, gan fod yn ymwybodol, felly, o'r modd y mae 'iaith yn creu meddylfryd'.[176] Fel y nododd Jane Aaron, egwyddor yw hon a dderbyniodd gryn sylw ym maes Theori. Fodd bynnag, da y nododd fod y pwyslais yng ngwaith Julia Kristeva ar ein hanallu i 'wahanu'r synhwyrus oddi wrth y meddyliol' yn un cymharol amlwg yn achos barddoniaeth gynganeddol. Nododd Alan Llwyd ei hun yn *Anghenion y Gynghanedd* '[nad] addurn ar linell yw cynghanedd ond rhan annatod ohoni, ac mae'r syniad a fynegir trwy gyfrwng y gynghanedd a'r gynghanedd ei hun yn un gwead anwahanadwy'.[177] Y gwahaniaeth, fodd bynnag, rhwng y theorïwr a'r gwrth-theorïwr yw amharodrwydd yr ail i gydnabod bod yr hyn sydd mor amlwg iddo yn achos y gynghanedd hefyd yn nodwedd ar iaith yn gyffredinol, ac nad niwtral, felly, y modd y defnyddia ef ei hun ymadroddion arbennig – 'yn sicr', 'yn amlwg', 'wrth gwrs', 'rhaid' – i bwysleisio sadrwydd ei feirniadaeth ei hun. Yn hytrach gwelir, er enghraifft, mai naturiol yw i feirniad gyfeirio at feirdd Cymraeg wrth eu henwau cyntaf, gan mai dyna'r arfer feirniadol Gymraeg. Ond effaith y 'Bobi' a'r 'Gwyn' a'r 'Waldo' yw pwysleisio natur ddiogel, frodorol y feirniadaeth, megis y mae'r modd y cyfeiriwyd yn y llyfr academaidd hwn at 'Saunders Lewis', 'R. M. Jones' ac 'Alan Llwyd', heb sôn am ambell 'D. Gwenallt Jones' yn awgrymu natur wrthrychol y drafodaeth, ar draul ymdeimlad o agosrwydd.

At hyn, os nodwyd yn y rhagymadrodd cyntaf mai nodwedd ar arddull M. Wynn Thomas ydoedd ei natur aml-leisiol, awgrymus, a bod ymadroddion megis 'it is tempting to hear' yn tystio i'r modd y mae wedi ei ddal rhwng Theori a'r feirniadaeth gyn-Theori, rhaid nodi mai beirniad sy'n gweld a chlywed a meddwl heb demtasiwn yw Alan Llwyd. Megis y beirniadwyd F. R. Leavis am aralleirio cerddi, defnyddir ganddo'n fynych gyfresi o 'Mae . . .' 'Ceir . . .' a 'Dyma . . .' i gyflwyno ei aralleiriad ar gerddi mewn arddull syml, goeth sy'n atgyfnerthu'r hyn a ddywedir am eu hystyr syml, goeth.[178]

Gwelir, felly – er gwaetha'r ffaith mai diben beirniadaeth aralleiriol yw ceisio 'gwahanu'r synhwyrus oddi wrth y meddyliol' – fod Alan Llwyd yn deall lawn cystal â'r theorïwr mai brwydr eiriol yw maes beirniadaeth lenyddol a chanoneiddio, ac mai iaith y beirniad ei hun yw'r prif arf. I'r perwyl hwn, ceisiodd ddiarfogi beirniaid eraill drwy dynnu sylw at ryw anofalwch yn eu gwaith, megis ynghylch 'anghywir-debau ffeithiol',[179] neu drwy amau a oedd un o'r ysgolheigion wedi sylwi ar ryw gyfeiriadaeth benodol.[180] Ar dro, gall y beirniad faddau i feirdd canonaidd eu hanofalwch, megis y maddeuir i Gwenallt lu o 'wen-didau technegol' yn 'Breuddwyd y Bardd', 'awdl allweddol yn hanes y Blaid Genedlaethol, yn hanes Gwenallt fel bardd, ac yn hanes yr Eisteddfod Genedlaethol'.[181] Ond nid felly yn achos y canoneiddwyr eu hunain, a hynny am fod modd i'r beirniad gofalus drwy dynnu sylw at anofalwch, megis y tynnodd sylw at ansawdd amheus rhai o'r cyfieith-iadau yn *The Bloodaxe Book of Modern Welsh Poetry*, herio awdurdod golygyddion eraill a chanoneiddrwydd eu blodeugerddi.

Sylwodd Alan Llwyd ei hun ar y berthynas rhwng beirniaid a'u hamgylchfyd, nid yn unig yn achos ei 'astudiaeth lenyddol-hanesyddol', *Barddoniaeth y Chwedegau*, eithr yn arbennig felly yn y cofiannau ac wrth drafod cerddi'r degawd wedi'r Rhyfel Mawr. Er enghraifft, meddai am awdl Gwenallt, 'Y sant': 'Ei hoes a'i creodd: dadleuon ei hoes a symudiadau llenyddol, cymdeithasol a chrefyddol ei chyfnod.'[182] A dywedir am gerdd Cynan 'Mab y Bwthyn': 'Fe'i lluniwyd, fe'i gwobrwywyd ac fe'i cyhoeddwyd ar yr adeg iawn, pan oedd dadrith, siom a dicter ynghylch y Rhyfel Mawr yn parlysu'r holl wlad.'[183] At hyn, fel y nododd Gwenallt fod Dafydd Nanmor yn ffodus yn ei feirniad Saunders Lewis, nododd Alan Llwyd yn ei ysgrif, 'Canrif o Brifwyl', fod 'Cynan yn ffodus yn ei feirniaid ym 1921' ond '[na] bu mor ffodus y flwyddyn ganlynol'.[184] Oherwydd anallu'r beirniaid wedi'r Rhyfel Byd Cyntaf i oddef '[c]anu i'r Rhyfel', meddai: 'Gwnaethpwyd gan y beirniaid, mewn geiriau eraill, yr hyn sydd yn anfaddeuol mewn beirniadaeth lenyddol, sef collfarnu bardd am nad oedd ei weledigaeth ef yn cyd-fynd â'u gweledigaeth hwy.'[185] Y canlyniad, felly, yw fod 'trioedd o feirniaid, a chanddyn nhw ddigon o gymwysterau a phrofiad llenyddol, dro ar ôl tro' yn '[m]ethu gwobrwyo cerddi a glodforwyd yn ddiweddarach'.[186] Cymaint felly nes y bo'r camwobrwyo hwn yn 'batrwm': patrwm yn wir sy'n amlygu mai tuedd pob beirniad yw barnu yn ôl ei duedd – un amhenodol, anweledig ac abl i newid fel rheol – sydd bob amser yn rhan o amgylchfyd cymdeithasol penodol, boed ef neu hi'n theorïwr ymrwymedig neu beidio.

Nododd A. Cynfael Lake '[na] ellid cyhuddo Alan Llwyd o lunio barn a chwilio wedyn am dystiolaeth i ategu'r farn honno'.[187] Yr hyn sydd mewn golwg, wrth gwrs, yw'r feirniadaeth boblogaidd honno ar waith Saunders Lewis, megis pan awgrymodd Moelwyn fod modd '[c]ael gwers i "brofi" y pwnc a fynnoch o Bantycelyn, y Beibl, neu unrhyw lyfr arall, dim ond ichwi fynd at y llyfr â'ch meddwl ymlaen llaw dan lywodraeth ryw syniad neu gred arbennig'.[188] Ac y mae'r feirniadaeth honno'n gymwys o safbwynt Mynegiant, sef yr hyn a ysgrifennir maes o law, wedi i un ddarllen y gwrthrych o destun. Cwbl amhriodol fyddai pennu cynnwys y bennod hon, er enghraifft, cyn mynd ati i ddarllen gwaith beirniadol Alan Llwyd 'yn ofalus' ac ymateb iddo. Ond gan ddilyn R. M. Jones, amheuwyd yn y llyfr hwn 'fyth y diduedd' a'r modd y llunnir barn allan o ddim oll, heb fod yna berson o gig a gwaed hanesyddol y tu ôl iddi. Er gwaethaf pob gonestrwydd a manylder, ni all yr unigolyn osgoi ei Dafod ei hun na'i gynneddf gymdeithasol, sydd, y mae'n wir, yn graddol newid o hyd, ac yn medru cael ei amodi gan yr hyn a astudir. Efallai mai mater o ddiffinio'r gair 'rhagfarn' mewn dau fodd gwahanol sydd eto'n rhannol gyfrifol am yr anghydweld ym- ddangosiadol hwn rhwng gwahanol feirniaid. Ond credir hefyd fod a wnelo'r gwahaniaeth â rhagfarnau gwahanol ynghylch diben beirniad- aeth ymarferol ynghyd â natur iaith, megis y beirniadodd Alan Llwyd rai o feirniaid Thomas Hardy am ddefnyddio eu dychymyg,[189] a nodi mai pwyslais 'theorïaeth fodern' ar 'natur symudliw, ansefydlog, aml-ystyrog iaith' sy'n rhannol gyfrifol am gamddeongliadau o waith Sylvia Plath.[190]

Archwiliodd Alan Llwyd ei hun ei berthynas â'i amgylchfyd gan nodi iddo ganfod '[g]logoniant y Gymraeg, barddoniaeth lachar ei gorffennol, ar yr union adeg yr oedd yr ymwelwyr hyn [o Loegr] yn hyrddio eu dirmyg at ein hiaith "farbaraidd" ni'.[191] Dyna esbonio'n rhannol rymusedd yr egwyddor o ganon yn ei waith. Fe'i maged ef y tu mewn i'r gymdeithas 'uniaith Gymraeg i bob pwrpas' – y Gymru wledig, werinol, grefyddol – a oedd yn ddelfryd i Saunders Lewis ac R. M. Jones.[192] Ni phrofodd erioed syndod Saunders Lewis o glywed plant ym Mhorthaethwy yn chwarae yn Gymraeg,[193] neu lawenydd R. M. Jones wrth sylwi ar blant Pontyberem yn treiglo'n ddiarwybod iddynt eu hunain,[194] ac ar un olwg, felly, datblygodd ei feirniadaeth lenyddol mewn ffordd gwbl wahanol i'w profiadau gweddnewidiol hwy. Oherwydd fel y nododd Alan Llwyd yn 'Ar drothwy'r mileniwm', '[g]ellwch ddysgu gramadeg yr iaith, a geirfa'r iaith, ond mae yna bethau na ellwch eu dysgu'. Hynny yw, gellir meistroli Mynegiant y Gymraeg, ond y mae'n rhaid i un '[b]erthyn i ganrifoedd o ymarfer yr iaith' er mwyn deall ei Thafod.[195] Peth byw yn ei brofiad ydoedd yr anian hen y daeth R. M. Jones ar ei thraws wrth [G]rwydro Môn yn 1957 (ac yntau ar y pryd yn naw mlwydd oed ac yn byw yr ochr arall i'r Fenai). O arddel diffiniad cynnar Saunders Lewis a'r Blaid Genedlaethol o Gymru'r wlad uniaith, werinol, amaethyddol, canlyniad y ddelwedd honno yw gweld bod Tafod y Gymraeg megis yn chwyrlïo yn yr awyr a anadlai Alan Llwyd ar y fferm yng Nghilan ym Mhen Llŷn. A dyfynnu o'r gerdd, 'Fy Nhaid':

> Ef, Taid, oedd fy nhreftadaeth; ei werthoedd
> Llawn oedd fy llenyddiaeth;
> Rhoi'i gof dwfn ynof a wnaeth,
> Ef oedd fy etifeddiaeth.[196]

Y cof dwfn hwn, efallai, sy'n esbonio pam y mae'r beirniad yn nodi mai'r hyn sy'n sicrhau lle Goronwy Owen yn 'hanes llên ei genedl, ei barddoniaeth a'i chwedloniaeth' – y bardd hwnnw a feirniadodd Saunders

Lewis am gyfansoddi 'barddoniaeth y llyfrgell a'r ddesg a'r geiriadur'[197] – yw'r modd y mae 'nifer o'i linellau unigol a'i gwpledi gorau yn rhan o'r iaith Gymraeg ei hun, bellach, ac wedi ymgartrefu ynddi fel diarhebion bron'.[198] Ymdreiddiodd Mynegiant y bardd o Fôn i Dafod y Gymraeg, ac am y rheswm hwnnw nid peth i'w astudio'n llyfrgellyddol ydyw gwaith Goronwy Owen i Alan Llwyd, eithr rhan barod o'i fframwaith beirniadu ef ei hun; rhan o'i Dafod. Fel y nododd am ei daid ei hun, felly hefyd fardd ei astudiaeth, a'r canon yn gyffredinol: 'Ei awen ef a lywiodd fy awen.'[199]

Yn baradocsaidd, felly, er iddo ef bwysleisio mai 'trwy gael eich magu mewn cymdeithas a chymuned lle mae'r iaith wedi bod yn iaith fyw a naturiol ers canrifoedd y gellwch chi feddwl yn llwyr yn yr iaith',[200] yr union reswm hwnnw sy'n esbonio'n rhannol pam nad yw Alan Llwyd yn cytuno â safbwynt llywodraethol y llyfr hwn sy'n rhoi pwys ar berthynas y darllenydd â'i amgylchfyd, a'i anallu i beidio â bod yn ddiduedd – safbwynt sydd mor amlwg yng ngwaith y dynion dŵad R. M. Jones a Saunders Lewis. Mor ddwys ei berthynas â Thafod ei gymdeithas arbennig ef, ac mor awyddus ydyw i hyrwyddo ei werthoedd, fel na all, rhag i hynny chwalu'r ddelwedd, sylwi arni – boed hwnnw'n ddewis ymwybodol neu beidio. Am hynny, ceisiodd ef 'chwalu rhagfarnau', nid eu cydnabod.[201] Credodd y gallai gofal a darllen eang amddiffyn ei chwaeth bersonol rhag ei nodweddion personol. Er enghraifft, yn *Y Flodeugerdd Englynion*, meddai: 'er mai chwaeth bersonol sydd y tu ôl i bob blodeugerdd, ceisiais fesur a phwyso, a thafoli a graddoli yn ofalus iawn'.[202] Drwy hynny, awgrymir unwaith yn rhagor fod chwaeth y meistr-feirniad yn un ddiogel, megis chwaeth consenws. Ar adegau y mae'n barod i herio consenws, fel pob meistr-feirniad gwerth ei halen, megis y mae'r *Flodeugerdd Englynion* yn gwrthod 'englynion a geir yn y rhan fwyaf o'r blodeugerddi cydnabyddedig'.[203] Ond yn absenoldeb consenws hefyd, rhaid derbyn mai person o gonsenws yw'r meistr-feirniad Cymraeg: 'Dyn sy'n genedl'. Ni olyga hynny mai dyn sy'n rhoi pwys ar gymdeithasu yw'r beirniad. Dyma'r wrtheb sydd ar y naill law yn dirymu ei hawl i lefaru ar ran eraill, ond ar y llall, dyma sut yr esbonnir y gall ef ymwrthod â'r modd y bydd eraill yn camddehongli gwaith beirdd dan ddylanwad ffasiwn eu hymgylchfyd eu hunain.

Yn 'Cynulleidfa'r bardd', pwysleisiwyd bod yn rhaid i'r awdur Cymraeg 'ei fodloni ef ei hun yn gyntaf, a hynny heb ostwng ei safonau ef ei hun er mwyn rhyngu bodd ei gynulleidfa'.[204] Disgwylir iddo hefyd 'beidio â pherthyn i unrhyw garfan' a bod 'yn feudwy, i raddau'.[205] Ar un olwg, dyma ddweud gwahanol iawn i bwyslais Saunders Lewis ar 'gydeistedd', felly, a phwyslais R. M. Jones ar Dafod.[206] Ond fel y nod-wyd eisoes, cred yr empeirydd goleuedig yw y gall trylwyredd ymchwil ddileu unigolyddiaeth a goddrychedd barn, drwy iddo fod 'yn ofalus, yn ddiduedd, yn wrthrychol, yn fanwl'.[207] Bydd tueddrwyddwyr, fodd bynnag, am amlygu'r berthynas rhwng y dyn a'i amgylchfyd lleol, ac anallu unrhyw feirniad i osgoi ei ragfarnau ei hun, gan nad yr un peth yw manylder a gwrthrycholdeb.

Nododd Alan Llwyd yn ei drafodaeth ar waith R. M. Jones mai '[m]yth yn hytrach na hanes sy'n ein hysbrydoli', a bod 'celwydd myth felly, yn bwysicach na "gwirionedd" hanes', gan fwrw ymlaen i ddyf-ynnu'r darn perthnasol o *Hunllef Arthur*.[208] Fodd bynnag, y mae awdur *Anghenion y Gynghanedd* fel rheol yn nes ei safbwynt at awdur *Cerdd Dafod* nag at awdur *Hunllef Arthur* a 'Myth y diduedd', ac at yr empeir-iaeth honno a roes inni hefyd *Hanes Llenyddiaeth Gymraeg* yn hytrach na'r *Braslun o Hanes*. Ceisio'r gwirionedd a'r gwir awdur a wna fel rheol, nid celwydd a gwirionedd myth. Ar un olwg, nid syndod iddo arbenigo ar waith a chyfnod y bardd alltud Goronwy Owen, oherwydd, fel y nododd ef ei hun, nodwedd ar Oes y Rheswm ydoedd y pwyslais 'ar y meddwl manwl, cytbwys, mesuredig'.[209]

Ac yntau yn ffrwd empeiraidd y traddodiad beirniadol Cymraeg, felly, awgrym y bennod hon ydyw i Alan Llwyd arddel yr wrtheb o roi pwys ar reswm ac anwybyddu theori am fod un agwedd amlwg ar y canon llenyddol Cymraeg, sef 'y traddodiad barddol', yn gweithio ar lefel Tafod yn ei brofiad ef, ac nid Mynegiant; cymaint felly nes yr ymddengys y beirniad yn ymgorfforiad o'r gwerthoedd y magwyd ef ynddynt, a'i fod fel pe bai'n teimlo ei fod yn ysgrifennu ar wahân i ragfarn. Cyfrannu at y portread hwn ohono, er enghraifft, y mae'r ffaith i Alan Llwyd yn 1994 sôn bod ganddo '[u]n flodeugerdd arall . . . ar ôl yn fy nghyfansoddiad'.[210] Yn hytrach na'i fod ef yn cyfansoddi'r flodeu-gerdd, awgryma'r ymadrodd mai'r flodeugerdd a'i cyfansoddodd ef. 'Llyncodd y cynganeddion yn eu crynswth a llyncodd y gynghanedd yntau' ydoedd sylw tebyg Moi Parri.[211] Dyna paham, fe gredir, y mae canoneiddio a rhoi ffurf safonol ar lenyddiaeth Gymraeg mor bwysig iddo, gan ei fod fel pe bai'n ysgrifennu o'r tu mewn i'r Traddodiad a hyrwyddodd Saunders Lewis ac R. M. Jones mewn modd mwy diymdrech na hwynt. Yn hyn o beth, perthnasol yw'r ffaith ei fod yn fardd sy'n aelod o linach hoff Saunders Lewis, o Daliesin hyd at Alun Cilie, ac Alan Llwyd ei hun. Elfen yn unig o'r Traddodiad Llenyddol yw'r canu caeth, fel y cydnabu Alan Llwyd ei hun.[212] Ond fe gofir i Saunders Lewis briodoli statws uwch i'r canon cerddorion gan nodi bod canu caeth y

Ganrif Fawr, a thrwy hynny'r canu caeth a'i dilynodd, yn fath o ganon o'r tu mewn i'r canon llenyddol Cymraeg. Meddwl Dafydd ab Edmwnd ydoedd yr un i'w efelychu o hyd. A chadarnhau'r dehongliad hwn o ganon canol y canu caeth a wnaeth R. M. Jones yntau, gan holi yn *Meddwl y Gynghanedd* paham y mae beirniaid Cymraeg yn rhedeg 'ar ôl Ffeministiaeth, Marcsaeth, Ôl-foderniaeth ac Ôl-strwythuraeth, a'r holl aethau estron ymylol os pwysig a pharchus eraill' ac 'nid yn ôl twf ac athrylith ac egni ein traddodiad canolog ein hun'.[213] '[M]awredd cywrain Cerdd Dafod y Cymry' yw'r peth canolog iddo yntau'r strwythurydd.[214]

Wedi diffinio'r canu caeth, felly, yn ganolbwynt ac yn hanfod i'r canon llenyddol Cymraeg, a nodi mai '[y] beirdd gwlad cynganeddol yw disgynyddion uniongyrchol Beirdd yr Uchelwyr',[215] nid yw'n syndod ar un olwg fod y bardd-feirniad Alan Llwyd, a fagwyd megis yn sŵn y gynghanedd, am anwybyddu unrhyw theorïaeth estron sydd fel pe bai'n dadlennu mai dynion dysgedig, egnïol a chreadigol iawn sy'n llunio canonau llenyddol a hynny er mwyn amddiffyn rhagfarnau a gwerth-oedd arbennig eu cymuned. Mewn un man nododd fod yn rhaid inni 'edrych i gyfeiriad Ewrop a'r byd', ond nid ystyr hynny yw ystyried damcaniaethau newydd am natur iaith a llên.[216] A '[d]amcaniaeth ydi popeth gan rai', meddai, heb gynnig nac enghraifft nac enw, a nacáu'r posibilrwydd o drafodaeth â'r union 'rai' hynny felly.[217] Gwell yn hytrach yw anwybyddu Theori a llwyddo drwy hynny i beidio â chynnal deialog ag eraill ac ennill statws anghyffwrdd i gewri a meistri llenyddiaeth Gymraeg, a'r sawl sy'n llefaru drosti. Go brin y deallodd 'neb Cymro' gystal ag Alan Llwyd ei hun yr hyn a nododd John M. Ellis yn ei lyfr *Against Deconstruction* – 'yn wir, y mae theori'n annifyr'.[218]

Nodiadau

1 R. Tudur Jones, 'Astudio'r Hen Destament yng Nghymru, 1860–1890', yn Gwilym H. Jones (gol.), *Efrydiau Beiblaidd Bangor*, 2 (1977), t. 174.
2 Robert Rhys (gol.), 'Rhagymadrodd', *Waldo Williams: Cyfres y Meistri 2* (Abertawe, 1981), t. 12.
3 Victor Bockris a John Cale, *What's Welsh for Zen?* (London, 1999), t. 27.
4 John Rowlands, *Saunders y Beirniad: Llên y Llenor* (Caernarfon, 1990), t. 10.
5 Derec Llwyd Morgan, *'Nid Hwn mo'r Llyfr Terfynol'*: Hanes Llenyddiaeth *Thomas Parry: Darlith Lenyddol Eisteddfod Genedlaethol Cymru Casnewydd 2004* (Cyhoeddiadau Eisteddfod Genedlaethol Cymru, 2004), t. 17.
6 Douglas Coupland, *Life after God* (London, 1994), t. 273: 'Life was charmed but without politics or religion. It was the life of children of the pioneers – life after God – a life of earthly salvation on the edge of heaven. Perhaps this is the

finest thing to which we may aspire, the life of peace, the blurring between dream life and real life – and yet I find myself speaking these words with a sense of doubt.

I think there was a trade-off somewhere along the line. I think the price we paid for our golden life was an inability to fully believe in love; instead we gained an irony that scorched everything it touched. And I wonder if this irony is the price we paid for the loss of God.'

[7] John Rowlands (gol.), 'Rhagymadrodd', *Sglefrio ar Eiriau* (Llandysul, 1992), t. vii.

[8] Dafydd Elis Thomas, *Traddodiadau Fory: Darlith Lenyddol Eisteddfod Genedlaethol Cymru Caernarfon 1983* (Cyhoeddiadau Eisteddfod Genedlaethol Cymru, 1983), t. 21.

[9] Zadie Smith, *White Teeth* (London, 2001), t. 45: 'a residue, left over from the evaporation of . . . faith'.

[10] Alan Llwyd, 'Thomas Hardy: trafod rhai cerddi', *Rhyfel a Gwrthryfel: Brwydr Moderniaeth a Beirdd Modern* (Cyhoeddiadau Barddas, 2003), t. 16.

[11] *Idem*, 'Ar drothwy mileniwm', *Y Grefft o Greu: Ysgrifau ar Feirdd a Barddoniaeth* (Cyhoeddiadau Barddas: 1997), t. 114.

[12] Saunders Lewis, 'Sut y mae'r bardd yn cyfansoddi: llyfr Dr. Parry-Williams ar Elfennau Barddoniaeth', *Western Mail*, 1 Chwefror 1936, 11.

[13] Am hanes cythryblus yr ysgrif honno, gw. Tudur Hallam, 'Alan – darlithydd yn ateb', *Golwg* (24 Chwefror 2005), 24.

[14] Cymh. Alun Llwyd, 'Thomas Hardy: trafod rhai cerddi', *Rhyfel a Gwrthryfel*, t. 55.

[15] Gwilym H. Jones, '"Gwrth-feirniadaeth" a'r Hen Destament yng Nghymru oddeutu tro'r ganrif (1890–1914)', *Y Traethodydd*, 141 (1986), 242.

[16] Alan Llwyd, *Barddoniaeth y Chwedegau: Astudiaeth Lenyddol-hanesyddol* (Cyhoeddiadau Barddas: 1986), t. 45.

[17] Gwilym H. Jones, '"Gwrth-feirniadaeth" a'r Hen Destament yng Nghymru oddeutu tro'r ganrif', 242.

[18] Alan Llwyd, 'Golygyddol' (ymateb i John Rowlands (gol.), *Sglefrio ar Eiriau*), *Barddas*, 183–4 (Gorff./Awst 1992), 6.

[19] Cymh. *Idem*, 'Thomas Hardy: trafod rhai cerddi', *Rhyfel a Gwrthryfel*, t. 53. Cyfeirir at gefnu ar ddull arbennig o feirniadu 'tua chwarter canrif yn ôl, ar ôl cyhoeddi cyfrol o farddoniaeth, a phan oedd y math yma o beth yn weddol newydd ar y pryd'.

[20] *Idem*, '"Cwmwl Haf" Waldo Williams (o safbwynt barddoniaeth a beirniadaeth fodern)', *Y Grefft o Greu*, tt. 9, 18.

[21] *Idem*, 'Ar drothwy mileniwm', *Y Grefft o Greu*, tt. 114. Cymh. '"Pagan" R. Williams Parry', *Y Grefft o Greu*, t. 292. Beirniedir y 'gangen honno o fewn theorïaeth fodern sy'n rhoi cymaint o bwyslais ar ymateb darllenydd'.

[22] *Idem*, 'Thomas Hardy: trafod rhai cerddi', *Rhyfel a Gwrthryfel*, tt. 14–15.

[23] Gwilym H. Jones, '"Gwrth-feirniadaeth" a'r Hen Destament yng Nghymru oddeutu tro'r ganrif', 243.

[24] Gw. Tudur Hallam, 'Camfarnu neu garfarnu beirniad llenyddol?', *Taliesin*, 114 (Gwanwyn 2002), 18: 'Nid o anwybodaeth y mae'n gwrthod trafod theorïau llenyddol na dadansoddi egwyddorion ei feirniadaeth lenyddol ei hun.'

25 Gwilym H. Jones, '"Gwrth-feirniadaeth" a'r Hen Destament yng Nghymru oddeutu tro'r ganrif', 243.

26 Alan Llwyd, '"Pagan" R. Williams Parry', *Y Grefft o Greu*, t. 292

27 *Idem*, 'Ar drothwy mileniwm', *Y Grefft o Greu*, tt. 114–15.

28 Gwilym H. Jones, '"Gwrth-feirniadaeth" a'r Hen Destament yng Nghymru oddeutu tro'r ganrif', 243.

29 Alan Llwyd, *Barddoniaeth y Chwedegau*, t. 174.

30 Alan Llwyd, 'Saunders Lewis a T. S. Eliot', *Y Grefft o Greu*, t. 159.

31 W. J. Gruffydd, 'Rhagymadrodd', *Y Flodeugerdd Gymraeg* (Caerdydd, 1946), t. xiii.

32 Alan Llwyd, 'Saunders Lewis a T. S. Eliot', *Y Grefft o Greu*, t. 160.

33 Alan Llwyd, 'Hopkins a'r cynghanedd', *Y Grefft o Greu*, t. 153.

34 Euros Bowen, *Trin Cerddi* (Y Bala, 1978), t. 5.

35 Alan Llwyd, *Barddoniaeth Euros Bowen: Cyfrol 1/1946–57* (Abertawe, 1977), t. 68.

36 *Idem, Gwyn Thomas: Llên y Llenor* (Caernarfon, 1984), t. 29.

37 *Idem*, '"Rhyfel a Gwrthryfel": "Atgof", E. Prosser Rhys, 1924, a "Bro fy Mebyd", Wil Ifan, 1925', *Rhyfel a Gwrthryfel*, t. 157.

38 *Idem*, 'Thomas Hardy: trafod rhai cerddi', t. 11.

39 *Idem*, '"Y Rheswm": T. H. Parry Williams', *Y Grefft o Greu*, t. 268. Cymh. 'W. J. Gruffydd', *Y Grefft o Greu*, t. 165: 'Digon hawdd i ni sy'n ymhél â beirniadaeth lenyddol daflu enwau anghyfarwydd ger bron ein darllenwyr.'

40 John Rowlands (gol.), 'Rhagymadrodd', *Sglefrio ar Eiriau*, t. ix.

41 Saunders Lewis, 'Safonau beirniadaeth lenyddol', *Y Llenor*, 1 (1922), 246.

42 Oliver Elton, *Modern Studies* (London, 1907), tt. 132–3.

43 Alan Llwyd, 'Ar drothwy mileniwm', *Y Grefft o Greu*, t. 114.

44 Dyf. *idem*, '"Gwallgofrwydd Arglwyddes Hardd": pryddestau eisteddfodol Caradog Prichard: 1927–1939', *Rhyfel a Gwrthryfel*, t. 269.

45 Mihangel Morgan, *Caradog Prichard: Llên y Llenor* (Caernarfon, 2000), t. 29. Rhaid nodi nad yw Mihangel Morgan yn nodi'n union ffynhonnell sylwadau gwraig Caradog Prichard.

46 Alan Llwyd, *Gwae Fi Fy Myw* (Cyhoeddiadau Barddas, 1991), t. 64.

47 *Idem*, 'Alan Llwyd yn ateb Euros Bowen', *Barddas*, 21 (1978), 11.

48 *Idem, Gwyn Thomas: Llên y Llenor*, t. 79.

49 Alan Llwyd ac Elwyn Edwards, *Y Bardd a Gollwyd: Cofiant David Ellis* (Cyhoeddiadau Barddas, 1992), t. 99.

50 Alan Llwyd, *Goronwy Ddiafael, Goronwy Ddu: Cofiant Goronwy Owen 1723–1769* (Cyhoeddiadau Barddas, 1997), tt. 74–5. Cymh. e.e. *idem*, '"Gwallgofrwydd Arglwyddes Hardd": pryddestau eisteddfodol Caradog Prichard: 1927–1939', tt. 206–7; *R. Williams Parry: Llên y Llenor* (Caernarfon, 1984), t. 80.

51 Ibid., t. 77.

52 *Idem*, 'Herio dannedd y corwynt: J. Kitchener Davies: Helynt *Cwm Glo* (1934)', *Rhyfel a Gwrthryfel*, t. 347.

53 *Idem*, 'Ted Hughes a Sylvia Plath: *Birthday Letters* Ted Hughes, 1998', *Rhyfel a Gwrthryfel*, tt. 689, 691.

54 John M. Ellis, *Against Deconstruction* (Oxford, 1989), t. 154: 'Good criticism is stimulating rather than true, and since stimulation can occur in many different ways, that would make its character quite unlike that of the unitary scientific

truth. Critics, then, are legitimately different, and that in turn has meant that the critic's individual character and personality are an important element of criticism. The point of good criticism cannot lie in its discovering *the* meaning of the text; to use that criterion would be to return to the unitary truths of science. The critic's individual temperament and viewpoint are a factor, and so his imagination and creativity must be in evidence.'

55 Oliver Elton, *Modern Studies*, t. 137.

56 R. M. Jones, *Beirniadaeth Gyfansawdd* (Cyhoeddiadau Barddas, 2003), t. 241.

57 Alan Llwyd, '"Pagan"' R. Williams Parry', *Y Grefft o Greu*, t. 292.

58 *Idem, Gwyn Thomas*, t. 28. F'italeiddio i.

59 Ibid., t. 25. F'italeiddio i.

60 *Idem*, 'Cynulleidfa'r bardd', *Y Grefft o Greu*, t. 104: 'Mae darllenwyr unigol yn bod, ond ni ellir hel y rheini at ei gilydd a'u galw'n gynulleidfa neu'n gyhoedd.'

61 Mihangel Morgan, *Jane Edwards: Llên y Llenor* (Caernarfon, 1996), t. 11. Cofir, wrth gwrs, fod Jane Edwards yn wraig i'r Cyn-brifathro Derec Llwyd Morgan, a bod angen amodi'r sylw Meseianaidd hwn felly, a bod Alan Llwyd wedi bod yn diwtor ysgrifennu creadigol yn y Brifysgol, ac wedi cynnig am swyddi darlithio.

62 Alan Llwyd, 'Cynulleidfa'r bardd', *Y Grefft o Greu*, t. 106.

63 *Idem, 50 o Gywyddau Dafydd ap Gwilym* (Abertawe, 1980), t. 10.

64 T. Robin Chapman, *Rhywfaint o Anfarwoldeb: Bywgraffiad Islwyn Ffowc Elis* (Llandysul, 2003), t. 15.

65 Alan Llwyd, '"Cwmwl Haf" Waldo Williams . . .', *Y Grefft o Greu*, t. 1.

66 *Idem*, '"Y Ddôr yn y Mur": barddoniaeth Gwyn Thomas ar achlysur cyhoeddi *Gweddnewidio, 2000*', *Rhyfel a Gwrthryfel: Brwydr Moderniaeth a Beirdd Modern* (Cyhoeddiadau Barddas, 2003), t. 656. F'italeiddio i. Gw. hefyd tt. 656, 664, 669, 671, 675, 683, 684.

67 Ibid., t. 661. Cymh. 'Waldo Williams: "O Bridd" gyda golwg ar rai cerddi eraill', t. 387. Hefyd tt. 390–1.

68 *Idem*, 'Cerddi dau gyfaill', *Rhyfel a Gwrthryfel*, t. 64.

69 Saunders Lewis, 'W. J. Gruffydd', (adolygiad ar *Y Tro Olaf ac Ysgrifau Eraill*), *Baner ac Amserau Cymru*, 21 Mehefin 1939, 10.

70 Stanley Fish, *Is There a Text in This Class?* (London, 1980), tt. 320–1: 'That is why it is so hard for someone whose very being is defined by his position within an institution . . . to explain to someone outside it a practice or a meaning that seems to him to require no explanation, because he regards it as natural. Such a person, when pressed, is likely to say, "but that's just the way it's done" or "but isn't it obvious" and so testify that the practice or meaning in question is community property, as, in a sense, he is too.'

71 Alan Llwyd, *Barddoniaeth y Chwedegau*, t. 551. Cymh. '"Y Ddôr yn y Mur": barddoniaeth Gwyn Thomas ar achlysur cyhoeddi *Gweddnewidio, 2000*', t. 680. Gan ailadrodd ei farn am y gerdd, holir yn anghrediniol: 'mae'n rhaid gofyn pam na chynhwyswyd "Hiroshima" o *Y Weledigaeth Haearn* yn *Gweddnewidio*?'

72 Bobi Jones, *Crio Chwerthin* (Cyhoeddiadau Barddas, 1990), t. 31. Dyf. Alan Llwyd, '"Môr Cymreig fy Mawl": golwg ar farddoniaeth Bobi Jones', *Rhyfel a Gwrthryfel*, t. 411.

73 Cymh. Alan Llwyd, ibid., t. 400: 'Fe'i ganed ef [Bobi Jones] i gael ei aileni.'

74 *Idem, Glaw ar Rosyn Awst* (Caernarfon, 1994), tt. 17, 19, 46.

75 Ibid., t. 326.

76 Ibid., t. 325.

77 Gwilym H. Jones, '"Gwrth-feirniadaeth" a'r Hen Destament yng Nghymru oddeutu tro'r ganrif', 244.

78 Dafydd Elis Thomas, *Traddodiadau Fory*, t. 15.

79 M. Wynn Thomas (adolygiad o Belinda Humfrey (gol.), *Fire Green as Grass: Studies of the Creative Impulse in Anglo-Welsh Poetry & Short Stories of the 20th Century*), *New Welsh Review*, VIII/I, 29 (Haf 1995), 93. Dyf. Simon Brooks, *O Dan Lygaid y Gestapo: Yr Oleuedigaeth Gymraeg a Theori Lenyddol yng Nghymru* (Caerdydd, 2004), t. 95. Cymh. Dafydd Elis Thomas, *Traddodiadau Fory*, t. 23: 'Yr eironi . . . yw bod gwreiddiau'r syniad o draddodiad llenyddol Cymraeg i'w gweld yn glir iawn ym Matthew Arnold a T. S. Eliot.'

80 John Rowlands, 'Rhagymadrodd', *Sglefrio ar Eiriau*, t. vii.

81 Gwilym H. Jones, '"Gwrth-feirniadaeth" a'r Hen Destament yng Nghymru oddeutu tro'r ganrif', 244.

82 Angharad Price, 'Tyst i gyfraniad rhyfeddol . . .', 56.

83 Alan Llwyd, '"Pagan" R. Williams Parry', *Y Grefft o Greu*, t. 292.

84 Gwilym H. Jones, '"Gwrth-feirniadaeth" a'r Hen Destament yng Nghymru oddeutu tro'r ganrif', 245.

85 Ibid.

86 Gw. Tudur Hallam, 'Plentyn a phlentyneiddiwch yng ngwaith diweddar R. M. Jones', *Tu Chwith*, 20 (Gwanwyn 2004), 67–96.

87 R. M. Jones, '"Gororau'r Iaith"', *Y Traethodydd*, 160 (2005), 42. Cyfeirir at Jason Walford Davies.

88 John Gruffydd Hughes (Moelwyn), *Mr. Saunders Lewis a Williams Pantycelyn* (Birkenhead, 2il arg., 1928), t. 5.

89 Walford Gealy, 'Pwysigrwydd cywirdeb' [gohebiaeth], *Taliesin*, 101 (1998), 106.

90 Ibid., t. 107.

91 Angharad Price, 'Gohebiaeth' [ymateb i feirniadaeth Walford Gealy yn y rhifyn blaenorol], *Taliesin*, 102 (Haf 1998), 111.

92 Derec Llwyd Morgan (adolygiad o David Ceri Jones), *'A Glorious Work in the World'. . .*, *Llên Cymru*, 29 (2006), 171.

93 Alan Llwyd, 'Ynghylch llenydda a beirniadaeth: M. Wynn Thomas yn holi Alan Llwyd, Hydref 2002', yn Huw Meirion Edwards (gol.), *Alan: Casgliad o Gerddi ac Ysgrifau ar Alan Llwyd, gyda Llyfryddiaeth Lawn o'i Waith gan Huw Walters* (Cyhoeddiadau Barddas, 2003), t. 151.

94 Nodir yr ymatebir i'r digwyddiadau hyn ar lun y dull yr awgrymodd Roland Barthes ac a drafodwyd yn y rhagymadrodd cyntaf, sef ysgrifennu amdanaf fi fy hun fel pe bawn yn ysgrifennu am rywun arall.

95 Alan Llwyd, *Barddoniaeth y Chwedegau*, t. 72.

96 *Idem* (gol.), 'Rhagymadrodd', *Cerddi R. Williams Parry: Y Casgliad Cyflawn 1905–1950* (Dinbych, 1998), t. ix. Gw. t. x. Nodir bod Bobi Jones wrth iddo feirniadu'r bardd yn gwneud hynny 'yn chwareus ac yn bryfoclyd'. Yn aml yn achos ffigurau anghyffwrdd, amlygir y feirniadaeth drwy gyfrwng arddull chwareus y darn, ac adweithir maes o law yn erbyn cynodiadau chwareus yr arddull honno, yn hytrach na'r cynnwys.

[97] Ibid.

[98] R. Tudur Jones, 'Ymneilltuaeth a'r iaith Gymraeg yn y bedwaredd ganrif ar bymtheg', yn Geraint H. Jenkins (gol.), *Gwnewch Bopeth yn Gymraeg: Yr Iaith Gymraeg a'i Pheuoedd 1801–1911* (Caerdydd, 1999), t. 249.

[99] Adena Rosmarin, 'Theory of "against theory"', yn W. J. T. Mitchell (gol.), *Against Theory: Literary Studies and the New Pragmatism* (London, 1985) tt. 84–5: 'Interpretive grounds are always presented as *self-evident* – indeed, they are powerful *insofar as they seem to be so.*'

[100] William E. Cain, 'Opening the American mind: reflections on the "canon" controversy', yn Jan Gorak (gol.), *Canon vs Culture* (London, 2001), t. 8: '[T]he writer of the editorial cannot afford to offer definitions of literary value and excellence, because as soon as he does so, he will be conceding that the meaning of these terms is not unmistakably plain.'

[101] Cymh. H. B. Acton, 'Tradition and other forms of order', *Proceedings of the Aristotelian Society*, New Series, LIII (1952–3), 5: 'There may be good reasons for a tradition, but if those who uphold it have recourse to reason, they have detracted from the authority of the tradition by defending it, for to lend support is to admit the possibility of collapse.'

[102] Silas Morris, 'Sefyllfa Bresennol Beirniadaeth Feiblaidd', *Y Traethodydd* (1893), 106. Dyf. Gwilym H. Jones, '"Gwrth-feirniadaeth" a'r Hen Destament yng Nghymru oddeutu tro'r ganrif', 245.

[103] T. J. Morgan, *Ysgrifau Llenyddol* (Llundain, 1951), t. 2.

[104] Walford Gealy, 'Pwysigrwydd cywirdeb', 104. Angharad Price, 'Gohebiaeth', 110.

[105] John Rowlands, *Saunders y Beirniad*, t. 36.

[106] John Gruffydd Hughes (Moelwyn), *Mr. Saunders Lewis a Williams Pantycelyn*, tt. 1, 6: 'Yn yr ymdriniaeth drwyddi ceir ôl ymchwil dyfal a phrofion amlwg fod yr awdur yn weddol gyfarwydd â'i destun ac â llenyddiaeth y pwnc.'

[107] R. M. Jones, *Beirniadaeth Gyfansawdd*, t. 156. Cymh. *Mawl a Gelynion ei Elynion* (Cyhoeddiadau Barddas, 2002), t. 187.

[108] R. M. Jones, '"Gororau'r Iaith"', *Y Traethodydd*, 160 (2005), 42. I'r gwrthwyneb, beirniedir gwaith Simon Brooks drwy nodi pa beth yn union *nad* yw wedi ei ddarllen. Gw. *idem*, 'Rhwng Seimon a Thimotheus', *Taliesin*, 125 (2005), 128: '[Y]r wyf wedi trafod yr Oleuedigaeth mewn dau le, sef *Mawl a'i Gyfeillion*, 232–6, a *Mawl a Gelynion ei Elynion*, 28–89, ac yn anuniongyrchol mewn cyfrol ynghynt. Nid oes ganddo gyfeiriad at yr un o'r rhain.'

[109] Alan Llwyd, '"Môr Cymreig fy Mawl"', *Rhyfel a Gwrthryfel*, t. 401.

[110] Cymh. *idem*, 'Golygyddol', *Barddas*, 248 (Medi/Hydref 1998), 4: 'Y broblem fawr, wrth gwrs, yw hyn: pwy sy'n mynd i ddarllen yr holl lyfrau hyn, y miloedd llyfrau barddoniaeth a gyhoeddwyd yn ystod y ganrif hon, a'r toreth cylchgronau [heb sôn am y canrifoedd a fu]? Gallai rhywun dreulio oes gyfan yn gwneud hynny heb wneud fawr o ddim byd arall. Mae'n anodd darllen cyfran fechan, hyd yn oed, o'r hyn y mae'n rhaid ei ddarllen cyn y gall barn neb fod o werth.' Drwy bwysleisio anferthedd y dasg, a sefydlu darllen eang yn faen praw i awdurdod, gwerthfawrogir camp y meistr-feirniad darllengar.

[111] R. M. Jones, 'Rhagymadrodd', *Blodeugerdd Barddas o'r Bedwaredd Ganrif ar Bymtheg* (Cyhoeddiadau Barddas, 1988), t. 29.

112 John Gruffydd Hughes (Moelwyn), *Mr. Saunders Lewis a Williams Pantycelyn*, t. 85.

113 Alan Llwyd, '"Môr Cymreig fy Mawl"', *Rhyfel a Gwrthryfel*, t. 400.

114 Donald Evans (gol.), 'Rhagair', *Y Flodeugerdd o Gywyddau* (Abertawe, 1981), t. 13.

115 Alan Llwyd, 'Rhagymadrodd', *Gwaedd y Lleiddiad: Blodeugerdd Barddas o Gerddi'r Ail Ryfel Byd 1939–1945* (Cyhoeddiadau Barddas, 1995), t. xvii. Cyfeirir at Alun Kenwood (gol.), *The Spanish Civil War: A Cultural and Historical Reader* (Oxford, 1993).

116 Alan Llwyd, 'Cynulleidfa'r bardd', *Y Grefft o Greu*, t. 104.

117 *Idem*, '"Môr Cymreig fy Mawl"', *Rhyfel a Gwrthryfel*, t. 649.

118 Ibid., t. 400.

119 Ibid., t. 401.

120 Ibid. Cymh. 'Thomas Hardy: trafod rhai cerddi', t. 58. Cymh. *Rhyfel a Gwrthryfel*, tt. 401, 660.

121 *Idem*, 'Saunders Lewis a T. S. Eliot', *Y Grefft o Greu*, t. 160.

122 John Rowlands, *Saunders y Beirniad*, t. 19.

123 Alan Llwyd, 'Môr Cymreig fy Mawl', *Rhyfel a Gwrthryfel*, t. 401.

124 *Idem*, '"Cwmwl Haf" Waldo Williams . . .', *Y Grefft o Greu*, t. 9. F'italeiddio i.

125 Ibid.

126 John Rowlands, *Saunders y Beirniad*, t. 19. Dyfynnir o *Williams Pantycelyn*.

127 *Idem*, *Ysgrifau ar y Nofel* (Caerdydd, 1992), t. 101.

128 Saunders Lewis, *Braslun o Hanes Llenyddiaeth Gymraeg: Y Gyfrol Gyntaf: Hyd at 1535* (Caerdydd, 1932), t. 132.

129 Ibid.

130 Ibid., tt. 133, 132.

131 Cymh. *Beirdd ein Canrif* (Llandysul, 1955), t. v: 'Geill llenyddiaeth Cymru gymharu'n anffafriol â'r eiddo Lloegr a gwledydd eraill mewn rhai ceinciau, ond nid oes eisiau i neb gywilyddio oherwydd ansawdd barddoniaeth Cymru, ac yn arbennig felly farddoniaeth Gymraeg y ganrif hon.'

132 Alan Llwyd, *Glaw ar Rosyn Awst*, t. 307–8.

133 *Idem* (gol.), 'Rhagair', *Y Flodeugerdd o Ddyfyniadau Cymraeg* (Cyhoeddiadau Barddas, 1988).

134 Simon Brooks, *O Dan Lygaid y Gestapo*, t. 115.

135 Ibid.

136 R. M. Jones, 'Rhagymadrodd', t. 28.

137 Barddas, *Blodeugerdd o Farddoniaeth Gymraeg yr Ugeinfed Ganrif* (Cyhoeddiadau Barddas, 1987), ar y siaced lwch.

138 Nesta Lloyd (gol.), 'Rhagymadrodd', *Blodeugerdd Barddas o'r Ail Ganrif ar Bymtheg* (Cyhoeddiadau Barddas, 1986), t. xiv.

139 Alan Llwyd, 'Rhagymadrodd', yn Alan Llwyd ac Elwyn Edwards (goln), *Gwaedd y Bechgyn: Blodeugerdd Barddas o Gerddi'r Rhyfel Mawr 1914–1918* (Cyhoeddiadau Barddas, 1989), t. 37.

140 *Idem*, 'Rhagymadrodd', *Y Flodeugerdd Englynion* (Abertawe, 1978), t. 33.

141 Matthew Arnold, *Culture and Anarchy* (London, 1994), t. 5.

142 David Johnson (gol.), 'Introduction to part 1', *The Popular and the Canonical: Debating Twentieth-Century Literature 1940–2000* (London, 2005), t. 7: 'Culture was to act as a buffer against the anarchy of the Populace.'

143 Morgan D. Jones, *Cymwynaswyr y Gymraeg* (Abertawe, 1978), t. 129.
144 Alan Llwyd, 'Ar drothwy mileniwm', *Y Grefft o Greu*, t. 113.
145 John Rowlands, *Saunders y Beirniad*, t. 19.
146 Morgan D. Jones, *Cymwynaswyr y Gymraeg*, tt. 131–2.
147 Alan Llwyd, 'Ynghylch llenydda a beirniadaeth: M. Wynn Thomas yn holi Alan Llwyd, Hydref 2002', t. 135.
148 Tudur Hallam, 'R. M. Jones a'r "gelyn" parchus', *Llên Cymru*, 29 (2006), tt. 137–64.
149 Alan Llwyd, 'Ar drothwy mileniwm', *Y Grefft o Greu*, t. 116.
150 Ibid., t. 115.
151 *Idem*, 'Cynulleidfa'r bardd', *Y Grefft o Greu*, t. 105,
152 F. R. Leavis, 'Valuation in criticism', *Valuation in Criticism and Other Essays* (Cambridge, 1986), t. 248.
153 Barddas, *Blodeugerdd o Farddoniaeth Gymraeg yr Ugeinfed Ganrif*, ar y siaced lwch.
154 Cymh. Alan Llwyd, 'Thomas Hardy: trafod rhai cerddi', *Rhyfel a Gwrthryfel*, t. 400: 'Daethpwyd i'r casgliad fod y "canon" swyddogol wedi gwneud cam dybryd â'r bardd, oherwydd bod beirniaid y gorffennol wedi anwybyddu a diystyru nifer helaeth o'i gerddi gorau.'
155 Nesta Lloyd (gol.), *Blodeugerdd Barddas o'r Ail Ganrif ar Bymtheg (Cyfrol 1)*, t. xiv. Gw. t. xv: 'Er mwyn cynnwys cynifer o gerddi newydd ag yr oedd yn bosibl, dewiswyd weithiau gerddi llai enwog a phoblogaidd bardd arbennig, os yw ei gerddi enwocach ar gael mewn mannau eraill cwbl hygyrch fel *Blodeugerdd Rhydychen.*'
156 Gerwyn Wiliams, 'Politics prydyddol', *Taliesin*, 61 (1988), 32.
157 E. Dean Kolbas, t. 27: 'the *ideological* status of the literary canon – that is, the degree to which it legitimizes the status quo'.
158 John Guillory, *Cultural Capital: The Problem of Literary Canon Formation* (London, 1993), t. 63.
159 R. M. Jones, *Mawl a Gelynion ei Elynion*, t. 185.
160 Alan Llwyd, 'Blodeugerdd o bwys, blodeugerdd anghytbwys' (adolygiad o Menna Elfyn a John Rowlands (goln), *The Bloodaxe Book of Modern Welsh Poetry*), Barddas, 273 (Mehefin/Gorffennaf/Awst 2003), 69. Nodir mai safon y cyfieithu ac nid y detholiad a feirniedir yn bennaf yn yr adolygiad.
161 Ibid., 70.
162 *Idem*, '"Cwmwl Haf" Waldo Williams', *Y Grefft o Greu*, t. 9.
163 *Idem*, 'Dylan Thomas: "A Refusal to mourn . . ."', *Y Grefft o Greu*, t. 295.
164 *Idem*, 'Thomas Hardy: trafod rhai cerddi', t. 33.
165 Ibid., t. 30.
166 *Idem*, '"Y Ddôr yn y Mur": barddoniaeth Gwyn Thomas ar achlysur cyhoeddi *Gweddnewidio*, 2000', *Rhyfel a Gwrthryfel*, t. 688.
167 Ibid.
168 John Gwilym Jones, 'Saunders Lewis dramodydd', *Y Traethodydd*, CXLI, 600 (1986), 163. F'italeiddio i.
169 Alan Llwyd, *Barddoniaeth y Chwedegau*, t. 539.
170 Tudur Hallam, 'Camfarnu neu garfarnu beirniad llenyddol?', t. 27.
171 Simon Brooks, *O Dan Lygaid y Gestapo*, t. 104.

172 Cymh. Alan Llwyd, 'Waldo Williams: "O Bridd" gyda golwg ar rai cerddi eraill', *Rhyfel a Gwrthryfel*, t. 363. Disgrifir trafodaeth Bobi ar y gerdd 'O Bridd' yn nhermau 'ffansi neu syniad', a'i dirymu drwy edrych ar dystiolaeth geiriau 'Waldo ei hun' amdani.

173 *Idem*, 'Thomas Hardy: trafod rhai cerddi', tt. 14. F'italeiddio i.

174 Ibid., t. 15.

175 Jane Aaron, 'Gwahaniaeth a lluosogedd: golwg ar rai o theorïau'r ffeminyddion Ffrengig', *Efrydiau Athronyddol: Syniadau Ffeminyddol*, LV (1992), 34–6.

176 Ibid., 40.

177 Alan Llwyd, *Anghenion y Gynghanedd* (Caerdydd, 1973), t. 103.

178 Gw. e.e. Alan Llwyd, '"Y Ddôr yn y Mur": barddoniaeth Gwyn Thomas ar achlysur cyhoeddi *Gweddnewidio*, 2000', *Rhyfel a Gwrthryfel*, t. 661: 'Dyma'r gerdd gyntaf am y genhinen . . . Ceir eraill . . . Ac fe geir llawer o gerddi cyffelyb am wrthrychau o fyd natur . . . Mae "llawenydd yn impio" yn "Y Newid Hen Hwnnw" . . . Ceir delweddau trawiadol . . . A mwy na delweddu: mae yma awgrymu. Ceir yma bren du dioddefaint . . . ceir yma "goron fendigaid" . . . Mae'n anodd peidio â meddwl am y Croeshoeliad . . . Dyma'r daioni . . .' Ceir hefyd gyfresi o frawddegau yn dechrau gyda 'Mae'.

179 *Idem*, 'Herio Dannedd y Corwynt: J. Kitchener Davies: helynt *Cwm Glo* (1934)', *Rhyfel a Gwrthryfel*, t. 347.

180 *Idem*, *Barddoniaeth y Chwedegau*, t. 158.

181 *Idem*, '"Gweled y Nef yn ein Gwlad Ni": dwy awdl gan Gwenallt: "Y Sant", 1928, a "Breuddwyd y Bardd", 1931', *Rhyfel a Gwrthryfel*, t. 343.

182 Ibid., t. 326.

183 *Idem*, '"O Wynfa Goll!": cerddi eisteddfodol Cynan: 1921–1931', *Rhyfel a Gwrthryfel*, t. 101.

184 *Idem*, 'Canrif o brifwyl', *Y Grefft o Greu*, t. 132. Cymh. '"O Wynfa Goll!": cerddi eisteddfodol Cynan: 1921–1931', *Rhyfel a Gwrthryfel*, t. 102. Nodir na 'wyddai'r beirniaid [yn 1922] . . . fod awdur "Mab y Bwthyn" ei hun ymhlith y cystadleuwyr'.

185 *Idem*, 'Brwydrau moderniaeth', *Y Grefft o Greu*, t. 28.

186 Ibid., t. 23.

187 A. Cynfael Lake, 'Y cofiannydd', yn Huw Meirion Edwards (gol.), *Alan*, t. 167.

188 John Gruffydd Hughes (Moelwyn), *Mr. Saunders Lewis a Williams Pantycelyn*, t. 14.

189 Alan Llwyd, 'Thomas Hardy: trafod rhai cerddi', tt. 12–13, 23. Cymh. T. Robin Chapman, *Rhywfaint o Anfarwoldeb*, t. 15.

190 *Idem*, 'Ted Hughes a Sylvia Plath: *Birthday Letters* Ted Hughes, 1998', *Rhyfel a Gwrthryfel*, t. 694.

191 *Idem*, *Glaw ar Rosyn Awst*, t. 311.

192 Ibid., t. 42. Cymh. *idem*, *Barddoniaeth y Chwedegau*, t. 143. Dyfynnir barn Kate Roberts ar D. J. Williams: '[ni] ddaw neb eto i sgrifennu Cymraeg fel D.J.; Cymraeg a gododd o ddaear ei gartref, Cymraeg y Gymdeithas gymdogol uniaith Gymraeg a garai ef mor fawr'.

193 Saunders Lewis, *Letters to Margaret Gilcriest* (Cardiff, 1993), t. 288.

194 R. M. Jones, *O'r Bedd i'r Crud*, t. 87.

195 Alan Llwyd, 'Ar drothwy mileniwm', *Y Grefft o Greu*, t. 110.

196 *Idem*, 'Fy Nhaid', *Sonedau i Janice a Cherddi Eraill* (Cyhoeddiadau Barddas, 1996), t. 75.

197 Saunders Lewis, 'Baledi'r ddeunawfed ganrif: nodau'r feirniadaeth Gymraeg newydd', *Western Mail*, 30 Tachwedd 1935, 11.

198 Alan Llwyd, *Goronwy Ddiafael, Goronwy Ddu*, t. 455.

199 *Idem*, 'Fy Nhaid'.

200 *Idem*, 'Ar drothwy mileniwm', *Y Grefft o Greu*, t. 110.

201 *Idem* (gol.), 'Rhagymadrodd', *Trafod Cerdd Dafod y Dydd* (Cyhoeddiadau Barddas, 1984), t. 10. Unwaith yn rhagor credir bod i'r gair 'rhagfarn' ystyr wahanol yn yr ymadrodd hwn – y cyd-destun yw culni meddwl – i'r modd y'i defnyddir yn y traethawd hwn i olygu edrych o du sefyllfa arbennig.

202 *Idem* (gol.), 'Rhagymadrodd', *Y Flodeugerdd Englynion*, t. 33. Cymh. *idem* (gol.), 'Rhagymadrodd', *Y Flodeugerdd o Epigramau Cynganeddol* (Cyhoeddiadau Barddas, 1985), t. 15: 'Casgliad *personol* a geir yn y gyfrol hon, fel unrhyw flodeugerdd, ond ceisiwyd dewis a dethol yn ofalus, gan lynu wrth rai canonau pendant.'

203 Ibid., gw. t. 33.

204 *Idem*, 'Cynulleidfa'r bardd', *Y Grefft o Greu*, t. 104.

205 *Idem*, 'Golygyddol', *Barddas*, 248 (Medi/Hydref 1998), 4.

206 Saunders Lewis, 'Yr Eisteddfod a beirniadaeth lenyddol', *Meistri'r Canrifoedd*, t. 338: '[Y]r oedd y cyfarfod – yr "Eistedd" – i ddarllen awdlau a gwrando barnu arnynt yn sicrhau'r traddodiad a etifeddwyd.'

207 Alan Llwyd, 'Golygyddol', *Barddas*, 248 (Medi/Hydref 1998), 4.

208 *Idem*, '"Môr Cymreig fy Mawl": golwg ar farddoniaeth Bobi Jones', *Rhyfel a Gwrthryfel*, t. 547.

209 *Idem*, *Goronwy Ddiafael, Goronwy Ddu*, t. 408: o gofio i Oes y Rheswm gredu mai 'dwy elfen hollol gyferbyniol i'w gilydd' (t. 405) yw dychymyg a barn, a oes yma 'ffynhonnell' i esbonio'r modd y gwahaniaethodd Alan Llwyd rhwng diben barddoniaeth a beirniadaeth lenyddol?

210 *Idem*, *Glaw ar Rosyn Awst*, t. 309.

211 Moi Parri, 'Atgofion dyddiau ysgol', yn Huw Meirion Edwards (gol.), *Alan*, t. 18.

212 Gw. e.e. *Barddoniaeth y Chwedegau*, t. 421: 'Y canu caeth fu arf grymusaf y bardd gwlad erioed, a thrwy'r canu caeth yr ychwanegodd at ysblander ein traddodiad, yn hytrach nag ymarfer o fewn y traddodiad.'

213 R. M. Jones, *Meddwl y Cynghanedd* (Cyhoeddiadau Barddas, 2005), t. 33.

214 Ibid., t. 28.

215 Alan Llwyd, *Barddoniaeth y Chwedegau*, t. 406.

216 *Idem*, 'Ar drothwy mileniwm', *Y Grefft o Greu*, t. 116.

217 Ibid., t. 114.

218 John M. Ellis, t. 158: '[T]heory is indeed disturbing.' Nodir nad agwedd wrth-theoretig a gyflwynir gan Ellis, eithr un sy'n amlygu natur geidwadol a diffygion theoretig dadadeiladaeth.

Pennod Glo

Yn wyneb pwyslais ambell gangen o Theori ar luosedd ac amrywiaeth, nid syn fod adran gasgliadau yn ddychryn i led-ôl-fodernydd hael fel fi. Dyna un casgliad pendant y daethpwyd iddo. Fy nhuedd yn hytrach yw dwyn sylw'r darllenydd at gyfyngiadau'r rhaglen waith empeiraidd, a'r modd y mae'r hyn y dewiswyd ei astudio yn pennu'r casgliadau y gellir eu llunio; a theimlaf y dylwn bwysleisio bod yr adran gasgliadau'n gyfraniad i drafodaeth nad yw eto wedi dod i ben. Yn sicr, cyfyngu ar ddiwylliant a wna canon, ac am y rheswm hwnnw arswydir rhyw gymaint rhagddo o hyd. Felly hefyd gydag adran gasgliadau, am na all hi fyth gynrychioli'r cyfan oll a ddywedwyd yn yr adrannau blaenorol.

Eto erys yr awydd am gasgliadau hefyd, nid yn unig gan y sefydliad academaidd a'r gymuned lengar ehangach y cyflwynir yr astudiaeth Gymraeg hon iddi, eithr yn ddwfn ynof fi fy hun. Dyn f'amgylchfyd wyf finnau, wrth gwrs. Ond p'un ai mater o ddylanwad magwraeth a chydymffurfio cymdeithasol yw'r awydd hwn am gasgliadau, neu'n hytrach nodwedd ar feddwl ac ysbryd personau'n gyffredinol, amhosibl i mi yn awr yw peidio ag ildio i'r temtasiwn o edrych yn ôl drwy'r gwaith ac ystyried pa beth mewn gwirionedd sydd o werth yma. Rymused yn wir yr awydd hwn i olygu a rhoi trefn ar yr hyn a ysgrifennwyd eisoes nes fy mod yn tueddu i gytuno ag R. M. Jones mai 'chwiw dros dro a blinedig yw'r arddull feddyliol honno' sy'n negyddu, sy'n gwrthryfela, sy'n ffoi rhag 'casgliadau', ac mai doethach felly yw deisyf 'gwir newydd-deb yr oedolyn myfyriol'.[1] Wrth gwrs, yn raddol ac yn anfoddog braidd y deuthum i'r casgliad hwn, megis llanc a flinodd ar ei smaldod ei hun ac sy'n gwingo wrth gydnabod mai ei rieni a oedd yn iawn wedi'r cyfan. Am hynny, ni allaf ond ymddiheuro wrth bob gwir ôl-fodernydd am ildio i'r temtasiwn hwn. F'unig gysur yw imi rybuddio'r darllenydd yn y rhagymadrodd cyntaf fod gwir berygl imi droi'n apolegydd dros y *status quo*.

Erys yr awydd i gasgliadu, felly, megis yr awydd estynedig i ganon-eiddio, a hynny'n groes, megis, i rethreg Theori yn erbyn y Canon. (Ofer f'ymdrechion i ddianc rhag yr 'C' fawr.) Nodwyd eisoes fod Theori ei hun bellach drwy gyfrwng yr *introductions* a'r *readers* wedi ffurfio'n geid-wadol nid yn unig ei chanon o ysgolion – 'a familiar catalogue of isms and ologies', chwedl Richard Bradford – eithr hefyd ei chanon o feistri, megis y rhestrir Derrida, Foucault a Lacan yn uwchdrindod gan Brad-ford.[2] Rhan o'r symudiad hwn o ganoneiddio Theori ydoedd *Sglefrio ar Eiriau*, sef ceisio, er gwaethaf pwyslais ambell gangen ym maes Theori ar anundod ac amrywiaeth, arosod trefn a didoli rhwng cyfraniadau da, gweddol dda a gwael. Protest yn erbyn y Canon, ond a oedd yn ddibynnol arno hefyd ydoedd Theori, felly, a chwyldro a fyddai'n colli ei rym wrth iddo ddatblygu ei is-ganon o feistri ei hun. Ys dywed Catherine Belsey, heb dynnu sylw at arwyddocâd ymadrodd cyntaf y frawddeg: 'Y *mae bob amser* berygl y bydd beirniadaeth lenyddol chwyldroadol yn creu, yn syml iawn, ganon newydd o destunau derbyniol.'[3] Dyma berygl y troi'r newydd yn norm, pan dry'r gwrthryfelwr yn sefydliadwr wrth iddo'n geidwadol chwenychu statws sefydlog yr hyn y mae newydd ei ddisodli. Yn y drydedd bennod, gwelwyd enghraifft o'r egwyddor hon ar waith wrth i Alan Llwyd, wedi iddo herio statws un o feirdd mwyaf anghyffwrdd y Gymraeg, ddiogelu'r union statws anghyffwrdd hwnnw iddo'i hun. Hen, hen stori ydyw. Fel y dywedodd R. M. Jones, 'Llifo a wna'r llifo wrth gwrs; ond sefydlog yw ffaith y llif.'[4]

Enghraifft arall o'r egwyddor hon ar waith yng nghyswllt Theori ydyw'r rhestr enwau a drefnwyd yn 1993 er mwyn amddiffyn enw da Jacques Derrida, un arall a heriodd statws yr anghyffwrdd. Deilliodd 'L'affaire Derrida' yn *The New York Review of Books* yn sgil dadl ynghylch cyfieithiad Richard Wolin o'i waith. Gan drefnu rhestr o enwau'n dystlythyr iddo, hawliodd cefnogwyr Derrida – nid yn annhebyg i feirniadaeth Alan Llwyd ar flodeugerdd John Rowlands a Menna Elfyn – mai safon amaturaidd y cyfieithu ydoedd y rheswm dros atal yr ail argraffiad o gyfieithiad Wolin, ynghyd â materion hawlfraint. Ond hawl-iodd Thomas Sheehan i Derrida atal y gwaith argraffu gan i Wolin fod yn ddigon hyf i feirniadu agweddau ar ei waith. Am hynny, nododd mor eironig ydoedd gweld Derrida, 'sy'n darparu iaith ar gyfer beirniadu grym a dadadeiladu imperialaeth awduraeth', ei hun bellach yn ffigwr o rym a oedd yn bygwth defnyddio'r heddlu er mwyn tawelu eraill.[5]

Ar un olwg, adlais ydoedd 'L'Affaire Derrida' o ddadl debyg a ddat-blygodd rai blynyddoedd ynghynt ynghylch cyfaill Derrida, Paul de Man, pan ddarganfuwyd yn 1987 iddo gyhoeddi rhwng 1940 a 1942 nifer o erthyglau gwrth-Iddewig ac o blaid y Natsïaid yn y papur *Le Soir* yng Ngwlad Belg. Fel y nododd Seán Burke, eironi'r sefyllfa yn 1987 ydoedd i fywyd a gwaith y beirniad hwn a wrthododd 'feirniadaeth awdurganolog' adnewyddu diddordeb mewn awduraeth ac ystyriaethau bywgraffyddol, a hynny ar ôl ei farwolaeth ei hun. Oherwydd yr oedd y sawl a oedd am amddiffyn de Man yn barod i arddel lawn cymaint â'i elynion fod 'Paul de Man' yn berson ac nid yn arwydd testunol yn unig, a bod llofnod y gŵr yn ei glymu 'yn foesol ac yn ddirfodol wrth y testunau y mae wedi eu hysgrifennu'.[6] At hyn, nododd Burke 'na chwestiynwyd am eiliad fod y fath beth â chorpws de Manaidd yn bod'. Y cwestiwn yn hytrach i'r naill ochr a'r llall ydoedd diffinio perthynas erthyglau *Le Soir* â gweddill y corpws, gyda rhai yn gweld dilyniant rhwng erthyglau *Le Soir* a'r gwaith wedi'r Ail Ryfel Byd, eraill yn gweld yr awdur yn adweithio yn erbyn erthyglau *Le Soir*, ac eraill yn eu dehongli yn nhermau 'gwaith cynnar anangenrheidiol' nad oedd yn rhan o 'ganon hanfodol ac aeddfed'.[7]

Yn achos y naill ddadl a'r llall, felly, gwelir bod y rhestr enwau a fynnai amddiffyn enw da Derrida, ei awydd call ef ei hun i reoli sut y darllenid ei waith, ynghyd â'r diddordeb yn y corff o waith a adawodd Paul de Man ar ei ôl fel pe baent yn cadarnhau rhyw awydd cyffredin ymhlith selogion Theori nid yn unig i ganoneiddio eu gwaith eu hunain, eithr i reoli'r dulliau canoneiddio hefyd. Am hynny, digon teg ydoedd beirniadaeth Sheehan yn erbyn Derrida a'i gefnogwyr, oherwydd gwelwn sut y troes y rhai a fu gynt yn herio grym canoneiddrwydd i ddeisyfu'r union statws iddynt eu hunain. Gyda hynny, ac mewn modd goramlwg braidd, llwyddasai ymateb ei gefnogwyr i'r feirniadaeth ar Derrida yn 1993 i bwysleisio un arall o brif gasgliadau'r astudiaeth hon, sef bod yn rhaid dadlau dros statws canonaidd unrhyw destun, a bod ansawdd a gwerth y ddadl honno lawn bwysiced ag ansawdd a gwerth y testun ei hun. Nid gwrthod y cysyniad o werth llenyddol yw ystyr hynny – a honni mai Thomas Parry, er enghraifft, a roes i Ddafydd ap Gwilym ei fawredd – eithr cymhwysir y cysyniad o werth at y dasg o gyflwyno ac amddiffyn y testun canonaidd hefyd. Er gwaethaf pwyslais Alan Llwyd ac R. M. Jones ar statws canonaidd y gwaith ei hun, nid deubeth ar wahân yw meistri'r canrifoedd a *Meistri'r Canrifoedd*, y Traddodiad Llenyddol a'r traddodiad o ymchwil iddo sy'n ei gyflwyno. Daethpwyd i'r casgliad yn hytrach fod cyflwr y naill draddodiad yn ddibynnol ar y llall, ac yn effeithio ar ei gilydd. Dyna pam yr aethpwyd ati'n rhannol i sefydlu'r Academi Gymreig a Barddas, wedi'r cyfan, gan chwyldroi gorwelion beirdd a llenorion Cymraeg y Gymru hon. I'r perwyl hwn, rhaid nodi mai digon diddychymyg fu'r ymateb o blaid Derrida yn 1993, gyda Hélène Cixous, yn unol â'r patrwm y sylwyd arno yn y drydedd bennod, yn awgrymu y byddai disgybl ysgol uwchradd yn medru cyfieithu gwaith Derrida yn well na Thomas Sheehan.[8] Ond er gwaethaf ymgais Cixous i annilysu'r feirniadaeth drwy gyfrwng trosiad y plentyn a sylwi ar ddiofalwch cyfieithu, da y nododd Sheehan nad safon ei Ffrangeg ef na Saesneg Cixous ydoedd pennaf arwyddocâd yr ymateb i 'L'affaire Derrida', eithr y modd y credai dosbarth pur anrhydeddus o feirniaid fod cyflwyno rhestr enwau o gefnogaeth yn gyfystyr ag ennill dadl.

Nid dirymu'r cysyniad o ganoneiddio, felly, a wnaeth Theori, ond ei chwenychu'n frwdfrydig er mwyn sefydlu math o is-ganon newydd o destunau ar gyfer efrydwyr ym maes astudiaethau llenyddol. Yn y llyfr dylanwadol *Introducing Literary Studies*, er enghraifft, cyflwynir pedair adran; y gyntaf ar lenddull, yr ail ar hanes llenyddiaeth, y drydedd ar theorïau beirniadol, a'r bedwaredd ar lenyddiaethau Saesneg, gan gynnwys pennod ar lên Eingl-Gymreig. Heb Theori, dim ond y ddwy adran gyntaf a geid. Am hynny, rhybuddir y gall y berthynas rhwng y Canon a Theori fod yn un wrthgyferbyniol, oherwydd tuedd Theori i gwestiynu rhagfarnau ac amlygu mai dyfeisiadau ydyw strwythurau naturiol llenyddiaeth. Ond nodir yn gywir iawn fod y drydedd adran, Theori, yn ddibynnol ar yr ymdriniaethau blaenorol hefyd. Er enghraifft, meddai Bradford: 'Er mwyn gwerthfawrogi cyflwr yr ysgrifenwraig mewn perthynas â'r canon patriarchaidd dylech wybod beth ydyw'r canon.'[9] Ar un olwg, cyflwynwyd *Introducing Literary Studies* yn 1996 gan roi'r argraff fod Theori bellach wedi meddiannu'r maes. Disgrifir 'academyddion sy'n casáu unrhyw gynllun theoretig a allai gyfyngu ar . . . fawredd llenyddiaeth' yn nhermau 'brîd sydd ar farw'.[10] Ac eto, gwelir yn y sylw uchod mai adwaith sy'n ddibynnol ar y Canon traddodiadol ydyw Theori hefyd. Nid dileu'r Canon a wnaed, eithr cyflwyno is-ganon o destunau sy'n ddibynnol arno. Dyma pam y bydd beirniaid a chanddynt ddaliadau gwahanol i gyfranwyr *Introducing Literary Studies* yn dathlu'r ffaith y darllenir testunau'r Canon o hyd, tra mai byrhoedlog fydd y diddordeb mewn Theori.[11] Ond hwyrach fod y dadlau y naill ochr a'r llall i'r sbectrwm beirniadol ynghylch gweithiau'r Canon yn tystio i ddinodedd Llenyddiaeth Fawr heddiw yng ngolwg y lliaws anacademaidd.[12]

Tuedd y sawl sy'n ddrwgdybus o Theori ydyw ystyried mai hi druan sydd ar fai am gyflwr truenus Llenyddiaeth Fawr heddiw. 'Melltith . . . mudiadau llenyddol', chwedl Alan Llwyd.'[13] Credir mai pwyslais ambell ddamcaniaethwr ar y darllenydd, am herio'r cysyniad o ganon llenyddol, am ffeminydda, am wneud popeth yn destun dilys o astudiaeth, sy'n gyfrifol am grebachu diddordeb y cyhoedd yng ngwaith Taliesin, Dafydd ap Gwilym, Pantycelyn ac R. Williams Parry, a'r awduron cyfoes a gais ymuno â'r criw dethol hwn. Ond tuedd ei chefnogwyr a'i gwrthwynebwyr fu hawlio gormod ar ran Theori. Bid siŵr, bu'n gyfrifol am agor gwahanol feysydd o astudiaeth drwy iddi herio statws sanctaidd y testun llenyddol a'r awdur a'i cyfansoddodd. Collwyd ambell efrydydd, felly, i ambell astudiaeth ddiarffordd fel yr un hon a ystyriodd fod egwyddorion beirniadaeth lenyddol yn destun dilys ynddo'i hun. Ac eto daethpwyd i'r casgliad yn yr astudiaeth hon nad pwyslais ambell theorïwr *Tu Chwith*aidd ar anundod sy'n herio'r cysyniad o gorff dethol o glasuron heddiw. Y mae'r cysyniad o glasuron yn wynebu mwy o fygythiad o du natur gynrychioliadol a hollgynhwysol y gweithiau a gyhoeddir mewn cyfrolau safonol gan ysgolheigion y Gymraeg, megis yng Nghyfres y Canrifoedd. Nid beirniadaeth mo hyn ar y gwaith campus hwnnw, eithr y mae'n amlwg fod natur gynhwysol Cyfres y Canrifoedd yn llwyr wahanol i natur ddethol a chyfyng Blodeugerdd Rhydychen. Gyda hyn, awgrym yr astudiaeth hon hefyd ydoedd nad sensro'r drafodaeth ar lenyddiaeth dda a wnaeth Theori, eithr yn hytrach amodi arddull y dweud, a thrwy hynny drefnu cyfaddawd sy'n llwyddo i fodloni dau fath o ddarllenydd gwahanol iawn. Nodwyd, er enghraifft, fod astudiaeth M. Wynn Thomas o'r awdur-destun *James Kitchener Davies* yn pontio'r agendor rhwng beirniaid sy'n gwneud yn fawr o rôl yr awdur a beirniaid sy'n ffafrio'n hytrach rôl y darllenydd, a hynny drwy gyfrwng arddull ymholgar ac aml-leisiol y beirniad.

Nid Theori, felly, a barodd i Alan Llwyd droi'n 'sgwennwr' ac i'w 'agwedd newid tuag at lenydda', eithr y newid enfawr ym maes technoleg cyfathrebu. 'Camgymeriad oedd cymryd llenyddiaeth, a chyhoeddi, ormod o ddifri', meddai yn 1994.[14] Dyma sylw sy'n awgrymu mai anodd i rai mewn oes amlgyfryngol ydyw edrych ar lenyddiaeth yn yr un modd â Chymry 'Dafydd Nanmor', pan nad oedd na radio na theledu na rhyngrwyd yn bod, na'i phrofi'n faeth yn yr un modd. Da y nododd T. Robin Chapman fod 'dyfodiad cenhedlaeth o awduron i'r cyfryngau, wedi dod â newid agwedd yn eu sgil'.[15] Dyna'r her fwyaf i'r cysyniad o ganon llenyddol heddiw, gredaf fi, sef hyrwyddo casgliad sefydlog o lyfrau clawr caled mewn oes sy'n rhoi pwys ar ddelweddau symudol a byrhoedlog, a lle y mae gofyn i'r rhelyw o awduron proffesiynol Cymraeg heddiw ysgrifennu ar gyfer y teledu, a lle y mae'r cysyniad o destun yn tueddu i gynnwys hefyd destunau ffilm, ac yn cael ei gysylltu fwyfwy â'r perfformiadol llafar. Rhaid i weithiau'r Canon, felly, fel yr awgrymodd Alan Llwyd, ddyfod fwyfwy yn rhan o'r byd amlgyfryngol hwn. Ac eto, ystyrir bod yn rhaid iddynt wneud hynny heb iddynt golli eu cyswllt â'u gwraidd o destun ysgrifenedig (hyd yn oed os mai perfformiad llafar ydoedd y testun hwnnw'n wreiddiol, fel yn achos cerddi Dafydd ap Gwilym).

Nodir, felly, nad ambell fodiwl prifysgol ar theori lenyddol a oedd yn gyfrifol am ddibrisio statws Llenyddiaeth Fawr ar ddiwedd yr ugeinfed ganrif. Bid siŵr, nid oedd y system fodiwlar a gyflwynwyd yn y nawdegau heb ei heffaith ar astudiaethau llenyddol yn y prifysgolion, wrth i'r system addysg uwch roi pwys ar ddewis yr unigolyn a'i gyflogadwyaeth. Ond ymhen byr amser byddai'r modiwl ar theori a beirniadaeth lenyddol hefyd yn ildio i'r galw am hyfforddiant ym maes cyfieithu, gloywi iaith, ffilm a theledu, ysgrifennu creadigol, heb sôn am sgiliau trosglwyddadwy. Fel y nododd Jonathan Brody Kramnick, trafod y farchnad swyddi a materion cyllid y bydd academyddion heddiw, ac nid cynnwys y Canon.[16] Problem fawr llenyddiaeth heddiw, ynghyd â'r feirniadaeth lenyddol honno a gais amlygu ei gwerth, ydyw'r ffaith nad yw'n ateb angen penodol amlwg ymysg y cyhoedd, o leiaf i'r un graddau ag yr arferai wneud. Os nododd Owen Jones yn ei gyflwyniad i'r gyfrol *Ceinion Llenyddiaeth Gymreig* yn 1875 mai 'Amcan y Gwaith presennol ydyw darparu i drigolion y Dywysogaeth arlwy ddifyrus a buddiol ar gyfer eu horiau hamddenol, yn nyddiau heuldes yr haf, neu nosweithiau ystormus gauaf' [*sic*][17] da y nododd Dafydd Elis Thomas yn *Traddodiadau Fory* nad ceinion llenyddiaeth Gymraeg sy'n cyflawni'r orchwyl hamddenol hon mwyach, eithr arlwy'r teledu. A dywedodd hynny cyn chwyldro'r rhyngrwyd.

Er bod cryn hanner canrif rhwng cyfrol gyntaf *Ceinion Llenyddiaeth Gymreig* ac erthygl chwyldroadol Saunders Lewis, 'Dafydd Nanmor' (1925), yr un ar un olwg ydoedd amcan y naill waith a'r llall, sef rhoi yn nwylo'r darllenydd '[dd]etholion tra helaeth o gyfansoddiadau y *prif* feirdd'.[18] Erbyn 1925, fodd bynnag, yr oedd yr angen am y cyfryw gasgliad o ddetholion fel pe bai wedi cynyddu, a rhaglen waith Saunders Lewis fel pe bai'n ateb angen penodol ymysg y brifysgol a'r werin yn gyffredinol, wrth i laweroedd ddechrau amau dilysrwydd a sefydlogrwydd math arall o ganon, sef y canon Beiblaidd. Fel y nododd R. S. Sugirtharajah, yn nwylo beirniaid proffesiynol yr Uwchfeirniadaeth troes y Beibl ar ddiwedd y bedwaredd ganrif ar bymtheg yn ddogfen ddynol yr oedd modd ei thrin a'i thrafod megis unrhyw lyfr arall.[19] Un o ganlyniadau'r iselhau hwn mewn agwedd tuag at y Beibl ydoedd mawrygu llenyddiaeth seciwlar a phriodoli iddi, fel y nododd Howard Felperin, 'ryw rin sanctaidd, a Christolegol hyd yn oed'.[20] Mabwysiadodd y naill destun ryw gymaint o nodweddion a swyddogaeth y llall, ac wrth i nifer gynyddol o'r Cymry golli eu ffydd yng nghanon sefydlog y Beibl, dechreuwyd yn gyfamserol synied am lenyddiaeth Gymraeg yn nhermau canon o glasuron a meistri. Yn achos ysgolheigion newydd Cymru, gwnaed hynny ar lun patrwm astudiaethau llenyddol yn Lloegr, ond yr oedd y cysyniad o ganon yn fwy cyfarwydd i'r werin lythrennog ar ffurf y Beibl Cymraeg. Crynhoir y modd y dechreuodd rhai edrych ar lenydd-iaeth yn rhith eu crefydd gan eiriau y Saunders ifanc: 'llenyddiaeth sy'n rhoi amcan ac unoliaeth i'n bywyd ni', meddai.[21] Troes darllen llenydd-iaeth yn ddefosiwn, ac 'yn faeth i'r ysbryd'.[22]

Heb os, gorbwysleisiwyd gennyf gyfraniad Saunders Lewis yn hyn oll, a dyna fu tuedd eraill o'm blaen. Nododd R. Tudur Jones fod twf llenyddiaeth o'r tu mewn i anghydffurfiaeth Gymraeg a'r modd y dech-reuwyd pregethu 'moddion diwylliant' o bulpudau 'moddion gras' yn nodwedd gyffredin ar ddiwylliant y cyfnod. Un o blith nifer o feirniaid a geisiodd 'gymodi crefydd a llenyddiaeth', chwedl Lewis Edwards, ydoedd Saunders Lewis.[23] Ond gan oedi'n hir wrth y darlun ohono yn athro Ysgol Sul yn annog y plant i ddarllen y Mabinogi yn lle'r Beibl, a'r darlun ohono'n ddarlithydd ifanc yn traethu ar lenyddiaeth o bulpud capel anghydffurfiol Cymraeg, daethpwyd hefyd i'r casgliad fod y duedd hon i wneud Saunders Lewis yn bensaer y canon llenyddol Cymraeg – a dibrisio cyfraniad John Morris-Jones a Thomas Parry, er enghraifft – yn adlewyrchu'r modd y gwnaeth ef Daliesin yn gychwynnydd i'r Traddod-iad Llenyddol, ar draul ystyriaethau eraill. Yn y naill achos a'r llall – y Traddodiad Llenyddol a'r traddodiad o ymchwil iddo – deisyfwyd dechreubwynt, fel pe bai hynny'n demtasiwn y mae'n anodd peidio ag ildio iddo. Wrth gwrs, hyrwyddo'r ddelwedd hon o gychwynnydd yr oedd osgo'r diwygiwr a fabwysiadodd Saunders Lewis ei hun, ac yn 'Dafydd Nanmor' pwysleisiodd newydd-deb ei raglen waith feirniadol.

Daethpwyd i'r casgliad mai rhaglen waith y canoneiddiwr ydoedd honno – un a fynnai bennu meistri a chlasuron llenyddiaeth Gymraeg – ac awgrymwyd bod Saunders Lewis yn hyn o beth yn cyfuno nodwedd-ion ei addysg brifysgol Saesneg ac esboniadaeth Feiblaidd Gymraeg. Canlyniad y briodas honno ydoedd troi llenyddiaeth Gymraeg yn fath o Destament Cymraeg Newydd i Saunders Lewis, sef yn adnodd i bobl weld mewn canon o hen weithiau ysgrifenedig weledigaeth o fywyd yr oedd modd '[b]yw arni'.[24] Yn hyn o beth, awgrymwyd yn yr astudiaeth fod cryn debygrwydd rhwng ffurf canon y Testament Newydd a ffurf y Traddodiad Llenyddol a hyrwyddodd ef, o ran bod gan y naill a'r llall ddechreubwynt, canolbwynt a nod. At hyn, dadleuwyd bod i rym trosgynnol y Traddodiad Llenyddol swyddogaeth gymharol i'r modd yr oedd yr Ysbryd Glân yn rhoi undod i amryfal weithiau'r Testament Newydd. Cadarnhau'r dehongliad hwn ymhellach yr oedd sylwi i ddadleuon diweddarach ynghylch cynnwys y Traddodiad Llenyddol gydredeg ag awydd i herio'r cysyniad o draddodiad, megis yn narlith Dafydd Elis Thomas, *Traddodiadau Fory*, neu ysgrif Iwan Llwyd a Wiliam Owen Roberts, 'Myth y traddodiad dethol'. Dyma a ddigwyddodd hefyd i sefydlogrwydd testunol y Beibl, pan ddechreuwyd amau athrawiaeth gydlynol ei ysbrydoliaeth ddwyfol yn y bedwaredd ganrif ar bymtheg.

Y gwahaniaeth mawr, fodd bynnag, rhwng y naill ganon a'r llall, yw'r modd y bu'n rhaid i Saunders Lewis gyflwyno'r Traddodiad Llenyddol mewn modd anhraddodiadol iawn, nid ar sail consensws, eithr drwy dynnu ar ei alluoedd beirniadol ei hun. Am y rheswm hwn y mae'r canon llenyddol Cymraeg yn fwy agored na'r rhelyw i un o brif gyhuddiadau Theori, sef bod ffurf a chynnwys y Canon yn adlewyrchu ideolegau'r sawl a fu wrthi'n canoneiddio. Lle'r oedd modd i Irenaeus a Tertulianus amddiffyn canon y Testament Newydd drwy gyfeirio at yr olyniaeth o esgobion a oedd yn gyswllt uniongyrchol rhwng Cristnogion y presennol a'r Apostolion, ac felly rhyngddynt hefyd a Christ ei hun, rhaid oedd cyflwyno'r Traddodiad Llenyddol Cymraeg yn absenoldeb traddodiad o'r fath.

Law yn llaw â'r olyniaeth, gwelwyd mai tyfu o brofiad lliaws a wnaeth canon y Testament Newydd, ac mai ymateb i arferion darllen y gwahanol eglwysi a wnaeth arweinwyr yr Eglwys yn y bedwaredd ganrif, nid eu pennu. Mewn modd cymharus, nodwyd hefyd mai ar sail *common consent* yr hawliodd Ernest Baker yn 1925 y dylid diffinio neu ailddiffinio cynnwys y canon llenyddol Saesneg. Nid felly mo'r alwad am chwyldro beirniadol yn 'Dafydd Nanmor' yn yr un flwyddyn na'r Canon a awgrymwyd gan y *Braslun* ac a gasglwyd ynghyd ym *Meistri'r Canrifoedd* a *Meistri a'u Crefft*. Nododd John Rowlands yn *Saunders y Beirniad* nad 'yr un peth yn hollol mo draddodiad yr esgorwyd arno'n ddistaw bach dros y blynyddoedd y tu mewn i system addysg gwladwriaeth fel Prydain â thraddodiad a ddyfeisiwyd y tu mewn i wlad fach ysbeiliedig a diwladwriaeth fel Cymru'.[25] Ond yn hytrach nag ystyried y ffaith hanesyddol hon yn rheswm dros wrthod y Canon a ddyfeisiwyd, ystyrir yma ei bod yn rheswm dros edmygu'r hyn a gyflawnwyd, a'r modd y gosodwyd '[ll]enyddiaeth Gymraeg . . . ochr yn ochr ag amrywiaeth a chyfoeth didrefn Shakespeare a'i gydwladwyr'.[26] Fel arall parhau a wnâi'r ysbeilio a'r cymhleth israddoldeb tuag at lenyddiaeth Lloegr. Rhaid ystyried hefyd nad 'dyfeisio' o ddewis a wnâi'r canoneiddiwr mawr, Saunders Lewis, eithr gan nad oedd ganddo draddodiad o ymchwil feirniadol y gallai apelio ato, fel y nododd ef ei hun yn y *Braslun*. Ac amheuir bod y duedd i'w gyhuddo o ddyfeisio neu o ddidwytho, chwedl D. Tecwyn Lloyd, yn codi'n rhannol yn sgil ei barodrwydd ef ei hun i drafod ei ragfarnau'n agored, yn wahanol i nifer o'i gyfoeswyr, a'i fod yn hyn o beth ymhell ar y blaen i bwyslais Theori ar dryloywedd beirniadol.[27]

Ar un olwg, dim ond yn awr y gellir gwerthfawrogi'r hyn a gyflawnodd Saunders Lewis, wedi iddo fod drwy'r felin feirniadol, wedi i'r chwyldro theori dawelu, ac wedi i agweddau ar y Traddodiad a ddyfeisiwyd gael ei draddodi drwy gyfundrefn o addysg Gymraeg. Fy mraint fawr i, wrth gwrs, ydyw bod gennyf '[D]aliesin, Tudur Aled, Williams Pantycelyn, fel Alan Llwyd heddiw'[28] yn gymdeithion imi, megis y gwelai Saunders Lewis yn 1945 y rhôi 'addysg lenyddol Saesneg yn ysgolion canol Cymru o leiaf ryw syniad am etifeddiaeth fawr llenyddiaeth Saesneg i blentyn ysgol'.[29] Nid amcanwyd yn yr astudiaeth hon restru'r gweithiau hynny sy'n perthyn i'r canon llenyddol Cymraeg, ac amlwg ddigon yw fod angen ymdriniaeth fwy cymdeithasegol ei naws er mwyn archwilio'r moddau canoneiddio. Ond fel yr amlygir gan y rhestr o linellau cyntaf cofiadwy a restrwyd ar gychwyn yr ail bennod, y mae'n bur amlwg fod y Canon yn beth byw yn fy mhrofiad i, a minnau, gyda llaw, yn un o liaws mewn dosbarth, hyd yn oed os ydwyf yn academydd heddiw. Megis yr awgrymodd Kolb fod graddfeydd o ganoneiddrwydd yn gynllun angenrheidiol ar gyfer llenyddiaeth yr Unol Daleithiau, felly y syniaf innau fod statws ambell awdur neu destun Cymraeg yn ymddangos yn ddigwestiwn heddiw, ac y mae hynny oherwydd safon eu gwaith, y rôl sydd iddynt yn ffurf y Canon, a'r modd y'u cyflwynwyd i ni gan yr ail draddodiad o ymchwil i'r Traddodiad. I mi, cwbl angenrheidiol yw Taliesin, Y Mabinogi, Dafydd ap Gwilym, Y Ganrif Fawr, y Beibl Cymraeg, Pantycelyn, Daniel Owen (a digon sefydlog yn fy meddwl i hefyd ydyw canon mawrion yr ugeinfed ganrif o ran hynny, er nad ydynt eto wedi trigo ddigon yn ein mysg iddynt fod yn aelodau llawn o'r Canon, efallai). Bid siŵr, lleihad tra eithafol yw'r rhestr hon, megis yr un a gynigiodd R. M. Jones yn *Beirniadaeth Gyfansawdd*, ac arwyddbyst ac nid testunau unigol a ddewiswyd gennyf, gyda Thaliesin, er enghraifft, yn gynrychiolydd i ganu Beirdd y Brenhinoedd a'r Tywysogion, a'r Beibl i waith y dyneiddwyr. Math o ganon craidd ydyw, a gallwn dderbyn yn hawdd ddadl dros gynnwys yn y rheng flaen ganonaidd hon ragor o aelodau. Ond hyd yn oed pe dyblid niferoedd y rheng flaen, dylai'r rheng hon o hyd fod yn uwch ei gwerth nag ail reng o enwau a gweithiau pur ganonaidd. A byddai honno eto fyth yn uwch ei statws na rheng arall o weithiau mwy ymylol (a fyddai i rai eto'n gwbl angenrheidiol). Hynny yw, gan arddel rhyw fath o ganon craidd, a hynny ar sail consensws a barn bersonol, y mae gweddill y Canon yn parhau'n agored i drafodaeth, nid yn annhebyg i ddosraniad Eusebius o statws nifer o lyfrau'r Testament Newydd yn yr ail a'r drydedd ganrif. Wrth gwrs, nid di-ddadl mo'r canon craidd chwaith. Gall yn wir ymddangos felly i ni heddiw o ystyried beth yw'r farn gyffredinol am ambell destun neu fardd. Ond mewn gwirionedd, fel yr awgrymodd R. S. Thomas yn ei gerdd 'Taste', nid diben canon yn unig yw cyfarwyddo chwaeth. Gall hefyd gynnig cyfle i'r darllenydd wahaniaethu rhwng yr angenrheidiol a'r dianghenraid yn ôl ei chwaeth ei hun, a chanlyniad hynny, maes o law o leiaf, yw herio statws canonaidd ambell aelod. Ys dywed y bardd am y canon barddol Saesneg:

> . . . Shakespeare's cut and thrust,
> I allow you, was a must . . .
>
> Then Hardy, for many a major
> poet, is for me just an old-stager . . .
>
> And coming to my own century
> with its critics' compulsive hurry
>
> to praise a poet, I must smile
> at the congestion at the turnstile . . .[30]

Ar ddiwedd y gerdd, awgryma R. S. Thomas mai digon dryslyd yw ein gallu heddiw i adnabod pa weithiau cyfoes sy'n ganonaidd, a chofio bod cymaint ohonynt. Gwir hynny hefyd yn achos llenyddiaeth Gymraeg yr ugeinfed ganrif, o ystyried ei swmp a'i sylwedd o safon. Ac eto, megis y mae ambell destun llenyddol diweddar – 'Mair Fadlen' i R. M. Jones, er enghraifft, neu gerddi Alan Llwyd – fel pe bai o safon uwch na'r cyffredin ac yn gafael ynom yn syth, y mae ambell lais o'r gorffennol eto'n parhau i ganu yn ein clust, ac fel pe bai'n gwbl angenrheidiol ar gyfer ein bywydau. Felly y syniaf innau am ambell destun llenyddol Cymraeg, canonaidd, a gall ambell linell ganoloesol – 'Poni welwch chi hynt y gwynt a'r glaw?' – godi ynom ryw 'Www' gynulleidfaol o hyd.

Yn unol â'r sôn uchod am 'the congestion at the turnstile', nodwyd eisoes mai gwanhau'r cysyniad o ganon llenyddol heddiw y mae gweithgarwch ffrwythlon yr ysgolheigion ym maes golygu testunau, a'i wanhau ymhellach yn y byd academaidd y mae'r toreth o fodiwlau newydd llenyddol ac anllenyddol yn adrannau'r Gymraeg, heb sôn am yr ystod ehangach o gynlluniau gradd sydd ar gael i fyfyrwyr yn awr drwy gyfrwng y Gymraeg. Ac eto, yn eironig ddigon, effaith yr ymestyn hwn ar destunau posibl o astudiaeth yw canoli sylw ar ychydig destunau llenyddol o'r newydd, a chryfhau'r cysyniad o glasuron llên, y rhai na ellir dychmygu eu gollwng o'r radd yn y Gymraeg. At hyn, dechreuodd rhai o'n hysgolheigion amlycaf ar y gwaith o ailolygu'r clasuron, gan gadarnhau drwy hynny statws uwchganonaidd ambell fardd. Datblygiad yw'r ailolygu hwn sydd fel pe bai'n lleihau effaith wrthganonaidd y llu cyfrolau safonol o waith beirdd nad ydynt yn yr un byd â Dafydd ap Gwilym na Guto'r Glyn. A dengys *www.dafyddapgwilym.net* nad dibwys yn hyn o dasg yw'r cyswllt rhwng cynnwys a chyfrwng, neu rhwng nawdd, ysgolheictod a thechnoleg newydd.

Yn *A Survey of English Literature 1730–1780*, nododd Oliver Elton na cheid yn y cyfnod dan sylw nemor ddim trefn ar feirniadaeth lenyddol, 'only a few Arabs of different tribes, reading here and there dispersedly'.[31] Rhyw sefyllfa debyg i honno, ar ryw olwg, a fodolai yn hanner cyntaf yr ugeinfed ganrif yn achos astudiaethau llenyddol yr adrannau Cymraeg ifainc, heb na sôn am fudiadau beirniadol na phrosiectau ymchwil cyfadrannol. Ni cheid chwaith draddodiad blaenorol o ymchwil i apelio ato, na chonsensws y gellid cytuno neu anghytuno ag ef. Am hynny, dadleuodd Elton mai prif arfau'r beirniad llenyddol mewn sefyllfa o'r fath ydoedd ehangder ei ddysg a grym ei feddwl. O blith beirniaid llenyddol Saesneg y ddeunawfed ganrif, awgrymodd mai Samuel Johnson a ddisgleiriodd wychaf yn hyn o dasg. Ac er nad awgrymir i Saunders Lewis fodelu ei hun ar waith y gŵr hwnnw, y mae'n demtasiwn ystyried a welodd yn nyfarniad Elton ar waith Johnson nodweddion addas ar gyfer ei feirniadaeth ei hun, mewn sefyllfa addysgol gymharus yng Nghymru'r ugeinfed ganrif. Oherwydd y mae'r disgrifiad isod fel pe bai'n llwyddo i grynhoi fy marn innau ar waith y beirniad Cymraeg.

> He struggles, not against the 'rules' but against his own limitations; and these he is always, however much to his discomfort, overriding . . . The *Lives* [*of the Poets*] stand four-square; they gain by their very restriction of view, and also by their concessions; they represent a single, strong, honest mind; and there is nothing equally imposing, from the opposite camp, to set against them.[32]

Cymharus hefyd i'r sylwadau ar Johnson yw'r ganmoliaeth isod mewn man arall, sydd eto'n llwyddo i gyfleu, nid yn unig ddylanwad Elton ar Saunders Lewis, eithr dylanwad y disgybl ar y modd y darllenaf finnau yn awr waith ei athro. Unwaith eto fe'm temtir i hawlio'r sylwadau hyn yn ddyfarniad ar waith y beirniad Cymraeg. 'Sainte-Beuve had erudition, science, method; but his sensitiveness, his judgement, kept pace with his science; he accepted all writers, but surrendered to none, and his insight into the lesser minds that people literature has never been excelled.'[33]

Y mae eraill o'm blaen i wedi clodfori'r cyfryw nodweddion yng ngwaith Saunders Lewis; y ffaith iddo 'ymdrin â bron bob awdur o bwys yn holl hanes llenyddiaeth Gymraeg',[34] a llwyddo 'i ganfod mawredd ac arbenigrwydd mewn awdur unigol y tueddid i fynd heibio iddo'n ddibris ddigon o'r blaen'.[35] Nododd R. Geraint Gruffydd hefyd fod yr ysgrifau yn *Meistri'r Canrifoedd* 'nid yn unig yn ysgrifau am lenyddiaeth ond hefyd yn ysgrifau sy'n llenyddiaeth ynddynt eu hunain', a dyna ddrysu'r ffin, felly, rhwng y Traddodiad Llenyddol a'r traddodiad o ymchwil iddo.[36] A'r nodwedd greadigol hon ar waith Saunders Lewis sy'n tynnu'r cyfan ynghyd, fe gredir, lawn cymaint felly ag unrhyw linyn cyswllt Taliesinaidd rhwng y Cynfeirdd, Beirdd yr Uchelwyr a beirdd gwlad yr ugeinfed ganrif. Ac eithrio'r iaith Gymraeg ei hun, creadig-rwydd y beirniad yw'r cyswllt rhwng 'Dafydd Nanmor' a 'Twm o'r Nant'; 'Tudur Aled' ac 'Ann Griffiths'. Nid rhyfedd, felly, y bu'n rhaid wrth Fod mor gynhwysol ac ysbrydol â'r Traddodiad i dynnu ynghyd y fath ganon eang o enwau amrywiol, ac i feirniaid Theori yr wythdegau weld yn bur ddidrafferth pa feirniad yn fwyaf arbennig a roes iddynt Draddodiad i wrthryfela yn ei erbyn. Am yr un rheswm, deellir hefyd pam y bydd caredigion y canon Saundersaidd am bwysleisio gwerth y testunau eu hunain, rhag i neb Cymro na Chymraes gredu mai *Meistri'r Canrifoedd* yw meistri'r canrifoedd, a bod modd i ddarllenwyr heddiw efelychu camp Saunders Lewis a chyflwyno eu gwerthoedd personol drwy gyfrwng eu beirniadaeth lenyddol.

Gwelwyd mai ar sail gwerth llenyddol y bydd beirniaid heddiw yn ceisio hawlio 'lle' i awduron yn y canon llenyddol Cymraeg, boed y drafodaeth ar waith y Ficer Prichard, neu'r dasg yn un sy'n golygu llunio blodeugerdd safonol o farddoniaeth yr ugeinfed ganrif. A bydd y maen praw hwn, fe gredir, gennym yn wastadol. Tuedd Theori, fodd bynnag, fu amau blaenoriaeth y maen praw hwn – maen praw nad oedd fel y cyfryw yn ystyriaeth amlwg yn achos ffurfiad canon y Testament Newydd. Er enghraifft, ac yntau am weld 'corff mwy agored a hyblyg o astudiaethau . . . sy'n medru hefyd gynnwys ynddo weithiau "ymylol" y mae'r canon wedi eu hepgor', nododd Peter Hyland yn *Discharging the Canon* mai un maen praw yn unig yw 'rhagoriaeth lenyddol (os oes modd inni'n wir gytuno ynghylch yr hyn ydyw)', a bod yn rhaid hefyd ystyried gwerthoedd 'hanesyddol, cymdeithasegol, moesol, seicolegol, therapiwtig, gwerthoedd ymrwymiad, gonestrwydd, ac, yn bennaf oll, berthnasedd'.[37]

Rhan o fawredd a swyn Saunders Lewis ydoedd iddo ddefnyddio ystod ddigon tebyg o feini praw, nid ar gyfer diwygio'r canon llenyddol Saesneg, ond er mwyn creu canon cyfatebol yn y Gymraeg. Yn achos 'Dafydd Nanmor' (1925), er enghraifft, gwth mawr y gwaith yw'r gred yn 'neges gyfamserol' y bardd 'inni heddiw', a hynny oherwydd 'mawredd moesol'.[38] Rhaid cofio mai rhamantydd o glasurwr ydoedd, er gwaethaf ei apêl at draddodiad. Nododd Jan Gorak i ganonau beirniadol Saesneg newid yn y bedwaredd ganrif ar bymtheg ac arwain at 'gymysgfa eclectig o werthoedd . . . egni, huodledd, pathos, chwaeth, athrylith, syniadau, dychymyg, ffeithiau, pwyll, mewnblygrwydd – wedi eu codi o feysydd rhethreg, cymdeithaseg, athroniaeth, gwleidyddiaeth, a seicloeg'.[39] Drwy hynny, gellid sicrhau lle i amrywiaeth o wahanol awduron yn y Canon, a hynny ar sail 'gwerthoedd amwys', chwedl Gorak, megis 'dychymyg creadigol', 'iaith gyffredin dynion', a 'beirniadaeth ar fywyd',[40] nid yn annhebyg i'r modd yr amlygodd Saunders Lewis 'athrylith' Pantycelyn drwy edrych ar ei waith o du cyfeiriad 'eneideg'.[41] Canlyniad cymhwyso'r fath ystod eang o werthoedd ar gyfer mawrygu llenyddiaeth Gymraeg ydoedd cyflwyno canon llenyddol sydd yr un mor eang â'r meini praw beirniadol, a'r wers amlycaf o bosibl a rydd esiampl Saunders Lewis inni heddiw yw fod modd i'r darllenydd ailysgrifennu'r testun a'i gyflwyno o'r newydd yn beth byw. Rhan o her y dasg honno yn awr, fodd bynnag, yw y deuwn ni at weithiau'r Traddodiad o du'r traddodiad o ymchwil iddo, ac amodir yr hyn y gallwn ni ei ddweud gan yr hyn a ddywedwyd eisoes, yn enwedig gan Saunders Lewis ei hun.

Yn hyn o beth, fe'n dysgir gan Saunders Lewis nad *Williams Pantycelyn* yw Williams Pantycelyn, er enghraifft, ac y gallem ninnau, felly, gyflwyno heddiw ryw *Williams Pantycelyn* arall, un wedi ei ddarllen mewn oes ac amgylchiad gwahanol, fel yr awgrymodd M. Wynn Thomas yn achos James Kitchener Davies a *James Kitchener Davies*. I R. M. Jones, arferai hon fod yn dasg dderbyniol ar gyfer y beirniad llenyddol, ac yn *Tafod y Llenor* hyrwyddodd rôl weithredol y darllenydd. Oherwydd pan oedd Cristnogaeth hanesyddol Gymraeg eto'n ddylanwad yn y tir a'r emynau'n parhau 'yn gymaint rhan o'i gyfansoddiad bob dim â thablau rhifyddeg',[42] chwedl yntau, nid oedd perygl i unrhyw sôn damcaniaethol am ryddid y darllenydd ansefydlogi'r Canon. Fodd bynnag, mor wahanol yw rhagfarnau cynifer o ddarllenwyr Cymraeg heddiw – nid yn unig i eiddo Pantycelyn neu ei ragflaenwyr Catholig, eithr i Gymry'r saithdegau a godid o hyd yn sŵn ei emynau – nes peri i R. M. Jones yn ei waith diweddar gyfyngu'n ddirfawr ar rôl weithredol y darllenydd. Rhydd yn hytrach bwyslais newydd ar ddarllen y testun ei hun, gan annog beirniaid a darllenwyr yn awr i ymdrochi ynddo. Nid yn annhebyg i'r modd y bydd gan Gristion ffydd yng ngallu Gair Duw i newid bywydau pobl, ac y cais felly gyflwyno'r Gair hwnnw i eraill, diysgog yw ffydd R. M. Jones yng ngrym adnewyddol y canon llenyddol Cymraeg, cymharus yn wir â ffydd y Gideoniaid yng Ngair Duw. O adael iddo 'ei ddarllen ei hun', gall ein cynnal a'n cadw.[43] Meddai am gerdd Saunders Lewis, 'Mair Fadlen', er enghraifft: 'Tra bo hon ar gael mewn llyfrau printiedig, mae yna ryw fath o ddiogelwch.'[44] Gan ddefnyddio dadleuon theoretig i ddadlau yn erbyn pwyslais ambell agwedd ar Theori ar hawl pob darllenydd i'w ganon personol ei hun, priodolodd R. M. Jones swyddogaeth warcheidiol, os nad achubol i'r canon llenyddol Cymraeg. '[C]awn ddathlu drwyddo . . . fod dyfodol wedi dod yn ôl.'[45]

Fel y nodwyd, y mae dweud o'r fath yn tynnu'n groes i'r egwyddorion a nododd R. M. Jones mewn gweithiau blaenorol, ac yn anwybyddu'r gwir plaen nad yw cerddi yn eu darllen eu hunain. Fel y nododd yn *Tafod y Llenor*, y mae'r darllenydd yn 'ail-greu'r arwyddiant a ddarllenir: nid derbyn goddefol a wneir . . . Nid yr un yw'r arwydd a gynhyrcha'r Llenor ag a dderbynia'r Darllenydd.'[46] Dyna'r rheswm pam nad 'cynhysgaeth "rewedig" yw traddodiad llenyddol', ond '[p]atrwm aflonydd o berthnasoedd rhwng testunau a ystyrir o'r newydd gan bob cenhedlaeth'.[47] Synhwyrir bod R. M. Jones yn ofni mai'r egwyddor hon fydd achos marwolaeth Llenyddiaeth Fawr Gymraeg, gan na ellir ymddiried yn y genhedlaeth bresennol o ddarllenwyr a beirniaid llenyddol plentynnaidd. Ond y patrwm aflonydd hwn o du pob cenhedlaeth newydd o ddarllenwyr yw'r unig beth a all atal y canon Cymraeg rhag ffosileiddio'n llwyr. Bid siŵr, efallai'n wir mai ffosileiddio yw nod amgen y canon llenyddol, a'i ddatblygiad naturiol yn y pen draw. Amser a ddengys. Ai dyna, efallai, pam y mae nifer cynyddol o feirniaid yn sôn am y Canon yn hytrach na'r Traddodiad Llenyddol heddiw, gan na ellir dychmygu sefyllfa lle na fydd darllenwyr y Gymraeg yn derbyn yn ddigwestiwn fod y Mabinogi neu Ddafydd ap Gwilym neu Ddaniel Owen, er enghraifft, yn glasuron y tu hwnt i bob amheuaeth? Yn hyn o beth, canlyniad traddodi'r Traddodiad Llenyddol dyfeisiedig yn yr ugeinfed ganrif ydoedd creu'r Canon. Ac eto, o gytuno â Thomas Charles a chredu nad yw unrhyw ddewisiad 'yn ddigonol sicrwydd fod rhagoroldeb neillduol yn y gwrthrych ei hun', gwelaf fod mawr angen ailddiffinio'r corff llenyddol hwn o genhedlaeth i genhedlaeth.[48] Rhaid i ni 'fynd yn ôl i edrych ar bethau trosom ein hunain', ys dywed Sioned Puw Rowlands.[49] Gwn mai felly y gwêl R. M. Jones hi hefyd, mewn gwirionedd, ac mai statws bregus y Canon heddiw sy'n ei annog i'w amddiffyn mewn modd mwy ceidwadol na'r disgwyl. Oherwydd er gwaethaf sefydlogrwydd ymddangosiadol y canon craidd, go brin y gellir 'datguddio'n llawn', chwedl Saunders Lewis yn y *Braslun*.[50] Wedi'r cyfan, nid datguddiad dwyfol ydyw canon y clasuron, ac am hynny, efallai mai mwy priodol yw ein bod yn synied am ein Testament Cymraeg Newydd ni, nid fel yr edrychai'r Eglwys o'r ail ganrif ymlaen ar ei chanon ysgrythur hi, eithr fel y gwnâi Marcion ar ei gasgliad ef o lyfrau, sef yn nhermau gwaith ysgolheigaidd yr oedd modd ychwanegu ato weithiau pellach. A chofiwn i'r awduron clasurol hwythau, megis Platon ac Aristoteles, bwysleisio 'hyblygrwydd y canon ac mor bwysig ydoedd ei addasu', fel y nododd Jan Gorak.[51]

Yn y rhagymadrodd cyntaf, awgrymwyd bod tebygrwydd rhwng y canon llenyddol a delwedd y Crist atgyfodedig, o ran mai corff sy'n llawn marw a byw yw'r naill a'r llall. Os felly, siawns nad priodol hefyd yw sylwi ar eiriau Didymusaidd ein canoneiddiwr mawr, Saunders Lewis, yn 1920: 'all I want is to see it myself, and not accept anything merely on authority'.[52] Er mai'r myfyriwr ymchwil ym mhrifysgol Lerpwl a lefarodd y geiriau hyn, y maent yn crynhoi hefyd agwedd feddwl yr anghydffurfiwr Cymraeg, a oedd, wrth gwrs, mor gyfarwydd i Saunders Lewis, ac a fynnai weld y Gwir trosto ef ei hun. Agwedd feddwl ydyw, fel yr awgryma geiriau Thomas Charles uchod, sydd fel pe bai'n herio'r cysyniad o *métier* a oedd i Saunders Lewis yn nodwedd hoff ar ddiwylliant Ffrainc. Ond yn hytrach na tharo'r bai ar yr Hen Gorff – a goleddodd yn frwd, wedi'r cyfan, nid yn unig y cysyniad o gorff o waith, ond hefyd gyfundrefnau addysgu[53] – hwyrach fod yr agwedd feddwl hon yn hŷn na'r Deddfau Uno hyd yn oed, y Deddfau Uno a oedd, wrth gwrs, yn ffin ry syml o bendant i Saunders Lewis rhwng y Gymru bur, wreiddiol, Gymraeg a'r Gymru a Seisnigwyd yn raddol ers cyfnod y Tuduriaid. Oherwydd i mi, mae'r agwedd feddwl anghydffurfiol hon a'i phwyslais ar hawliau cyfartal unigolion i ddewis yn adleisio'r hawl gyfartal yn y Gymru gynnar a oedd gan feibion priodor '(sef aelod llawn o'r gwely) i dir âr, dolydd, coedlannau a thir pori eu tad'.[54] Fel y nododd John Davies, nid canlyniad y drefn Gymreig honno ydoedd dileu'r syniad o 'undod teyrnas', ac arwain at 'Gymruau mân', chwedl R. M. Jones.[55] Wedi'r cyfan, nid oedd 'fawr ddim byd eithriadol ynglŷn â'r drefn etifeddu yn y Gymru gynnar'.[56] (Go brin mai hyrwyddo anarchiaeth syniadol ydoedd nod Thomas Charles chwaith wrth iddo â'r geiriau uchod roi pwys ar ddewisiadau cyfartal unigolion.) Sefydlu'n hytrach yr oedd y drefn etifeddu bod 'yr hawl i frenhiniaeth yn perthyn nid i linach gyfyng ond i garennydd llydan'. Y canlyniad, fodd bynnag, gan amlaf, ydoedd 'sgarmes am y deyrnas', ac er cydnabod nad oedd dim byd hynod Gymreig yn hynny, 'rhaid cydnabod na lwyddwyd i uno'r Cymry mewn un wladwriaeth hirhoedlog. O ganlyniad, bu eu profiad yn bur wahanol i eiddo'r Saeson';[57] ac efallai y dylid nodi hefyd mai gair benthyg o'r Hen Saesneg ydyw 'edling' y testunau cyfraith Cymraeg, a oedd, o bosibl, 'yn dynodi datblygiad neu newid yn y dull yr etifeddid y frenhiniaeth', fel y nododd Nesta Lloyd a Morfydd E. Owen.[58]

Neidir yma mewn modd trawshanesyddol braidd o fyd Thomas Charles i fyd Hywel Dda a'r Gymru gynnar, gan mai mewn perthynas â'n gwreiddiau Cymreig ac agwedd feddwl y Cymry cynnar y cyflwynir yn aml y cysyniad o ganon llenyddol Cymraeg. At hyn, nodwyd yn y rhagair y cyplysir ymosodiadau Theori ar y Canon yn aml â Seisnigrwydd. Nododd Alan Llwyd mai 'athrawiaeth ddieithr' ydoedd athrawiaeth y corff o waith, athrawiaeth y Canon, a gyflwynodd Saunders Lewis.[59] Fel rheol, awgrymir mai'r rheswm dros hynny yw oherwydd y bwlch yn ein hetifeddiaeth; hynny yw, am i '[L]yfr Du Caerfyrddin a Llyfr Coch Hergest' gael eu gadael ar ôl yn yr Oesoedd Canol a pheidio â chael eu traddodi'n rhan o'n bydolwg ni. Ac oherwydd hynny 'aeth beirniadaeth lenyddol yn y Gymraeg yn fwyfwy Anghymreig', chwedl R. M. Jones, tan i Thomas Parry ganoneiddio ein llên o'r newydd a dychwelyd beirniadaeth 'yn ôl i'w wreiddiau Cymreig'.[60] Ond cofiwn hefyd fod sawl peth yn y Llyfr Du nad oedd yn rhan o'r canon cerddorion, chwedl Saunders Lewis,[61] ac y casglwyd ynghyd ddeunydd y Llyfr Coch gan un llaw er mwyn creu 'llawysgrif gynhwysfawr gyfoethog i uchelwr arbennig'.[62] Nid yw'r ffaith honno, wrth gwrs, yn annilysu natur ganonaidd y deunydd yn y Llyfr Coch, ond teg nodi na luniwyd y llawysgrif ar gyfer y wasg argraffu na'r un llyfrgell gyhoeddus, a bod gwahaniaeth, felly, rhwng y modd y defnyddiwyd y llawysgrif hon a llyfrau canonaidd y Testament Newydd ymhlith yr eglwysi, heb sôn am y flodeugerdd a luniodd Thomas Parry ar ein cyfer yn yr ugeinfed ganrif. Gwneud cam â'r llawysgrifau eu hunain hefyd yw peidio â gwerthfawrogi natur lafar ac amrywiol y testunau ynddynt, nid bod y traddodiad llafar yn rhwystr i'r beirdd ddatblygu eu canon cerddorion, fel y prawf y Trioedd a'r modd y mae ambell destun yn amlwg mewn sawl llawysgrif. Cofnoda'r Gramadegau fod adrodd Hengerdd yn rhan o'r ymryson, ac fel y nododd Nesta Lloyd a Morfydd E. Owen, 'dengys gwaith y Gogynfeirdd drylwyred eu gwybodaeth o gynnwys a dulliau ymadroddi cerddi'r

Cynfeirdd'.[63] Ond canon ystwyth a oedd yn datblygu'n barhaus ydoedd hefyd, ac awgrymodd A. T. E. Matonis y defnyddiwyd yr ymrysonau yng Nghymru, megis y gwnâi'r beirdd yn Ffrainc a'r Eidal, i ddadlau ynghylch egwyddorion sylfaenol eu crefft.[64] Amcanu at efelychu'r drefn honno ydoedd amcan y gyfrol fechan hon wrth bwyso a mesur ein dylanwadau cyfandirol ac egwyddorion sylfaenol ein llên. At hyn, os mynnwn mai Cymreig yw'r cysyniad o ganon llenyddol, teg nodi hefyd natur wleidyddol y Gramadegau yn yr Oesoedd Canol. Nodwyd, er enghraifft, i Einion Offeiriad 'adlunio'r Gramadeg i ateb gofynion sefyllfa wleidyddol newydd' yn y bedwaredd ganrif ar ddeg, a bod y beirdd 'o oes Iolo Goch ymlaen wedi anwybyddu dysgeidiaeth Einion Offeiriad a hynny am resymau gwleidyddol'.[65] O'r tu allan i'r Canon yn aml, ac am resymau anllenyddol, y daw'r cymhelliad i'w newid, felly. At hyn, nid amherthnasol i'r cysyniad o ganon agored a symudol yw cofio am allu'r gyfraith Gymreig 'i ddatblygu' ac i beidio â 'ffosileiddio fel y gwnaeth Cyfraith Iwerddon',[66] a chofiwn fod 'Fersiwn WR' y Trioedd yn y llaw-ysgrifau yn eu cyflwyno 'mewn trefn wahanol, weithiau ar ffurf wahanol, ac ychwanega nifer o Drioedd newydd'.[67]

Fel y nododd Thomas Charles, 'mae y pethau sydd werthfawrocaf gan rai yn fwyaf dirmygedig gan eraill'.[68] Dehonglir hynny gan R. M. Jones yn brawf o'n '[m]eddylfryd trefedigaethol a diwreiddiau pwerus'.[69] Ac eto, nododd John Davies fod i'r syniad o wely o garennydd – a'r ym-rafael a allai fod rhyngddynt, felly – 'wreiddiau dyfnion ymhlith y Celtiaid, a chredir bellach fod tir y bonheddwyr yn hanfodol welyog o gyfnod cynnar iawn'.[70] Sgarmes fonheddig amdani, felly, ac ar un olwg, gwahoddiad i ymryson yw'r gyfrol hon. O fynnu pwys ar wreiddiau Cymreig, dylai unrhyw sôn am arddel canon cenedlaethol heddiw osod hen drefn yr etifeddu gwelyog neu drefn yr ymryson barddol yn norm ar gyfer y cyfryw amcan, gan gofio y byddai'r gwely yn sicrhau cytgord hefyd. Rhaid yw datblygu'r Canon, a'r cysyniad o ganon llenyddol, drwy gyfrwng trafodaeth agored a beirniadol ar y gweithiau yr ydym yn credu y mae yn eu cynnwys. Yn ymarferol, gall hynny olygu trafod meysydd llafur ein hysgolion a'n prifysgolion, ynghyd ag arlwy'r radio a'r teledu a hynny fwyfwy ar safweoedd symudol y rhyngrwyd. A dysgodd Theori inni y dylem hefyd ystyried pwy sydd wrthi'n trafod a beth yw eu hegwyddorion beirniadol. Rhaid inni hefyd geisio sicrhau'r mynediad ehangaf posibl i'r drafodaeth hon, gan ystyried y gall diwylliant y meistr-feirniaid greu awyrgylch o ddiffyg trafod, ac ynysu'r unrhyw Ganon y cais ef ei hyrwyddo. Fel arall casgliad digon personol o destunau llenyddol fydd rhestr ddarllen ganonaidd yr academydd unigol.

Sylwais yn ddiweddar mor amharod yw beirniad mor ofalus ei groeso i Theori â Robert Rhys i 'ychwanegu "wrth gwrs" at unrhyw destun a drafodir' ganddo, 'pa mor "enwog" bynnag ydyw'.[71] Arwydd yw hynny i mi fod yr agwedd feddwl anghydffurfiol mor iach ag erioed, a bod y cysyniad o ganon yn parhau'n un problemus. Oherwydd ein gallu i ddweud 'wrth gwrs', fel y dadleuais yn y bennod olaf, sy'n amlygu bod y canon llenyddol yn rhan o'n fframwaith gwerthoedd llenyddol isymwybodol ni. Ni fynnwn i awgrymu mai dyma'r agwedd feddwl 'Gymreig'. Dyfais rethregol fyddai hynny'n unig er mwyn annilysu safbwyntiau eraill a fynegwyd yn y Gymraeg. Ac eto, daethpwyd i'r casgliad hefyd fod ôl dylanwad Lloegr fodern ar y cysyniad o ganon llenyddol Cymraeg; ac er gwaethaf fy mharodrwydd innau i goleddu'r cysyniad o ganon llenyddol Cymraeg erbyn hyn, fe'm temtir yma i ddatblygu'r gymhariaeth â'r Oesoedd Canol ymhellach drwy nodi '[na] ddylid credu mai'r patrwm Seisnig yw ffon fesur normalrwydd a bod Cymru'n annormal pan nad ydyw'n cydymffurfio â'r patrwm hwnnw'.[72] Cael fy nhemtio yn unig yr wyf, fodd bynnag. Nodaf yn hytrach mai nod Saunders Lewis yn y *Braslun* ydoedd ystyried '[y]r hyn sy gan lenyddiaeth Gymraeg i'w osod ochr yn ochr ag amrywiaeth a chyfoeth didrefn Shakespeare a'i gydwladwyr'.[73] Gwelwyd mai cymhelliad tebyg a oedd gan Alan Llwyd wrth iddo greu cyfres o flodeugerddi safonol yn y Gymraeg, ar lun patrwm y Saeson. Ac yn yr un modd, er gwaetha'r sôn am 'wreiddiau Cymreig', nododd R. M. Jones yn yr un ysgrif fod angen sicrhau bod gan '[y] plant deallus Cymraeg' rywbeth i gyfateb i 'Shakespeare, ar gyfer y Dystysgrif Gyffredin . . . yn Saesneg'.[74]

Nid wyf felly'n hoffi'r modd y mae R. M. Jones mewn ymgais i ddiogelu'r Canon heddiw yn mynnu mai cysyniad Cymreig ydyw, ac ni chytunaf â'r modd y mae yn ei waith diweddar yn pwysleisio awdurdod y testun, gan warafun megis i'r genhedlaeth nesaf o ddarllenwyr ei hawl i ddarllen. Ond f'ofn innau yw na fydd fawr neb o'r genhedlaeth honno'n trafferthu i fynd i'r afael â'r dasg o aflonyddu'r Canon a'i ailddiffinio a phennu pa destunau llenyddol o'r gorffennol sy'n berthnasol iddynt. Y rheswm dros hynny yw am y cynhelir canon fel rheol gan bobl sy'n arddel ei werthoedd yn rhwydd, gan bobl sy'n hoff o'i ddyfynnu ac sy'n adnabod ei ddyfynnu gan eraill; gan bobl sy'n rhannu'r un wrthgyrsiau â'i gilydd. Hynny yw, cynhelir canon gan bobl sydd megis yn ysgrifennu o'r tu mewn iddo, ac a ysgrifennwyd ganddo. Er gwaethaf fy meirniadaeth ddof yn erbyn R. M. Jones ac Alan Llwyd, felly, yr wyf yn cytuno'n sylfaenol â hwy mai angen canon ydyw Cerdd Dafod gyffredin rhwng llenor a darllenydd, a heriol yw cwestiwn rhethregol Alan Llwyd: 'Os nad yw'r cefndir llenyddol ac ieithyddol angenrheidiol gan rywun, pam trafferthu i ddarllen barddoniaeth o gwbl?'[75]

Y canlyniad anochel yw y bydd y canon llenyddol Cymraeg – sydd mor Gristnogol ei wead, o leiaf yn y modd y'i lluniwyd hyd yma – yn ymdroi'n fwy o Destament caeedig, dieithr, a'r galw am glerigwyr proffesiynol i'w ddarllen yn cynyddu fwyfwy. Bydd yn fwrn i ddisgyblion ysgol a myfyrwyr prifysgol y Gymraeg, er enghraifft, er mai lleihau y bydd amlygrwydd y clasuron canonaidd ar eu maes llafur. Fel yr awgrymodd Ioan Williams a Christine James, cynyddu a wna'r bwlch rhwng awduron Cymraeg y gorffennol a darllenwyr y Gymru ôl-Gristnogol sydd ohoni, a chynyddu a wna'r galw am nodiadau esboniadol ar destunau llenyddol clawr caled. Cynyddu hefyd a wna'r bwlch rhwng y llen-yddiaeth ganonaidd honno y mae angen nodiadau esboniadol arni, a llenyddiaeth boblogaidd y dydd.

Canlyniad y sefyllfa hon, felly, yw synhwyro gydag R. M. Jones mai rhywbeth sy'n perthyn i 'gnewyllyn bach o Gymry diwylliedig' ydyw'r cysyniad o ganon llenyddol Cymraeg mwyach, hyd yn oed os defnyddir y gair 'canon' fwyfwy'n gyffredin i olygu clasuron llenyddol.[76] Amlygu hyn y mae'r modd na fydd 'llawer o gefndir gwahanol i mi/ni yn adnabod' cyfeiriadau tra amlwg at destunau canonaidd, enwog, fel y nododd Robert Rhys.[77] Ychydig yn yr oes amlgyfryngol hon a gred mai'r ffon fesur orau ar gyfer awduron cyfoes ydyw casgliad dethol o glasuron llenyddol y Gymraeg, o Daliesin hyd at Saunders Lewis. Llai fyth a fentra fyw wrth y rheol honno, fel y gwnâi ef, a throi darllen clasuron yn ddefosiwn. Yn hyn o beth, y mae'r gymhariaeth rhwng y canon llenyddol Cymraeg a'r Beibl Cymraeg yn parhau'n fuddiol. Un o brif ddargan-fyddiadau'r astudiaeth hon ydoedd y gymhariaeth rhwng perthynas y Beibl ag Uwchfeirniadaeth Feiblaidd o gylch troad yr ugeinfed ganrif ar y naill law, ac ar y llaw arall, berthynas y Traddodiad Llenyddol â Theori yn chwarter olaf yr ugeinfed ganrif. Gwelwyd yn y naill achos a'r llall fod gan y sawl a fynnai amddiffyn y Canon ddewis rhwng gwrth-ddadlau'n theoretig yn erbyn Uwchfeirniadaeth a Theori, neu eu hannilysu drwy eu hanwybyddu. Wrth gloi, synhwyrir hefyd i'r naill ganon a'r llall yng Nghymru droi o fod yn arf cenhadol i fod yn drysor i leiafrif. I'r sawl a fyn weld y 'Gymraeg yn iaith dosbarth bychan o Gymry a gâr geinder a llên a chelf', chwedl Saunders Lewis, y mae'n bosibl fod hynny'n destun llawenydd.[78] Heb os, braint fy llyfr noddedig i yw y daethpwyd yn yr ugeinfed ganrif o hyd i ffordd 'a gadwai lên a chelf yn ddiogel heb falio botwm am y werin daeogion'.[79] Ie, fy mraint a'm hanesmwythyd i'n ddi-os yw i astudiaethau'r Canon Cymraeg ddatblygu 'fwyfwy yn fater ar gyfer darllen academaidd ac ymchwil hynafiaethol', mewn modd digon tebyg i astudiaethau Saesneg yn Lloegr. Fel y nododd Kramnick, cyn gynted ag y dysgodd y dosbarth canol sut i'w mynegi eu hunain mewn awyrgylch o 'fiwrocratiaeth resymegol', peidiodd beirniadaeth â bod yn weithgarwch gwleidyddol, eithr yn broffesiwn i urdd y torrwyd y cysylltiad rhyngddi â'r gymdeithas.[80] Yn rhan o'r symudiad biwrocrataidd hwn, da yw medru diolch i Gyngor Ymchwil y Celfyddydau a'r Dyniaethau am nawdd tuag at ariannu'r ymchwil ar gyfer y llyfr hwn, ynghyd â nawdd ar gyfer ymchwil bellach. Felly hefyd yr un modd am nawdd gan Gyngor Cyllido Addysg Uwch Cymru. Ai er mwyn hyn yr aberthodd Saunders Lewis ei swydd ddarlithio ac ymroi i fywyd o wleidydda, fel yr enillai sianeli newydd o dyfiant i iaith a diwylliant a oedd ar farw? Mor niferus heddiw'r darlithwyr a'r ymchwilwyr a'r cyhoeddwyr noddedig ym maes llenyddiaeth Gymraeg, fel mai anodd peidio â chredu iddo lwyddo yn ei amcan. Ac eto, daethpwyd i'r casgliad hefyd mai'r hyn a wnaeth y Canon yn beth byw i Saunders Lewis ydoedd y modd y cyfeiriodd ef at garfan eang ac allddosbarth o ddarllenwyr Cymraeg, a hynny'n rhan o genhadaeth ddiwylliannol fawr. Yr ymdeimlad cynhyrfus hwnnw o genhadaeth ynghyd â'r gynulleidfa anacademaidd, ddeallus a oedd yn dir parod ar gyfer llunwyr y Traddodiad yw'r hyn sydd ar goll o faes y Canon heddiw. Troes gan hynny'n rheol brennaidd i academyddion ac yn fwyfwy amherthnasol i'r lliaws yn y byd amlgyfryngol. At hyn, anodd yw gweld sut y gall y Canon, y ffurf lenyddol fwyaf oll, ffynnu mewn oes o gyfryngau electronig sy'n ffafrio 'darnau byr o lenyddiaeth y gellir eu torri, eu cario a'u gliwio yma a thraw'. Ac eto, wrth i Sioned Puw Rowlands yn ei llyfr, *Hwyaid, Cwningod a Sgwarnogod*, bledio'n ddiweddar achos amrywiaeth barn a diffyg consensws – 'mwy o naratifau, nid synthesis myglyd a chamarweiniol' – diddorol oedd sylwi arni hefyd yn cyfeirio'n gyfaddawdus at 'y canon gorllewinol'.[81] Deuthum innau i'r casgliad fod y Canon, megis cymeriad yr awdur, ar ei gryfaf pan fydd rhyw theorïwr fel fi yn dechrau sôn am ei farwolaeth. Da y nododd M. Wynn Thomas yn ddiweddar wrth iddo adolygu *Llenyddiaeth Mewn Theori* nad oes 'fawr o ddim sy'n wahanol' yn ysgrifau'r gyfrol, er gwaetha'r ffaith 'fod rhai o'r cysyniadau a ddatblygwyd gan ddamcaniaethwyr bellach wedi hydreiddio beirniadaeth lenyddol drwyddi'.[82] Oherwydd er iddi ddwyn ein sylw at y sefydliadau a'r moddau darllen sy'n gymaint rhan o'r Canon ag unrhyw destun y mae'n ei gynnwys, ac er iddi ychwanegu at y Canon nifer o destunau newydd a dadlau hefyd dros amlder canonau, bu Theori a'i gwahanol garfanau ac ysgolion hefyd yn fodd i feirniaid gyflwyno ffyrdd newydd o ddarllen y testunau canonaidd eu hunain, a thrwy hynny rhoes fywyd i'r union gorff yr oedd fel pe bai am ei ladd o'r newydd.[83]

Nodiadau

1 R. M. Jones, *Mawl a Gelynion Ei Elynion* (Cyhoeddiadau Barddas, 2002), t. 71.

2 Richard Bradford (gol.), *Introducing Literary Studies* (London, 1996), t. xiii.

3 Catherine Belsey, *Critical Practice* (London, 1980), t. 103: 'There is always a danger that a radical literary criticism will simply create a new canon of acceptable texts.' F'italeiddio i.

4 R. M. Jones, *Mawl a Gelynion ei Elynion*, t. 156.

5 Thomas Sheehan, *The New York Review of Books*, 40, 8 (22 Ebrill 1993). Gw. *http://www.nybooks.com/ articles/2591*, 'How ironic that Derrida, who provides a language for criticizing power and for deconstructing the imperialisms of authorship, now parades himself, to the cheers of his acolytes, as the very psychopomp of power, who threatens to resort to the oldest and crudest of weapons, the police.'

6 Seán Burke, *The Death and Return of the Author: Criticism and Subjectivity in Barthes, Foucault and Derrida* (Edinburgh, 1992), t. 5: 'ethically and existentially to the texts he has written'.

7 Ibid.: 'The existence of a de Manian corpus is not for a minute called into question within this debate.' Gwahaniaethir rhwng 'an inessential juvenilia' and 'an essential and mature canon'.

8 Hélène Cixous, *The New York Review of Books*, 40, 8 (22 Ebrill 1993). Gw. *http://www.nybooks.com/articles/2591*.

9 Richard Bradford, *Introducing Literary Studies*, t. xiv: 'To appreciate the condition of the woman writer in relation to the patriarchal canon you should know what this canon is.'

10 Ibid., t. xiii: 'academics who despise any kind of theoretical design that might cramp or disfigure the grandeur of literature (a dying breed, but it will be a while before the lights go out) '.

11 Gw. Valentine Cunningham, *Reading After Theory* (Oxford, 2002), t. 140: 'The dust of Theory settles and, as Italo Calvino describes it, the classic is still being read.'

12 Cymh. Jonathan Brody Kramnick, *Making the English Canon: Print-Capitalism and the Cultural Past, 1700–1770* (Cambridge, 1998), t. 237: 'The canon debate now takes place within an increasingly reduced state of its own importance.'

13 Alan Llwyd, 'Ar drothwy mileniwm', *Y Grefft o Greu: Ysgrifau ar Feirdd a Barddoniaeth* (Cyhoeddiadau Barddas: 1997), tt. 114–15.

14 Idem, *Glaw ar Rosyn Awst* (Caernarfon, 1994), tt. 309, 314.

15 T. Robin Chapman, *Rhywfaint o Anfarwoldeb: Bywgraffiad Islwyn Ffowc Elis* (Llandysul, 2003), t. 18.

16 Cymh. Jonathan Brody Kramnick, t. 238: 'The largely in-house discussions of canonicity that dominated the nineteen-eighties have given way to somber estimations of the job market and budgets.'

17 Owen Jones, *Ceinion Llenyddiaeth Gymraeg* (London, 1875), t. 1.

18 Ibid. F'italeiddio i.

19 R. S. Sugirtharajah, *The Bible and Empire: Postcolonial Explorations* (Cambridge, 2005), t. 94: 'The Bible was to become, in the hands of professional critics, a human document . . . that . . . could be treated like any other book.'

20 Howard Felperin, *The Uses of the Canon: Elizabethan Literature and Contemporary Theory* (Oxford, 1990), t. 81: 'a sacred, even Christological, aura'.

21 Dafydd Ifans (gol.), *Annwyl Kate, Annwyl Saunders* (Aberystwyth, 1992), t. 8. Cymh., tt. 3–4: 'Rhai go anwadal ac anwastad ym ninnau, wyr [sic] *Y Llenor*, ond mi gredaf rywsut fod *Y Llenor* yn lanach cwmni i bagan o'ch bath chi nag yw Undeb Cristnogol y byrfyfyrwyr, neu'r seiat *highbrow.*'

22 Saunders Lewis, 'Dafydd Nanmor', yn R. Geraint Gruffydd (gol.), *Meistri'r Canrifoedd* (Caerdydd, 1973), t. 81.

23 Lewis Edwards, 'Rhagymadrodd', *Traethodau Llenyddol* (Wrecsam), tt. 5–6.

24 Saunders Lewis, 'Dafydd Nanmor', t. 81.

25 John Rowlands, *Saunders y Beirniad* (Caernarfon, 1990), t. 11.

26 Saunders Lewis, *Braslun o Hanes Llenyddiaeth Gymraeg: Y Gyfrol Gyntaf: Hyd at 1535* (Caerdydd, 1932), t. 5.

27 Gw. Roland Barthes, 'Criticism as language', yn David Lodge (gol.), *20th Century Literary Criticism: A Reader* (London, 1995), tt. 648–9: 'Criticism is something other than making correct statements in the light of "true" principles. It follows that the major sin in criticism is not to have an ideology but to keep quiet about it. There is a name for this kind of guilty silence; it is self-deception or bad faith.'

28 R. M. Jones, *Beirniadaeth Gyfansawdd: Fframwaith Cyflawn Beirniadaeth Lenyddol* (Cyhoeddiadau Barddas, 2003), t. 199.

29 Saunders Lewis, 'Diwylliant yng Nghymru', *Ysgrifau Dydd Mercher* (Cyhoeddiadau'r Clwb Llyfrau Cymreig, 1945), t. 102.

30 R. S. Thomas, 'Taste', *Collected Poems 1945–1990* (London, 1996) tt. 284–5.

31 Oliver Elton, *A Survey of English Literature 1730–1780: Vol. II* (London, 1928), t. 119.

32 Ibid.

33 *Idem, Modern Studies* (London, 1907), t. 132.

34 R. Geraint Gruffydd (gol.), *Meistri'r Canrifoedd* (Caerdydd, 1973), t. ix.

35 Ibid., t. x.

36 Ibid.

37 Peter Hyland (gol.), 'Introduction', *Discharging the Canon: Cross-cultural Readings in Literature* (Singapore, 1986), tt. 5–6: 'a more open and flexible body of studies that is capable of embracing also the "marginal" writings that the canon has excluded . . . Literary excellence (if, indeed, we can get agreement on quite what this is) may be one element in our judgement, but works may have other sorts of value as well: historical, sociological, moral, psychological, therapeutic, values of commitment, honesty, and, above all, of relevance.'

38 Saunders Lewis, 'Dafydd Nanmor', tt. 90–1.

39 Jan Gorak, *The Making of the Modern Canon: Genesis and Crisis of a Literary Idea* (London, 1991) t. 58: 'an eclectic assortment of locally applied values – energy, eloquence, pathos, taste, genius, idea, imagination, fact, sanity, inwardness – drawn from rhetoric, sociology, philosophy, politics, and psychology'.

40 Ibid.

41 Saunders Lewis, *Williams Pantycelyn* (Llundain, 1927), t. 52: 'Mewn eneideg y bu diwinyddiaeth Brotestannaidd bob amser yn wan, a dyna lle y mae cryfder eithriadol Williams . . . ei athrylith.'

42 Bobi Jones, *Pedwar Emynydd* (Llandybïe, 1970), t. 7.

43 R. M. Jones, *Beirniadaeth Gyfansawdd*, t. 152.

44 Idem, *Mawl a Gelynion ei Elynion* (Cyhoeddiadau Barddas, 2002), t. 171.

45 Ibid., t. 399.

46 R. M. Jones, *Tafod y Llenor: Gwersi ar Theori Llenyddiaeth* (Caerdydd, 1974), t. 282.

47 R. M. Jones, *Seiliau Beirniadaeth: Cyfrol 4: Cyfanweithiau* (Aberystwyth, 1988), t. 587.

48 Thomas Charles, *Geiriadur Ysgrythyrol* (Wrexham, 1893), s.v. 'Dewis-iad', t. 280.

49 Sioned Puw Rowlands, *Hwyaid, Cwningod a Sgwarnogod: Estheteg Radical Twm Morys, Václov Havel a Bohumil Hrabal* (Caerdydd, 2006), t. 98.

50 Saunders Lewis, *Braslun*, t. 132.

51 Jan Gorak, *The Making of the Modern Canon* (London, 1991), t. 12: 'All these authors emphasize the flexibility of the canon and the importance of its adjustment to the human subjects it was designed to serve.'

52 Dyf. T. Robin Chapman, *Un Bywyd o Blith Nifer: Cofiant Saunders Lewis* (Llandysul, 2006), t. 63. Saunders Lewis, LlGC, papurau J. Glyn Davies, 6184. SL at J. Glyn Davies, 19 Hydref 1920.

53 Gw. R. Tudur Jones, 'Y genedl Galfinaidd a'i llên', *Grym y Gair a Fflam y Ffydd: Ysgrifau ar Hanes Crefydd yng Nghymru* (Bangor, 1998), tt. 225–84.

54 John Davies, *Hanes Cymru* (London, 1990), t. 89.

55 R. M. Jones, *Beirniadaeth Gyfansawdd*, t. 108.

56 John Davies, *Hanes Cymru*, t. 93.

57 Ibid., t. 94.

58 Gw. Nesta Lloyd a Morfydd E. Owen (gol.), *Drych yr Oesoedd Canol* (Caerdydd, 1986), tt. 89–90.

59 Alan Llwyd, 'Saunders Lewis a T. S. Eliot', *Y Grefft o Greu*, t. 159.

60 R. M. Jones, 'Adolygiadau hwyr [20]', *Barddas*, 290 (Tachwedd/Rhagfyr 2006/Ionawr 2007), 6–7.

61 Saunders Lewis, *Braslun*, t. 15.

62 Gw. Meic Stephens (gol.), *Cydymaith i Lenyddiaeth Cymru* (Caerdydd, 1986), t. 373.

63 Nesta Lloyd a Morfydd E. Owen (goln), *Drych yr Oesoedd Canol*, t. 198.

64 Ar syniadau A. T. E. Matonis, gw. ibid.

65 Ibid., t. 215.

66 John Davies, *Hanes Cymru*, t. 86.

67 *Cydymaith i Lenyddiaeth Cymru*, t. 586.

68 Thomas Charles, *Geiriadur Ysgrythyrol*, 280.

69 R. M. Jones, *Seiliau Beirniadaeth: Cyfrol 4*, t. 593.

70 John Davies, *Hanes Cymru*, t. 89.

71 Robert Rhys, 'Dyfyniad, dylanwad, dirgel-gellwair: sylwadau ar gyfeiriadaeth a rhyngdestunoldeb', *Llenyddiaeth Mewn Theori*, 1 (2006), 117.

72 John Davies, *Hanes Cymru*, t. 94.

73 Saunders Lewis, *Braslun*, t. 5.

74 R. M. Jones, 'Adolygiadau hwyr [20]', 10.

75 Alan Llwyd, 'Cynulleidfa'r bardd', *Y Grefft o Greu*, t. 106: 'Os nad yw'r cefndir llenyddol ac ieithyddol angenrheidiol gan rywun, pam trafferthu i ddarllen barddoniaeth o gwbl?'

[76] R. M. Jones, '"Gororau'r Iaith"', *Y Traethodydd*, 160 (2005), 40.

[77] Robert Rhys, 'Dyfyniad, dylanwad, dirgel-gellwair: sylwadau ar gyfeiriadaeth a rhyngdestunoldeb', 107.

[78] Saunders Lewis, 'Tueddiadau Cymru rhwng 1919 a 1923', *Baner ac Amserau Cymru*, 6 Medi 1923, 5.

[79] Dafydd Ifans (gol.), *Annwyl Kate, Annwyl Saunders* (Aberystwyth, 1992), t. 4.

[80] Jonathan Brody Kramnick, *Making the English Canon*, t. 239.

[81] Sioned Puw Rowlands, *Hwyaid, Cwningod a Sgwarnogod*, tt. 25, 101, 15.

[82] M. Wynn Thomas, 'Cyfrol i ysgogi'r meddwl' (adolygiad ar *Llenyddiaeth Mewn Theori*, gol. Owen Thomas (Caerdydd, 2006)), *Taliesin*, 130 (2007), 161.

[83] Gw. Bill Ashcroft, Gareth Griffiths a Helen Tiffin, *The Empire Writes Back* (London, 2il arg., 2002), tt. 186-7: 'So the subversion of a canon involves the bringing-to-consciousness and articulation of these [reading] practices and institutions, and will result not only in the replacement of some texts by others . . . but equally crucially by the reconstruction of the so-called canonical texts through alternative reading practices.'

Mynegai

ffurf y canon xv, 144–56, 264–5
gweler hefyd canolbwynt,
dechreubwynt; telos
graddfeydd o ganoneiddrwydd
58–61, 78, 105, 108–9, 266–7
tu mewn i'r canon, beirniadu o'r
63, 172, 184–5, 204, 217, 275
ystyr glasurol y term 42–7
ystyr gyfoes y term 39–41
Carr, A. D. 104
Casgliad Answyddogol, Y 29
ceidwadaeth xi, xv–xvii, 7, 22, 29,
57, 59, 136, 221, 231–2, 234,
238, 259, 272
Ceiriog (Hughes, John Ceiriog) 122
Chandler, Daniel 193
Chapman, T. Robin xii, xviii, 14, 16,
18, 27, 40, 77, 96–7, 107, 128,
139, 143, 226, 262
Charles, Thomas xiii, 43, 46, 154,
177, 271–4
Childs, Brevard S. 51, 59
Cixous, Hélène 261
clasuron, y *gweler* canon: canon
clasurol, y
Clemens 45, 56, 67
Colie, Rosalie 20
consenswa xiv, 5, 55–6, 58–9, 63, 66,
83, 92, 100–1, 131, 189, 194,
242, 246, 265, 268, 277
corff 23–30, 39–40, 60, 63, 88–9, 91,
100, 102, 106–8, 110, 128, 136,
149, 176, 203, 221–2, 237, 260,
262, 269, 271–3
Coupland, Douglas 217
Culler, Jonathan 10, 24, 29
Cunningham, Valentine 2–3
cychwynbwynt *gweler*
dechreubwynt
cyfaddawdu 6–7, 86, 219–20
cyfeiriadaeth 137, 191, 223, 225, 243
gweler hefyd nodiadau
esboniadol
Cyfraith Hywel 273–4
cyfrwng llafar, y 44, 49, 51, 66, 85,
108–9, 262–3, 273

cyfrwng ysgrifenedig, y 43–7,
49–51, 85, 93, 220, 239
cyfryngau, y 239, 268 *gweler hefyd*
radio; rhyngrwyd; teledu
Cyngor Carthag 59
Cyngor Cyllido Addysg Uwch
Cymru 277
Cyngor Laodicea 47
Cyngor Ymchwil y Celfyddydau
a'r Dyniaethau 277
Cymdeithas Dafydd ap Gwilym
140
Cymdeithas yr Iaith 95
Cymry yn ysgrifennu yn Saesneg
9–10, 261
Cynan (Evans-Jones, Albert) 79,
244
Cynfeirdd, y 266, 269, 273
Cynddelw Brydydd Mawr 182, 187
cynneddf 107–10, 129, 172–3, 176,
194, 244
cyntafiaeth
Marcion 48–52, 55, 67, 150
Saunders Lewis 98–103, 107,
109
cynulleidfa'r canon 5, 9–10, 51, 64,
77, 81, 86–7, 121–32, 187, 190,
194, 196–7, 230, 239, 241, 246,
261, 263, 267, 275–6
pobl y canon 121–32, 182, 186,
188, 197, 226–7, 277
gweler hefyd amgylchfyd; ni;
Tafod-Mynegiant
Cywyddwyr, y 17, 104

chwaeth xi, 65, 176, 197, 234–5, 239,
246, 267

dadadeiladaeth 3, 22, 26, 29, 92,
193, 217, 220, 259
Dadeni, y 20, 87, 107, 266
Dafydd, Gwenllïan 187
Dafydd ab Edmwnd 104–5, 148,
248
Dafydd ap Gwilym xiv, 14, 18, 20,
39–40, 57, 60, 84–5, 95, 103–5,

Grudem, Wayne 177
Gruffudd, Pyrs 125
Gruffudd ab yr Ynad Coch 185,
187, 202
Gruffydd, R. Geraint 60, 90–2, 96–7,
105, 107, 129, 173, 269
Gruffydd, W. J. 4, 83, 85, 95, 99, 103,
110, 131, 137–8, 174, 222–3
Guillaume, Gustave 189, 216
Guillory, John 94, 99, 101, 240
Guto'r Glyn 81, 104–5, 145, 268
Gutun Owain 104, 106
gwahanrwydd 25, 28, 60–3, 122,
178, 202, 259, 262
gwahuniaeth (term R. M. Jones)
178, 187
Gwenallt *gweler* Jones, D. Gwenallt
Gwenynen Gwent *gweler* Hall,
Augusta
Gwerin (y mudiad) 125
gwerth llenyddol xvii, 22, 29, 63–5,
108–9, 188, 232, 240, 260, 263,
266, 269
gwraidd 63, 67, 144–7, 150–1, 155,
171, 222, 239, 263, 273–5
gwreiddiol 19, 85, 129, 134, 142–3,
154, 199, 229, 238, 272
gwrth-theori xvii, 4–6, 173, 219–21,
223, 230–2, 239, 241, 243, 261
gwrthdrefedigaethedd 102, 121
gwrthfeirniaid crefyddol xvii, 133,
219–21, 227, 229–30
    Jones, R. B. 135
    Morris, Silas 232
    Rhosynog (Morris, William) 221
    Thomas R. S. 134–5
gwrthganon 56, 78
gwrthganoniaeth 19, 24–5, 55, 92,
262, 268 *gweler hefyd*
    gwahanrwydd
gwrthrych 28, 76, 83, 244, 271
gwrthrychedd xix, 4, 63, 78, 82–6,
89, 189–90, 225, 234–5
gwyddoniaeth 1, 4, 153, 172, 193,
223, 225

Habermas, Jürgen 22, 154–5, 218,
232
Hahneman, G. M. 50–1
Hall, Augusta (Arglwyddes
Llanofer) 124
Hanesyddiaeth Newydd 3, 9, 81
Hardy, Thomas 223, 245, 267
Harri VIII 123
Harris, Wendel 3
Hawkes, Terence 1
Hedd Wyn (Evans, Ellis
Humphrey) 224, 227
Heddiw 80
Hemenway, Robert 57
Hen Destament, yr 41, 45, 49–50,
53–5, 57
heresi 47–8, 51, 56, 58, 61, 65, 67, 78,
141, 154, 228, 231
hereticiaid *gweler* heresi
hil 2, 57, 215 n. 232
Homer 42
Horas 87
hoyw, beirniadaeth 3, 48, 174,
198
Hughes, Dewi Arwel 200
Hughes, Gwilym Rees 103
Hughes, John Ceiriog *gweler*
    Ceiriog
Hughes, John Gruffydd *gweler*
    Moelwyn
Humphreys, Gwilym E. 183
Hunter, Jerry 84, 206 n. 20
Husserl, Edmund 153
Huws, Bleddyn Owen 20
Hyland, Peter 123, 269
Hywel ab Owain Gwynedd 187
Hywel Dda 273

ideoleg *gweler* rhagfarn;
    tryloywedd beirniadol
ieithyddiaeth 101, 139, 176, 245
Iestyn Ferthyr 49, 56
Iesu Grist xiv–xv, 23–4, 26–7, 42,
44–7, 49–51, 54–5, 61–3, 65–7,
94, 96, 133, 142, 144, 171, 180,
185, 191–218, 265

McGrath, Alister E. 42
MacIntyre, Alasdair 86–7, 103, 144,
    149, 194–5, 204
McLuhan, Marshall 93
McQuillan, Martin 3
maeth (y canon) 132, 185, 191, 203,
    217, 262, 264
Manicheaid, y 56
Marcion 47–61, 62, 67, 98, 100,
    272
Marcioniaid, y *gweler* Marcion
Marcsiaeth *gweler* Farcsaidd,
    beirniadaeth
Martain, M. Jacques 79
materoliaeth ddiwylliannol 3
Matonis, A. T. E. 274
meistr-feirniad, y 51, 53, 101, 222,
    229, 231–6, 246, 274
Methodistiaid, y 12, 96, 126, 133,
    136, 139, 143, 200
Metzger, Bruce M. 48–9
Michaels, Walter Benn 232
Miles, Gareth 122
Miller, J. Hillis xviii, 29
Miller, Seumas 19, 23
Milton, John 102
Moelwyn (Hughes, John Gruffydd)
    83, 124, 229, 233–4, 244
Molière (Poquelin, Jean-Baptiste)
    129
Montaniaeth 61–2
Montanus 61–2
Morgan, D. Densil 135, 195, 197
Morgan, Derec Llwyd 82, 84, 88,
    107, 136, 195, 217, 220, 230
Morgan, John 108, 129–30, 132
Morgan, Kenneth O. 132
Morgan, Mihangel 13–15, 187, 224,
    226
Morgan, T. J. 82–3, 88, 110, 127,
    184
Morris, Delyth 126
Morris, John Meirion 76, 86
Morris, William *gweler*
    gwrthfeirniaid crefyddol:
    Rhosynog

Morris-Jones, John 5–6, 26, 81, 98,
    121, 134, 140, 219, 223, 238, 264
Mullins, Daniel John 79, 95
Murphy, Paul Thomas 124
Murray, David 58, 141
myth 10, 25, 88, 97, 181, 227, 247
    Mythologies (Barthes, Roland) 10

ni (y rhagenw) xv, 46, 63, 67, 100,
    129, 182–4, 186–90, 198, 201,
    209 n. 120, 215 n. 232, 276, ar y
    clawr *gweler hefyd*
    cynulleidfa'r canon; Tafod-
    Mynegiant
Nicholas, T. E. 240
nod y canon *gweler* telos
nodiadau esboniadol xvi, 190–1,
    195, 276 *gweler hefyd*
    cyfeiriadaeth
Nyíri, Christoph J. 39

Obbink, Dirk 20
ôl-drefedigaethol, beirniadaeth 3,
    125–6, 174
ôl-Farcsiaeth 2
ôl-foderniaeth 3, 22, 26, 39, 48,
    61–3, 84, 155, 178, 180–1, 188,
    194, 217, 229, 248, 258
ôl-ffeminyddiaeth 2
ôl-Gristnogaeth xvi, 185–6, 196–9,
    203–4, 217, 276
ôl-strwythuraeth xiii, 2, 3, 25, 29,
    180, 193, 248
ôl-Theori 2–6, 9, 23–4, 156
    llyfrau ar ôl–Theori 3–5
Oleuedigaeth, yr 6, 26, 88, 191, 219,
    231–2, 237
Olsen, Roger E. 45, 62, 144
Olyott, Stuart 178
Origen 47
Orsedd, yr 87, 131
Owen, Daniel 12, 89, 137, 266, 271
Owen, Gerallt Lloyd 94, 196
Owen, Goronwy 130, 245–7
Owen, Morfydd E. 104, 273
Owen, Owen Griffith *gweler* Alafon

Ruddock, G. E. 104
Rylance, Rick 29

rhagfarn xviii–xix, 1, 6, 20, 26, 29,
    50, 54, 76–89, 122, 125–7, 129,
    153–4, 171–4, 179, 186, 188,
    194–5, 199–200, 202, 204, 216,
    218, 224, 227, 231–2, 239–41,
    244–7, 261, 265–6, 270, 274
Rhamantiaeth 33 n. 66, 64, 87, 92,
    107, 130, 180, 187, 198, 201,
    270
Rhyfel Byd Cyntaf, y *gweler* Rhyfel
    Mawr, y
Rhyfel Mawr, y xv, 126, 135, 244
rhyddfrydiaeth 6, 123, 174, 193, 196
rhyngrwyd, y 262–3, 277 *gweler*
    hefyd cyfryngau, y
Rhys, Robert 8–9, 12, 22, 24, 83, 182,
    187, 216, 275, 276
rhyw 2, 57

Sabelius 177
Said, Edward 98
Salesbury, William 185
Schad, John 23–4
Scheler, Max 154
Schlatter, A. 63
Schumann, John 183
Schweickart, Potrocinio P. 21
Scott, Robert 42–3
seciwlar (seciwlareiddio) 132, 175,
    185–6, 191–2, 194–5, 218, 263
sefydliad academaidd, y xvi, xix, 8,
    21–2, 25, 41, 47–8, 53–4, 59, 99,
    101, 103, 121, 126, 195, 226,
    234–5, 240–1, 258, 263, 266–8,
    274, 276–7
seiat 131
seicdreiddiol, beirniadaeth 3, 80
Selinker, Larry 183
Shakespeare, William 27, 88, 100,
    102, 140, 148, 150, 237, 265,
    267, 275
Sheehan, Thomas 259–61
Sieffre o Fynwy 81

Siencyn, Ioan 147
Siôn Cent 80, 104–6, 110
Smith, Zadie 218
Sontag, Susan 28
sosialaeth 123, 125
Souter, Alexander 43, 45
Steffan (y merthyr) 94
strwythuraeth 3, 7, 193, 248
Sturrock, John 193
Suarez, Ernest 59
Sugirtharajah, R. S. 263

Tadau'r Eglwys xv, 45–7, 51, 61, 65,
    136, 152
Tafod-Mynegiant 7, 131, 174–204,
    226, 228, 244–8
    metiér Saunders Lewis 131, 149,
    203, 221, 272
    Tafod yn achos Alan Llwyd 226,
    228, 244–8
    gweler hefyd amgylchfyd;
    cynulleidfa'r canon
Taliesin 20, 63, 81, 98, 105, 107,
    144–7, 151, 179, 202, 247, 261,
    264, 266, 269, 276
Taliesin 230
Tebot Piws, y xiv
technoleg cyfathrebu *gweler*
    cyfryngau, y
teledu 203, 230, 241, 262, 274 *gweler*
    hefyd cyfryngau, y
telos xv, xvii, 101, 103, 125, 129,
    137–8, 144, 149–50, 154, 218,
    222, 236–7, 264
Tertulianus 49, 55, 60–1, 65, 67, 141,
    144, 265
Testament Newydd, y *gweler*
    canon: canon y Testament
    Newydd
testun, y 3–4, 7–9, 16, 18, 20, 22, 28,
    33 n. 66, 45–6, 76, 79, 85, 90–3,
    101, 103, 110, 139–44, 153, 156,
    180, 187–8, 241, 244, 259–60,
    262–3, 269–71, 275
    popeth yn destun 2, 4, 28, 156,
    261–3

Thomas, Dafydd Elis xv 1, 6–7, 10, 25, 64, 109, 154, 171, 189, 203, 228, 239, 263, 265
Traddodiadau Fory xv, 6–7, 10, 25, 64, 98, 171, 189, 203, 228, 239, 263, 265
Thomas, Gwyn 88, 90, 142, 145–6, 173, 197, 223, 225–6, 242–3
Presenting Saunders Lewis (gol. gyda Jones, Alun R.) 90
Thomas, Isaac 48, 50, 62, 66
Thomas, M. Wynn 9–12, 14–15, 18, 81, 84, 191, 228, 243, 262, 270, 277
James Kitchener Davies 10–12, 16, 24, 84, 224, 262, 270
Thomas, Owen 5, 84–5
Llenyddiaeth Mewn Theori (gol.) 277
Thomas, R. S. (y bardd) 94, 191, 267
Thomas, William *gweler* Islwyn
Tir Newydd 80
Tomos, yr Apostol 272
Traddodiad
defnydd Saunders Lewis o'r gair 151–2
grym trosgynnol 77, 80, 88, 150–6, 264–5, 269
ystyr y term 39–41, 271
Traethodydd, Y 2, 86, 133
trochiad xvii, 182–4, 199–204, 225, 234, 271
tröedigaeth 185, 192–3, 227
Trioedd Cerdd, y 273–4
trwytho *gweler* trochiad
tryloywedd beirniadol 3–4, 6, 10, 21–2, 153–5, 231–2, 261–2, 266, 274
Trypho 56
Tu Chwith 5, 25–6, 262
Tudur, Rhys 135
Tudur Aled 80, 104–5, 182, 266
tueddrwydd *gweler* rhagfarn
Tuite, Clara 147
Turner, Stephen P. 39
Tw Ffw 233

Twm o'r Nant (Edwards, Thomas) 102, 105
Tyst, Y 132

Theori
fel chwyldro 1–6, 24, 155, 259
nodweddion Theori yn ôl Freadman a Miller 19
ystyr y term xiii–xiv, 1–4, 155, 171, 259, 261

uchelwriaeth 126, 145 *gweler hefyd* aristocratiaeth; pendefigaeth
undebaeth 126, 159 n. 45
undod 25, 29, 41, 60, 88–9, 91, 96, 98, 101, 103, 107, 123–5, 137–8, 147, 151–2, 154, 176–8, 182, 204, 218, 265, 272
undduwiaeth 56, 177
unoliaeth *gweler* undod
Urien 145–6, 151
Uwchfeirniadaeth Feiblaidd xv, xvii, 132–5, 155, 171–2, 185, 217, 219–21, 227–9, 231, 263, 276

Valentine, Lewis 186
von Campenhausen, Hans 50, 52, 54, 57, 60
von Harnack, Adolf 48, 52
von Zahn, Theodor 50

Waldo 10, 243
Weinsheimer, Joel C. 89
Wellhausen, Julius 216
Welsh Writing in English gweler Cymry yn ysgrifennu yn Saesneg
werin, y 101, 103, 122–7, 130, 142, 147, 238, 245, 263–4, 276
Westcott, B. F. 55–6
Western Mail 129
Whitman, Walt 9
Wiliam Llŷn 202
Wiliams, Gerwyn 15, 93–4, 240

Wiliems, Thomas 85
Williams, D. J. 81, 144
Williams, Edward *gweler* Iolo
    Morganwg
Williams, G. J. 65, 100
Williams, Glyn 126
Williams, Ifor 83, 103–4, 110, 140,
    276
Williams, Ioan M. 89–90, 190–1,
    195
Williams, Iwan Llwyd 25, 81, 171,
    265
Williams, J. E. Caerwyn 85, 95, 104,
    109, 173
Williams, J. J. 223
Williams, Raymond 124
Williams, Stephen J. 99
Williams, T. Hudson 137

Williams, Waldo *gweler* Waldo
Williams, William *gweler*
    Pantycelyn
Wilson, Robert Smith 49, 54
Wimsat Jr., W. K. 18–19
Wittgenstein, Ludwig 230
Wolfreys, Julian 29
Wolin, Richard 259
Wood, David 178
Wynne, Elis 136

ymddiwyllio 183–4
Ymneilltuwyr, yr Hen 124
Ysbryd Glân, yr xv, 45, 61–2, 78,
    136, 154, 265
ysbrydoliaeth ddwyfol 56–7, 61–2,
    78, 135, 150–2, 154–5, 185, 216,
    265